La Fin de la grande noirceur

Pierre Godin

La Fin de
la grande noirceur

La Révolution tranquille
vol.1

Boréal

Conception graphique : Gianni Caccia
Photo de la couverture : Archives *La Presse*

©**Les Éditions du Boréal**

Dépôt légal : 2ᵉ trimestre 1991
Bibliothèque nationale du Québec
Diffusion au Canada : Dimedia

Données de catalogage avant publication (Canada)

Godin, Pierre, 1938-

La Fin de la grande noirceur

(Boréal compact ; 27)
Publ. antérieurement sous le titre : Daniel Johnson
Montréal : Éditions de l'Homme, c1980.
Comprend des références bibliographiques et un index.
Suivi de : La Difficile Recherche de l'égalité.

ISBN 2-89052-380-2

1. Johnson, Daniel, 1915-1968.   2. Union nationale.
3. Hommes politiques — Québec (Province) — Biographies.
4. Québec (Province) — Politique et gouvernement —
1960-1976.   I. Titre.   II. Titre : Daniel Johnson.

FC2925.1.J63G63 1991   971.4'04'092   C91-096264-2
F1053.25.J63G63 1991

Avant-propos

Il arrive parfois que l'écriture conduise celui qui s'y adonne en des lieux au départ inattendus. Ainsi, ce qui devait être la simple biographie de Daniel Johnson a pris, au fur et à mesure que la rédaction progressait, la forme d'une chronique politique plus vaste des années qui ébranlèrent le Québec traditionnel. Ce Québec de la « grande noirceur », caractérisé par sa bigoterie, son conservatisme, son arbitraire politique et contesté de toutes parts, allait opérer sa révolution tranquille.

Il faut dire que le matériau historique était riche. Les personnages fascinants ne manquaient pas non plus, tel Jean Lesage, premier chef d'orchestre du changement, ou les René Lévesque, Pierre Trudeau, Robert Bourassa, Jean-Jacques Bertrand et Pierre Bourgault.

À lui seul, le règne de Daniel Johnson englobait des événements énigmatiques et spectaculaires, comme l'épisode gaulliste du *Québec libre* et celui de la *Muraille de Chine,* où l'on avait vu sous les palmiers d'Hawaï le puissant financier Paul Desmarais « travailler » le premier ministre du Québec pour qu'il mît une sourdine à son chantage sur l'égalité ou l'indépendance.

Sans oublier non plus le percutant duel Trudeau-Johnson de 1968, amorce de la fameuse révision constitutionnelle qui devait couler lamentablement au fond du lac Meech vingt ans plus tard.

Tant d'événements qui déclencheraient des révisions politiques et sociales déchirantes dont sortirait le premier gouvernement d'un Robert Bourassa brisé sur la ligne de départ par la crise d'octobre 1970 et l'agitation sociale de mai 1972, qui allait conduire en prison les chefs des trois grandes centrales syndicales du Québec. Sans parler du référendum raté de mai 1980, qui obligerait René Lévesque à renoncer à son beau rêve d'un Québec enfin totalement maître de son destin.

L'évocation de tant de grands moments ne pouvait tenir dans un seul livre. Le *Daniel Johnson*, paru en deux tomes en 1980, devait avoir une suite. Deux titres s'ajoutèrent donc : *Les Frères divorcés* (1986) et *La Poudrière linguistique* (1990), formant dès lors les quatre premiers volumes d'une histoire de la Révolution tranquille qui en comptera six une fois terminée.

Aujourd'hui, les Éditions du Boréal reprennent dans leur collection « compact » le *Daniel Johnson* sous les titres de *La Fin de la grande noirceur* (vol. 1) et de *La Difficile Recherche de l'égalité* (vol. 2). Ces deux volumes retracent le passage progressif de la grande noirceur au dégel, du duplessisme à la Révolution tranquille, à travers le cheminement de Daniel Johnson, homme d'ancien régime s'il en fut.

Mais choisir de centrer le récit sur Daniel Johnson, plutôt que sur Jean Lesage, apparaîtra à certains extrêmement osé ! Après tout, le « père de la Révolution tranquille », comme en a décidé la Faculté, ce fut Lesage et non Johnson. Historiquement, rien de plus indubitable.

Encore qu'il ne soit pas interdit de penser que, si jamais il y eut un père de la Révolution tranquille, la couronne pourrait tout aussi bien être déposée sur la tête de René Lévesque. Car l'homme de génie qui possédait, dès le début des années 60, la vision la plus cohérente du Québec à venir, c'était bien lui. Son face à face avec le politicien duplessiste que demeurait encore Johnson nous le montrera assez.

Jean Lesage, quant à lui, aura été un acteur splendide et brillant. Un orateur superbe et un excellent politicien sachant manier la baguette de chef d'orchestre comme pas un. L'un de ses conseillers l'a déjà dit : Lesage, c'était le Jean Cocteau de la politique, stimulant pour les autres, mais incapable d'éclair de génie ou de vision cohérente de l'avenir du Québec.

Face aux grandes réformes des années 60 touchant l'éducation, l'économie, la démocratisation politique ou la syndicalisation du secteur public, Jean Lesage commençait toujours par dire non.

Un premier réflexe qui trahissait son conservatisme. S'il finissait par se rallier, c'était autant pour sa survie politique que par conviction profonde. Les porteurs d'idées nouvelles autour de lui, les René Lévesque, Paul Gérin-Lajoie, pour n'en citer que deux, lui reprochaient d'avoir parfois du mal à départager l'intérêt privé de l'intérêt collectif.

Quand le conservateur en lui remonta finalement à la surface, peu avant sa défaite de juin 1966, on le vit prendre fait et cause contre la réforme incarnée depuis les premiers coups de trompette de la Révolution tranquille par René Lévesque, qu'il finit par chasser de son parti, en 1967.

Ce manque de signification historique de Jean Lesage rend parfaitement légitime, croyons-nous, la perspective adoptée dans cet ouvrage. «Lesage n'a pas fait la Révolution tranquille, il l'a laissé se faire», a tranché un autre de ses conseillers.

Un second facteur important désignait aussi Daniel Johnson comme sujet d'étude de premier choix : sa métamorphose politique était à l'image même du grand chamboulement en cours au pays du Québec.

Cet homme, qui allait devenir premier ministre en 1966, avait au départ tout contre lui : une origine modeste, un nom à consonance anglaise et l'hostilité déclarée de la presse qui le caricaturait sous les traits de «Danny Boy», politicien un peu canaille, démagogue populiste élevé dans le sérail de l'ancien régime.

Comme beaucoup de ses compatriotes, Daniel Johnson restait prisonnier de deux mondes. Personnage secret et calculateur jusqu'à l'ambivalence, reflet fidèle du peuple québécois écartelé entre deux patries, il allait pourtant finir sa vie dans la peau d'un chef d'État moderne et respecté, qui avait mis le nom du Québec sur la mappemonde avec la complicité du général de Gaulle. Ce simple épisode constituait en soi une belle énigme à déchiffrer et rendait l'entreprise encore plus fascinante. En nous gardant bien, évidemment, de tordre le cou à l'histoire.

Pour tout dire, la métamorphose, sur fond de Révolution tranquille, du politicien assoiffé de pouvoir et qui fait flèche de tout bois en leader adapté à son temps qui entraînera bientôt son peuple dans sa difficile recherche de l'égalité, constituait le symbole parfait de la conversion tranquille du Québec traditionnel aux idées modernes. Sidérurgie d'État, cégeps, Université du Québec, protecteur du peuple, ministère de l'Immigration, légalisation du divorce, mariage civil, Assemblée nationale, institutionnalisation du référendum, affirmation internationale, législation linguistique, voilà autant de réformes qui font partie du legs unioniste des années 1966-1970.

Enfin, une dernière raison justifiant le fait que l'accent est placé dans les deux premiers volumes sur le personnage Daniel Johnson, c'est la permanence de l'ancien régime, du modèle duplessiste pourrait-on dire, dont Johnson restait encore l'incarnation et le héraut aux premières heures du grand changement. Comment en effet ne pas voir que de 1944 à 1970, période de gestation puis d'éclatement de la Révolution tranquille, l'Union nationale a accaparé le pouvoir 20 ans sur 26 ? D'où l'intérêt chez l'auteur de centrer le récit sur la mutation douce des duplessistes en révolutionnaires tranquilles — phénomène de récupération qui vérifie le postulat voulant qu'au Québec rien ou si peu ne change vraiment.

Autrement dit : la « grande noirceur » s'est fort bien accommodée de la réforme et a même fini par la digérer et la consolider, entre 1966 et 1970, sous Daniel Johnson et Jean-Jacques Bertrand. Le « nouveau régime », si l'on peut désigner ainsi la Révolution tranquille, n'aura été que la modernisation de l'ancien mais non sa destruction, comme le suppose une révolution authentique.

Voilà pourquoi les sociologues, qui l'avaient compris, ont forgé l'expression « années de rattrapage » pour décrire l'époque.

Avec sa vision précautionneuse de l'avenir — qui n'avait nullement empêché le Québec d'accéder après 1945 à la modernité industrielle —, le duplessisme avait taraudé si profondément l'âme québécoise, qu'on en était venu à le croire immortel. Et de fait, il le serait devenu n'eût été du caractère mortel de Paul Sauvé, l'homme du *Désormais,* qui avait entrepris, dès 1959, d'ajuster « tranquillement » l'ancien régime aux exigences d'une société moderne nord-américaine pour mieux le sauvegarder.

De ce point de vue, la parenthèse libérale de 1960-1966 s'explique par la mort de quelqu'un — pour pasticher André Laurendeau écrivant : « la Révolution tranquille a commencé par la mort de quelqu'un ». Mais pour Laurendeau, ce quelqu'un était plutôt Maurice Duplessis.

Ce n'est pas un hasard de l'histoire, mais plutôt la nécessité de la continuité nationale d'un peuple du petit pain, qui explique pourquoi ce sera le parti de René Lévesque, l'homme du « maître chez nous » et de la nationalisation de l'électricité de 1962, qui assumera quelques années plus tard l'héritage duplessiste. En effet, aux élections d'avril 1970, le PQ avalera les débris de l'Union nationale. Trop ancré dans l'âme québécoise, l'ancien régime ne pouvait pas mourir. Il allait se réincarner dans le nouveau parti.

Ainsi, la vision du Québec défendue par le duplessisme depuis la fin des années 30, notamment l'idée d'autonomie dont « l'égalité ou indépendance » de Daniel Johnson, puis la souveraineté-association de René Lévesque avaient pris le relais, était-elle assurée de survivre, dépouillée cependant de sa gangue passéiste dans le nouveau parti bleu.

Pierre Godin, printemps 1991.

CHAPITRE 1

Monsieur le député de Bagot

Un chahuteur place ses lourdes mains de paysan en porte-voix et crie :

— On veut pas d'un maudit Anglais dans Bagot !

Des applaudissements mêlés de sifflets accueillent l'injure destinée à Daniel Johnson, candidat de l'Union nationale aux élections partielles qui auront lieu dans la circonscription rurale de Bagot, en cet hiver glacial de 1946, une semaine avant la Noël. Son rival, le libéral Roland Bailly, cesse de parler. Il savoure le tumulte provoqué par ses partisans. Mais le Dr Bailly n'est pas mauvais coucheur. À peine sourit-il... pour ne pas attiser le feu du « racisme », sans doute. Il n'est pas anglophobe, mais en politique comme à la guerre, tous les coups sont permis.

Sur l'estrade, l'avocat Daniel Johnson n'a pas bronché. Une écharpe soutient son bras gauche fracturé dans un récent accident d'automobile. Un murmure hostile parcourt comme une onde une partie de l'assistance entassée dans la salle paroissiale du village de Saint-Liboire. Les yeux de Johnson se tournent vers Maurice Bellemare, le bouillant député de Champlain, venu lui prêter main-forte. Bellemare est rouge comme un coq !

Le regard froid de Johnson le calme : la consigne sera suivie à la lettre ! Avant cette assemblée contradictoire, la première depuis le début de la campagne, Bellemare, Johnson et Ernest Chartier, le principal organisateur local, ont défendu aux unionistes d'être polissons. Le mot d'ordre : Laissons aux rouges le monopole des insultes ! Les augures sont favorables ; il est donc inutile de déclencher la bagarre. Pas de fausse note !

Paul Sauvé, le flamboyant et nouveau ministre du Bien-Être social et de la Jeunesse, a pris place aux côtés du jeune avocat de l'Union nationale. Droit comme un Spartiate, Sauvé, le héros de Normandie, évalue la situation. À peine rentré de la guerre avec tous les honneurs, il s'est vu confier par Duplessis la direction de la campagne électorale de Bagot. C'est un fief libéral qu'il essaie de conquérir depuis 1936.

La mission de Sauvé consiste notamment à lever l'hypothèque électorale que constitue le nom de famille du candidat. Johnson est promis à une brillante carrière politique, mais encore faut-il qu'on cesse de le prendre pour un Anglais ! En réalité, il n'a d'anglais que le nom et l'ascendance : sa langue maternelle est le français et il parle même anglais avec un accent. Il faut que cela se sache enfin ! Le chef du gouvernement a donc demandé à son principal lieutenant de profiter de cette élection partielle pour mettre les choses au point, une fois pour toutes.

Le rondelet Sauvé ne s'est pas fait prier. Il ne connaît pas ce Johnson, mais sa formation de militaire lui interdit de discuter les ordres d'un chef. Tout autant que par le goût des armes hérité d'un ancêtre soldat natif du Bordelais, le « brigadier » Paul Sauvé est possédé par le démon des duels politiques. Il ne les refuse jamais. Il souffle à l'oreille de Johnson :

— Laisse-moi les dix minutes de réplique, je vais réfuter cet argument.

— Non, laissez-moi faire, je m'en charge, répond avec assurance le candidat.

Si Johnson insiste tant auprès de Sauvé pour démolir lui-même l'accusation dans cette salle surchauffée de Saint-Liboire où la moindre étincelle risque de mettre le feu aux poudres, c'est que sa réplique est prête. Le futur député de Bagot est un homme méthodique. Le jour où il a pris la décision de faire de la politique, il a prévu l'attaque. Il s'est donc forgé une défense.

Il brûle d'impatience de lancer sa riposte à ces électeurs ruraux qu'il a travaillés pendant six ans avec une patience de jardinier pour les attirer à lui, « l'Anglais », à lui, « l'étranger » ... Dès le début de la course, ses adversaires l'ont frappé d'un autre anathème : Daniel Johnson n'habite pas Bagot, mais Montréal. Il a beau pratiquer le droit dans le comté depuis 1940, année où il a ouvert un bureau de fin de semaine à Acton Vale, il n'est pas pour autant un vrai résident de Bagot. C'est un « parachuté ».

Avant de céder la parole à son rival, le Dr Bailly s'empresse d'enfoncer son dernier clou :

— Je veux que la population du comté de Bagot dise à Duplessis qu'elle est maître chez elle. Monsieur Johnson est le choix de Duplessis, alors que moi, candidat libéral, ce sont les gens de Bagot qui m'ont choisi ! Monsieur Johnson, ce n'est rien d'autre qu'un étranger dans le comté !

Une ovation souligne le *punch* final du Dr Bailly. Nullement intimidé, Johnson marche vers le lutrin, dans le bruit de la claque soutenue mais disciplinée que vient de déclencher Maurice Bellemare. De taille moyenne et très mince, Johnson porte une moustache fine et bien taillée. Ses yeux rieurs sont d'un beau bleu.

Son habileté naturelle va compenser son manque d'expérience. Un peu frustré, Sauvé doit ranger son mousquet d'ancien militaire : ce ne sera pas son combat, mais celui de ce jeune Johnson que le Chef lui a demandé de faire élire.

À sa sortie de l'université, Daniel Johnson s'était mis à dévorer les livres d'histoire. Sa passion l'avait amené à étudier longuement la révolte des Patriotes de 1837. Depuis, il ne fait pas un discours sans dresser un parallèle entre la lutte de Duplessis pour l'autonomie financière de la province et celle de Papineau pour le contrôle des subsides, avant les Troubles.

Il a trouvé dans cette période historique l'argument décisif pour lever enfin l'interdit jeté sur son nom anglais par ses adversaires. Il veut en finir une bonne fois avec ces assertions qui frôlent le racisme. Que diable ! Pourquoi le nom de Johnson ferait-il de lui un paria ? Est-il un traître à la race parce que du sang anglais coule dans ses veines ? Serait-il moins bon patriote que le Dr Nelson, anglophone et premier lieutenant de Louis-Joseph Papineau ?

— Je suis canadien-français, s'exclame le futur député de Bagot en se campant fièrement sur l'estrade. En 1837, il y a eu un Nelson aux côtés de Papineau ; il y aura maintenant un Johnson aux côtés de Duplessis[1] !

L'argument porte, pique à vif les libéraux dans ce climat fortement nationaliste d'après-guerre. La flèche de Johnson a atteint le cœur de la cible et ses partisans l'ovationnent bruyamment. Sur son siège, Paul Sauvé se trémousse en souriant largement. Il apprécie, comme la foule, la formule du jeune candidat au « salon de la race ». Il reconnaît le politicien de haut calibre. Ce jeune-là a de l'avenir ! Évoquer Papineau et Nelson à Saint-Liboire, dans un comté rural où les commettants se préoccupent bien plus de crédit agricole, de voirie ou d'électrification rurale que de hauts faits historiques, voilà qui ne manque pas de toupet !

L'intérêt du soldat Sauvé pour les Patriotes est à l'égal de celui de son jeune collègue. Natif du village de Saint-Benoît qui fut le théâtre de rudes batailles entre les Patriotes et l'armée britannique, Sauvé se passionnait, jeune garçon, pour les récits des vieux du comté de Deux-Montagnes. À force d'écouter durant de longues veillées le compte rendu des événements tragiques de 1837, le sang militaire qui coulait déjà en lui se réchauffa. À vingt-quatre ans, à peine reçu au barreau, Sauvé revêtait la tunique des Fusiliers Mont-Royal et devenait réserviste. Aussi, en 1939, ne se fit-il pas prier longtemps pour partir à la guerre[2].

Daniel Johnson, lui, n'a rien du militaire, si ce n'est le cran devant l'ennemi politique. Il ne manque pas d'aplomb. Mais il n'a que trente et un ans et, pour l'Union nationale, la jeunesse est presque une tare. Pourtant, il a su vaincre l'opposition première de Duplessis à sa candidature.

S'il se trouve là aujourd'hui, élu du Chef, au milieu de cette foule échauffée d'agriculteurs qui le rejettent à cause de son nom de famille, il le doit avant tout à ses instincts de batailleur irlandais qui lui viennent de son père, Francis Johnson. Il sait que son nom comme son jeune âge dressent un mur entre ses ambitions et sa carrière politique. « C'est pour moi un redoutable handicap de porter un tel nom dans une province française », répète-t-il souvent à ses proches[3]. Dans cet après-guerre, tout ce qui sent l'Anglais suscite la méfiance des petites gens.

Au Québec, on n'a pas oublié la conscription imposée au gouvernement Mackenzie King par une majorité anglophone plus guerrière et plus royaliste que le roi d'Angleterre. Néanmoins, ce soir-là, Johnson n'affiche pas la mine d'un homme qui vient de recevoir un soufflet. Il a l'habitude : on le prend pour un Anglais depuis son adolescence. Il lui est même arrivé de pouvoir s'en féliciter. Ainsi, à Toronto, durant la guerre, son nom constituait pour lui un véritable passeport. Dans les hôtels de ce château fort du loyalisme britannique, il n'était pas facile pour un *damned Frenchman* d'obtenir une chambre. La crise de la conscription avait enflammé les passions et aiguisé les divisions nationales. Anglophones et francophones se regardaient comme chien et chat, à Montréal aussi bien qu'à Toronto. Quand ses affaires le conduisaient en Ontario, il n'avait qu'à dire : « *My name is Daniel Johnson...* » et les portes s'ouvraient devant lui. De retour à Montréal, le jeune avocat prenait un malin plaisir à dire à ses collègues, parfois victimes de brimades : « Moi, avec mon nom anglais, je suis correct ! »

Ce nom anglais donnait à Johnson un autre avantage : celui de susciter les confidences parfois teintées de racisme des Canadiens anglais à propos des francophones. Aussi n'eut-il qu'à ouvrir grandes ses oreilles pour se faire très tôt une idée précise des préjugés du Canada anglais à l'endroit de ses compatriotes.

Qu'un rouge intolérant lui donne aujourd'hui du « maudit Anglais » en pleine campagne électorale ne le dérange pas. Il s'y attend toujours et jamais il ne lui viendrait à l'esprit de dénigrer son patronyme. Quelques années auparavant, au séminaire de Saint-Hyacinthe, il affichait même son anglophonie comme une fleur à la boutonnière. Son bilinguisme le mettait dans une classe à part. « Dan » était l'un des rares séminaristes à pouvoir fraterniser rapidement avec les contingents d'élèves franco-américains venus se retremper aux sources. À leur arrivée à Saint-Hyacinthe, ils pouvaient à peine dire deux mots en français. Johnson leur servait d'interprète.

À Danville, sa ville natale du comté voisin de Richmond, où anglophones et francophones cohabitaient tant bien que mal, les premiers le taxaient de « Français » à cause de sa mère canadienne-française, les seconds d'« Anglais » à cause de son père irlandais. Pas assez français pour les Français et pas assez anglais pour les Anglais ! Il avait toujours été pris entre l'arbre et l'écorce, tout comme son père qui acceptait cependant moins facilement que lui de se faire jeter à la figure son ascendance anglophone.

Quand Daniel était monté pour la première fois à la tribune

aux élections de 1939 (où Duplessis avait mordu la poussière après seulement trois ans de pouvoir), une voix dans la salle avait lancé, dès qu'il s'était mis à parler :

— On n'a pas besoin d'Anglais ici !

Francis Johnson avait tenu à assister à l'intronisation politique de son fils. L'exclamation avait réveillé en lui cet amour exceptionnel de la bagarre qui sommeille en tout Irlandais. Il avait voulu corriger le malotru. Menaçant, il avait protesté dans un mauvais français :

— On n'est pas des Anglais, mais des Irlandais, catholiques comme vous... c'est pas pareil !

*   *   *

Daniel Johnson n'appartient pas à ces grandes familles bourgeoises, anglophones ou francophones, qui monopolisèrent après la Confédération l'exercice des professions libérales et du pouvoir politique. Il est d'extraction populaire. L'ambition, le travail, mais aussi beaucoup de talent suppléent à la modestie de ses origines. Il a connu très tôt la pauvreté et la misère de ces familles nombreuses plongées dans la crise économique de l'entre-deux-guerres.

Daniel Johnson est né le 9 avril 1915 dans un joli village du pays de l'amiante, perché sur une butte : Danville. Son père, Francis, était un modeste commis de ferronnerie. Originaire d'Irlande du Sud, plus précisément du comté de Mayo, son ancêtre, George Johnson, avait débarqué à Québec en 1843[4] et s'était établi à Tingwick, bourg situé entre Victoriaville et Asbestos, près de Warwick. C'est dans sa maison de bois qu'avait été célébrée la première messe de cette petite localité.

Quant au « sang » de l'aïeule de Daniel, il était tout aussi irlandais : la mère de Francis portait le nom de Walsh et venait d'Irlande. Francis sera le premier de la lignée Johnson à épouser une Canadienne française, Marie Daniel[5].

Le jeune Francis avait la bougeotte. À seize ans, il quitta Tingwick pour Victoriaville où il se fit embaucher comme commis dans un magasin général appartenant à un dénommé Bourbeau. La coutume voulait alors que l'employé habitât chez son patron. Francis n'eut pas le choix : il dut apprendre le français. C'étaient des années de misère et comme il voulait améliorer son sort, il fit bientôt ses adieux à M. Bourbeau. Il s'arrêta d'abord à Montréal puis, comme tant de jeunes de sa génération, il alla chercher fortune aux États-Unis. L'herbe n'étant pas plus verte dans le pré américain, Francis fut contraint de rentrer au Québec. Il se fixa finalement à Granby où il décrocha un emploi dans une ferronnerie de la chaîne Mitchell[6].

À Granby, Francis s'éprit d'une employée de bureau originaire de West Shefford, Marie Daniel. La jeune Canadienne française dut trouver l'Irlandais de son goût car ils s'épousèrent bientôt. Une fille naquit durant leur séjour à Granby, Évelyne, qui mourut quelque temps plus tard de tuberculose. Les neuf autres enfants, dont Daniel, le deuxième, verront le jour à Danville où le ménage s'établit enfin. Outre Évelyne et Daniel, la famille comptera quatre filles : Madeleine, Claire, Viviane et Doris ; et trois garçons : Réginald, Maurice et Jacques.

Nourrir autant de bouches quand on est simple commis de magasin et que la dépression économique rend l'argent aussi rare que l'air en haute altitude, c'était beaucoup demander à Francis Johnson. Son fils Daniel grandit dans la misère avec, sous les yeux, le régime corrompu de Taschereau. Servant de messe, il devait parfois acheter du lait pour la famille avec les quelques sous que lui remettait M. le curé Gervais. Francis Johnson trimait dur pour joindre les deux bouts, exerçant trente-six métiers, dont celui de vendeur d'assurances ou de machines à laver ! Mais « Frank » avait bon caractère. C'était un joyeux luron qui faisait volontiers la causette avec tout le monde. En bon Irlandais, il levait le coude de temps à autre. Les Français disaient de lui : « C'est tout un caractère ! » Les Anglais : « *He is a jolly good fellow !* »

Quand il en avait le temps, Francis Johnson se mêlait de politique à titre d'organisateur du Parti conservateur. Autant dire que les premières décennies du XXe siècle furent pour lui des années de vache maigre. Il dut affronter le « crois-ou-meurs » du régime libéral d'Alexandre Taschereau. Pendant longtemps, le conseil municipal de Danville refusa de signer sa carte d'assistance publique parce qu'il était un bleu.

Avec l'arrivée au pouvoir de Duplessis en 1936, Francis Johnson crut en avoir fini avec la misère. Il devint l'adjoint du gérant de la succursale de la Commission des liqueurs ouverte en 1937 par le gouvernement Duplessis à Richmond, à quelques milles

de Danville. Francis ne fit ni une ni deux et déménagea ses pénates
à Richmond. Mais, comble d'infortune, il se retrouva chômeur deux
ans plus tard, en 1939, avec le retour au pouvoir des libéraux.

En 1939, Daniel Johnson achevait sa troisième année de droit.
Il avait vingt-quatre ans et venait de terminer son mandat à la
présidence de l'Association des étudiants de l'Université de Montréal.
Plein d'assurance, il décida que les rouges n'allaient pas traiter son
père ainsi et fila tout droit au bureau du nouveau premier ministre
Godbout à qui il demanda d'intercéder en sa faveur. Mais celui-ci
fut catégorique :

— Je ne peux rien pour ton père...

À cette époque, la loi du patronage était aussi implacable que
celle du talion. Pourtant, Johnson et Godbout se connaissaient.
Comme Johnson, le premier ministre avait failli devenir prêtre. Le
chef libéral avait passé une partie de la Première Guerre mondiale
au Grand Séminaire de Rimouski. L'étudiant Johnson tombait mal
parce que Godbout était furieux contre les duplessistes. Au cours de
la campagne électorale, on avait tenté de le faire passer pour un
trouillard en faisant circuler une photographie le montrant vêtu de
la soutane, avec la mention : « Que faisait M. Godbout en 1914-
1918[7] ? »

* * *

Il faut beaucoup de courage à ce « maudit Anglais » de Johnson
pour contester Bagot aux libéraux. Le comté a toujours été un
cimetière pour les candidats conservateurs et unionistes. Les libéraux ont remporté 16 des 25 élections qui y ont été tenues depuis la
Confédération.

Entre 1900 et 1936, l'hégémonie libérale avait été totale. Mais
en 1938, l'invalidation de l'élection du député libéral Cyrille
Dumaine obligea Duplessis à tenir un scrutin partiel dans le comté.
Le candidat unioniste, le Dr Philippe Adam, arracha la victoire de
haute lutte et moyennant espèces sonnantes[8].

La lutte avait été homérique. Le chef de l'opposition, Adélard
Godbout, s'était installé dans Bagot et avait lui-même dirigé la
campagne de son candidat, Cyrille Dumaine. Comme premier ministre, Duplessis possédait beaucoup d'atouts, dont celui de tenir les
cordons de la bourse. L'enjeu de la campagne : le crédit agricole.

Duplessis ne lésina pas. Il porta à 25 millions de dollars le montant des crédits disponibles et multiplia les prêts aux cultivateurs de Bagot. En 1936, Godbout avait commis l'erreur de combattre la création de l'Office du crédit agricole en invoquant l'existence d'un crédit fédéral. Son alignement inconditionnel sur Ottawa lui joua un vilain tour, car le nouvel office se révéla très populaire auprès de la classe agricole. Le Dr Adam enleva donc le comté à son éternel rival, Cyrille Dumaine, par une faible majorité de 454 voix[9].

Cependant, la carrière du député Adam fut de courte durée. Aux élections générales de 1939, la vague libérale l'emporta comme elle le fit d'ailleurs du gouvernement Duplessis. Cette année-là, la campagne avait été dominée par le climat de guerre qui joua en faveur des libéraux provinciaux, activement soutenus par leurs grands frères d'Ottawa. C'étaient eux qui détenaient non seulement le nerf de la guerre, mais aussi le pouvoir... de la faire. Quant à Duplessis, il avait été contraint de faire appel au peuple, car la Loi sur les mesures de guerre adoptée par le gouvernement Mackenzie King lui interdisant dorénavant toute transaction financière avec un pays étranger, les portes des banques américaines se fermaient devant lui.

L'entourage de Duplessis s'était étonné de ces élections hâtives. Alfred Hardy, le grand patron du Service des achats du gouvernement, s'en était ouvert au premier ministre :

— Pourquoi des élections ? Ça va bien. Je parle aux gens et je ne vois pas de mouvement sérieux d'opposition...

— Fred, veux-tu être payé ? répliqua Duplessis. Veux-tu que ton chèque de paie et le mien passent à la banque ? Je suis obligé d'aller en élection parce que les banques nous coupent les fonds[10].

Le premier contact de Johnson avec le monde de la politique date précisément de l'élection générale du 25 octobre 1939. À cette époque, il est inscrit en droit à l'Université de Montréal, mais les études n'ont jamais constitué un frein au besoin d'action qui le dévore depuis ses premières années au séminaire de Saint-Hyacinthe. L'étudiant en droit, comme l'ancien séminariste, se mêle à toutes les associations imaginables.

À l'automne 1938, Johnson a retrouvé à la faculté de droit son bon ami André Dumont, d'Acton Vale. Au séminaire, ils formaient avec Maurice Archambault un trio inséparable. Dumont — alias « Sursum

Corda » — se plaisait, au collège, à réconforter ses confrères amortis par le spleen. « *Sursum Corda* », leur disait-il en faisant appel à des sentiments plus élevés. Le surnom lui était resté. En octobre 1939, faire de la politique relève, dans l'esprit de Dumont, du domaine des nobles sentiments. Il invite Johnson à venir faire la campagne dans Saint-Pie en faveur du Dr Adam qui brigue de nouveau les suffrages contre Dumaine.

— Pourquoi pas ? répond l'étudiant Johnson que tous les théâtres attirent.

Son baptême du feu sera à la fois envoûtant et décevant. Il découvre avec son ami Dumont un monde nouveau où son insatiable besoin d'agir trouve emploi. Johnson s'initie aux arcanes de la politique. Il fait la rencontre d'un vieux sage qui jouera plus tard un rôle important dans sa vie : Edmour Gagnon, l'un des organisateurs politiques du Dr Adam et l'oncle d'André Dumont.

Durant la campagne, Gagnon enseigne les trucs du métier à Johnson. Le jeune turc et le vieux loup se découvrent des atomes crochus. Mais les unionistes n'ont aucune chance et le Dr Adam doit rendre à Dumaine le comté qu'il a à peine eu le temps d'apprivoiser. Daniel Johnson a, lui aussi, perdu ses élections. Il retourne un peu déçu à la faculté, mais garde en lui ce goût de la politique qu'il vient de découvrir en cet automne rougeoyant de Bagot.

D'ailleurs, il a eu le coup de foudre pour le comté. Quand il sera député, quelques années plus tard, Johnson ne cessera pas de répéter : « Bagot, c'est le plus beau comté de la province. » Treize paroisses, une population de 17 642 habitants — dont 53 seulement sont de langue anglaise — et une liste électorale de 9800 noms. Une petite circonscription à vocation rurale et semi-industrielle. Quelques usines (chaussure, caoutchouc, textile) sont regroupées autour d'Acton Vale, le chef-lieu du comté.

En 1940, Daniel Johnson est admis à la pratique du droit. D'origine modeste, il a pu faire des études grâce à l'aide financière d'une riche bienfaitrice de Granby, la veuve Huot. Mais pour s'inscrire au barreau, une fois son droit terminé, il lui faut 200 dollars. Et il ne les a pas. Où les trouver ? Facile. Johnson n'est jamais à court d'idées. Il lance distraitement à Dumont :

— J'ai besoin de 200 dollars pour m'inscrire au barreau.

— Mon oncle va te prêter ça !

Johnson a une idée derrière la tête. Il sait maintenant deux choses : il plaît à Edmour Gagnon et il compte ouvrir un cabinet à Acton Vale pour la pratique de fin de semaine. Il a décidé de s'enraciner dans Bagot. En juin 1940, Dumont conduit son ami chez son oncle. Celui-ci ne se fait guère prier pour avancer la somme demandée sans même exiger de reconnaissance de dette. Gagnon est un homme d'affaires prospère. Bleu depuis toujours, ami de Duplessis, c'est le « Nestor » de l'organisation unioniste de Bagot. On quête ses avis politiques.

Gagnon a adopté Johnson dès la campagne de l'automne 1939, décelant en lui la bête politique. L'avenir de son jeune débiteur ne le laisse donc pas indifférent. Il le perçoit même comme le successeur du Dr Adam qui a fait son temps. Edmour est cependant trop loyal pour faire campagne contre ce dernier. Mais si Adam échoue aux prochaines élections, prévues pour 1944, il devra se retirer. On doit donc dès maintenant songer à sa succession. En vieux renard qu'il est, Edmour a décidé, en son for intérieur, que ce sera Johnson. Aussi, quand celui-ci lui fait part de son intention d'ouvrir un cabinet à Acton Vale, Gagnon lui dit :

— Bon... ça va te prendre de l'argent pour ouvrir un bureau, mon gars. Je vais t'avoir du crédit. Tu vas t'installer ici et tu vas en avoir, des clients !

Edmour lui remet sur-le-champ une lettre de crédit de 5000 dollars.

— Je vous signe une reconnaissance de dette, propose Johnson, abasourdi par tant de confiance.

— Pas besoin de billet, mon gars ! Si ta parole vaut pas 5000 dollars, t'iras pas loin[11].

Un jeune avocat dans la ligne du pouvoir

Avocat montréalais, Johnson revendique le titre de député d'un comté qu'il n'habite pas. Son étude est située au numéro 10 de la rue Saint-Jacques, dans l'édifice Thémis. Jusqu'en 1942, il va remplir le rôle de conseiller juridique auprès d'organismes aussi divers que la Chambre de commerce des Jeunes, le Conseil central des syndicats nationaux de Montréal ou l'Union des Latins d'Amérique. C'est un avocat très demandé et, sur son bureau, les dossiers s'empilent. L'un de ses voisins, Me Réginald Tormey, un confrère du séminaire de Saint-Hyacinthe ayant, lui aussi, un patronyme anglais, voudrait qu'ils s'associent. Ils en parlent durant deux ans sans que le projet se concrétise.

L'année 1942, c'est le creux de la guerre. Le Canada a besoin de ses fils, non seulement pour servir de chair à canon outre-mer, mais également pour l'effort de guerre au pays. Me Tormey passe au service des industries de la Défense, à Verdun. Me Johnson a vingt-sept ans, et la guerre ne lui dit rien qui vaille. Au contraire, la politique l'accapare de plus en plus. Après 1942, cela lui deviendra même une seconde nature. Il se joint alors à un cabinet anglais dont le principal avocat est Jonathan Robinson, député anglophone de l'Union nationale, élu pour la première fois dans la circonscription de Brôme en 1936. C'est un comté majoritairement anglophone, favorable à la conscription. Mais le parti de Duplessis mène une campagne antiguerre qui a déjà provoqué la démission de deux députés anglophones. La situation de Robinson est difficile. Il reste néanmoins solidaire d'un chef que la coalition antiduplessiste dépeint comme un rebelle et un fasciste, alors que lui-même se déclare loyaliste et partisan de la conscription[12].

Jonathan Robinson est le seul anglophone à oser se compromettre avec les duplessistes. Pourtant, ses électeurs lui confient, de bon cœur, un nouveau mandat lors du scrutin de 1939, au moment même où le parti de Duplessis essuie une raclée dans le reste de la province. Il faut que son attachement au Chef soit fort car, dans ce climat de représailles, cette étiquette honnie de député de l'Union nationale le désigne à la vindicte des siens. Le milieu anglophone de Montréal le bannit de ses rangs ; dans les cercles de langue anglaise, on le taxe de traître, on le met dans le même sac que ces poltrons de *French Canadians* qui ne veulent pas aller à la guerre. Son cabinet le congédie :

— On ne veut plus de toi ici à cause de l'attitude fasciste de Duplessis !

Robinson ouvre alors avec Daniel Johnson et un autre avocat anglophone, Me Wilson, un cabinet qui ne chômera pas[13].

Le colonel Robert Rutherford McCormick, un riche Américain à qui Duplessis avait consenti, en 1937, de vastes territoires forestiers sur la Côte-Nord, va secourir l'infortuné Robinson qui lui avait servi d'intermédiaire auprès du chef de l'Union nationale : « Ouvre ton bureau, lui dit-il, je vais t'aider. » Et il fait de la nouvelle étude Robinson, Wilson et Johnson son conseil juridique pour tout ce qui concerne ses intérêts au Québec. Ainsi, Daniel Johnson se trouve-t-il relié à Duplessis par l'intermédiaire du député Robinson.

Fondateur de Baie-Comeau — où s'élève aujourd'hui un monument à sa mémoire —, le colonel McCormick dévore des kilomètres de forêt pour alimenter en papier le *Chicago Tribune* et le *New York Times,* les deux fleurons de son empire financier. Duplessis lui a ouvert la Côte-Nord. Aussi, le colonel aime-t-il le chef de l'Union nationale avec qui, d'ailleurs, il a certaines affinités. Les deux hommes se rejoignent dans leur opposition commune aux guerres européennes. Tout colonel qu'il soit, McCormick ne veut pas entendre parler d'une participation américaine à la guerre. Il se joint au mouvement isolationniste américain auquel il prête le puissant concours du *Chicago Tribune.* Comme Duplessis qui combat lui aussi toute intervention canadienne dans une « guerre étrangère », McCormick passe pour un fasciste, voire pour un agent de Mussolini et de Hitler[14] !

En devenant l'associé du député Robinson, Daniel Johnson s'est placé dans la ligne du pouvoir. Il a une base électorale, Bagot, qu'il va parcourir d'un bout à l'autre durant les années de guerre. « Dan » est un homme chaleureux. Dans la rue, il parle à tout le monde. Sa popularité grandit rapidement.

Au début, il avait ouvert deux bureaux, l'un à Acton Vale et l'autre à Richmond. Il alternait entre les deux, d'une fin de semaine à l'autre. Mais aller à Richmond lui compliquait la vie parce qu'il devait plaider à Sherbrooke, ce qui l'éloignait trop de Montréal et de Bagot. Il y ferme donc son cabinet et conserve celui d'Acton Vale où les choses lui sont beaucoup plus faciles puisque la Cour siège tout près, à Saint-Hyacinthe. De plus, il ne veut rien ménager pour conquérir les électeurs de Bagot. Après 1942, on voit donc le jeune avocat Johnson passer presque toutes ses fins de semaine dans le comté[15].

Il s'intéresse aux gens, « Dan ». Pas prétentieux pour deux sous, même s'il vient de Montréal et pratique le droit ! Il défriche le comté comme un colon sa terre. Il y met le temps, l'acharnement et surtout l'amour des autres. Les ruraux abandonnent progressivement la méfiance qu'ils éprouvaient envers cet étranger au nom anglais. En 1943, il devient le principal organisateur politique du Dr Adam. Ce dernier compte bien pouvoir croiser le fer avec son irréductible adversaire, Cyrille Dumaine, lors des élections prévues pour l'année suivante.

Bagot présente, pour qui désire s'en emparer, des difficultés particulières. Les communications d'un village à l'autre sont à peu près inexistantes, les gens ne se visitent pas beaucoup, on reste chez soi. Il faut donc rejoindre chaque bourg, chaque paroisse, chaque électeur, multiplier les efforts pour arriver à se faire connaître.

Philosophe, Edmour Gagnon trouve que cette particularité a ses bons côtés :

— Il n'y a pas une vague qui peut balayer le comté, explique-t-il à Johnson. Une fois qu'on a le comté bien en main, on ne peut pas se faire renverser.

Le disciple retient la leçon. Le jour venu, quand ce sera à son tour de se jeter à l'eau, il saura bien engloutir l'adversaire.

Parallèlement à ses activités d'organisateur, Johnson devient maître de chapelle à Acton Vale. Au séminaire, il avait appris la musique et le chant. L'abbé Gadbois, l'auteur des *Cahiers de la bonne chanson,* lui avait appris à jouer de la trompette et à cultiver sa voix, qui est fort belle. Johnson témoigne beaucoup d'admiration à l'abbé dont les albums se retrouvent dans toutes les maisons, à côté de *L'Almanach du Peuple* et du calendrier de la bonne sainte Anne. Déjà, l'abbé Gadbois avait monté l'opéra *Joseph* et « Dan », qui était alors en rhétorique, y avait tenu un rôle.

Chez Johnson, le chanteur se double d'un animateur impénitent, d'une sorte d'apôtre social. Il a constaté que la jeunesse s'ennuie à Acton Vale. Pourquoi pas un chœur de chant ? Il faut éviter le désœuvrement, lui ont répété pendant des années les prêtres du séminaire. Son idée emballe les jeunes. Il recrute alors les « belles voix » de l'Association professionnelle des employés d'Acton Rubber, une firme dont il est (comme par hasard) le conseiller juridique. La chorale de « Dan » va rapidement devenir populaire dans la région[16].

À la fin de juin 1944, quand Adélard Godbout déclenche des élections pour le 8 août suivant, Daniel Johnson fait déjà partie du paysage de Saint-Pie et d'Acton Vale. Godbout lui fournit l'occasion de prouver ses talents d'organisateur et il se jure d'obtenir la tête du libéral de Bagot. Edmour Gagnon le ramène sur terre :

— Mon gars, n'oublie jamais dans tes prières que Bagot, c'est rouge depuis 1900 !

C'est vrai, mais les majorités du gagnant sont toujours faibles. Et la victoire du Dr Adam, en 1938 ? Il ne faut pas l'oublier ! Ne peut-on répéter l'exploit ? répond l'élève à son maître. En cet été chaud de fin de guerre, les circonstances favorisent les candidats de l'Union nationale.

Duplessis est sûr de sa victoire. Les volte-face du premier ministre Godbout pendant les hostilités l'ont tué. Le Bloc populaire, cette faction radicale du nationalisme canadien-français dirigée par André Laurendeau, se promet également de faire des ravages dans les rangs du Parti libéral — ce parti de « traîtres et de renégats ». Le fantôme de la conscription hante encore les esprits. Dans les campagnes de Bagot et d'ailleurs, personne n'a oublié le sort de ces enfants de dix-huit ans obligés de se terrer au fond des bois, de se travestir ou de se trancher à la hache l'index de la main droite, pour éviter les charniers européens.

Duplessis a rejeté du revers de la main l'alliance électorale que lui offrait ce blanc-bec de Laurendeau. Il parcourt plutôt la province en demandant des comptes au gouvernement Godbout. Le chef de l'Union nationale jette du sel sur la plaie encore vive du plébiscite de 1942, alors que la population du Québec désavouait majoritairement la position conscriptionniste du chef libéral. Pourquoi laisserait-il oublier la magistrale gifle infligée aux libéraux de Godbout quand celui-ci, implorant les Québécois d'appuyer la conscription et se déclarant prêt, s'il le fallait, à aller cirer les bottes des soldats canadiens en Europe, avait reçu comme réponse un non catégorique de la part de 72 pour 100 de la population !

Maurice Duplessis a aussi profité de ses années sur les banquettes de l'opposition pour faire la paix avec ses démons intérieurs : il ne boit plus, désormais, que du jus d'orange ou de l'eau de Vichy. À chacune de ses interventions, il se fait un devoir de rappeler aux électeurs la cession du droit de taxer consentie avec inconscience par le faible Godbout à Ottawa.

Dans Bagot, l'organisateur du Dr Philippe Adam cherche, lui aussi, à tirer profit de l'irréparable gaffe commise par le député libéral Dumaine au cours du débat sur la conscription. Cyrille Dumaine avait alors demandé aux électeurs de son comté de voter pour l'enrôlement obligatoire. Mais là, comme ailleurs au Québec, une forte majorité lui avait opposé une fin de non-recevoir. Pour faire oublier son geste malhabile, Dumaine présenta par la suite à l'Assemblée législative une motion priant Ottawa de ne pas imposer la conscription. Il aurait mieux fait d'aboyer à la lune[17] !

Sur cette question comme sur celle de l'autonomie provinciale, le jeune Johnson a des idées bien arrêtées. Il est convaincu que le premier ministre Mackenzie King a profité de la guerre non seulement pour imposer au Québec le service militaire souhaité par la majorité anglophone du Canada, mais encore pour lui arracher ses pouvoirs de taxation. Quand Duplessis répète : « Godbout nous vend corps et biens aux rouges d'Ottawa », Johnson se sent en parfait accord avec son chef. L'ignominie de la conscription ? Il peut en parler avec volubilité, lui qui, ancien président des étudiants de l'Université de Montréal, a mené une campagne contre elle en 1939. En effet, cette année-là, le « président » Johnson écrivait dans le *Quartier latin* du 31 mars :

> Par mauvaise foi ou ignorance, l'on a accusé les étudiants de l'Université de Montréal de faire le jeu d'une propagande étrangère et antidémocratique. (…) Nous sommes canadiens, citoyens du Canada, pays d'Amérique. Nous sommes attachés aux principes d'une saine démocratie et nous avons foi en l'avenir de notre pays. Nous ne sommes les instruments de personne, ni des nazis, ni des fascistes, ni des communistes. Nous sommes formellement opposés à toute participation du Canada aux guerres extérieures.
>
> Nous savons ce que 1914 nous a coûté en dollars et en vies. Et nous ne consentirons pas à un suicide national. Le Canada d'abord et avant tout. Nous sommes canadiens[18].

Au printemps, il y a de la poudre dans l'air à la suite des événements qui se déroulent en Europe. Le Québec est sur le qui-vive : 1914 ne doit pas se répéter ! La hantise d'être appelé sous les drapeaux de l'Empire britannique jette la confusion dans les esprits : dans certains quartiers, on craint plus le nom de Staline que ceux de Mussolini et de Hitler conjugués. C'est l'époque des Chemises noires d'Adrien Arcand. Les étudiants de l'Université de Montréal bougent.

Au cours d'une manifestation devant l'hôtel de ville de Montréal où règne un anticonscriptionniste farouche, Camillien Houde, les étudiants défilent dans un esprit gouailleur, en marchant au pas de l'oie et le bras tendu à la façon des fascistes. À McGill, les étudiants anglophones en ont le frisson... Le président des étudiants de l'Université de Montréal doit laver la réputation de ses brebis qui ont l'air d'avoir attrapé la gale nazie. Il ne faut pas laisser au public l'impression que les étudiants « obéissent aux mots d'ordre des propagandistes à la solde du Führer et du Duce ou de l'ami des démocraties, Staline[19] ».

Daniel Johnson écrit dans le *Quartier latin* un long article qu'il intitule « Notre attitude » :

> Je veux bien qu'on le sache. Nous ne sommes pas des sans-cœur. Comme le reste de l'univers civilisé, les menées inhumaines des régimes totalitaires nous révoltent... Mais une question aussi grave de conséquences que la participation du Canada aux guerres extra-territoriales demande d'être étudiée à la lumière de la froide raison. L'attitude des Canadiens oppositionnistes est dictée, non par leur amour des dictateurs, non par leur haine de l'Angleterre et du Commonwealth, mais uniquement par leur amour pour leur pays, le Canada. Nous sommes canadiens... Nous vivrons et mourrons dans ce pays. (...) Nous ne sommes pas ici de passage comme certains qui s'enrichissent sur notre dos en vociférant « Canada first » pour aller ensuite couler leur vieillesse au cœur du « British Empââre »[20]...

Le rappel incessant des attitudes libérales durant les années de guerre se révèle pour l'Union nationale une stratégie profitable. Le soir du 8 août 1944, Duplessis revient au pouvoir avec une majorité de 10 sièges sur les libéraux. Le Bloc populaire a fait du tapage, mais n'a réussi à faire élire que quatre députés. L'ostracisme prononcé contre Jonathan Robinson n'a même pas porté de fruits. Avec sa réélection dans Brome, il est de nouveau l'unique anglophone du gouvernement Duplessis. Quant à Daniel Johnson, il est revenu de ses illusions de débutant. Son candidat, le Dr Adam, a perdu par une faible marge de 127 voix. Le bourg rouge de Saint-Pie a donné encore une fois la victoire à Dumaine.

Il y a aussi une autre explication que Johnson fait valoir à

Duplessis. Le candidat du Bloc populaire, Georges Degranpré, a récolté 479 voix. Ce sont des votes nationalistes qui seraient normalement revenus à Philippe Adam, n'eût été la présence d'un candidat du Bloc dans le comté[21]. On a frôlé la victoire. Johnson écrit à Duplessis et lui offre habilement d'être candidat lors des prochaines élections : « À tout événement, si cela ne dépend que de moi, le travail se continuera dans Bagot et à la prochaine occasion, vous cueillerez le comté — et pour longtemps[22]. »

Désespérant de revoir un jour les banquettes de l'Assemblée législative, le Dr Adam a renoncé à la politique. Il a même quitté Bagot. Edmour Gagnon s'en frotte les mains, car la porte est maintenant grande ouverte à la candidature de son poulain. Philippe Adam a lui aussi trouvé le jeune avocat Johnson de son goût et il a dit un bon mot en sa faveur à Duplessis, qui remarque cependant :

— Il est bien jeune, Johnson...

Mais quatre années s'écouleront avant les prochaines élections... et Johnson aura alors trente-trois ans. Un peu plus de maturité ne nuirait pas à ce novice parfois trop arrogant, s'est laissé dire Duplessis.

Mais le chef de l'Union nationale ne ferme cependant pas la porte. Dès leur première rencontre, à l'automne de 1937, Johnson lui avait plu. Celui-ci venait à peine d'enlever la soutane qu'il avait portée durant deux ans et voulait obtenir une autorisation spéciale du barreau pour s'inscrire à la session d'automne, bien que l'année scolaire fût déjà commencée. L'homme qui pouvait répondre à son souhait était le bâtonnier général, c'est-à-dire Duplessis lui-même. Ce fut grâce à un de ses amis du séminaire, Maurice Archambault, qui terminait son droit, qu'il put le rencontrer.

— Je vous amène quelqu'un qui s'est égaré deux ans chez les curés et qui voudrait étudier le droit maintenant, avait lancé Archambault au premier ministre.

Duplessis avait dévisagé le jeune « défroqué » avant de répondre :

— Pourvu qu'il ne fasse pas un notaire !

Les deux compères s'étaient esclaffés Duplessis avait toujours aimé se payer la tête des notaires. Johnson avait alors expliqué au premier ministre qu'il possédait, au fond, plus d'aptitudes pour la pratique du droit. Il serait sûrement meilleur avocat qu'abbé !

— Au besoin, avait renchéri son ami Archambault, je l'aiderai à rattraper les cours perdus depuis la rentrée.

— Ça me semble avoir bien du bon sens, avait dit Duplessis. Allez donc voir Arthur Jodoin, le secrétaire général. Il est plus au courant que moi des formalités.

L'entrevue était terminée.

Me Jodoin se montra très ouvert devant la requête des deux amis qui ne se firent pas faute de lui raconter en long et en large leur visite chez le premier ministre en soulignant la chaleur de l'accueil réservé à Johnson. Tout fut donc mis en marche pour que l'ancien séminariste pût aussitôt commencer sa première année de droit[23].

*   *   *

Duplessis planifie toujours ses élections longtemps à l'avance. Aussi, dans les semaines qui suivent le scrutin de 1944, il annonce à Johnson qu'il pourra probablement poser sa candidature pour les élections générales de 1948[24]. Mais en politique comme en économie, il faut savoir compter avec le destin. Deux ans plus tard, à l'automne de 1946, le député libéral Dumaine décède d'une maladie cardiaque, après n'avoir rempli que la moitié de son mandat. La chance offre Bagot à Johnson sur un plateau d'argent ! La laissera-t-il passer ? En lui donnant le feu vert, Duplessis pensait à une élection générale, non à une partielle plus difficile à gagner, surtout dans un comté rouge comme Bagot. Mais Johnson est naturellement ambitieux. Et confiant en son étoile.

Il est prêt à forcer le destin. S'il ne saisit pas l'occasion, qui sait si elle se représentera ? D'autant plus que le comté est mûr pour passer à l'Union nationale. C'est très mal connaître Johnson que de penser qu'il pourrait laisser à un autre la moisson de six années d'un labeur difficile. Son goût de la domination doit trouver une satisfaction prochaine ; il ne peut plus attendre.

Duplessis a fixé la date du scrutin au 18 décembre.

— Tu ne te feras jamais élire dans Bagot, c'est un comté rouge ! vient de dire à Johnson son ami Réginald Tormey.

Ce dernier, qui a laissé les industries de guerre, harcèle Johnson avec son projet d'un cabinet d'avocats.

— Je veux rester chez Robinson, car je me lance en politique.

Johnson acceptera, plus tard, la proposition de Me Tormey, mais pour l'heure, c'est son éventuelle candidature qui l'obsède. Depuis deux ans, il n'a raté ni mariage important ni funérailles dans le comté. Des liens d'amitié et de fraternité, il en a tellement noués ! Avec les bleus comme avec les rouges ! Troquant sa toge d'avocat contre la salopette du cultivateur, il n'a pas hésité à se rendre dans les granges ou les porcheries pour rejoindre ceux qu'il considère déjà comme ses commettants. Parti comme un chercheur d'or à la conquête de Bagot, quelques années plus tôt, s'éclipserait-il au moment même de ramasser les pépites ?

Pourtant, c'est bien ce que le Chef lui demande lorsqu'il vient lui soumettre sa candidature :

— J'ai quelqu'un d'autre en vue, Daniel. Sois patient, ton tour viendra plus tard.

Certain qu'il était d'arracher la candidature dans Bagot, Johnson tombe des nues. Il ne comprend pas pourquoi Duplessis veut le laisser dans l'antichambre du paradis du pouvoir. Il a pourtant donné des gages de fidélité au parti. La mort dans l'âme, il rentre chez lui, à Montréal. Il y a une constante chez Johnson et ses proches la connaissent : il ne lâche pas prise facilement. C'est pourquoi il délègue à Québec ses organisateurs, dont Edmour Gagnon, vieil ami de Duplessis. Le chef de l'UN leur répète :

— C'est trop tôt. Il est trop jeune[25]...

Trois candidats sont sur les rangs. Le plus sérieux semble être, aux yeux de Duplessis, le maire de Saint-Nazaire, Émile Benoît, un cultivateur bien au fait des problèmes locaux. Une élection partielle, ce n'est pas un scrutin général. Duplessis le sait d'instinct : dans Bagot, ce sont les questions de crédit agricole, de voirie et d'électrification rurale qui importent. Le maire Benoît, membre actif de l'Union catholique des cultivateurs (UCC) et résident de Bagot, possède d'indéniables avantages. Il ne risque pas d'être accusé de parachutage, alors que Johnson, lui, n'a même pas une résidence secondaire dans le comté : il loge au Manoir d'Acton ou chez des militants unionistes comme Frédéric Gauthier[26].

Johnson a donc tout contre lui : un patronyme anglais, son jeune âge et aucune adresse postale dans Bagot ! Duplessis hésite : comment faire élire un pareil moineau dans une circonscription rurale et francophone à 99 pour 100 comme Bagot ? C'est tenter le diable !

Néanmoins, l'habileté et la finesse d'esprit ne font pas défaut à cet Irlandais catholique de trente ans qui doit sa double culture à la prévoyance d'une mère canadienne-française et qui va essayer d'ébranler la forteresse avec la puissance des mots. Johnson écrit une lettre pathétique à son chef :

> Quand, au mois de février, vous m'avez, après avoir entendu mes objections, donné l'ordre de faire la conquête de Bagot, sans hésiter j'ai intensifié mon travail, et avec plus d'enthousiasme que jamais j'ai entrepris de vous apporter ce comté. Naturellement, j'ai dû négliger mon droit un peu et orienter ma vie vers la politique ; je me suis habitué à l'idée que je ferai à vos côtés une carrière politique où mes rêves généreux de jeunesse, mon idéalisme « réaliste » et mon ambition de servir les miens auraient libre cours. Au moment où la réalisation de ces rêves et ambitions se précise et devient providentiellement plus facile, vous me conseillez de renoncer. Cher Monsieur le Premier ministre, je vous mentirais si je vous disais que la chose m'est facile, mais par loyauté et à cause de l'énorme confiance que j'ai en vous, aussi dans le but de faciliter votre tâche si ardue, je suis votre conseil. Soyez assuré que je reste à votre entière disposition : si vous deviez, à cause de circonstances imprévues, changer vos plans, je serais toujours prêt ; si vous avez besoin de mon concours dans Bagot ou ailleurs, il vous est entièrement acquis. La mort dans l'âme, mais avec la fierté que procure l'accomplissement d'un pénible devoir, je me souscris, votre loyal et sincère ami.
>
> Daniel Johnson[27].

La lettre va droit au cœur de Duplessis. La soumission de Johnson le touche. « Voilà, dit-il à l'un des émissaires qu'il a dépêchés dans le comté pour tâter le pouls de l'électorat, le genre d'homme sur qui je puis compter. »

Le rapport de son envoyé complète le travail de persuasion commencé par l'aspirant Johnson. Celui-ci lui dit :

— Johnson tient le comté.

Duplessis recherche avant tout une victoire. Ses réticences s'évanouissent. On mettra tout l'argent et toutes les forces qu'il faudra ! Bagot doit passer aux mains de l'Union nationale. Le premier ministre rappelle le jeune avocat :

— Tu seras mon candidat et tu seras élu ! Sauvé et Bellemare vont prendre ta campagne en main et moi, je viendrai parler pour toi[28].

Pour remplacer Cyrille Dumaine, les libéraux ont déniché un médecin, le Dr Bailly, de Saint-Pie. Johnson affronte aussi un troisième candidat, un indépendant qu'il connaît bien. En 1944, il l'a tenu responsable de la défaite de Philippe Adam : il s'agit du cultivateur Georges Degranpré, ancien candidat du Bloc populaire. Degranpré se présente maintenant comme indépendant « pour donner l'occasion à la population de Bagot de se choisir un représentant de la classe agricole[29] ».

*   *   *

À l'assemblée contradictoire de Saint-Liboire qui se tient le 11 décembre, sept jours avant le vote, c'est Degranpré qui stigmatise avec le plus de succès le jeune âge du candidat unioniste. Dernier orateur, il s'exclame, après avoir tout d'abord remarqué, comme le Dr Bailly, « qu'on n'avait pas besoin de sortir du comté pour trouver un candidat » :

— On dit que M. Johnson travaille depuis six ans... Mesdames et messieurs, allez-vous confier l'administration du comté à un enfant qui n'a pas l'âge de raison[30] ?

Cette morsure ne changera rien à l'issue du combat. De tous les candidats, c'est Johnson qui possède les meilleures armes dont celle, capitale, d'appartenir au parti au pouvoir. Que dire en outre de la force de son organisation avec laquelle les libéraux ne peuvent rivaliser ?

En plus de Paul Sauvé et d'une batterie d'organisateurs locaux, le jeune avocat de Montréal bénéficie du concours de deux hommes clés. Il y a d'abord Maurice Bellemare dont les capacités et la vigueur lui ont valu, après avoir siégé deux ans seulement comme député, le titre envié de « lieutenant préféré » du chef de l'Union nationale. Le député de Champlain est un maître de l'organisation électorale. C'est un homme bourru, un grognard d'origine ouvrière, qui a réussi en deux ans à peine à maîtriser la procédure aussi bien que Duplessis. Malgré ses allures de matamore, Bellemare est rusé comme un renard et intelligent comme un singe.

La première fois que Duplessis demande au député de

Champlain d'aller faire campagne dans Bagot, celui-ci proteste. Il sort à peine d'une autre élection partielle, celle de Beauce, où l'UN a fait élire son candidat, Octave Poulin.

— Maurice, lui dit le Chef, tu as fait du bon travail dans le comté de Beauce. Tu vas aller maintenant dans celui de Bagot.

— Écoutez, c'est immense ce que vous me demandez, réplique Bellemare. L'élection de Poulin n'a pas été facile et vous me demandez de redonner six à huit semaines de mon temps — c'est tuant, ça... Ça prend des nerfs d'acier.

Bellemare est beaucoup trop ambitieux pour décevoir son maître. Il sait qu'on ne peut se passer de lui et pose parfois à la coquette. Il se laisse désirer avant de dire oui. Duplessis lui vante les qualités de son jeune candidat dans Bagot :

— C'est l'homme idéal pour le comté, le seul qui peut aller nous le chercher !

— Je n'ai pas eu l'occasion de le connaître, votre Daniel Johnson, fait Bellemare, mais on m'en a dit énormément de bien. Le choix est très bon, j'accepte. Je vais y aller.

Une fois sur place, l'envoyé du premier ministre déchante vite. Ses premiers rapports avec Johnson le déçoivent. Maurice Bellemare est un homme simple et direct, une personnalité à l'état brut, sans aucun fard. Il trouve Johnson hautain et suffisant. Il ne digère pas plus ses airs de grand seigneur que ses avocasseries. Bellemare a beau n'être qu'un ancien employé des chemins de fer, il le lui dira, à cet avocat de Montréal, comment ça se fait de la politique en région rurale !

— Écoute, Daniel, tu me gênes... c'est pas de cette manière-là qu'on doit agir avec le peuple. L'arrogance en politique est détestable, c'est méprisable. T'as peut-être une plus grande expérience que moi dans certains domaines, mais moi, j'ai l'esprit de trottoir et je prétends qu'en politique il faut rester soi-même et se mettre à l'égalité du peuple.

Johnson possède l'art d'écouter les autres. Nullement choqué par la réprimande de Bellemare, il lui dit tout simplement :

— Tu as raison, Maurice. Je vais essayer de me corriger...

Les péripéties d'une élection mouvementée rapprocheront vite l'avocat et l'ancien serre-freins qui, quelques années plus tard, dira du premier :

— Johnson ? C'est quasiment mon frère...

Un journaliste « séparatiste » joue également un grand rôle auprès du futur député de Bagot. Son nom : Jean-Louis Laporte. Johnson l'a convaincu de rester deux mois dans le comté afin de s'occuper de sa propagande.

Aux prises, trois ans plus tôt, avec un problème juridique, Laporte était allé consulter Me Johnson à son bureau de la rue Saint-Jacques. Les deux hommes s'étaient découvert un goût commun pour la politique. Laporte avait vingt ans et ses sentiments séparatistes intriguaient Johnson.

— Pourquoi es-tu séparatiste ? lui avait-il demandé dès leur première rencontre. Tu n'aimes pas les Canadiens de langue anglaise ?

L'explication du jeune journaliste avait suscité chez Johnson le désir de pousser un peu plus loin la conversation.

— Je t'invite à prendre l'apéritif au Vauquelin.

Dans l'ascenseur, Laporte avait pris une décision : il résumerait par écrit chacune des conversations qu'il aurait avec l'avocat. Flair de journaliste ? Dès les premiers échanges, Laporte avait détecté chez son interlocuteur une personnalité hors du commun. Cette façon méthodique qu'il avait de l'interroger, ce regard intense pendant ses réponses, sa dialectique serrée avaient frappé le reporter[31].

Une fois installé au bar, Me Johnson avait attaqué :

— On ne doit pas s'affirmer séparatiste puisqu'en réalité nous sommes bien plus canadiens que ceux qui habitent les autres provinces. Ce sont eux, en nous dédaignant, qui nous prouvent qu'ils sont séparatistes.

Me Johnson était un partisan de la bonne entente. Avec mauvaise conscience, d'ailleurs :

— Sincèrement, je crois que nous sommes actuellement aussi coupables qu'eux. Nous ne voulons pas tellement engager le dialogue et eux n'y sont pas intéressés... Cependant, il faudra bien, un jour, y arriver et ce jour-là n'est pas loin.

L'indépendantiste Laporte s'étant permis de douter du réalisme de cette prédiction, l'avocat avait repris sans attendre :

— S'ils refusent le dialogue, s'ils refusent de nous écouter, de nous rendre justice, le Québec n'aura pas d'autre issue, pour survivre, que de proclamer son indépendance. Et ce sera la fin du Canada[32].

Cette conversation avait été suivie de plusieurs autres. De temps en temps, Laporte se joignait au groupe d'amis de Johnson qui se réunissaient le samedi midi dans la salle à manger de l'hôtel LaSalle pour parler de politique. On restait là des heures à chercher des solutions aux problèmes du Québec et du monde entier, à démêler l'écheveau des guerres européennes. Un jour, Johnson avait annoncé à Laporte sa candidature dans Bagot et lui avait demandé d'être son propagandiste.

Les dés étaient jetés. Une fois de plus ! La vie de Daniel Johnson allait prendre un tour nouveau : il deviendrait politicien alors qu'à peine dix ans plus tôt il enlevait sa soutane pour devenir avocat ! En effet, le destin premier de Daniel Johnson n'avait rien eu à voir avec le monde profane.

« L'Anglais » du séminaire de Saint-Hyacinthe

Durant les années 20 où l'Église recrutait une bonne partie de ses futurs prêtres dans les familles modestes, la carrière de l'aîné des Johnson était toute trouvée. Mais encore fallait-il que l'Église daignât le remarquer. À cette époque, le « rabatteur » était le curé de village, bien placé pour dépister le bon gibier. Il suffisait aux séminaristes en puissance de se montrer sérieux, d'avoir du talent et de manifester une piété exemplaire. Être enfant de chœur ne nuisait pas non plus !

L'abbé Arthur Gervais, curé à Danville, remarqua vite la vivacité de son servant de messe. Tous les matins, neige, pluie ou soleil, le jeune Daniel se rendait à la modeste église de briques rouges édifiée en 1884 et située à un demi-mille de la demeure familiale. Francis Johnson avait construit sa maison au sommet d'un monticule, en direction de Saint-Félix-de-Kinsey, d'où le regard embrassait le village de Danville. Haute et étroite comme les constructions d'influence loyaliste, l'humble habitation des Johnson était recouverte de déclin de bois.

Le curé Gervais dirigea Daniel vers le séminaire de Saint-Hyacinthe. C'était en 1928 et Marie Johnson venait d'hériter de son père. Mais la crise économique de 1929 mit un terme brutal à la relative prospérité familiale. Daniel devrait-il abandonner ses études ? Certes non ! Avec l'aide de son frère (l'abbé Elphège Gervais, professeur de grec au séminaire), le curé de Danville régla les 200 dollars annuels de frais de pension et de scolarité du jeune Daniel[33].

Au séminaire, l'étudiant se révéla brillant. C'était un premier de classe. Plus doué que la moyenne, Johnson sauta les éléments latins et passa en syntaxe spéciale. Il se lia d'amitié avec Réginald Tormey qui possédait comme lui un patronyme anglais. L'un et l'autre passaient pour les « deux Anglais » du séminaire, même s'ils parlaient français entre eux. Ils restèrent unis jusqu'en rhétorique, alors que Tormey, originaire de Sainte-Rosalie, alla terminer son cours classique au collège américain Holy Cross, près de Boston.

Tormey enviait la facilité de son ami. Pourtant, Johnson étudiait peu. Il n'avait pas constamment le nez dans les livres, n'étant pas du genre à pâlir dessus. Toutefois, sa mémoire était frappante : il lui suffisait de lire attentivement un texte pour s'en rappeler longtemps, don précieux pour le politicien qui dormait en lui[34].

Car s'il l'ignorait encore lui-même, ses confrères devinaient déjà en lui l'homme public. L'un d'eux, Samuel Lemoyne, le savait mordu par le virus de la politique. Quand l'abbé Lionel Groulx venait tenir un discours patriotique au séminaire, Johnson y assistait invariablement. Il était facile aussi de déceler chez lui une très grande sociabilité traduisant l'envie de réussir.

Déjà, Daniel préparait son avenir. Il tirait des gens et des situations tout ce qu'il pouvait et se trouvait toujours (et comme par hasard !) à la bonne place, au bon moment. Il cultivait ses professeurs, sachant les mettre de son côté. Bref, c'était un opportuniste, mais jamais de façon agaçante pour les autres, car son manège était empreint de subtilité[35].

En rhétorique, Johnson faisait figure de leader. Avec ses camarades Archambault et Dumont, il s'engageait dans toutes les activités parascolaires. Il brassait de si nombreuses sauces qu'il était fréquemment en retard en classe. Ses compagnons disaient que le règlement n'était pas fait pour Daniel Johnson. Cette vilaine habitude d'être en retard, il la conservera toute sa vie.

Johnson faisait aussi partie de l'académie Girouard, du nom du fondateur du séminaire de Saint-Hyacinthe. Il s'agissait d'un cercle d'études littéraires rattaché à l'Association catholique de la jeunesse canadienne (ACJC), dont l'influence était grande dans les milieux étudiants. L'académie Girouard fournissait à ses membres l'occasion d'échapper un peu à l'étroitesse intellectuelle de l'enseignement classique de l'époque. On pouvait, en effet, y aborder des thèmes aussi variés que « l'habitabilité des mondes » ou encore l'évolutionnisme de Darwin.

Durant ses années de philosophie, Johnson fut chargé du rapport critique des exposés soumis à l'Académie. Alphonse Girard, l'un des « académiciens », appréciait beaucoup ses remarques toujours moqueuses et légèrement ironiques. Quand un exposé était bon, surtout s'il respectait les canons du bon parler français, Johnson ne ménageait pas les fleurs et les compliments à son auteur. Le rusé analyste trouvait le moyen de se faire des amis même parmi ceux dont il critiquait le travail[36] !

En ces années de théocratie triomphante, on mangeait de la religion. Le cercle Girouard avait son aumônier et celui-ci profitait de chacune des réunions pour commenter un texte religieux. Or, en adhérant à la confrérie, beaucoup aspiraient à autre chose : il y avait déjà assez d'enseignement religieux au programme scolaire ! Plusieurs étudiants cherchaient à connaître des courants d'idées extérieurs à l'univers clos du séminaire et s'intéressaient aux questions d'actualité touchant les problèmes sociaux et nationaux. C'était là une source de frictions entre les « académiciens ». Certains, comme le futur abbé Johnson, avaient tendance à capituler avec docilité devant l'aumônier. En philosophie, Johnson préparait déjà sa vocation religieuse. Mais il manifestait également un vif intérêt pour le droit. Les étudiants qui se destinaient à la carrière d'avocat avaient, eux aussi, leur association, la « Cour civile et criminelle » : c'était une sorte de Parlement modèle où les futurs plaideurs pouvaient exercer leur éloquence. Même s'il avait déjà décidé de se diriger vers le Grand Séminaire, Daniel s'intéressait à cette Cour et la présida en 1935, alors qu'il était finissant. C'était plus fort que lui, il fallait absolument qu'il y mît son nez !

À la session de 1934, la cour fictive entendit la cause « M. le docteur Samuel Rabinovitch *versus* l'Association catholique de la jeunesse canadienne », qui évoquait un incident survenu à l'Université de Montréal où un jeune Juif avait eu de la difficulté à se faire admettre comme médecin interne. Maurice Archambault agissait comme avocat du plaignant, le Dr Rabinovitch. Johnson défendait l'accusé, en l'occurrence l'Association catholique de la jeunesse canadienne.

L'année précédente, à la faveur des séances de la Cour civile et criminelle du séminaire, Johnson avait fait la connaissance de l'étudiant Jean-Jacques Bertrand. Tous deux ignoraient alors qu'ils se retrouveraient dans le même parti durant plusieurs années et que les caprices de la fortune politique tantôt les rapprocheraient, tantôt les opposeraient.

Bertrand ne fit qu'une année au séminaire de Saint-Hyacinthe, soit les belles-lettres. Mais il avait commencé son cours classique à l'Université d'Ottawa où l'étude du grec ne figurait pas au programme et il eut tant de difficultés avec cette langue qu'il décida, à la fin de l'année, de retourner à Ottawa pour faire ses deux années de philosophie[37].

En juin 1935, à la fête de Saint-Antoine comme le voulait l'usage, les diplômés devaient révéler à tour de rôle leur future carrière. On ouvrait des paris. Des 120 séminaristes du début, il n'en restait plus que 40. Les deux tiers de la troupe étaient tombés en chemin. Au cours d'un grand dîner d'adieu, les messieurs du petit séminaire prirent plusieurs résolutions, dont celle de « se visiter, s'écrire, s'aimer ». Ce fut ensuite le clou de la soirée : la divulgation des carrières.

Quand vint son tour, Daniel Johnson laissa tomber d'une voix blanche : « prêtre »... Ce choix n'avait, en somme, rien de bien original puisque pas moins de la moitié des finissants, dont son ami Dumont, avaient opté pour le sacerdoce. Cette abondante moisson était dans l'ordre des choses, dans cette province où le catholicisme conquérant nécessitait pour sa pérennité un grand nombre de pasteurs. Bien sûr, certains de ses proches avaient deviné sa vocation, même si son allure dissipée et gavroche, sa soif d'action et son allergie à la méditation et au recueillement suscitaient parfois chez eux quelques doutes intérieurs.

Quand Johnson lui apprit la nouvelle, son ami Tormey parut étonné. Il n'avait jamais imaginé son camarade en soutane. Johnson n'avait pas une tête de dévot ! Pas plus religieux que la moyenne, l'étudiant donnait plutôt l'impression de vouloir mordre dans les plaisirs de la vie. Il ne posait pas au moraliste et ne se scandalisait de rien. Cependant, Tormey avait noté chez lui une haute qualité morale — un équilibre de toutes ses facultés. Johnson n'avait sans doute pas senti le besoin d'exhiber, comme le pharisien de la parabole, les signes qui auraient révélé à tous et à l'avance sa vocation religieuse.

Depuis un an déjà, le jeune séminariste avait intérieurement opté pour le sacerdoce. L'idée avait fait son chemin en lui. À l'été de 1934, il en avait informé certains de ses proches. Daniel Johnson aimait écrire à ses camarades pendant les vacances. Dans quelques lettres, il confia son intention de se diriger vers le Grand Séminaire. Cet été-là, il s'était tenu loin des filles ; non par misanthropie, écrivait-il, mais pour tenir une résolution de retraite fermée... Pourtant, s'empressait-il de préciser à ses correspondants, les occasions de devenir amoureux ne manquaient pas à Danville !

Le jeune homme avait changé. Sa décision paraissait irrévocable. L'influence des deux abbés Gervais, dont il était le pupille depuis tant d'années, l'avait sans doute orienté peu à peu vers cette voie.

Au Grand Séminaire, ce fut toutefois une bienfaitrice qui s'occupa du futur prêtre. En 1935, comme la famille Johnson continuait de tirer le diable par la queue, la veuve Huot, amie de la mère de Daniel, proposa de payer ses études. Les deux femmes se connaissaient de longue date ; elles avaient habité la même pension à Granby, à l'époque où Marie Daniel travaillait dans cette ville. Épouse d'un riche médecin de Granby et belle-sœur de l'un des Beauchemin qui possédaient de gros intérêts dans des mines d'or en Abitibi, l'amie de Marie Daniel s'était retrouvée veuve à vingt-six ans. Elle avait alors décidé de consacrer une partie de sa fortune à la formation d'étudiants prometteurs, mais sans ressources.

Johnson tint le coup deux ans au Grand Séminaire. Une fois prêtre, se répétait-il, je serai aumônier de syndicat. Ainsi pourrait-il concilier son goût de l'action sociale et son ministère. Sa chambre de séminariste se trouvait dans le corps central du lourd bâtiment de pierres grises qui donnait sur la rue Girouard. À l'époque, le séminaire bornait la ville de Saint-Hyacinthe à l'est. Tous les soirs, le futur prêtre rêvassait en laissant courir un regard absent sur la campagne mascoutaine. L'impression d'être un reclus le gagnait malgré lui.

La première année que Johnson passa au Grand Séminaire coïncida avec la formation de l'Union nationale et l'élection subséquente de Maurice Duplessis, en 1936. L'agitation politique de l'époque le passionnait, même s'il passait le plus clair de son

temps plongé dans les Saintes Écritures que lui enseignait l'évêque
de Saint-Hyacinthe, Mgr Fabien Zoël Decelles. Il rongeait son frein,
tout en luttant pour chasser de son esprit la tentation de la politique.
La frustration atteignit son sommet avec l'interdiction faite aux
séminaristes de lire les journaux. Le monde profane ne devait pas
exister pour les futurs abbés ! N'y tenant plus, Johnson quittait
parfois sa cellule sur la pointe des pieds, allait frapper à la porte de
l'un de ses professeurs, l'abbé Arthur Proulx, et lui demandait d'une
voix étouffée : « Passez-moi *Le Devoir*[38]... »

Pas plus au Grand Séminaire qu'au petit, Daniel Johnson ne
supportait les règlements. Mais il possédait de grandes qualités qui
plaisaient à son professeur de théologie dogmatique, l'abbé Alfred
Lalîme. Celui-ci avait noté chez son élève non seulement l'intelligence, mais surtout la docilité et le bon esprit. Johnson acceptait la
doctrine et n'avait rien d'un contestataire. Certes, il posait beaucoup
de questions mais jamais embarrassantes pour l'abbé Lalîme. De toute
manière, ce dernier était bien préparé pour démolir les objections
doctrinales, car il rentrait d'un séjour d'études de deux ans à Rome.
L'abbé Lalîme enseignait également à Johnson l'histoire de l'Église.
Il lui inculqua un précepte qu'il faisait sien et que l'abbé Johnson
devait retenir toute sa vie : ce sont les événements du passé qui doivent
guider notre conduite aujourd'hui[39]. Il l'initia aussi à l'art de la
prédication, après avoir décelé chez cet orateur de talent le futur
politicien. Car Johnson possédait le génie de l'art oratoire : il savait
instinctivement ce qu'il fallait dire. Au bout de quelques mois,
l'abbé Lalîme jugea son élève mûr pour monter en chaire. Des 33
étudiants qu'il dirigeait, six lui paraissaient plus doués que les
autres pour la prédication et Johnson était de ceux-là. Chacun des
séminaristes devait critiquer le sermon d'un autre, puis remettre ce
texte au professeur qui bâtissait une critique plus générale. Les
remarques de l'abbé Johnson paraissaient si judicieuses à son maître
que celui-ci s'en inspirait largement pour étoffer sa propre critique.

L'originalité des prêches du jeune Johnson lui attirait parfois
des éloges. Ainsi, le 16 avril 1936, l'abbé Lalîme écrivait à propos
d'un sermon de son élève sur l'Eucharistie :

Il s'y trouve du piquant qui attire l'attention ; on y relève une simplicité charmante qui permet à l'orateur d'être compris sans peine.

(...) Les fidèles au sortir de l'église n'auraient pas ménagé leurs commentaires au sujet de cette pittoresque instruction. On entend d'ici les sages marguilliers se communiquant leurs impressions : « Il ne prêche pas si mal, ce vicaire-là ! De temps en temps, il échappe un mot drôle — pas comme les autres curés... Il a le tour d'arranger ça[40] ! »

Johnson avait cependant le défaut de bâcler ses sermons et de ne pas les mémoriser, contrairement à ce qu'exigeait son professeur. Son habileté à improviser ne donnait pas toujours des résultats heureux :

Comme M. le prédicateur ne possède pas suffisamment son texte et que par ailleurs il n'est pas assez libre pour improviser, il lui échappe, inconsciemment, des interjections telles que « hein ! », « vous le savez ! » qui sont du remplissage et permettent à la mémoire de rattraper le fil du discours. (...) Et pour ce qui est de l'improvisation, toujours il faut se défier de son talent[41].

Le séminariste ne manquait pas d'audace dans le choix de ses termes ou de certaines analogies, moins choquantes de la part d'un « curé de petite paroisse depuis longtemps familier avec ses gens » que du haut de la chaire d'une grande cathédrale. Un jour, l'abbé Lalîme lui fit remarquer :

Dans un domaine aussi sublime, la sainte Eucharistie, n'est-ce pas une hardiesse que de faire intervenir charlatans, remèdes patentés ou brevetés ? La comparaison n'aurait pas perdu sa saveur si quelques-uns de ces termes eussent été remplacés par (...) des vendeurs, soi-disant médecins, qui offrent sur la place publique leurs produits nouveaux et merveilleux. Sans les nommer charlatans, M. le prédicateur les aurait fait reconnaître dans une habile et délicate périphrase[42].

Enfin, l'abbé Johnson manifestait un travers encore plus inquiétant : il ramenait tout à la politique. Cette détestable manie, dont il n'arrivait pas à se corriger malgré les réprimandes de l'abbé Georges Cabana (futur archevêque de Sherbrooke), son directeur spirituel, finit par susciter dans l'esprit de ses professeurs des doutes de plus en plus forts sur sa vocation. Au séminaire, d'ailleurs, la réputation du « curé Johnson qui faisait des discours politiques en chaire » commençait à se répandre. Un jour, l'abbé Cabana convoqua le séminariste et lui dit :

— Écoutez, M. Johnson, il vous faut choisir entre la soutane et la politique...

De sa « prison » finalement très douillette comparée au sort de ses frères et sœurs, Johnson entretenait une correspondance assidue avec ses amis. Le 21 décembre 1936, il rappela à ses confrères, sur un ton plus religieux que patriotique, leur devise de rhétoriciens qu'il paraphrasait en ces termes :

Une autre année nous sépare de ce temps où nous vivions ensemble, heureux. Mais notre devise nous sert de ralliement. (...) SOUVENIR : rappelons-nous les serments échangés, notre rôle de catholiques et de dirigeants. (...) LUTTE : c'est le pain des forts. Luttons pour nous tenir debout malgré toutes les perversités, pour nous frayer un chemin. (...) ESPOIR : ce doit être notre soutien. Que Dieu te comble, cher confrère, de ses bénédictions[43]...

En janvier 1937, Johnson avait entamé sa deuxième année — qui serait sa dernière — au Grand Séminaire. Il doutait de plus en plus de sa vocation, mais se refusait encore à l'admettre. Dans une lettre à son ami Maurice Archambault, qui dirigeait le *Quartier latin*, il paraît écartelé :

La franchise n'est jamais banale ! La vérité non plus (même si elle est imprimée). Tout de même, tu sais qu'il y a des servitudes qu'on doit endurer. (...) Il est une phrase que je me répète et que je dirai aux autres. (...) « L'amour de ton état, autrement tu flancherais ». Pour compléter, tu aurais dû me souhaiter la sainteté — c'est ça qui sauvera notre pauvre monde ! Avec tous les autres moyens ou demi-moyens, on fait encore œuvre stérile et souvent on risque de se damner[44]...

L'été précédent, un événement avait hâté le mûrissement d'une idée qui tournait de plus en plus dans sa tête de séminariste en mal de revoir le monde. Sa mère, Marie Daniel, était morte de tuberculose, abandonnant huit enfants à un père instable et dépourvu d'autorité. Heureusement, la veuve Huot était venue en aide à Francis Johnson et à l'une des filles qui vaquait aux soins du ménage. Mme Huot avait suggéré :

— Il faudrait que les trois petites filles soient pensionnaires.

Elle avait prêté l'argent à Francis pour les placer à Saint-Hyacinthe[45].

Sa famille en était presque réduite à vivre aux crochets du bien-être social et lui, l'abbé Johnson, était logé, nourri et soigné sans avoir à lever le petit doigt. Il s'en trouvait un peu gêné.

Une image qu'il n'arrivait pas à chasser de son esprit l'obséda durant tout le printemps 1937. Il revoyait sa mère agonisant sur son misérable lit de l'hôpital du Sacré-Cœur, à Plessisville. Son père, inerte comme le chêne que l'on vient d'abattre, pleurait doucement …

Daniel se tenait au pied du lit, les mains rageusement agrippées à sa soutane. Cette mort le ramenait fatalement à la politique. Sa mère mourait parce que les rouges avaient refusé à son père conservateur la carte d'indigence qui lui aurait permis de la faire soigner. Qui sait ? Peut-être serait-elle encore vivante si les choses en avaient été autrement ? D'autre part, si sa mère avait attendu, mois après mois, sa carte d'assistance sociale, c'était un peu à cause de lui. Les ronds-de-cuir justifiaient, en effet, leur refus par son statut d'étudiant. Pourquoi accorder de l'aide publique à un père dont le fils aîné est un « petit monsieur » du séminaire de Saint-Hyacinthe, institution privée réservée aux riches[46] ?

Daniel Johnson contint encore jusqu'au mois de septembre 1937 son envie irrépressible de jeter son froc aux orties. Son tempérament de lutteur irlandais lui disait que la soutane et le goupillon ne constituaient pas des armes très efficaces pour réparer une injustice aussi grave que la mort de sa mère. L'engagement politique ou social, se murmurait-il, serait sans nul doute plus approprié.

De plus, le climat étouffant du Grand Séminaire comprimait un peu plus chaque jour l'étudiant sociable et très actif. Qu'il n'était pas fait pour la méditation, ses deux années d'internat le lui avaient appris avec certitude.

En septembre 1937, quand il reprit le chemin du séminaire pour une troisième année de théologie, sa décision était bien arrêtée.

Après la retraite fermée, il rencontra son directeur de conscience, l'abbé Cabana, à qui il fit part de son désir de remettre en cause sa vocation. Celui-ci était arrivé, de son côté, à la même conclusion et lui fit comprendre qu'il ferait « un mauvais prêtre » s'il persistait dans le sacerdoce. Au moment où Daniel quitta définitivement le séminaire, l'abbé Lalîme lui prédit :

— Vous verrez, M. Johnson, que l'étude de la théologie va vous aider dans la vie[47]...

Soulagé de la chape de plomb qu'était devenue pour lui la soutane, Johnson s'empressa d'aller s'inscrire à la faculté de droit, à Montréal. Mais il garda sa robe pour faciliter ses démarches ! Dès son arrivée, il téléphona à son ancien condisciple Réginald Tormey qui, lui, faisait son droit à l'Université McGill. Loin d'être renversé en voyant que son ami avait troqué la soutane contre la toge, celui-ci fut, au contraire, convaincu de la sagesse de cette décision.

Johnson se mit aussi en contact avec Maurice Archambault qui logeait chez l'un de leurs confrères, Aimé Laplante, rue Ontario.

— Je viens de quitter le Grand Séminaire.

— Tu ne m'en vois pas surpris, fit Archambault qui n'avait jamais pu, lui non plus, se l'imaginer en curé.

Comme Daniel n'avait pas de logis, son camarade l'invita à partager son réduit au troisième étage de la quincaillerie J.S. Laplante. Il restait au nouvel étudiant en droit une démarche pénible à accomplir : annoncer à la veuve Huot qu'il avait « défroqué ». Comment cette femme autoritaire, qui aimait régenter la vie de ses protégés, réagirait-elle à la nouvelle ?

Jusqu'à ce jour, ses relations avec l'amie de sa mère avaient été privilégiées. Mme Huot traitait Daniel comme son propre fils, mieux que tous ses autres pupilles. Il avait sa chambre chez elle, à Granby, où il allait parfois et restait aussi longtemps qu'il le voulait. Il était chez lui chez la veuve Huot qui aimait en lui le garçon doux, aimable et reconnaissant[48].

Mme Huot adorait Val-David, petit village des Laurentides, où elle se rendait de temps à autre pour se reposer en compagnie de ses protégés. Elle séjournait toujours à la pension Robillard. Fin septembre, une fois les démarches de son admission à l'université terminées, Johnson prit la route de Val-David pour l'informer de sa décision.

La veuve fit tout d'abord mauvais accueil à l'ex-séminariste. Elle détestait être placée devant le fait accompli. Mais Daniel fut si persuasif qu'elle accepta finalement sa décision et offrit même de payer ses frais de scolarité.

La vie était belle ! Johnson passa six jours à la pension Robillard à méditer sur sa nouvelle orientation. À cette époque, le jeune homme était un gringalet, mais ce repos lui permit de prendre trois livres ! Il l'écrivit, tout fier, à l'un de ses camarades. En vacances, la veuve Huot aimait bien aller faire un tour avec ses protégés dans sa grosse Buick. Parfois, elle leur laissait le volant. Daniel promena donc par monts et par vaux sa bienfaitrice trop heureuse de se laisser conduire.

Johnson s'enivrait de sa liberté retrouvée et aurait voulu arrêter le temps qui coulait agréablement en ce début d'automne, dans cette vivifiante station de vacances. Au début d'octobre, il écrivit à son ami Archambault qu'il serait en ville le 4 pour commencer l'année universitaire. « Foi de défroqué ! » conclut-il avec humour[49].

À l'université, Johnson explosa. C'était l'époque où le pape Pie XI venait de publier l'encyclique *Quadragesimo Anno* et demandait à la jeunesse catholique de s'engager dans l'apostolat laïc. Encore tout frais émoulu de son séminaire mascoutain, Johnson entendit clairement l'appel papal.

Il s'enrôla dans une kyrielle de groupements, la plupart confessionnels, comme Pax Romana, l'Association catholique de la jeunesse canadienne-française, la Fédération des étudiants catholiques et l'Union des jeunesses catholiques du Canada. Il devint aussi journaliste au *Quartier latin*, président des étudiants et se fit enfin l'apôtre de la bonne entente auprès des étudiants anglophones des autres provinces. Pendant la guerre, il représenta les étudiants catholiques auprès du Comité international du *World Student Relief*, chargé de venir en aide aux prisonniers de guerre[50].

Ses nombreuses activités ne l'empêchèrent ni de se consacrer à ses études ni de rêver aux femmes. Son intérêt pour l'étudiante Reine Gagné lui valut d'ailleurs des ennuis avec Mme Huot qui, loin de se limiter à assumer les frais d'études de ses protégés, entendait également régenter leur vie amoureuse. Elle avait déjà élaboré des plans pour marier Daniel à une jeune fille de la bonne société de Granby. Un jour, l'étudiant en droit en eut assez de cette tutelle et se brouilla avec sa bienfaitrice. Mais il se fit un point d'honneur, par la suite, de rembourser sa dette jusqu'au dernier sou. En 1945, la veuve Huot avait recouvré tout son argent, même celui qui avait servi à payer le pensionnat aux trois sœurs Johnson.

À l'aube d'une brillante carrière

Dès le début de l'élection partielle de 1946 dans Bagot, le candidat Daniel Johnson adopte un train d'enfer : il ne dort que quatre heures par nuit et, pour se tenir éveillé, se douche trois fois par jour. L'eau froide le fouette. Il change de chemise et de costume, puis retourne au front. Après une quinzaine de jours, le journaliste Jean-Louis Laporte n'arrive plus à le suivre. Johnson le remarque et, un matin, lui en fait le reproche :

— Pourquoi ne vas-tu pas au comité central ? Bellemare et Edmour Gagnon pourraient t'initier à l'organisation électorale.

Laporte s'est fait un plaisir de venir lui prêter main-forte pour sa publicité, mais de là à se muer en « faiseur d'élections », c'est une autre paire de manches ! Il refuse l'invitation de Johnson qui lui dit, désolé :

— En réalité, tu ne veux pas vraiment t'engager. C'est ton droit. La liberté humaine est une chose sacrée, je ne peux que déplorer ta décision[51].

Le futur député de Bagot n'a cependant pas besoin de pousser Bellemare dont l'imagination et la fougue lui créent toute une réputation dans le comté. Au début de la campagne, ils se sont installés chez Frédéric Gauthier qui a mis deux chambres à leur disposition. Une dizaine de jours avant le scrutin, les deux hommes déménageront à l'hôtel « bleu » du comté, le Manoir d'Acton.

Les partisans du Dr Bailly disposent également de leur bastion où ils tiennent leurs meetings et leurs grandes assemblées : l'hôtel National. Au beau milieu de la campagne, Bellemare charge un saboteur d'empêcher la radiodiffusion d'un discours du candidat libéral dans la grande salle de l'hôtel. Les propagandistes libéraux ayant pris soin d'inviter la population de Bagot à s'y rendre dès seize heures, en n'oubliant pas de préciser que les consommations seraient gratuites, il y a donc foule. Le discours du Dr Bailly doit être radiodiffusé de Montréal à dix-neuf heures. On a confié aux comédiens Roland Bédard et Jean-Maurice Bailly, le frère du candidat libéral, le soin de tourner en ridicule le jeunot de Notre-Dame-de-Grâce. L'organisation libérale a même mis à contribution la chanteuse Lucille Dumont, épouse de Jean-Maurice Bailly. La voix chaude et légèrement traînante de Miss Radio envahit la salle enfumée et tourne la tête de cette foule que le « gros gin » a déjà rendue un peu grise...

À dix-neuf heures, la radio s'anime et le speaker annonce :

— Vous allez maintenant entendre le candidat libéral dans le comté de Bagot, le Dr Roland Bailly...

Au sous-sol, un habitué de l'hôtel National, soudoyé par Bellemare, coupe le courant ! La salle est brusquement plongée dans l'obscurité ! Fin novembre, il fait déjà nuit noire, dehors. La panique s'empare de l'assistance, chacun essaie de sortir de l'hôtel. C'est la bousculade... Quelques minutes plus tard, la lumière revient. À la radio, la voix grave de l'annonceur informe son public invisible :

— Vous venez d'entendre le Dr Roland Bailly, candidat...

Mission accomplie ! Un organisateur rouge lance à pleine voix :

— Ça, c'est encore un coup du maudit Bellemare !

Dans le camp du Dr Bailly, on se jure que l'organisateur de Johnson ne l'emportera pas en paradis. Quelques jours avant le vote, Bellemare rentre au Manoir d'Acton Vale vers trois heures du matin. Il se met au lit, fourbu. Il a à peine fermé l'œil que, soudain, un coup de feu retentit : la vitre de sa fenêtre vient de voler en éclats ! Bellemare roule en bas de son lit et rampe jusqu'à la porte de sa chambre qu'il ouvre en criant d'une voix étranglée par la peur :

— Au secours ! Au secours ! Ils veulent me tuer ! Ils veulent me tuer !

Le tintamarre réveille les pensionnaires qui accourent, l'un en robe de chambre, l'autre en caleçon long. On fait vite de la lumière. Le sol est jonché d'éclats de glace et de débris de verre. On n'a pas tiré sur le député de Champlain, mais lancé un bloc de glace qui a fracassé la fenêtre pour venir se briser en mille miettes contre le mur. D'où l'impression d'un coup de feu ! C'est un message qui veut dire :

— Ne va pas trop loin, Bellemare, car la prochaine fois on ne te ratera pas...

Les chefs des deux grands partis ne ménagent pas leur temps

au cours de la campagne de Bagot. Godbout et Duplessis viennent
tour à tour épauler leur candidat. Duplessis s'offre même le luxe
d'une deuxième visite. Le chef de l'Union nationale veut à tout prix
faire tomber cette citadelle libérale qu'on dit inexpugnable. Outre
les inévitables questions locales (crédit agricole et voirie), deux
thèmes marquent les grandes assemblées : l'autonomie et l'anticommunisme.

Le 24 novembre, le Dr Bailly inaugure sa campagne à Saint-
Pie. Godbout y a délégué Léon Casgrain, son ancien procureur
général. Celui-ci accuse Duplessis « de faire de la petite politique
avec l'autonomie » et de refuser de collaborer avec Ottawa :

— Duplessis, lance-t-il, a la tête enfouie dans les cendres du
passé. Il cherche à distraire l'opinion avec sa marotte de prédilection, le communisme[52] !

Les élections de Bagot se tiennent dans le sillage de la célèbre
affaire Roncarelli qui a soulevé contre Duplessis le Canada anglais.
Autant Duplessis a intérêt à parler d'autonomie pour mieux fustiger
la capitulation de Godbout pendant la guerre, autant ce dernier juge
important de stigmatiser le caractère « dictatorial et fasciste » du
régime, en invoquant les mesures policières prises par le chef de
l'Union nationale contre le restaurateur Roncarelli, accusé de soutenir
la secte hors-la-loi des Témoins de Jéhovah.

Les libéraux ne manquent pas non plus de rappeler la « loi du
cadenas », adoptée par Duplessis en mars 1937 et qui donnait à la
police le pouvoir de mettre les scellés sur tout local servant à
l'impression de tracts communistes et d'en emprisonner les auteurs.
La « loi du cadenas » tire son nom des scellés apposés auxdits endroits.

Comme une bonne partie de la jeunesse étudiante du Québec,
Daniel Johnson a approuvé cette loi qui mettait les communistes au
ban de la société. Le 3 décembre 1937, il croise le fer dans le
Quartier latin avec les étudiants de l'Université d'Alberta qui ont
dénoncé l'interdiction de tenir des assemblées communistes à
Montréal, en vertu de la « loi du cadenas ».

Le jeune Johnson vient alors de commencer sa première année
de droit. Trois mois plus tôt, il portait encore la soutane. Il invoque
abondamment l'argument religieux pour justifier son aversion du
communisme :

Peut-être que nos amis de l'Alberta ne le savent pas : la raison la plus déterminante de notre opposition (…), c'est notre catholicisme. Pour un catholique, il y a une différence aussi radicale entre les autres courants d'idées et le communisme que, pour un marchand, entre un concurrent honnête et un voleur… avec effraction. Nous savons bien que le bâillon ne sera pas un remède définitif. Notre programme, c'est de fermer la boîte à ces fauteurs, tant que nous n'aurons pas réussi à consolider nos positions intérieures[53]…

Avec l'autonomie, l'anticommunisme sera donc fort à la mode aux assemblées unionistes. Le 1er décembre, Duplessis vient inaugurer la campagne de son poulain à la salle Charlebois d'Acton Vale. Malgré la tempête de neige, un millier de personnes sont accourues entendre le Chef flanqué de trois ministres : Paul Beaulieu, Laurent Barré et Antonio Talbot, respectivement ministres du Commerce et de l'Industrie, de l'Agriculture et de la Voirie.

Duplessis présente Johnson à la foule en des termes élogieux :

— C'est un homme qui est à l'aube d'une brillante carrière, un homme honnête et de talent. Imaginez, il n'était même pas encore député du comté qu'il vous a obtenu plus de 300 000 dollars en travaux divers[54] !

Johnson renchérit, mais n'oublie pas non plus, en politicien habile, de retourner le compliment à son chef.

— Depuis deux ans, j'ai fait plus pour les cultivateurs que votre député en cinq ans ! Si je suis candidat de l'Union nationale, c'est parce que, pour la première fois en quarante ans, sauf pendant un intérim de trois ans, nous avons avec M. Duplessis un gouvernement qui gouverne avec l'argent du peuple en le faisant retourner au peuple[55].

Duplessis cravache « les traîtres et les renégats qui veulent nous assimiler en laissant Ottawa s'emparer de nos droits provinciaux ». Le Chef remue ses partisans en s'exclamant :

— Jamais ! Jamais ! Jamais je ne vendrai le bien de ma province pour un plat de lentilles. (…) Osera-t-on dire que nous avons tort de réclamer pour notre province le droit d'être chez nous des citoyens libres ?

Martelant sa fameuse formule « rouge à Ottawa, rouge à Québec, rouge à Moscou », Duplessis accuse Godbout de complaisance à l'endroit des communistes et insinue dans une envolée proprement anticommuniste :

— Remarquez que je ne dis pas que M. Godbout est un communiste, mais je dis qu'il n'a rien fait pour enrayer l'œuvre néfaste de ces sectaires. Nous, nous ne pactiserons jamais avec les communistes et nous les empêcherons d'empoisonner les âmes de nos enfants[56].

Une douzaine de jours plus tard, Johnson tient un « ralliement de dames » à la salle Léonard d'Acton Vale, municipalité aussi bleue que Saint-Pie est rouge. Avant les discours politiques, ces dames ont droit aux refrains à l'eau de rose du chanteur de charme Jean Lalonde et à la musique légère de l'orchestre municipal. Avant que ces messieurs ne « s'emparent du crachoir », la jeune épouse du candidat, Reine Johnson, rappelle tout ce que la femme canadienne-française doit à M. Duplessis. (En réalité, c'est Godbout qui a accordé le droit de vote aux femmes, le 25 avril 1940).

Après la partie « divertissement », on passe aux choses sérieuses ! Dans le contexte de l'époque, la chose sérieuse par excellence, c'est la chasse aux communistes ! Deux ministres médecins, délégués par Duplessis, vont se charger de mettre les dames de Bagot en garde contre cette doctrine subversive :

— Nous savons combien les communistes sont puissants chez nous, avertit le premier, le ministre d'État Marc Trudel. Avant longtemps, nous serons leurs victimes si nous ne réagissons pas...

Les bonnes dames en ont la chair de poule... Le second médecin et ministre de la Santé, Albini Paquette, leur explique pourquoi elles doivent à tout prix accorder leurs suffrages à Daniel Johnson :

— Électrices de Bagot, vous choisirez Johnson pour montrer aux autorités d'Ottawa que vous appuyez la politique anticentralisatrice et anticommuniste de Maurice Duplessis[57].

De leur côté, les libéraux ne restent pas inactifs. À Saint-Théodore, le député libéral d'Abitibi, Henri Drouin, veut ouvrir les yeux des électeurs sur le vrai visage de l'Union nationale :

— Ces gens-là ne reculent devant rien pour gagner leurs élections : ils menacent les vieillards de leur faire perdre leur pension et ils traitent de communistes les ouvriers qui osent revendiquer leurs droits...

Lors d'une assemblée qui se tient à Saint-Pie, les fédéraux siègent sur l'estrade du Dr Bailly, comme pour donner raison à Duplessis. Wilfrid Lacroix, député fédéral de Montmorency, reconnaît que « l'autonomie est la question de l'heure, mais encore faut-il la bien comprendre ». Et l'autonomie bien comprise, insinue Lacroix, est « canadienne ». Aussi, le chef de l'Union nationale est-il « le pire ennemi » de l'autonomie bien comprise[58].

À chacune des assemblées du candidat Bailly, Jacques Pineault, organisateur libéral, prend la parole. Il s'affiche comme journaliste et sa violence contre Johnson et Duplessis est extrême. Ce personnage très coloré ne le sait pas encore, mais dans quelques années, il deviendra « la béquille » d'un Daniel Johnson promu chef de parti, puis premier ministre.

Pineault ne vit que pour la politique. Orphelin depuis l'âge de quatre ans, il a été adopté par le député fédéral de Bonaventure, Charles Marcil. À l'École d'agriculture de Sainte-Anne-de-la-Pocatière, son professeur était Adélard Godbout. En 1934, il a participé à la fondation de l'Action libérale nationale avec Paul Gouin. Ce qui le caractérise en 1946, c'est son hostilité farouche envers Duplessis.

En 1935, à l'époque où Duplessis se préparait à laisser tomber Paul Gouin, Jacques Pineault avait attrapé le premier par le collet et était venu à deux doigts de lui casser la figure, au cours d'une altercation dans une chambre du Château Frontenac. Pineault venait d'avouer sa loyauté envers Gouin quand Duplessis s'était approché de lui, ivre, le revers de son veston couvert de cendre de cigare :

— T'es un p'tit christ... un p'tit calvaire ! Ton Paul Gouin, c'est un syphilitique !

Prompt comme l'éclair et prêt à frapper, Pineault, hors de lui, avait saisi Duplessis par la cravate. Le chef de l'Union nationale l'avait échappé belle grâce à l'intervention de Me Noël Dorion qui avait arrêté le poing du jeune Pineault. Duplessis avait, par la suite, regretté ses paroles et cherché à amadouer son agresseur d'un soir avec qui il ne fera finalement la paix qu'en 1959, peu de temps avant de mourir[59].

Le 13 décembre, cinq jours avant le vote, le journaliste Jean-Marc Laliberté, du *Devoir*, fait la tournée du comté afin de supputer les chances des deux candidats. Laliberté et Johnson se connaissent.

Le premier dit au second en lui serrant la main :

— Daniel, qu'est-ce qui t'a pris de te lancer dans cette galère ?

En humoriste qui croit en son étoile, le candidat unioniste
rétorque :

— Un jour, Duplessis va mourir et il faudra quelqu'un pour
le remplacer à la tête du parti ! Si je veux être cet homme, je dois
commencer par devenir député[60]...

Dans son article, Laliberté se montre très circonspect quant au
résultat du scrutin et note que les deux candidats attirent beaucoup
de sympathie. Qui sortira vainqueur ? Malgré son amitié pour Daniel,
le journaliste du *Devoir* ne se compromet pas. Il reste encore deux
grandes assemblées d'ici la fin de la course. Au programme : Godbout
et Duplessis.

Laliberté signale à ses lecteurs le calme de la campagne
électorale :

> Les vieilles méthodes ont tendance à disparaître. Aujourd'hui, la bois-
> son a cédé la place aux soirées artistiques et cinématographiques...

Le journaliste du *Devoir* n'a pas tout vu, évidemment ! Enfin,
il révèle que la critique la plus constante contre Johnson, celle qui
risque de lui faire le plus de tort, c'est qu'il est étranger au comté.

Le dimanche 15 décembre, Duplessis s'amène à Saint-Pie
malgré la tempête de neige. Il vient tirer les derniers boulets de la
campagne contre les rouges. Saint-Pie, c'est le cœur de la forteresse
ennemie. Il ne s'y était encore jamais aventuré et s'y présente avec
son artillerie lourde, c'est-à-dire en compagnie de plusieurs ministres
et députés. Le chef de l'Union nationale aborde son thème
favori : l'autonomie.

— Nous sommes à la croisée des chemins. L'autonomie,
c'est le droit d'administrer ses affaires seul, sans tuteur ni curateur.

Duplessis adopte même le ton du prédicateur pour mieux
frapper l'imagination de la foule qui se presse pour l'entendre :

— Si les Canadiens français ne se donnent pas la main, ne
s'entendent pas et ne coopèrent pas, le jour n'est pas loin où, dans
la province de Québec, nous ne pourrons plus parler français (...)
ni pratiquer notre religion[61].

D'une voix égale, monotone même, le futur député de Bagot expose méthodiquement les problèmes de « ce comté qui a souffert d'abandon sous l'administration Godbout ». La voirie a été négligée, les pensions ont été diminuées. Il n'y a pas eu d'électrification rurale et la jeunesse a été abandonnée à elle-même. Une fois élu, Daniel Johnson verra à corriger cette situation déplorable. Durant le premier gouvernement Duplessis, entre 1936 et 1939, l'Union nationale a versé dans Bagot près de 2 millions de dollars, mais, ajoute le candidat, il en faudra beaucoup plus !

Avant de clore sa dernière intervention de la campagne, Johnson dirige vers son chef un habile coup d'encensoir :

— La lutte que vous menez pour la défense de nos droits est la même que celle que nos pères ont menée en 1763 pour assurer notre survivance. Vous avez été le plus libre des premiers ministres, de 1936 à 1939.

Le lendemain, les libéraux contre-attaquent, à Saint-Pie également. Godbout est présent. Mais le Godbout de 1946 est un politicien aux aguets que tourmentent les accusations de trahison dont les duplessistes l'accablent. Or, il tient en réserve un argument de poids :

— L'entente conclue entre Québec et Ottawa durant la guerre au sujet des droits de taxation peut être annulée à la suite d'un avis d'un mois. Et pourtant, Duplessis, qui nous accuse d'avoir conclu cette entente et d'avoir ainsi vendu nos droits, n'a rien fait pour l'annuler depuis deux ans qu'il est au pouvoir[62] !

Le chef libéral est visiblement satisfait de l'effet qu'il vient de produire sur son auditoire.

Qui gagnera le match ? Il faudrait être devin pour le savoir, notent les observateurs. Le 17, veille du scrutin, la pression monte. Duplessis envoie la police dans le comté pour calmer les trouble-fête et assurer l'ordre durant le vote.

Il fait un froid de loup, ce jour-là. Mais 90 pour 100 des électeurs n'en envahissent pas moins les 49 bureaux de scrutin dispersés dans la circonscription. À midi, une bagarre éclate à Acton Vale entre les partisans du médecin de Saint-Pie et ceux de l'avocat de Montréal. La police provinciale intervient rapidement — ce sera la seule échauffourée de la journée. Trop de « bagosse » et de « gros gin » ont excité les esprits !

Une heure et demie après la fermeture des bureaux de vote, le Dr Bailly concède la victoire à son rival. L'étranger au nom anglais a triomphé du notable local. Et quelle victoire ! Johnson brise en effet tous les records établis dans l'histoire de Bagot. Il entre à l'Assemblée législative avec la plus importante majorité jamais accordée à un député de cette circonscription.

Depuis 1900, les libéraux l'emportaient toujours, mais les majorités oscillaient, en moyenne, autour de 127 voix seulement. Celle de Johnson est éclatante : 1140 voix ! Le candidat unioniste a récolté 4725 votes, le Dr Bailly 3585 et l'indépendant Degranpré, à peine 50[63].

Au Manoir d'Acton, c'est le délire ! La foule des partisans envahit l'hôtel et porte en triomphe le nouveau député jusqu'à la salle Charlebois où on l'acclame encore. Johnson se laisse aduler — il recueille, ce soir-là, le fruit de six années d'efforts inlassables. La victoire lui revenait ; il ne s'en étonne même pas. Les célébrations durent une partie de la nuit. Avant de se retirer dans sa suite, entouré de quelques intimes, le député de Bagot participe à un bruyant défilé d'automobiles qui traverse les 13 paroisses du comté. On passe devant l'hôtel National plongé une fois de plus dans la noirceur. Mais cette fois-ci, cela n'a rien à voir avec ce diable de Bellemare : c'est que les rouges dorment déjà !

Aux petites heures du matin, Daniel Johnson évoque encore l'avenir avec ses proches :

— C'était mon devoir de me présenter pour aller épauler M. Duplessis qui a pris sur lui de défendre les intérêts du Québec face aux centralisateurs d'Ottawa...

Jean-Louis Laporte, son publiciste, l'écoute avec un brin de scepticisme. Johnson croit-il seulement à l'autonomie duplessiste ? se demande-t-il. Mais il n'a nulle envie de lui poser la question ; il a appris à connaître son homme au cours de la lutte électorale et le sait fermé comme un livre sur certains sujets. On saisit le personnage véritable par tranches, et il faut y mettre le temps[64].

Maurice Bellemare est heureux comme un roi et répète : « Mission accomplie ! » Duplessis sera content de lui ! Quant à Edmour Gagnon, il savoure tranquillement la victoire de son élève. Son flair de politicien chevronné ne l'a pas trompé, il a misé sur le bon cheval. Edmour ne vivra désormais que pour un seul but : fournir au jeune député tous les moyens de parvenir au sommet de l'édifice politique. Edmour Gagnon vient tout simplement de décider de faire de Daniel Johnson un premier ministre.

Quant à celui-ci, il n'arrête pas de parler, malgré l'heure tardive. Il grille cigarette sur cigarette, s'amuse, rit de bon cœur. Sa victoire a effacé d'un trait la fatigue d'une campagne éreintante. Il paraît en grande forme. C'est un vainqueur qui ne remarque même pas la tristesse de sa femme, Reine, assise un peu à l'écart. Le journaliste Laporte s'en est aperçu. Il vient la rejoindre :

— Qu'y a-t-il ? Pourquoi es-tu si triste ?

— Je viens de perdre mon mari, répond doucement Reine.

— Allons donc ! Quelle drôle d'idée !

— Tu le connais, il va se dévouer corps et âme pour son comté et la province. Il ne peut admettre que les Canadiens français passent aux yeux des autres provinces pour des porteurs d'eau. (…) Il désire qu'on nous rende justice. Jamais il ne lâchera ; et il prendra tous les moyens pour arriver à son but.

Que Johnson soit un homme déterminé, Laporte en est aussi convaincu que son interlocutrice. Celle-ci reprend :

— Il nous aime, les enfants et moi ; mais nous allons passer souvent au second plan car, pour lui, le bien de la collectivité doit primer.

— Il y a quelque chose que je ne m'explique pas, réplique le journaliste. Quand Daniel s'est lancé en politique et a demandé ton opinion, tu l'as encouragé, non ?

— J'aime Daniel plus que tout au monde. Si j'avais dit non, il ne me l'aurait pas reproché, mais il aurait été malheureux. Lorsqu'une femme aime son homme, elle prend les moyens pour le rendre heureux[65]…

Depuis le tout premier jour de leur mariage célébré le 2 octobre 1943, le jeune couple a filé le bonheur parfait. Cette union ? Elle a été la suite naturelle d'un amour qui s'était ébauché à l'Université de Montréal. Marie-Reine Gagné collaborait, comme Johnson, au *Quartier latin*. Fille de l'avocat Horace Gagné qui avait tâté de la politique comme candidat conservateur au fédéral, Reine étudiait en lettres et se passionnait pour la poésie. Les deux apprentis journalistes se plurent et, quelques années plus tard, s'épousèrent.

Daniel Johnson n'avait pas caché à sa jeune épouse qu'il était dévoré par le virus de la politique, sujet dont ils discutaient souvent. Il lui faisait part de ses rêves, de ses espoirs et de son désir obsédant de se consacrer au Québec. Reine l'encourageait, mais son mari sentait chez elle une certaine appréhension de l'avenir. Il lui répétait, comme pour la rassurer :

— Moi, quand je vais entrer en politique, ce sera pour quelques années, tout au plus !

— Daniel... je te connais, répliquait Reine. Tu vas mourir en politique ! Tu vas y rester pour toujours si tu y vas[66].

Aujourd'hui, Daniel se retrouve à la tête de milliers de commettants. Il va aller se battre en leur nom dans une capitale lointaine, à des dizaines de kilomètres de la maison familiale de Notre-Dame-de-Grâce. Avec deux enfants en bas âge, quelle sorte d'existence sa femme peut-elle espérer, dorénavant ? L'aîné, Daniel, a deux ans, tandis que le cadet, Pierre-Marc, fait à peine ses premiers pas. Avant de se joindre aux autres, Reine Johnson laisse encore échapper :

— Je sais bien qu'à partir de ce soir il ne s'appartiendra plus, qu'il sera rarement au foyer. C'est simplement cela qui me rend triste[67].

Ce soir-là, Daniel Johnson n'éprouve pas les mêmes sentiments que sa femme. Le député de Bagot s'enivre de son propre succès. Sa victoire lui permet de réaliser sa grande ambition : se retrouver à Québec aux côtés d'un chef qu'il admire, Maurice Duplessis.

Entouré d'amis dévoués, dans cette chambre d'un petit hôtel de campagne, Daniel Johnson hume déjà le parfum du pouvoir. Il a lutté fort pour se hisser là où il se trouve maintenant, avec ce titre pompeux de « Monsieur le député de Bagot » dont on va l'honorer pendant au moins deux longues années. Peut-être plus, qui sait ?

Notes — Chapitre 1

1. Robert Rumilly, *Maurice Duplessis et son temps*, tome II, Montréal, Fides, 1973, p. 170.
2. *The Monetary Times*, vol. 128, n° 1, janvier 1960, Toronto.
3. René Chaloult, *Mémoires politiques*, Montréal, Éditions du Jour, 1969, p. 216.
4. Daniel Johnson fils.
5. Le juge Maurice Johnson.
6. *Ibid.*
7. Le juge Réginald Tormey.
8. *Le Devoir*, le 18 décembre 1946.
9. Robert Rumilly, *op. cit.*, tome I, p. 420.
10. Alfred Hardy.
11. Le juge Maurice Johnson.
12. Robert Rumilly, *op. cit.*, tome I, p. 331, 538 et 550.
13. Le juge Réginald Tormey.
14. *Ibid.*
15. Le juge Maurice Johnson.
16. Jean-Louis Laporte, *Daniel Johnson, cet inconnu*, Montréal, Beauchemin, 1968, p. 66.
17. Robert Rumilly, *op. cit.*, tome I, p. 615.
18. Cité par Jean-Louis Laporte, *op. cit.*, p. 28 et 29.
19. *Ibid.*, p. 30.
20. *Ibid.*, p. 31.
21. *Le Devoir*, le 18 décembre 1946.
22. Robert Rumilly, *op. cit.*, tome I, p. 685.
23. Le juge Maurice Archambault.
24. *Post Scriptum*, émission télévisée diffusée à Radio-Canada, le 5 juillet 1965. Il s'agit d'une entrevue avec Daniel Johnson, alors chef de l'opposition, réalisée par MM. Fernand Séguin et Gérard Pelletier.
25. *L'Homme Daniel Johnson, 1915-1968*, album lancé le 15 octobre 1968 aux studios CJMS, Montréal, « Réalités du Canada français », n° 3.
26. Robert Rumilly, *op. cit.*, tome II, p. 169.
27. Conrad Black, *Duplessis. Le Pouvoir*, Montréal, Éditions de l'Homme, 1977, p. 37.
28. Robert Rumilly, *op. cit.*, tome I, p. 169-170.
29. *Le Devoir*, le 18 décembre 1946.
30. *Le Canada*, le 12 décembre 1946.
31. Jean-Louis Laporte, *op. cit.*, p. 39.
32. *Ibid.*, p. 40 et 41.
33. Le juge Maurice Johnson.

34. Le juge Réginald Tormey.

35. Mgr Samuel Lemoyne.

36. L'abbé Alphonse Girard.

37. Mgr Léo Sansoucy.

38. *Ibid.*

39. Mgr Alfred Lalîme.

40. Archives du séminaire de Saint-Hyacinthe.

41. *Ibid.*

42. *Ibid.*

43. Le juge Maurice Archambault.

44. *Ibid.*

45. Le juge Maurice Johnson.

46. Jean-V. Dufresne, « Daniel Johnson... », *Le Magazine Maclean,* vol. 4, n° 4, avril 1964, p. 25.

47. Mgr Alfred Lalîme.

48. *L'Homme Daniel Johnson, 1915-1968, op. cit.*

49. Le juge Maurice Archambault.

50. *Current Biography,* vol. 28, novembre 1967, New York, H.W. Wilson, p. 30-33.

51. Jean-Louis Laporte, *op. cit.,* p. 70.

52. *Le Devoir,* le 25 novembre 1946.

53. Jean-Louis Laporte, *op. cit.,* p. 22.

54. *Le Devoir,* le 2 décembre 1946.

55. *Ibid.*

56. *Ibid.*

57. *Le Devoir,* le 12 décembre 1946.

58. *Le Devoir,* les 14 et 16 décembre 1946.

59. *Nous avons connu Duplessis,* écrit en collaboration, Montréal-Nord, Éditions Marie-France, 1977, p. 31-33.

60. Jean-Louis Laporte, *op. cit.,* p. 71.

61. *Le Devoir,* le 16 décembre 1946.

62. *Le Devoir,* les 16 et 17 décembre 1946.

63. Robert Rumilly, *op. cit.,* tome II, p. 170.

64. Jean-Louis Laporte, *op. cit.,* p. 73.

65. *Ibid.,* p. 72-73.

66. *Post Scriptum, op. cit.*

67. Jean-Louis Laporte, *op. cit.,* p. 73.

Chapitre 2

Le protégé de Maurice Duplessis

Aussitôt maître de Bagot, Johnson ne tarde pas à s'établir parmi ses électeurs. En février 1947, il achète une maison que la famille occupe les fins de semaine et durant les vacances. Attenant à la demeure, il y a un garage que le député transforme temporairement en bureau. C'est là qu'il « confesse » ses commettants.

Cette résidence secondaire dans Bagot lui permet d'invalider l'accusation de parachutage portée contre lui au cours des élections partielles. Quant aux autres munitions des libéraux, Johnson a au moins deux ans pour les désamorcer, car les élections générales ne se tiendront qu'en 1948.

Le vote de décembre a révélé qu'il y a dans Bagot un seul village de libéraux irréductibles. C'est Saint-Pie où habite son malheureux adversaire d'hier, le Dr Bailly. Où pensez-vous que Johnson va faire son nid ? Son instinct de batailleur lui dicte de fixer son bivouac de fin de semaine au cœur du château fort ennemi. Il déniche une maison ancienne, rue Notre-Dame, à Saint-Pie, de biais avec la résidence du candidat libéral. Ce geste est typique de l'homme. Il va au-devant de ses adversaires pour mieux les combattre. En face de l'obstacle, Johnson ne lâche jamais, ne fuit pas.

Quand un homme politique démissionne, Johnson a coutume de dire : « Il va avoir les journaux avec lui pendant trois jours et après, ce sera le silence... » En juin, les villageois font une grande fête pour souligner l'arrivée de leur nouveau député à Saint-Pie[1].

Fin stratège, Johnson sait déjà (il y a peut-être du Edmour Gagnon là-dessous !) qu'il vaut mieux combattre l'ennemi chez lui, sur son propre terrain. Son raisonnement est juste. Aux élections générales de 1948, il obtient une majorité de 11 voix dans Saint-Pie. En 1946, le Dr Bailly l'avait emporté par 398 voix. Moins de deux ans plus tard, le nouveau député a su retourner la situation en sa faveur. Ce n'est pas une mince victoire, car le candidat libéral d'alors est nul autre que le maire de Saint-Pie, M. Henri Messier. À l'échelle du comté, le député de Bagot a considérablement accru sa majorité par rapport à 1946.

Sa campagne de 1948, Johnson la fait seul. Duplessis n'a pas besoin de se présenter dans Bagot, tant la victoire de son nouveau député paraît assurée. L'Union nationale domine partout au Québec. C'est un balayage écrasant : 50 pour 100 du vote et 90 pour 100 des sièges vont au parti de Duplessis. Du côté libéral, c'est la consternation. Godbout est terrassé. Il a perdu son comté et son parti se retrouve à l'Assemblée avec seulement huit sièges[2]. Quelques mois plus tard, un jour où le Chef est en pleine forme, Johnson fanfaronne :

— Pouvez-vous m'expliquer, M. Duplessis, pourquoi ma majorité dans Bagot a été plus forte en 1948 qu'en 1946 où vous êtes venu faire campagne dans mon comté ?

— Parce que, Daniel, tes électeurs n'étaient pas très brillants, réplique Duplessis, piqué. Il leur a fallu deux ans avant de voir la vérité de ce que je leur avais dit en 1946[3].

Johnson dissimule à peine son ambition. Il compte monter beaucoup plus haut que le simple échelon de la députation. Dès son arrivée à l'Assemblée législative, il s'applique à faire une cour systématique à Duplessis qui se méfie de ses députés en culottes courtes et à qui la gérontocratie semble le mode de gouvernement le plus sûr. Qu'à cela ne tienne ! Daniel Johnson va montrer à son protecteur que, parfois, la valeur n'attend pas le nombre des années. Si Duplessis n'accorde pas facilement sa confiance à ses jeunes poulains, il aime, par contre, leur donner du sucre quand ils ont bien couru.

À la session de 1947, le Chef souligne l'entrée en Chambre du nouveau député de Bagot en lui confiant le soin d'appuyer le discours du Trône. Johnson s'acquitte de sa tâche avec brio, mais termine sur une note imprudente :

— C'est la première fois que j'adresse la parole à cette Chambre et ce ne sera pas la dernière !

Il attendra plus de dix ans avant de pouvoir prononcer un autre discours[4] ! Le jeune naïf ne sait pas encore que, pour Duplessis, le rôle du député d'arrière-ban consiste surtout à voter, à applaudir à son signal et à se tordre de rire à chacun de ses calembours.

Johnson a commis une maladresse de débutant encore mal adapté aux us et coutumes de la Chambre. René Chaloult, l'indépendant qui aime et déteste Duplessis tout à la fois, s'attache à ce jeune député qui lui paraît doué, délicat et sensible. Les éclats de Chaloult enragent Duplessis qui, pour mieux le contenir, décide de le placer en face de lui sur la banquette qui, normalement, devrait être occupée par le chef de l'opposition. Il lui colle en outre un espion aux fesses, Daniel Johnson, qu'il fait asseoir derrière lui !

C'est sa première mission et Johnson s'en acquitte avec une discrétion et un tact qui enchantent le bouillant député de Québec. Néanmoins, un espion est un espion, tout mielleux qu'il soit ! Aussi Chaloult s'assure-t-il, avant de quitter son pupitre, de bien le fermer à clef et d'en retirer tout document important[5] !

Réduit à un rôle de pion silencieux, Johnson écoute avec avidité les débats qui se déroulent autour de lui. Il observe et apprend. Duplessis est fier du bon tour qu'il a joué à Chaloult. Un jour qu'il est d'humeur joyeuse, il lui lance, en le croisant :

— Comment trouves-tu mon petit Daniel ?

— Très bien, très bien, fait Chaloult. Je le trouve intelligent, mais il ne parle pas souvent en Chambre.

— Il ira loin, tu sais, il ira loin[6]...

Johnson dispose d'un autre moyen que l'espionnage pour « aller loin ». Il se mêle de toutes les luttes électorales, aux côtés de son chef. Aussi n'est-il pas étonnant de le retrouver, en juillet 1947, plongé jusqu'au cou dans l'élection partielle de Huntingdon. Au cours d'une grande assemblée à Hemmingford, Johnson se carre sur son siège en compagnie de Duplessis lui-même et de cinq ministres. Le chef du gouvernement met autant d'énergie à faire élire son candidat dans Huntingdon, John Gillis Rennie, qu'il en avait déployé l'année précédente dans Bagot. Johnson, lui non plus, ne compte pas son temps. Dans un parti où la moitié des députés sont d'authentiques fainéants, une telle flamme plaît à Duplessis.

Johnson ne limite pas son zèle à l'action électorale. Il connaît aussi la magie des cadeaux. En janvier 1948, au Nouvel An, le courtisan offre à Duplessis une série de volumes intitulée *Les Grands Destins* et portant en sous-titre : « Les Géants de la politique ». Il y a écrit une dédicace élogieuse : *À Maurice L. Duplessis, premier ministre — en témoignage d'admiration et de reconnaissance à un « géant de la politique » qui est resté un homme de cœur*[7]. Johnson connaît l'art de tourner un compliment.

Tout n'est pas que vil intérêt ou basse flatterie chez Johnson. Le jeune député admire véritablement Maurice LeNoblet Duplessis dont il a suivi la carrière à la loupe depuis 1936. Johnson communie aux idées de son maître. Il a assimilé par toutes les fibres de son esprit l'essence même du duplessisme : autonomie, ordre et sécurité, primauté accordée à l'entreprise privée plutôt qu'à l'État, anti-communisme agissant, antisyndicalisme.

Un jour qu'il s'adresse à un groupe de militants unionistes réunis au club Renaissance de Québec, Johnson chante les louanges de son chef et conclut :

— M. Duplessis accomplit une révolution dans l'ordre, alors que ses détracteurs voudraient le désordre à la faveur duquel ils espèrent se placer[8].

En 1950, Daniel Johnson prend son baluchon et s'envole pour la lointaine Océanie. Le chef le délègue à une conférence des parlementaires du Commonwealth qui doit se tenir en Australie et en Nouvelle-Zélande. Johnson explore le monde et fait la connaissance de John Diefenbaker, député conservateur de Prince-Albert, qui est lui aussi du voyage. Il se fait élire au conseil général de l'association comme représentant des provinces canadiennes. Quand les parlementaires du Commonwealth tiendront, en 1952, leurs assises en sol canadien, c'est Johnson qui les présidera.

Le début des années 50 coïncide avec la guerre froide américano-soviétique. Ici, comme outre-frontière, les gouvernants agitent l'épouvantail de la conspiration bolchevique internationale pour discréditer syndicats, intellectuels et réformistes. Duplessis attribue aux rouges les sabotages les plus abracadabrants comme l'écroulement du pont de Trois-Rivières.

Inauguré en 1947, orgueil du régime, l'ouvrage s'effondre à l'aube, le 31 janvier 1951, par un froid sibérien de moins 25 degrés.

— C'est un coup des bolchevistes ! s'écrie Duplessis.

Mais pour le maire de la ville, J.-A. Montgrain, ennemi juré du premier ministre, les véritables responsables sont plutôt le régime et les constructeurs du pont, la société Dufresne Engineering.

— Il y a eu coulage et malfaçon, affirme le maire de Trois-Rivières, dont les accusations sont reprises par *Le Devoir* et par les libéraux qui sautent sur l'occasion pour mordre Duplessis.

Sabotage communiste ou malfaçon ? Une enquête instituée par le gouvernement pour tirer l'affaire au clair conclut, dix mois plus tard, que : « personne n'a été capable d'expliquer la cause de l'accident. Les commissaires n'excluent pas toutefois l'hypothèse du sabotage[9] ».

La polémique se terminera-t-elle en queue de poisson ? On peut le croire car le rapport blanchit le gouvernement, disculpe la société Dufresne (qui a bien fait son travail) et ramène l'accusation de sabotage à une simple hypothèse. D'ailleurs, le fameux fil posé par de soi-disant communistes et dont Duplessis avait fait grand état se révèle n'être qu'un banal câble téléphonique placé après la chute du pont par Bell Téléphone pour rétablir la communication entre Trois-Rivières et le Cap-de-la-Madeleine[10].

Daniel Johnson croit-il aux histoires de « bonhomme-sept-heures » inventées par Duplessis pour aviver la flamme de l'anticommunisme ? Celui-ci ne se considère pas comme un idéologue et estime que l'action doit passer avant la doctrine ou l'évangile politique. C'est un pragmatique pour qui l'anticommunisme est un outil électoral et un cheval de bataille. Depuis la fameuse « loi du cadenas » de 1937, qu'il a lui-même défendue dans les pages du *Quartier latin*, il a vu son chef prouver hors de tout doute l'efficacité politique de l'anticommunisme. C'est dire que la démagogie de Duplessis ne le gêne nullement.

L'affaire du pont de Trois-Rivières fournit à Johnson une autre occasion de faire « monter ses actions » auprès du Chef. Le maire Montgrain ne veut pas lâcher prise en dépit du rapport et continue d'attaquer le premier ministre. Quelques jours après la publication du document, le maire proclame qu'il sera « l'homme qui demandera des comptes » à Duplessis. Il l'accuse de nuire à Trois-Rivières en empêchant par des pressions indues l'établissement en banlieue de la ville d'une industrie de zinc de 15 millions de dollars.

Duplessis encaisse en sachant que l'heure de régler le compte de ce Montgrain ne tardera pas, car un projet de loi touchant la ville doit être présenté devant le Comité des bills privés, le 4 décembre. Le jour venu, Duplessis et Montgrain se dévisagent comme chien et chat. Qui attaquera le premier ?

C'est le prévenant Daniel Johnson qui allume la mèche en tendant un piège au maire Montgrain. Se tournant vers Me Pinsonneault, l'avocat de la ville de Trois-Rivières, le député de Bagot laisse tomber froidement :

— Un journal a rapporté récemment que le maire de Trois-Rivières a accusé le premier ministre d'avoir fait des démarches pour empêcher une industrie de 15 millions de dollars de s'établir en banlieue de la ville. Le maire est ici : peut-être pourrait-il répondre lui même[11] ?

Duplessis ne laisse pas le temps à son adversaire de dire un mot. Il attaque :

— Le maire a-t-il réellement fait cette déclaration ?

— Oui, j'ai fait cette déclaration, réplique Montgrain du tac au tac.

Le dialogue tourne vite au vinaigre. Le ton monte. Les deux belligérants s'empoignent verbalement.

— C'est du libelle ! tonne Duplessis. Rétractez-vous, sinon je veillerai à ce que vous y soyez forcé !

Le maire Montgrain ne répond pas[12]. Aussitôt le match commencé, Daniel Johnson s'est tenu à l'écart. Il laisse agir son chef qui lui enseigne comment mater un adversaire politique encombrant. Une menace de poursuite en libelle (peu importe si elle doit vraiment avoir des suites) donne le même résultat que le bâillon, mais paraît moins odieuse car celui qui veut y recourir a toujours l'air de la victime...

* * *

La tragédie fait partie de la vie. Les hommes politiques, encore moins peut-être que les autres, n'en sont pas à l'abri. Prisonnier volontaire de son apprentissage politique, Daniel Johnson ne s'aperçoit pas qu'il oublie sa famille et sa femme. Il court aux quatre coins de la province et se démène comme un diable dans l'eau bénite dès que son chef le lui ordonne.

Il voyage à l'étranger. Ses séjours dans la vieille capitale sont de plus en plus longs, de plus en plus fréquents. En cours de session, il ne revient chez lui ou à Saint-Pie qu'en fin de semaine. Et encore, pas toujours ! L'attention prioritaire et démesurée qu'il consacre à l'avancement de sa carrière lui dicte de ne pas rater ces multiples réunions, conciliabules, assemblées et réceptions qui se déroulent les samedis et dimanches. Ce sont les règles du jeu.

Daniel Johnson existe-t-il encore vraiment pour sa famille ? Les deux aînés, maintenant âgés de huit et six ans, ne connaissent de leur père que cet homme sans cesse en mouvement, qui arrive et qui part. Il les aime tendrement, ce père, mais il n'est jamais à la maison bien longtemps. Où court-il toujours ainsi ? Et après quoi ? Pourquoi prend-il si souvent le train pour Québec ? D'où arrive-t-il ?

Ces petites gares de Westmount et de Montréal-Ouest, comme ils les connaissent ! La locomotive qui gémit, le vacarme, les gens qui s'affairent autour d'eux et leur père attendri qui embrasse sa femme. Jusqu'à la dernière minute il reste avec eux, puis il les serre contre lui une fois encore, agite la main, court et saute dans le train déjà en marche. Chaque fois, c'est pareil... c'est comme si leur père s'arrachait à eux. Chaque fois aussi, ils se retrouvent seuls sur le quai, aux côtés d'une mère attristée.

Ainsi va la vie ; mais parfois l'imprévisible se produit. Le dimanche matin 11 janvier 1953, un Daniel Johnson désespéré se précipite avec un ami au Château Frontenac. Il réveille Duplessis et lui remet sa démission. Abasourdi, le chef du gouvernement dévisage son « petit Daniel ». Il est en présence d'un homme atterré et démoralisé. Un homme qui fait pitié à voir[13]. Son épouse est mêlée à une fâcheuse affaire qui risque de nuire à sa carrière politique.

C'est dans la nuit du samedi que le député de Bagot a appris que son épouse avait été victime d'un attentat. Bouleversé, il est accouru en pleurant chez son protecteur. Que faire ? L'affaire va éclater dans les journaux du lundi ! Effectivement, dans le quotidien *La Presse* du lendemain, une dépêche titrée « Une tragédie survenue rue Dorchester » rapporte le drame[14].

Le célibataire Duplessis connaît tout des hommes, tout de l'existence. Comme premier ministre de la catholique province de Québec, il est une sorte de pasteur, un confesseur qui, avec les années, devient de plus en plus compatissant. Son Daniel, il s'est mis à l'aimer peu à peu. Sera-t-il écrit qu'il le perdra à cause de ce malheureux incident ? Rien n'est irréparable. Duplessis peut tout.

Le Chef saisit les mains de son protégé, le regarde avec émotion et, comme un père à son fils, lui conseille :

— Tu vas rentrer chez toi et prendre ta femme dans tes bras. (...) Tu vas prier, tu vas travailler. (...) Tu vas continuer de servir ton comté et ta province. (...) Le temps apaise tout[15]...

Son sermon terminé, Duplessis renvoie Johnson auprès de sa femme et s'affaire aussitôt à sortir son député du gouffre où la fatalité l'a précipité. Il se met en contact avec deux de ses collaborateurs immédiats, Me Émile Tourigny, qui rédige ses projets de loi, et Roger Ouellet, son fidèle et discret secrétaire. À eux trois, ils tentent d'étouffer l'affaire en exerçant des pressions sur la direction des journaux et des stations radiophoniques[16].

Tous les médias vont plier sauf quatre. Ainsi, *The Gazette* et *Le Devoir* rapportent l'attentat en entrefilet, mais taisent le nom de l'épouse du député de Bagot. Cependant, deux organes d'obédience libérale (une station de radio de Québec et *La Presse,* de Montréal, dont le propriétaire Pamphile Du Tremblay est rouge à ne pas en voir clair) se moquent des avertissements de Duplessis. Ils rapportent l'incident en détail et révèlent l'identité de la victime. Contre la « grosse *Presse* », le chef de l'Union nationale possède peu de recours. En revanche, il se promet de châtier le propriétaire de la station radiophonique, qui n'a pas suivi sa consigne. Duplessis a la mémoire longue. Quelques années plus tard, la station viendra à un cheveu de perdre son permis de diffusion, au moment où régnera à Ottawa le gouvernement conservateur de John Diefenbaker, élu, entre autres facteurs, grâce au puissant concours de Maurice Duplessis[17].

Ranimé par son chef qui lui a fortement conseillé de voir du monde, Daniel Johnson fait face à la musique avec le concours d'amis comme Roland Giroux, un courtier de la rue Saint-Jacques qu'il considère comme son frère. Le soir même où la presse rapporte l'affaire, il fait la tournée des grands ducs avec le comédien Jacques Normand. Il s'agit de montrer à la bonne société que la vie continue comme avant !

À la première séance de l'Assemblée législative postérieure à l'attentat, Duplessis se lève de son siège et se dirige vers Johnson, figé comme une momie égyptienne. Le Chef lui serre ostensiblement la main, au milieu d'un silence de plomb. Personne n'est dupe. Par ce geste, Duplessis impose la loi du silence. Malheur à celui qui osera la défier !

Le dimanche où Johnson est venu pleurer dans ses bras, le chef de l'Union nationale l'a rassuré au sujet de l'attitude de ses collègues. Il lui a dit, avant de le laisser partir :

— Ne t'en fais pas, Daniel. S'il y en a un seul qui dit quelque chose sur toi, je le fais taire car je sais des choses sur la vie privée de chacun d'entre eux...

Quelques mois plus tard, pour tuer à tout jamais les ragots et bien montrer à tous que le député de Bagot demeure son protégé, Duplessis en fait son secrétaire parlementaire. Tant d'attentions enchaînent le député Johnson à son maître. Il lui doit non seulement sa carrière qui a failli se briser sur les récifs de la fatalité, mais le Chef a en outre sauvé sa vie familiale. Dès lors, Johnson ne vivra plus que pour le servir. Peu à peu, le fâcheux épisode du début de l'année 1953 tombera dans l'oubli.

Vice-président de l'Assemblée législative

Daniel Johnson reprend son travail de député d'arrière-ban avec ardeur. Son admiration pour Duplessis est sans bornes : il surveille chacun de ses gestes, boit chacune de ses paroles. Il continue d'applaudir les bons coups de son patron quand tous les autres ont cessé de le faire... Le 15 décembre 1955, Johnson s'élève d'un autre échelon dans la hiérarchie du pouvoir. À la suite de la démission d'Alexandre Taché, président de l'Assemblée, Maurice Tellier, député de Montcalm, hérite de la fonction. La Chambre doit se choisir un vice-président dont le principal rôle consiste à diriger les débats quand les députés siègent en comités. Les parlementaires désignent le député de Bagot... sur la recommandation expresse du premier ministre[18].

Duplessis lui entrouvre ainsi la porte du cabinet. La vice-présidence est, en effet, un point d'observation idéal pour décortiquer systématiquement tous les rouages de la machine gouvernementale. Johnson pourra dorénavant examiner les budgets de chacun des ministères, article par article, alinéa par alinéa. Aucun point, aucune virgule n'échapperont à son attention. Son rôle de meneur de jeu l'oblige à suivre les débats de près. La mémoire de Johnson fonctionne comme un ordinateur : elle enregistre tout. Trois années consacrées à cette fonction feront de lui un maître de la procédure parlementaire. Comme son chef !

Dans ce Parlement de la seconde moitié des années 50, l'opposition libérale est réduite à une poignée de députés impuissants, dirigés par Georges-Émile Lapalme. Duplessis écrase tout, même les siens. Son vice-président doit suivre ses directives à la lettre, l'esprit du parlementarisme britannique devrait-il en subir des avanies ! Johnson aimerait bien que son chef se montre un peu plus « gentleman » sous ce rapport. Dénué de ce fameux fair-play britannique — son impétueux tempérament de latin autoritaire lui fait considérer cette coutume anglo-saxonne comme une extravagance —, Duplessis rend illusoire l'impartialité du président et du vice-président de l'Assemblée.

Cette incapacité à faire preuve d'objectivité envers la gauche libérale indispose le député de Bagot. Mais il doit une fière chandelle au souverain ; aussi n'ose-t-il défier ses diktats qu'il applique souvent à contrecœur. Un jour, il déclare en badinant à son collègue Chaloult qui lui reproche sa partialité :

— Que voulez-vous ? Je n'ai pas le choix, je suis dans la situation d'un conducteur d'automobile qui doit forcément protéger sa droite[19]...

Les responsabilités grandissantes qu'il assume à Québec n'empêche pas Johnson de réorganiser son cabinet d'avocat de Montréal ni, surtout, d'assurer une permanence à son bureau de Saint-Pie. Quelques semaines avant les élections générales de 1952, le député de Bagot cherche une secrétaire pour son cabinet de la rue Saint-Jacques. Notre homme s'identifie tellement à Duplessis qu'il a loué le bureau occupé autrefois par son chef ! Un jour, il demande à l'une de ses connaissances :

— Je cherche une secrétaire. Connaîtriez-vous quelqu'un ?

— Je connais quelqu'un, en effet, répond son interlocuteur.

— Qui est cette perle ?

— C'est ma sœur...

Yvette Marcoux fait ainsi son entrée dans la vie de Daniel Johnson ; elle y restera de longues années. Mais il y a un obstacle. La jeune fille, âgée de vingt-cinq ans, est déjà la secrétaire de Redmond Roche, député unioniste de Chambly.

Son frère lui conseille tout de même de rencontrer Johnson. Yvette a entendu parler de lui. D'ailleurs, elle aspire à un autre emploi : le tempérament par trop martial du « colonel » Roche ne lui convient pas. Elle se rend chez Johnson qui lui dit :

— Écoutez, mademoiselle Marcoux, je ne peux quand même pas vous enlever à Roche !

La secrétaire lui annonce qu'elle songe de toute manière à quitter son colonel.

— Dans ce cas, ajoute le député, je vais au moins l'appeler[20]...

Yvette Marcoux n'est pas longue à s'apercevoir que le travail demandé par son nouveau patron touche souvent de près à la politique. Elle est loin de s'en plaindre ! C'est un monde qui l'attire et on lui a laissé entendre que le député de Bagot était promis à une carrière peu commune.

Johnson n'est avocat que pour la forme. C'est son collègue Réginald Tormey qui fait le plus gros du travail juridique. Quand il est dans la métropole, il est rare que Johnson arrive au bureau avant dix heures et demie ou même onze heures. Dès qu'il met les pieds dans le cabinet, la discussion tourne rapidement à la politique. On oublie tout le reste !

Yvette Marcoux a trois occupations principales. Elle filtre tout d'abord les appels destinés au député et se tient toujours en contact avec lui par téléphone lorsqu'il est à l'extérieur de Montréal. Sa deuxième tâche consiste à taper la correspondance. Mais c'est sa dernière fonction qu'elle préfère : la jeune secrétaire doit en effet dépouiller le volumineux courrier du député, en prendre connaissance et surtout bien l'assimiler. Johnson est un homme pressé qui lit ses lettres en diagonale. Il revient à Yvette de lui en résumer le contenu et de répondre avec précision quand il lui demande d'un air distrait, en désignant du doigt la quatrième ou cinquième ligne d'une lettre :

— Qu'est-ce qu'il dit, là ? Qu'est-ce qu'il veut ?

Yvette Marcoux aime particulièrement ce moment de la journée qui la rapproche de ce patron si doux, si humain et pour qui, déjà, elle redouble de zèle et de prévenances.

La secrétaire de Johnson est toujours en mouvement, sur un pied ou sur l'autre... Dans les moments de détente, son patron l'appelle « le chevreuil »...

Au moment des élections de 1952, le député demande à Yvette de diriger son bureau de Saint-Pie. La jeune fille en meurt d'envie, mais il y a les convenances... Johnson se rend donc chez maman Marcoux, à Iberville.

— Madame Marcoux, lui demande-t-il avec malice, voulez-vous me prêter votre fille pour la campagne ? Je vais m'en occuper très bien.

Comment dire non à un homme aussi attachant ?

Comme toujours, Duplessis inaugure sa campagne chez lui, à Trois-Rivières. Yvette y assiste en compagnie de Johnson — c'est la première fois qu'elle voit de si près Dieu-le-père[21]. Après la campagne électorale, Johnson rapatrie Yvette à son bureau de l'édifice Thémis.

Vers 1954, le député de Bagot se met à la recherche d'une seconde secrétaire, mais, cette fois, pour son bureau de Saint-Pie. Un député rural, c'est d'abord et avant tout un pourvoyeur de services sociaux. Il lui faut être disponible pour ses commettants non seulement le week-end, mais également la semaine, par secrétaire interposée !

L'un de ses organisateurs, Georges Jodoin, lui propose son neveu, Paul Petit, un gars débrouillard et costaud de vingt-huit ans qui connaît la sténo-dactylo. « Pourquoi pas un homme ? » réfléchit Johnson. De toute façon, il n'a presque pas le choix, car aucune secrétaire de Saint-Pie ne veut travailler pour lui ! Beaucoup trop exigeant, Monsieur le député de Bagot ! Deux ou trois jeunes filles ont tenté l'expérience, mais elles ont vite décampé en racontant partout que le député Johnson se fâche toujours quand il dicte sa correspondance, à cause de son sale caractère d'Irlandais.

Cette mauvaise réputation n'intimide pas Petit. Depuis 1948, il conduit les autobus de la société Intercité. Il connaît un tas de gens et, comme Johnson, c'est un homme sociable qui se plaît à bavarder avec tout le monde. Une seule difficulté : c'est un libéral qui a combattu Johnson aux élections précédentes[22].

Que Petit soit un rouge ne gêne aucunement Johnson. Loin de là ! Il sait depuis longtemps que le meilleur moyen de désarmer un adversaire consiste à le faire travailler pour soi. Que son futur patron soit bleu ne constitue pas non plus, pour Paul Petit, un « empêchement dirimant » !

Un frais matin de mai 1955, Johnson téléphone à Petit et lui demande de passer rue Notre-Dame, le samedi suivant. Pendant leur rencontre, Johnson toise du regard ce chauffeur d'autobus qui sait taper à la machine, et celui-ci dévisage l'Irlandais bleu qu'aucune secrétaire du comté ne peut souffrir. On s'entend sur les conditions et Johnson conclut :

— Je te donnerai une réponse dans quinze jours.

Deux jours plus tard, le président de l'entreprise de transport lance à son chauffeur :

— Vous partez, Petit ?

— Quoi ? Comment ça, je pars… ? réplique ce dernier, étonné.

— Un ami m'a dit que M. Johnson vous engageait comme secrétaire.

C'est ainsi que Paul Petit, ci-devant chauffeur d'autobus, apprend qu'il a passé l'examen avec succès. Le 17 juin, il occupe ses nouvelles fonctions qu'il conservera jusqu'à la mort de son patron[23].

* * *

Daniel Johnson n'oublie jamais que Bagot a été pendant longtemps la « créature » des libéraux. Rien ne dit que ses électeurs ne l'enverront pas paître au scrutin général de 1956 s'il demeure loin d'eux trop longtemps et s'il ne subvient pas à leurs besoins les plus criants. Avec Petit, le député de Bagot se lance dans un travail de pénétration. Il lui faut venir à bout des derniers îlots de résistance ou d'indifférence avant les élections. Ce sont les grandes manœuvres.

Johnson quadrille le comté. Toutes les fins de semaine (quand il ne fait pas acte de présence à un mariage ou un enterrement), il entreprend avec son secrétaire la visite de chaque village, paroisse, rang ou famille. C'est un explorateur qui dresse la carte électorale d'un territoire conquis, ou presque.

Un samedi, on passe Saint-Liboire au peigne fin ; le suivant, c'est au tour de Saint-Hugues. On choisit un rang, qu'on ratisse systématiquement. Pas une maison n'est oubliée, peu importe la couleur politique de ses habitants — rouge, bleu ou vert :

— Comment t'appelles-tu ? demande Johnson à un enfant.

— Daniel… marmonne le gamin intimidé.

Le député se tourne alors vers Petit :

— Donne-lui une piastre, il s'appelle Daniel !

Deux fermes plus loin, le même manège recommence :

— Comment t'appelles-tu, ma petite ?

— Danielle... invente la fillette, en regardant M. le député d'un air frondeur.

— Donne-lui une piastre, elle s'appelle comme moi ! répète Johnson à son secrétaire.

Au bout du rang, Paul Petit remarque :

— C'est incroyable, le nombre d'enfants qui portent votre nom ! Remontez mon salaire, mon compte de dépenses est à sec...

Le prédécesseur de Johnson, Cyrille Dumaine, s'en tirait à meilleur compte ! Les filles baptisées Cyrille, ça ne courait pas les rangs[24] !

Contrairement à plusieurs de ses collègues qui redécouvrent leurs commettants un mois et demi avant un scrutin, Johnson fait de l'électoralisme à longueur d'année. Le calcul sous-tend, bien sûr, cette politique de présence qui le conduit parfois avec un Paul Petit mal rasé (et qui a oublié, comme lui, de s'endimancher) chez des cultivateurs mis ainsi à leur aise. Il y a néanmoins quelque chose d'humain et de fraternel chez le député Johnson, un côté « p'tit frère, comment ça va ? » qui empêche les plus cyniques d'inscrire cette opération charme au seul compte de l'opportunisme politique.

Pareille méthode fait qu'un jour Daniel Johnson en vient à connaître par leur nom ou leur visage la plupart de ses électeurs. Dès lors, il ne compte plus d'ennemis : il n'a que des adversaires politiques. Comment, d'ailleurs, pourrait-on éprouver de la haine ou de l'inimitié pour cet homme qui se déplace pour assister aux funérailles de votre femme ou de votre frère, même s'il sait fort bien que vous votez contre lui, que vous êtes lié aux libéraux depuis toujours ?

Comment nouer des intrigues contre cet avocat dont la porte est maintenant ouverte sept jours par semaine et qui vous écoute parler sans dire un mot, comme le prêtre du confessionnal ? Qui règle vos problèmes de pension ou d'emploi que vous avez perdu ou que vous aimeriez bien trouver ?

Et ces maires des paroisses rouges, comment peuvent-ils nier le sentiment de justice qui anime ce duplessiste ? Pour le mettre dans le bain, ils l'invitent à visiter certaines rues de leurs communes transformées en nids de poules. À une époque où l'asphalte sort des urnes et où les bons reçoivent leur récompense, les méchants leur châtiment, quelle surprise quand les camions jaunes de la voirie se présentent en zone libérale pour combler les trous d'une chaussée défoncée par le dégel !

Aussi, lorsque Duplessis appelle son peuple aux urnes pour la dernière fois de sa vie — le scrutin est fixé au 20 juin 1956 —, le suzerain de Bagot a-t-il son royaume bien en main. Il n'a pas ménagé son temps pour établir avec ses sujets des rapports durables. Un samedi, son fils cadet Pierre-Marc s'amuse à compter le nombre de personnes qui défilent durant la journée dans le cabinet de son père, adjacent à la salle de jeu où il se tient avec son frère aîné et ses deux sœurs, Marie et Diane.

Ce jour-là, son père a accueilli 65 visiteurs ! Ce va-et-vient semble bien mystérieux aux plus jeunes : leur père doit sûrement être médecin ou quelque chose de similaire pour recevoir autant de personnes en une seule journée ! La notion de député ou d'homme politique demeure encore insaisissable pour eux.

La campagne électorale de 1956 (comme celle de 1952) se déroule dans un climat de prospérité économique. Depuis 1949, le Québec connaît un développement industriel qui surpasse de loin celui de la province voisine, l'Ontario. Avec Houston, au Texas, Montréal est la ville nord-américaine qui croît le plus rapidement. Les salaires augmentent plus vite que le coût de la vie. Le Québec est entré dans l'ère de la consommation et de la mise en valeur des richesses naturelles, dont son sous-sol regorge, grâce aux capitaux américains qui affluent dans la province française. « Nous avons les ressources, vous avez l'argent... travaillons ensemble », dit Duplessis aux Américains qui se ruent, entre autres, sur le fer de l'Ungava, l'amiante, l'acier, les pâtes et le papier[25].

Quand les usines tournent et que la population goûte tous les jours aux fruits agréables de la prospérité, on ne renverse pas les gouvernements. Il faut être un intellectuel pour s'imaginer le contraire en 1956 ! Au moment où s'engage le débat, les électeurs ont déjà fait leur choix. La stratégie de l'Union nationale va mettre l'accent sur les réalisations tangibles du régime.

« Laissons Duplessis continuer son œuvre », clame le slogan

inventé par l'as de l'organisation électorale, Jos-D. Bégin, ministre
de la Colonisation. Si tout va bien au Québec, c'est grâce à Duplessis.
C'est lui, la Providence et non Ottawa, cet ennemi irréductible dont
les complices naturels sont les libéraux de Georges-Émile Lapalme.

Dans le climat intellectuel de l'époque où tout ce qui grouille
en dehors des tanières du duplessisme se voit taxer de communisme,
la stratégie ne manque pas d'efficacité en dépit de sa simplicité
inusitée. Les libéraux lui opposent un slogan abstrait : « Justice
sociale ».

Tant qu'à faire, pourquoi pas « Ensemble pour la vertu ! »
ironisent certains[26].

Devant le potentat se dresse quand même une opposition.
C'est un rassemblement bizarre dont les divers éléments ne tiennent
que par la glu de leur antiduplessisme viscéral. Pour stopper l'Union
nationale, il faudrait beaucoup plus qu'une alliance contre nature
entre « Coco Lapalme » (surnom dont Duplessis affuble le chef libéral à la tête chauve) et Réal Caouette, leader créditiste au béret
blanc, qui prononce les S comme des CH[27]...

Le régime dispose d'une puissante machine reconnue non
seulement pour ses « arguments sonnants », mais encore pour
l'aisance avec laquelle elle écrase sans vergogne les dissidents,
c'est-à-dire, en fin de compte, tous ceux qui repoussent l'évangile
duplessiste.

La campagne électorale ne manque pas de sel. *Le Devoir*
sonne le ralliement de ses maigres troupes contre celui qu'il considère comme l'ennemi public numéro un de la liberté et de l'intelligence québécoise : Duplessis. Une caricature le représente
comme une pieuvre hideuse qui étouffe la province. René Hamel,
lieutenant de Lapalme, compare le Québec duplessiste à « une ca-
verne de voleurs où les taxes n'ont pour but que d'engraisser les rats
du parti de l'Union nationale[28] ».

Le Chef reprend ses thèmes électoraux favoris : la religion,
l'école confessionnelle, la guerre aux Témoins de Jéhovah,
l'autonomie et, surtout, l'anticommunisme, toujours aussi prisé des
Québécois.

Les œufs communistes de Pologne auront autant de succès
auprès de l'électorat que les rumeurs insolites de caches d'armes
communistes sous les plaines d'Abraham. Et, pour faire frémir le

petit peuple, il y a encore les mitraillettes découvertes à Val-d'Or et les plans secrets ébauchés par les bolchevistes pour monter à l'assaut de l'hôtel de ville de Montréal.

Dans les couvents, les bonnes sœurs n'en dorment plus tant elles appréhendent le jour (ou la nuit) où les hordes rouges viendront profaner leur virginité. Une communauté, entre toutes, se sent menacée car, dans ses caves, soigneusement remisés dans des caisses de bois, se trouvent les trésors polonais que Varsovie réclame. Le « dramaturge Duplessis » écrit, avec cette affaire, un nouvel acte qui fera courir son public[29].

Cette « vaste filouterie électorale », qui permet à Duplessis de matraquer les libéraux à coups de bijoux en or polonais (selon l'expression du chef libéral), commence après la Seconde Guerre mondiale. La Russie victorieuse a fait passer sous sa botte la catholique Pologne. Le gouvernement en exil a donc fait entreposer dans un couvent de la vieille capitale, l'Hôtel-Dieu, une partie des joyaux de la Couronne. Le temps s'écoule puis, un jour, des policiers fédéraux se présentent au couvent pour interroger les bonnes sœurs.

La supérieure de la communauté alerte vitement le champion de l'anticommunisme et de l'anticentralisme fédéral :

— Le gouvernement polonais, celui qui obéit à Moscou, exige la restitution des trésors ! dit-elle au premier ministre.

— Pas question de les rendre ! jure Duplessis.

Le chef de l'Union nationale tempête le plus publiquement possible et ordonne de déménager les joyaux dans une voûte, au rez-de-chaussée du Musée de Québec. Des gorilles de la police provinciale en assurent la surveillance jour et nuit. On ne sait jamais : des agents moscovites pourraient être tentés de les subtiliser avec la complicité des fédéraux.

Pauvres libéraux ! Pauvre Lapalme ! Duplessis fait tellement de tapage avec cette affaire — il la propage tellement bien — qu'il se rallie l'opinion québécoise. L'autocrate ne se gêne même pas pour relier les libéraux de Lapalme à cette « conspiration » canado-soviétique[30].

* * *

Daniel Johnson ne sort pas beaucoup des limites de sa circonscription. Son adversaire est un autre maire, celui d'Acton Vale.

Roger Labrecque a toutefois commis une imprudence avant les élections. Ce maire libéral n'a jamais éprouvé pour les bleus une haine farouche ou une inimitié durable ; au contraire, il se considère comme un ami du député de Bagot.

Quelque temps avant les élections, il se présente à un dîner-causerie au club Renaissance, en compagnie de Johnson qui doit prendre la parole. Rusé comme toujours ou devinant peut-être l'avenir, Johnson demande à M. le maire d'Acton Vale de lui faire l'honneur de le présenter aux convives. Entre autres flatteries, Roger Labrecque lance :

— M. Johnson, c'est le meilleur député qu'on a jamais eu dans Bagot !

Or tout ce qui se dit à l'occasion de ces dîners se trouve automatiquement enregistré sur bande magnétique. Dès que le coup d'envoi de la campagne est donné, l'organisation de Johnson s'empresse d'inscrire au programme de chacune des assemblées les compliments du candidat libéral. Celui-ci fera toute la campagne coiffé d'un bonnet d'âne[31]...

Johnson parcourt son fief en tous sens. Ses deux fils assistent parfois à ses assemblées. Daniel junior a onze ans et apporte même son tribut à la campagne en collant enveloppes et timbres. Il sert aussi de messager à l'occasion. Comme Pierre-Marc, il préfère les assemblées contradictoires, toujours populaires auprès des électeurs ruraux. Son père y excelle.

Ce qui frappe les gamins, c'est le côté rieur des interventions de leur père. Bien sûr, il est parfois violent. Il emploie de gros mots comme « sépulcre blanchi » ou encore « bande de traîtres », qu'il jette à la figure de ses adversaires. Mais ceux-ci, s'ils se trouvent dans la salle, n'ont pas l'air de trop s'en faire car ils ne disent rien...

Les exposés de leur père ne sont pas compliqués. Les enfants ne comprennent pas tout, mais ils aiment cette façon bien particulière qu'il a de dire aux gens, en pointant quelqu'un dans la salle : « Vous, M. Saint-Pierre... » Il doit y en avoir beaucoup, des Saint-Pierre, dans la région parce que, d'une salle à l'autre, c'est toujours un « M. Saint-Pierre » qu'il désigne du doigt...

Daniel Johnson ne peut pas échapper au climat de suspicion communiste. Un soir, à Granby, il tombe lui aussi dans le piège du maccarthysme en voulant se payer la tête de Jean-Louis Gagnon, journaliste radical qui dirige l'organe des libéraux, *La Réforme*.

Plusieurs années auparavant, Gagnon s'était approché un peu trop près des mouvements subversifs. À telle enseigne que la police fédérale avait monté un dossier sur lui. Après avoir mis la main sur le document, l'organisation unioniste fait publier par des sources anonymes (en violation de la loi électorale) une brochure qui traite Gagnon de « penseur libéral communiste ». Le journaliste intente immédiatement des poursuites de 500 000 dollars contre Duplessis, le ministre Jos-D. Bégin, l'organisateur responsable, et une série de personnages officiels du régime[32].

Cette affaire met Lapalme sur la défensive. Au lieu d'attaquer le gouvernement, les libéraux doivent passer une partie de leur temps à se laver de l'accusation d'être des suppôts de Moscou. À Granby, le 26 mai, Johnson enfourche, à son tour, la monture du dénigrement.

La foule est venue nombreuse — c'est déjà l'été et on manque d'air dans la salle bondée. Une batterie d'orateurs est en attente. La plupart des discours seront radiodiffusés, dont celui de Johnson qui, ce soir-là, est visiblement en très grande forme. Il parle sans texte, pointe du doigt des ennemis qui ne sont pas là, se lève sur la pointe des pieds (c'est l'indice que la colère le gagne, qu'il va décoller...) et improvise une charge virulente contre les « agents de Moscou ». Il fait le tour de tous les noms connus, puis laisse tomber :

— Jean-Louis Gagnon est un ancien communiste[33] !

Le directeur de *La Réforme* en a assez de servir de tête de Turc à la démagogie duplessiste qui fait courir toutes sortes de bruits non fondés à son sujet. Il en a assez de cette chasse aux sorcières et demande à son avocat d'intenter une poursuite en dommages de 25 000 dollars contre Daniel Johnson :

> C'est une imputation diffamatoire grave car un communiste est considéré comme ennemi des lois et partisan du renversement du régime démocratique. Toutes les fois qu'un candidat de l'Union nationale suivra l'exemple de Daniel Johnson, mon procureur verra à le traduire devant les tribunaux. Tenant à mettre les choses au point, je fais sous serment cette déclaration : je n'ai jamais été communiste. Je ne suis pas communiste[34].

Tout le fatras d'une campagne électorale exerce souvent peu d'influence sur les électeurs. La poursuite intentée contre Johnson a fait les manchettes et le tour de son comté. Pourtant, le 20 juin au soir, sa majorité passe de 1368 à 2214 voix. Il est élu haut la main comme, d'ailleurs, le gouvernement Duplessis qui se retrouve avec 72 sièges, quatre de plus qu'en 1952. Côté libéral : on a la mort dans l'âme.

L'un des admirateurs du député de Bagot et son protecteur auprès de Duplessis, Mgr Aldée Desmarais, évêque d'Amos, écrit au premier ministre un bon mot à l'endroit de son ancien élève du séminaire de Saint-Hyacinthe « qui s'affirme et qui sait grandir dans l'estime de ses supérieurs et dans l'appréciation de l'opinion publique[35] ».

Un sombre chevalier de la Table ronde

Malgré son caractère spectaculaire, la victoire de Duplessis inaugure le chant du cygne de son gouvernement. C'est le dernier coup de carabine du régime. L'Union nationale vient d'atteindre un sommet ; l'autre versant l'attend. Pourtant, les apparences sont trompeuses. Car l'élection de 1956 consolide le mythe de l'invincibilité de Duplessis. Qui oserait prédire de mauvais jours à ce chef et à ce parti qui dominent le Québec depuis vingt ans ? Entre 1948 et 1956, le pourcentage des voix unionistes s'est même accru au lieu de diminuer, passant de 51 à 52 pour 100.

Néanmoins, certains signes ne trompent pas : l'habitude du pouvoir, le vieillissement du parti, la corruption dont certains autour du Chef se vantent avec un sans-gêne déplorable, les attaques répétées du *Devoir,* les mouvements de contestation qui poussent comme des champignons à droite et à gauche. Tout cela sent le tournant historique. Duplessis sait que les choses n'auront plus tout à fait la même douceur au cours de son nouveau mandat.

Sa santé n'est plus aussi bonne et ses forces décroissent. Avant les élections, il a fait un coma diabétique. Il est tombé dans sa chambre et s'est blessé au dos. Son médecin lui a imposé un corset qu'il a dû garder durant toute la campagne. Duplessis ne peut plus se passer d'insuline qu'il s'injecte lui-même tous les matins avec les seringues que lui fournit son médecin, le Dr Lucien Larue. S'il s'est rendu au bout de la course électorale, c'est aussi grâce aux soins des Drs Dufresne et Vidal, constamment à ses côtés.

À son retour à Québec, Daniel Johnson prend conscience du caractère statique de sa carrière, figée à la borne de la vice-présidence de l'Assemblée. Il se retrouve simple député, les portes du cabinet restant toujours aussi irrémédiablement scellées devant lui. Il est l'éternel « député-promis-à-un-brillant-avenir ». Autour de lui, dans son propre parti, il perçoit encore un subtil ostracisme relié au drame de 1953. Daniel Johnson se sent parfois seul dans cette capitale où il est arrivé dix ans plus tôt, naïf et plein de bonne volonté comme le sont toujours les néophytes. En 1957, l'oisiveté le guette. Il ne se couche plus ! Pour plusieurs de ses collègues, il fait figure d'oiseau de nuit. Le brillant député de Bagot perd quelques plumes.

Une époque de bouillonnement intellectuel commence ; les années 1957-1958 marquent un tournant. Petit à petit, les universités et les salles de rédaction sont touchées, les unes après les autres. L'opposition aux valeurs duplessistes gagne du terrain. Longtemps contenue, la discussion politique retrouve ses droits. Des esprits libéraux se réunissent tous les soirs dans un petit restaurant voisin du Château Frontenac, le Old Homestead, pour y disséquer avec une précision de clinicien les membres décomposés d'un grand corps livré, selon eux, à la putréfaction politicienne.

Dans ce cercle, comme dans les autres qui naissent un à un, telle une semence enfin irriguée, la négation méthodique de la société établie s'articule autour des mots « réforme » ou « révolution ». Ce sont des années d'intermède où certains théoriciens, plus perspicaces que les autres, croient déjà déceler les signes annonciateurs d'une mutation irréversible de la société québécoise.

Les échanges autour de la table ronde du Old Homestead attirent des avocats, des politiciens et des journalistes dont les horizons sont différents, mais qui partagent tous une aversion non déguisée pour l'immoralisme duplessiste dont le masque commence à glisser. Les habitués sont des journalistes comme Pierre Laporte, Cyrille Felteau ou Vincent Prince, des avocats comme Robert Cliche ou Robert Vézina. Il y a également des hommes politiques comme le député fédéral Charles Parent, « Chuby Power », le maire de Québec, Wilfrid Hamel. Même Jean Lesage vient y faire son tour.

Daniel Johnson a l'habitude de fréquenter le Old Homestead,

mais, politicien duplessiste, il n'est pas digne d'être admis dans la confrérie de la table ronde. En 1957, l'âme en peine, Johnson vient étirer ses soirées dans le petit restaurant de la rue Sainte-Anne. Les membres de son parti le snobent et, certains soirs, il paraît tout à fait désœuvré. Un membre de la table ronde propose qu'on invite le député de Bagot à se joindre au groupe.

Domestiqué comme ses pairs unionistes par un autocrate incapable d'imaginer pareille liberté, jamais Johnson ne se serait permis de franchir la ligne de parti lors d'un vote à la Chambre. Mais comment refuser une invitation aussi opportune, lui qui adore écouler le temps en glissant dans le fil d'une conversation intarissable tous les mots, phrases ou opinions que la censure d'un chef lui interdit d'exprimer publiquement?

Le député de Bagot n'hésite pas une seconde à se commettre avec ces gens à l'esprit libéral, autour de la table du restaurant du vieux quartier. Il sera le seul unioniste à participer de plein droit à ces discussions de café, ponctuées de nombreuses libations et qui se prolongent fort tard dans la nuit. C'est de cette époque que date l'amitié qui se noue entre lui et Pierre Laporte, le journaliste du *Devoir*. Plus tard, même quand la seule évocation du nom de Pierre Laporte échauffera la bile du Chef, Johnson continuera d'inviter le journaliste à ses réceptions.

Jacques Pineault, cet habile organisateur libéral qui ne donne pas sa place, participe lui aussi aux délibérations de la table ronde et s'attache au député de Bagot. Lors des élections partielles de 1946, il l'avait combattu. Au fil de ces longues soirées, Johnson réussit à gagner sa confiance et, en 1958, Pineault tournera casaque pour travailler avec lui[36].

Au lendemain des élections de 1956, l'unanimité officielle qui soutenait le régime Duplessis depuis 1944 tombe par plaques entières, comme le mortier trop vieux d'une construction qu'on aurait négligé de rénover. L'idéologie duplessiste se révèle maintenant dépassée. Le Québec n'est plus du tout cette société rurale et artisanale dont le Chef persiste encore à entretenir ses auditoires, mais une société de salariés d'usine et d'employés de bureau.

Duplessis défend les idées et les intérêts de la classe rurale et traditionnelle de la petite bourgeoisie : peur du changement social, intégrisme religieux, mépris des intellectuels, incompréhension de l'urbanisation, antiétatisme militant. Or, à la fin des années 50, c'est la fraction urbaine de la petite bourgeoisie québécoise qui veut s'emparer des commandes pour propager ses valeurs et sa vision sociale[37].

Pour les forces nouvelles, tous les symboles du duplessisme, même son nationalisme de survie, doivent être relégués au musée. On s'attaque à plus fort que soi ? Peut-être. Mais contre qui et contre quoi s'acharne-t-on exactement ? L'avènement de la télévision, en 1952, a commencé à libérer la parole d'un peuple encore confiné dans un demi-silence. Ceux qui se sont mis à réfléchir sur la situation québécoise cernent maintenant la cible de mieux en mieux.

Qu'est-ce que le duplessisme ? Il faut d'abord le définir pour mieux l'abattre. La télévision vient au secours des théoriciens. Elle accorde tout bonnement droit de cité à des personnes et à des opinions jusque-là tenues pour subversives. Duplessis perçoit rapidement le danger du nouveau médium régi par le fédéral. La télévision est l'ennemie du chef de l'Union nationale. Il s'en tient éloigné, contrairement à la radio qu'il a su domestiquer au cours des années 30.

Duplessis résistera jusqu'à sa mort aux pressions de son organisateur général, Jos-D. Bégin, qui avait compris l'importance du nouveau médium, et à qui il répétait :

— Vous ne m'enverrez pas là, maudit ! Ils me prennent de côté et j'ai le nez ça de long !

Le duplessisme a son côté sympathique. L'Union nationale est un parti populiste, très près du petit peuple québécois. Daniel Johnson incarne à merveille cette dimension inhérente au parti de Maurice Duplessis. Le refus du formalisme maniéré, caractéristique des partis de la grande bourgeoisie, la chaleur des relations humaines, le paternalisme du Chef, le caractère impersonnel des rapports entre les membres du parti, voilà autant de reflets d'une organisation politique aux racines profondément ancrées dans la population québécoise.

Il y a aussi cette « philanthropie », que la Révolution tranquille va stigmatiser sous le nom de « patronage ». Au sein de l'Union nationale, on dit souvent : « Duplessis aide les Canadiens français à devenir riches. Quand il a pris le pouvoir, il y avait à peine cinq millionnaires francophones au Québec. À l'aube des années 60, on

en compte entre 60 et 75 ! Puisque le favoritisme politique doit
exister, autant qu'il serve aux nôtres[38] ! »

Le duplessisme possède aussi un côté moins généreux. C'est
une force qui paraît inamovible aux intellectuels québécois et aussi
implacable que le temps. On peut discourir longtemps, en mal ou en
bien, au sujet du temps qu'il fait, mais on ne peut le changer. On
doit s'en accommoder. Le duplessisme, c'est pareil et encore pire.
C'est du « bossisme ». Duplessis, comme tout vrai *boss*, bâillonne ses
détracteurs, décapite les têtes brûlées, censure les libertés, se fait
craindre, sait donner l'impression de la puissance. Il n'est jamais
bon de se frotter à M. Duplessis ! Qui n'est pas avec lui est contre
lui[39].

Le duplessisme, c'est aussi de la démagogie et du cléricalisme
sur commande. Le Chef l'a dit : l'enfer est rouge et le ciel est bleu !
Les rouges, ce sont ceux qui occupent le côté gauche de la Chambre
et ce sont également les moscovites qui ont essaimé dans la catholique
province de Québec. Socialisme, communisme, athéisme, anticlé-
ricalisme, c'est bonnet blanc et blanc bonnet. C'est la chienlit des
intellectuels, syndicalistes et universitaires.

Même *Le Devoir* est « bolcheviste », dit Duplessis. Il faut interdire à tous ces « ismes » de pénétrer dans nos écoles qui sont les
meilleures au monde parce qu'elles ne sont pas gratuites (c'est aux
parents d'assumer les coûts de l'éducation de leurs enfants) et sont
confessionnelles : « Une école sans Dieu, c'est un univers sans soleil, un corps sans âme, un aigle sans ailes[40]. »

Le nationalisme de Duplessis est ennemi du changement et à
l'opposé de ce « nouveau nationalisme » qui perce à l'approche des
années 60. Ses pierres d'assise : la langue, la foi catholique et les
traditions héritées de la France prérévolutionnaire, de la France
catholique — celle de Charles Péguy[41].

Un nationalisme aussi maurrassien ne peut que présenter à ses
pourfendeurs un petit air réactionnaire et bigot. Un nationalisme qui
protège l'acquis est nécessairement défensif et passif. Il s'exprime
dans une lutte pour l'autonomie qui cherche à entériner le *statu quo*
d'un pacte confédératif tout à fait légitime. Duplessis ne vise pas,
du reste, à saper la Confédération canadienne. Il veut plutôt forcer
les « centralisateurs d'Ottawa » à la respecter. Il accorde donc la
priorité à la stabilité et à l'ordre constitutionnel violé par les fédéraux.

Le nouveau nationalisme québécois en gestation ira beaucoup plus loin que cela — c'est-à-dire jusqu'à revendiquer la séparation proprement dite[42].

La stabilité sociale et politique est aussi essentielle que la stabilité constitutionnelle. Le duplessisme exige, sans nuances, le respect de l'ordre et de la loi. Respect également de l'autorité établie (civile comme religieuse) parce qu'elle vient de Dieu. En conséquence, les ouvriers doivent revendiquer dans le respect de la loi et éviter la grève qui nuit à l'intérêt public et cause le chômage. Il faut travailler à la sueur de son front : on ne peut donc à la fois diminuer les heures de travail et augmenter les salaires. C'est illogique.

Il ne s'agit pas d'interdire les syndicats, mais, pour le chef de l'Union nationale, leur fonction sociale est avant tout négative. Le syndicat existe pour empêcher les abus du patron et non pour bonifier la condition ouvrière fixée de toute éternité par la divine Providence[43].

L'antisyndicalisme du régime tire également ses racines de la personnalité autocratique d'un chef jaloux de son pouvoir. Duplessis déteste voir à ses côtés un pouvoir syndical organisé qui échappe à son contrôle. Le mouvement représente un type de société qu'il refuse. Pour lui, c'est l'agriculture, et non l'industrie, qui constitue l'épine dorsale de l'économie québécoise. Or, qui dit société industrielle dit aussi syndicalisme[44]. Les peuples forts, répète obstinément Duplessis, sont ceux chez qui l'agriculture est forte.

La perte de contact du duplessisme avec la réalité économique du Québec à la fin des années 50 se double d'une conception de l'État pour le moins archaïque. Il y a belle lurette que les théories de John Maynard Keynes ont appris aux gouvernants occidentaux que l'intervention étatique n'est pas nécessairement synonyme de castration pour l'initiative individuelle. Selon Duplessis, le rôle de l'État se limite à réprimer les abus et à veiller au respect de l'ordre public et social. L'État doit intervenir le moins possible. Aide-toi et le ciel t'aidera ! Telle est sa devise. Ce sont Dieu et l'initiative privée qui constituent le régulateur de la vie économique et sociale, et non l'État dont le paternalisme conduit au désœuvrement.

La prospérité d'une nation repose fondamentalement sur l'entreprise privée. « C'est le système par excellence, celui de la logique, de la justice, du progrès, de la prospérité... » répète sans cesse le chef de l'Union nationale. C'est l'entreprise privée, non l'État, qui procure à la province les millions qui lui permettent de satisfaire les besoins de la population et de créer des emplois. En développant, grâce à leurs capitaux, nos richesses naturelles, les Américains donnent du travail à la population du Québec. Laissons-les faire. L'État n'a aucun rôle positif à remplir dans l'économie, tout au plus peut-il soutenir l'entreprise privée[45].

Porte-parole d'une bourgeoisie rurale qui ne comprend pas la complexité grandissante du monde industriel, le duplessisme s'accroche à un « agriculturisme » étranger à la réalité québécoise. De là à s'opposer farouchement aux législations sociales requérant de l'État un rôle prépondérant, il n'y a qu'un pas. Dans le domaine de la santé, l'État doit se contenter de construire des hôpitaux et des sanatoriums. D'ailleurs, le Chef en a fait un calembour célèbre : « La meilleure police d'assurance, c'est la santé ! »

Dans les affaires sociales comme dans l'économie, c'est la responsabilité individuelle qui garantit tout. Duplessis rejette à la fois l'assurance-santé et la gratuité scolaire au niveau secondaire pour la même raison. En outre, le paternalisme étatique est ruineux parce qu'il entraîne des augmentations de taxes[46].

Qu'un pareil monument idéologique doive être jeté à terre, de plus en plus de secteurs de la société en sont convaincus à l'aurore des années 60. Il serait pour le moins exagéré de parler d'un complot pour renverser le titan. Il y a simplement coïncidence entre plusieurs oppositions. Chacun a ses raisons de combattre le duplessisme.

Pour le plus grand drame du Parti libéral, les travaux de sape s'effectuent surtout en dehors de la législature et des tribunes électorales. Les véritables adversaires de Duplessis, ceux qui risquent de lui faire mal, ne gravitent pas autour de Lapalme, mais se retrouvent dans le clergé, à l'université, dans la presse et les syndicats. La faiblesse du Parti libéral : une carence de leaders capables de canaliser le mécontentement contre le gouvernement. Du régime de l'Union nationale, on dit : c'est un homme sans parti. Le contraire est vrai pour les libéraux[47].

Duplessis a écrasé le Parti libéral à quatre reprises : 1944, 1948, 1952 et 1956. Que le parti de Lapalme soit devenu, après 1956, un ralliement de gens démoralisés et complexés — « À quoi bon ? » —

ne saurait surprendre! Les libéraux nagent en pleine équivoque. Quel peut bien être le sens d'un vote libéral? Quand on vote pour Maurice, c'est clair : on vote pour l'autonomie, un pont, une route, une école. On vote contre les Témoins de Jéhovah ou les communistes. On ne peut s'y tromper. On sait ce que croit et fait le régime. Duplessis a érigé sa statue sur le socle laissé vacant par ses adversaires libéraux. La colonne duplessiste a tremblé une seule fois : en 1949, lors de la grève d'Asbestos. Les libéraux n'ont rien eu à y voir. En août 1956, une seconde secousse se produit et, encore une fois, le parti de Lapalme agit en spectateur[48].

La morale accourt pour sauver ce qui reste des mœurs politiques de l'époque. Deux abbés, Louis O'Neil et Gérard Dion, font à eux seuls craquer le régime. C'est un tournant dans l'histoire politique québécoise et la presse internationale ne s'y trompe pas, qui accorde à l'événement beaucoup d'importance. Dans un texte publié dans la revue *Ad Usum Sacerdotum* qui s'adresse au clergé, les signataires secouent le milieu en dénonçant les pratiques électorales duplessistes : mensonges systématiques, emploi du mythe, achat de votes, violation de la loi électorale, faux serments et substitutions de personnes. *Le Devoir* publie de larges extraits de la lettre et révèle que 90 pour 100 des 900 prêtres à qui elle est destinée sont d'accord avec son contenu[49].

Le document sera réédité sous forme de livre en 1960, sous le titre *Le Chrétien et les Élections*. Ce sera le premier *best-seller* politique québécois! Les abbés Dion et O'Neil placent Duplessis au banc des accusés. C'est un coup dur pour le vieux chef, même s'il feint l'ignorance ou l'indifférence. En septembre 1956, il affirme n'avoir pas réussi à trouver une seule petite minute pour prendre connaissance du texte.

Mais à Montmagny, quelques jours après l'explosion d'une bombe, le ministre Antoine Rivard est pris de panique et attribue toute l'affaire à une conspiration. Pour la première fois peut-être, ce type d'accusation, monnaie courante chez les duplessistes, fait sourire la population.

La polémique qui s'engage dès lors autour du texte souligne l'ampleur de la prise de conscience provoquée par les deux abbés sur la gravité de la corruption politique du duplessisme. Seul le choc produit par le matraquage des ouvriers à Asbestos, en 1949, ou par la crise de la conscription de 1942 avait réussi à susciter une pareille unanimité au sein de la population[50].

Les évêques mangent dans la main de Duplessis, paraît-il. Une partie du bas clergé préfère, quant à lui, fréquenter une autre table. Les prêtres qui gravitent dans l'orbite du doyen de la faculté des sciences sociales de Laval, le père Georges-Henri Lévesque, donnent du fil à retordre à Duplessis. Pour ce dernier, la seule véritable science sociale, d'ailleurs, est le droit et non les théories folichonnes des poètes et des rêveurs qui se nichent sous la robe du père Lévesque. Le chef déteste le mot « social » :

— Qui dit social, rabâche-t-il, dit socialisme, qui dit socialisme dit communisme, qui dit communisme dit bolchevisme[51].

Vers 1958, des étudiants pourvus de bourses rondelettes s'inscrivent à la faculté du père Lévesque avec mission d'espionner. Chaque soir, Duplessis sait tout ce qui s'est passé durant la journée à la faculté ! Un jour, le père Lévesque demande aux politiciens de cesser leur anticommunisme électoral. Duplessis se sent visé et coupe de moitié une subvention de 50 000 dollars destinée à la faculté. Quand, plus tard, le recteur de l'Université Laval, Mgr Vandry, demandera une subvention de 2 millions de dollars, Duplessis répondra :

— Très bien, monseigneur, mais Lévesque, dehors !

Mgr Vandry soutiendra son doyen[52].

Non seulement les duplessistes détestent-ils les intellectuels, mais ils en ont peur. Les « crânes bourrés » influencent une jeunesse dont les parents votent pour l'Union nationale. Ce sont de sombres oiseaux qui rongent l'écorce du régime pour le faire mourir. La revue *Cité libre*, qui regroupe une génération issue en grande partie des mouvements d'action catholique (un Gérard Pelletier, par exemple), inquiète le Chef.

Dirigée par un jeune dandy qui pose à l'intellectuel radical, Pierre Trudeau, la revue s'est fixé comme objectif de rattraper le temps perdu sous Duplessis et de moderniser la société québécoise en l'adaptant aux pratiques anglo-saxonnes de la démocratie libérale. Pour cela, il faut casser le monolithisme duplessiste qui pue le cléricalisme, étrangle la liberté intellectuelle, dévalorise l'État avec sa méfiance maladive, impose le « crois-ou-meurs » et prêche un nationalisme bête et réactionnaire[53].

L'intellectuel officiel de l'Union nationale, Robert Rumilly, s'est chargé de mettre Duplessis en garde.

— Voilà des gens, à *Cité libre*, qui sont extrêmement dangereux ; ils ont des affiliations internationales avec la revue *Esprit* en France ; ce sont des subversifs et il faut que vous vous en méfiez. À long terme, c'est très dangereux pour votre régime[54].

S'il n'y avait que les « citélibristes », passe encore ! Mais il faut aussi compter avec le mouvement syndical dont l'agitation et la contestation ont suivi un crescendo depuis la grève d'Asbestos. Les syndiqués fustigent la législation sociale rétrograde du régime Duplessis. Jusqu'en 1958, le premier ministre manœuvrait au moins une centrale, la puissante Fédération des travailleurs du Québec. Son président, Robert Provost, était l'âme damnée du Chef qui lui dictait ses ordres. Mais après la violente grève de Murdochville pendant laquelle les mineurs affiliés à sa centrale s'étaient heurtés aux matraques de la police du régime, Provost avait lâché Duplessis[55].

Que dire également de l'hostilité farouche du *Devoir* ? Elle se manifeste depuis Asbestos. Animée par trois journalistes chevronnés, Gérard Filion, André Laurendeau et Pierre Laporte, la « feuille bolcheviste » de Montréal équivaut à la menace d'un canon pointé directement sur la tour centrale du parlement. *Le Devoir* n'a pas un tirage impressionnant, mais les microbes qui s'en repaissent sont majoritairement ces gens à lunettes que les disciples du père Lévesque ont baptisés « leaders d'opinion ». Les duplessistes ont beau s'immuniser contre ce nouveau vocabulaire, interdire la lecture du *Devoir* à leur entourage, ils demeurent impuissants à arrêter la dynamique de contestation enclenchée par le quotidien dans les milieux étudiants.

Pis encore, certaines franges du milieu nationaliste injurient, elles aussi, les unionistes comme s'ils n'étaient plus qu'une bande de tarés. Quel monde à l'envers ! S'en prendre à Maurice Duplessis, le champion de l'autonomie du Québec, l'homme qui réclame « notre butin » à Ottawa depuis plus de quinze ans, celui qui pourfend sans cesse la centralisation des fédéraux et qui est allé jusqu'à instituer, en 1954, son propre impôt, forçant ainsi Ottawa à remettre à la province au moins une partie de son dû !

Pourtant, Duplessis ne rêve pas. Partie d'Ottawa, une société secrète, créée par des fonctionnaires canadiens-français désireux de se serrer les coudes — l'Ordre de Jacques-Cartier —, s'est enracinée au Québec. Son objectif consiste à s'emparer des postes de commande au sein de la Société Saint-Jean-Baptiste, du mouvement coopératif, des caisses populaires. C'est un groupement qui obéit à deux maîtres-mots empruntés au vocabulaire duplessiste : nationalisme et catholicisme. Mais le sens que leur donne l'Ordre de Jacques-Cartier diffère du tout au tout.

Le correspondant du *Devoir* dans la capitale fédérale, Pierre Vigeant, en est le chef suprême. Plusieurs campagnes antiduplessistes de la deuxième moitié de la décennie sont nées des conciliabules secrets de l'Ordre. Pierre Vigeant est un fidèle des Filion, Laurendeau et Laporte, les animateurs de la contestation antiduplessiste[56].

À partir de 1958, on voit même la « grosse *Presse* » d'Angelina Du Tremblay faire des siennes. Imaginez donc ! Angelina Du Tremblay n'hésite pas à confier la direction de son quotidien au « communiste » Jean-Louis Gagnon !

On assiste donc à une sorte de feu d'artifice dont les retombées, espère-t-on, réduiront le régime en cendres. Il manque cependant un élément important : un organisme unificateur qui saurait provoquer la cohésion nécessaire à ces groupes et individus qui dispersent leurs tirs. Le Parti libéral n'a pas encore retrouvé ses esprits, si l'on peut s'exprimer ainsi. Il patauge dans l'indifférence générale. Le 30 mars 1957, on va tenter de regrouper toutes ces oppositions au sein d'un nouveau mouvement, le Rassemblement des forces démocratiques. C'est un mouvement de jeunes : sur les 100 participants au congrès de fondation, 15 seulement ont plus de quarante ans[57].

Le Rassemblement ne fera pas long feu. Ses animateurs sont des syndicalistes comme Jean Marchand et Roméo Mathieu, des universitaires comme Arthur Tremblay et Pierre Dansereau ou encore des politiciens comme Maurice Sauvé. Le vice-président n'est nul autre que Pierre Trudeau. Mais tout ce beau monde ne parviendra pas à sortir de l'intellectualisme.

À l'origine, pourtant, on entendait déboucher sur l'action politique. Les participants ne dépasseront guère, en réalité, le stade du défoulement collectif. On mettra de la dynamite dans les mots ; on jettera des anathèmes sur « les vieux partis » corrompus. La dimension de parti politique demeure absente des débats. « Éduquons d'abord le peuple », prêche le groupe d'intellectuels à lunettes qui, aux yeux de ses critiques duplessistes, pactisent avec les communistes et le diable lui-même ! L'action politique, on verra plus tard[58] !

L'échec du Rassemblement, c'est finalement le symbole de l'impuissance politique des nouvelles élites sociales qui refusent encore l'engagement. Une réaction va suivre la débâcle des libéraux fédéraux de mars 1958. La capitale canadienne est devenue le fortin du Lion des Prairies, John Diefenbaker. L'avenir des libéraux à Ottawa semble plutôt sombre et l'ascension de l'ancien ministre fédéral des Ressources naturelles, Jean Lesage, s'en trouve freinée.

Il est ambitieux et brillant, Jean Lesage. S'il reste à Ottawa, il deviendra assurément le lieutenant du nouveau chef libéral, Lester B. Pearson. C'est un homme qui tranche sur la médiocrité générale de la députation québécoise au fédéral. Il s'entend d'ailleurs à merveille avec Pearson. Mieux, en tout cas, qu'avec Saint-Laurent, le chef usé et fatigué dont Diefenbaker a précipité la retraite politique lors des élections de 1957 et qui ne prisait guère le nationalisme de Jean Lesage. Un jour où celui-ci venait de prononcer aux Communes un discours à saveur nationaliste, Saint-Laurent lui dit sèchement dans l'ascenseur :

— Vous venez de faire un discours d'imbécile !

Saint-Laurent était un antinationaliste aussi enragé que le sera, dix ans plus tard, Pierre Trudeau[59].

La succession de Lapalme s'ouvre dès la première défaite des libéraux fédéraux, en 1957. Le congrès au leadership aura lieu en mai 1958. Trois candidats sont sur les rangs. Jean Drapeau, que Duplessis a fait battre à la mairie de Montréal par Sarto Fournier, lorgne du côté de Québec. Il y a aussi deux militants libéraux provinciaux d'envergure : Paul Gérin-Lajoie et René Hamel. Chacun de ces trois candidats montre cependant des faiblesses. L'organisation libérale n'arrive pas à déceler en eux un chef de la trempe d'un Maurice Duplessis. Un groupe de militants de la vieille capitale sollicite la candidature de Jean Lesage. Il se fait tirer l'oreille pour la forme, le beau Jean, puis finit par accepter.

Vigoureux et agressif, le jeune député de Montmagny-L'Islet est l'un des 25 survivants du raz-de-marée conservateur de mars 1958 qui a accordé au parti de Diefenbaker 50 des 75 sièges du Québec. Son handicap : il arrive d'Ottawa. Élire Lesage, chuchotent les deux candidats autonomistes Gérin-Lajoie et Hamel, c'est donner des armes à Duplessis qui ne manquera pas de reprendre son refrain connu, mais toujours efficace : rouge à Ottawa, rouge à Québec ! Hamel et Gérin-Lajoie considèrent Lesage non seulement comme un concurrent, mais aussi comme un centralisateur authentique. Ce sont eux qui sollicitent la candidature de Drapeau, capable, pensent-ils, de lui barrer la route.

Mais Drapeau est un mordu de la métropole. De toute façon, il est trop tard : Lesage a le vent dans les voiles, il écrase ses adversaires. Le nouveau chef du Parti libéral québécois est intelligent. Il « ajuste » très vite sa conception des rapports Ottawa-Québec. Avant le congrès de mai, il laisse entendre à droite et à gauche, et surtout à René Chaloult, l'irréductible nationaliste qui s'est rapproché des libéraux :

— Si je suis élu premier ministre, je réaliserai une politique de libération franchement nationaliste[60].

Johnson, l'homme de Diefenbaker au Québec

Tout ce brasse-camarade idéologique et politique ne laisse pas indifférent le député de Bagot. Il comprend très bien le renversement de valeurs qui est en train de s'effectuer. Ses rapports avec le groupe de discussions du Old Homestead seraient d'ailleurs de nature à éclairer sa lanterne si jamais il en ressentait le besoin. Daniel Johnson est moins crispé que certains de ses collègues, mais il demeure fondamentalement un politicien duplessiste.

Il vise la direction de l'Union nationale et sait, comme quelques autres piliers du régime, que Duplessis n'est pas éternel. Loin de prendre ses distances vis-à-vis d'un parti unanimement décrié et qui le regarde de travers, Johnson se rapproche encore plus de son chef. Le mot « lâcher » n'appartient pas à son vocabulaire.

À la demande de Duplessis, il se lance à corps perdu dans les deux élections fédérales qui se suivent à neuf mois d'intervalle. Un mois à peine après la fin du second engagement — celui de mars 1958 —, Duplessis accordera enfin au député Johnson le salaire tant attendu : un fauteuil au cabinet.

Contrairement à son chef, Johnson ne regarde pas de haut la politique fédérale. Après le scrutin provincial de 1956, il s'est mis à penser qu'il faudrait porter à Ottawa, au cœur même de la citadelle ennemie, le combat autonomiste. L'Union nationale devrait donc se mêler des élections fédérales. Hérétique, Daniel Johnson ? Oui, en effet, car Duplessis est toujours resté en dehors de la mêlée fédérale. Au demeurant, sa neutralité n'est pas fortuite, mais découle d'un pacte de non-agression passé tacitement entre lui et Louis Saint-Laurent.

Aussi, quand le premier ministre canadien annonce la tenue d'une élection générale pour juin 1957, le chef de l'Union nationale ne bouge pas, selon la coutume. Il reste encore une fois à l'écart, en dépit des pressions exercées par les ministres Antoine Rivard et Paul Sauvé qui, comme Johnson, meurent d'envie de partir au front.

Il y a aussi l'organisateur québécois de John Diefenbaker, le colonel Pierre Sévigny, un grand type d'allure anglo-saxonne qui marche en s'aidant d'une canne et qui s'est mis en tête de faire plier Duplessis. Sévigny est convaincu que si son parti n'accroît pas son nombre de députés au Québec, il ne prendra jamais le pouvoir à Ottawa. Seul le puissant concours de la machine et de la caisse de l'Union nationale peut dédouaner le vote québécois acquis depuis des décennies aux libéraux fédéraux.

Sévigny entame ses travaux en allant rencontrer le Chef à Québec.

— Si vous nous appuyez, dit le colonel à Duplessis, on a une chance de gagner quelques sièges. Si vous ne nous appuyez pas, on ne gagnera rien du tout !

Duplessis s'esclaffe.

— Avec votre beau grand garçon qui a les cheveux droits sur la tête, vous ne prendrez rien au Québec ! réplique le chef du gouvernement qui aime se payer la tête de Diefenbaker.

À Montréal, Duplessis descend toujours au Ritz Carleton. Une fin de semaine, Sévigny revient à la charge. Il le provoque :

— Si vous ne nous aidez pas, Saint-Laurent restera au pouvoir et alors on dira que l'homme fort au Québec, c'est lui, pas Maurice Duplessis.

— Qu'est-ce que tu dis là ? Qu'est-ce que tu dis là ? grogne Duplessis en se levant précipitamment de son fauteuil.

— C'est le bon sens qui le dit, réplique Sévigny en martelant sa phrase.

Duplessis devient pensif. Il commande au garçon son éternel jus d'orange.

Depuis qu'il a cessé de boire complètement en 1942, le chef de l'Union nationale ingurgite des gallons de jus d'orange ou d'eau de Vichy. Il regarde Sévigny :

— Laisse-moi penser à tout ça et reviens me voir demain.

Duplessis a trouvé : si Diefenbaker s'engage publiquement à défendre les droits fiscaux des provinces, il lui accordera son appui. Il griffonne sur un bout de papier une phrase que le chef conservateur devra lire en français à l'occasion d'une tournée au Québec.

Sévigny court à Ottawa. Il traduit à son chef l'engagement auquel tient Duplessis. Diefenbaker se fâche :

— Jamais ! Jamais je ne dirai une telle chose[61].

Sévigny considère la politique comme un grand jeu. Avec l'appui du sénateur Mark Drouin et de l'avocat Noël Dorion, l'ancien militaire tend simplement un piège à son chef. Le trio organise un dîner à l'amphithéâtre du collège Mont-Saint-Louis, à Montréal, au cours duquel le chef tory lira quelques lignes en français. Pour ce dernier, le français, c'est du chinois. On peut lui faire dire les pires âneries sans qu'il s'en aperçoive ! Il s'agit donc pour Sévigny de trouver le moyen de glisser dans l'allocution du chef le paragraphe que Duplessis veut entendre.

Le jour venu, Diefenbaker reprend sans le savoir et dans un français indigeste des propos autonomistes tenus autrefois par Henri Bourassa :

— Le parti qui a donné au Canada la Confédération croit qu'il faut défendre et préserver l'intégrité de la Constitution ; le pacte de la Confédération ne doit pas être à la merci des caprices d'une majorité de députés du Parlement...

Dans sa suite du Château Frontenac, Duplessis se tape sur les cuisses. Le soir même, il communique avec Sévigny et le convoque à Québec.

— Avec un gars comme Diefenbaker, on a une chance d'avoir un allié, lui dit Duplessis[62].

L'Union nationale sera généreuse. Martineau alloue 15 000 dollars à chacun des 25 comtés. C'est deux fois plus que ce qu'a prévu l'organisation conservatrice pour le Québec tout entier, soit 200 000 dollars[63]. Gordon Churchill, l'organisateur en chef, a convaincu Diefenbaker de ne pas gaspiller de fonds et d'hommes au Québec où le parti ne possède aucune assise depuis 1935. La stratégie conservatrice consiste à concentrer l'argent et les efforts en Ontario, aux Maritimes et dans l'Ouest, en vertu du principe militaire selon lequel il vaut mieux miser sur le succès assuré que sur l'échec confirmé[64].

Une autre raison pousse Duplessis à intervenir, malgré une tradition vieille de vingt ans. Il veut se venger des libéraux fédéraux. Aux élections provinciales de 1956, ils avaient dérogé au pacte de non-intervention conclu entre lui et Saint-Laurent. De telles ententes existaient également dans certains comtés. Ainsi, dans Montmagny, les organisateurs de Jean Lesage étaient les mêmes que ceux d'Antoine Rivard, ministre de Duplessis. Le mot d'ordre était : « On a deux bons hommes : on en a besoin et on les garde[65]. »

Mais en 1956, plusieurs députés ou ministres fédéraux sont venus prêter main-forte à leurs frères québécois. Dans Bagot, Daniel Johnson avait dû se défendre contre l'organisation libérale du député Joseph Fontaine, dont la circonscription englobait les deux comtés provinciaux de Saint-Hyacinthe et de Bagot. Après les élections, Johnson s'était dit : « M. Fontaine, on se reverra aux élections fédérales. »

De fait, Johnson meurt d'envie de lancer son organisation dans la bagarre. Contrairement à Duplessis, il ne déteste pas Diefenbaker qu'il a connu en 1950 en Nouvelle-Zélande. Lors des élections fédérales de 1957 et de 1958, « l'homme » de Diefenbaker au Québec sera donc Daniel Johnson qui ne ménagera rien pour briser la résistance québécoise face aux attraits de la sirène tory.

Le frère de Daniel Johnson, Maurice, veut briguer les suffrages dans le comté de Saint-Hyacinthe-Bagot. Il se heurte à l'opposition de Daniel qui désire un candidat originaire de la région. Si ce dernier ne s'inquiète pas pour la partie du comté qui couvre le territoire de Bagot, il s'interroge sérieusement sur les chances d'un candidat conservateur dans la ville de Saint-Hyacinthe. Il dit à son frère :

— La seule façon de gagner, c'est de trouver un gars de la place.

Au cours d'une réunion d'organisation, Johnson demande aux participants :

— Y a-t-il quelqu'un de Saint-Hyacinthe, ici ?

La question reste sans réponse. Maurice Johnson se désiste.

Mais quelques mois plus tard, il aura l'occasion d'assouvir l'envie qui le tenaille d'aller croiser le fer à Ottawa, au nom de l'autonomie[66].

C'est à cette époque que Johnson commence à travailler avec Clément Vincent qui deviendra plus tard son ministre de l'Agriculture. Vincent est un jeune cultivateur dynamique de Sainte-Perpétue, dans le comté de Nicolet. Comme Johnson, il se nourrit de politique. Il avait dix-sept ans quand il monta pour la première fois sur la tribune, en juillet 1948, et rencontra, par la même occasion, le député de Bagot venu appuyer le candidat unioniste de Nicolet. Après l'assemblée, Johnson avait abordé le jeune Vincent en lui touchant le bras :

— Salut, mon jeune. Tu fais bien ça. Lâche pas[67] !

Au début de la campagne, un groupe d'organisateurs se rencontre pour décider d'une stratégie afin d'enlever aux libéraux Saint-Hyacinthe-Bagot, Nicolet et le comté de Lotbinière où le parti croit pouvoir faire élire Raymond O'Hurley. Dans Nicolet, le candidat est tout trouvé. Il s'agit de Paul Comtois, un agronome que Clément Vincent s'est juré de mener à la victoire. Deux problèmes restent à résoudre. Il faut de l'argent et un candidat pour Saint-Hyacinthe-Bagot. Johnson affirme aux organisateurs :

— Si on est capable de gagner ces comtés, je me charge de convaincre le Chef. Nous aurons l'argent nécessaire.

Qui donc opposer à Jos Fontaine, élu par acclamation en 1949 et qui paraît invincible ? On croit enfin tenir l'oiseau rare : un colonel qui jouit d'une excellente réputation dans Saint-Hyacinthe. Pas de veine ! Le colonel, qu'aucune balle ennemie n'avait atteint sur les champs de bataille, meurt banalement dans un accident d'automobile, quelques jours après avoir accepté d'être candidat. On repart donc à zéro. Un organisateur suggère le nom d'un modeste ouvrier de la Goodyears Cotton de Saint-Hyacinthe, Théogène Ricard. Il n'est pas très connu, mais il paraît solide et vient d'être élu à la commission scolaire[68].

Sa candidature pose une difficulté majeure à l'organisation. Ricard est timide comme un enfant, manque d'assurance et n'a pas l'habitude de parler en public. Mais Johnson affirme aux organisateurs :

— Ce n'est pas important. C'est un bon candidat. On va lui faire sa campagne.

Vincent accepte de venir tous les vendredis appuyer Ricard au cours d'assemblées qui se tiennent sur la place du marché. En retour, Johnson se rend dans Nicolet cautionner la candidature de Paul Comtois.

Jos Fontaine constitue pour un politicien retors comme Johnson une cible parfaite. Le député libéral n'a rien inventé depuis 1949 et ne s'est pas révélé l'une des vedettes de l'agora outaouais.

— M. Fontaine s'est levé deux fois en Chambre, raille le député de Bagot, une fois pour aller aux toilettes et une autre fois pour aller fermer la fenêtre...

Quand il remarque des femmes dans l'auditoire, Johnson s'exclame, un peu grivois :

— Jos Fontaine ? C'est le Jos des Jos ! Venez, mesdames, approchez-vous... Je vais vous parler du Jos des Jos...

Le soir du 10 juin 1957, une poignée seulement de conservateurs sont élus au Québec — huit en tout —, mais, pour Diefenbaker, ils font toute la différence entre l'opposition et le pouvoir. Celui-ci l'emporte par une longueur sur les libéraux : 110 sièges contre 104. Le premier gouvernement Diefenbaker est minoritaire. Sa vie sera courte. Johnson et Vincent se frottent les mains de satisfaction, ils ont fait élire leurs trois candidats : Ricard, qui a vaincu le « Jos des Jos », dans Saint-Hyacinthe-Bagot, Comtois dans Nicolet et Raymond O'Hurley dans Lotbinière. Les deux derniers sont ministrables.

La caisse de l'Union nationale et celle des tories ont englouti près de un demi-million de dollars pour faire élire huit députés. Ça fait cher la pièce ! Néanmoins, Duplessis a raison de se féliciter : il s'est débarrassé d'un Saint-Laurent avec qui il ne pouvait plus discuter. Diefenbaker lui doit beaucoup. Quant à « Dan » Johnson, la rumeur court que son bon ami Dief s'apprête à lui offrir un poste dans son cabinet[69].

Tous avaient prévu que de nouvelles élections générales suivraient à brève échéance afin de procurer au Canada un gouvernement majoritaire. Sur sa lancée, Diefenbaker risque un nouvel appel au peuple. Ce sera le 31 mars 1958. Duplessis arme sa batterie. La cible : 50 comtés du Québec qui recevront de la caisse de Martineau la rondelette somme de 750 000 dollars, soit 15 000 dollars par circonscription[70].

Toute la machine duplessiste est derrière Diefenbaker. Contrairement à 1957, cependant, les tories n'ont pas eu à quêter son support. Duplessis est convaincu que le chef conservateur balaiera le pays. S'il donne le feu vert à ses artilleurs, c'est qu'il veut se trouver en bonne position quand viendra le temps de négocier avec le Lion des Prairies. Il va même jusqu'à diriger personnellement la campagne tory au Québec, participant au choix des candidats et déléguant d'un bout à l'autre de la province ses députés et ministres désireux de se mêler à la lutte. À Daniel Johnson, il confie l'organisation des comtés ruraux.

Des 13 circonscriptions agricoles dont Johnson a la responsabilité, 11 passeront du rouge au bleu le soir du 31 mars. Son frère Maurice n'a pas changé d'idée. Il veut toujours aller à Ottawa, moins pour y faire carrière que pour défendre les positions québécoises. Il sera élu dans le comté de Chambly-Rouville avec l'aide de Daniel et de Jacques Pineault, finalement passé à l'Union nationale. Spécialiste des assemblées contradictoires, Pineault en concocte une pour le compte de Maurice Johnson. Les libéraux l'excommunient.

Johnson participe aux côtés de Diefenbaker à deux assemblées monstres, la première à Sherbrooke, la seconde, au manège militaire de Saint-Hyacinthe. À Sherbrooke, le 24 mars, Diefenbaker se tourne vers Johnson, debout près de lui sur la tribune :

— M. Johnson, laissez-moi vous remercier d'être ici ce soir et aussi d'avoir tout mis en œuvre pour nous aider dans la province de Québec.

Plus tard, à Saint-Hyacinthe où Dief est reçu comme un prince, le député de Bagot lui répond :

— Il y a des gens qui s'étonnent de voir des membres de l'Union nationale avec vous sur cette estrade. C'est tout à fait logique et normal parce que votre parti défend les droits des provinces, contrairement aux libéraux dont les tendances centralisatrices ne sont plus à démontrer[71].

L'impossible se produit. Véritable mère lapine, la machine de Duplessis accouche d'une portée de 50 députés conservateurs québécois. C'est un précédent historique qui laisse les libéraux incrédules. Sir John A. Macdonald, qui avait fait élire 48 députés québécois en 1882, se retourne dans sa tombe. À l'échelle du

Canada, le Lion des Prairies détient 208 sièges et 54 pour 100 des voix. Lester B. Pearson, qui encaisse sa première défaite comme chef du Parti libéral, se frotte les yeux. Le ciel vient de lui tomber sur la tête ! « Rouge à Ottawa, rouge à Québec », répétait depuis vingt ans Duplessis. Maintenant, c'est « bleu à Ottawa, bleu à Québec »...

Notes — Chapitre 2

1. Le juge Maurice Johnson.
2. Mario Cardinal, Vincent Lemieux, Florian Sauvageau, *Si l'Union nationale m'était contée...*, Montréal, Éditions du Boréal Express, 1978, p. 38.
3. Conrad Black, *op. cit.*, p. 609.
4. Fernand Lafontaine.
5. René Chaloult, *op. cit.*, p. 184.
6. *Ibid.*, p. 221.
7. Robert Rumilly, *op. cit.*, p. 201.
8. *Ibid.*, p. 422.
9. Robert Rumilly, *op. cit.*, p. 416.
10. Cardinal, Lemieux et Sauvageau, *op. cit.*, p. 39.
11. *Le Devoir*, le 5 décembre 1951.
12. Robert Rumilly, *op. cit.*, p. 417.
13. Conrad Black, *op. cit.*, p. 37.
14. La dépêche du 12 janvier 1953 rapportait : « Un annonceur à la radio, Bertrand Dussault, âgé de vingt-six ans, a tiré cinq coups de feu contre une femme, Mme D. Johnson, et s'est ensuite tué. Les autorités de la division ouest de l'Hôpital général de Montréal disent que l'état de la femme n'est pas grave. »
15. Robert Rumilly, *op. cit.*, p. 458.
16. Conrad Black, *op. cit.*, p. 37.
17. *Ibid.*, p. 65.
18. *Le Devoir*, le 16 décembre 1955.
19. René Chaloult, *op. cit.*, p. 222.
20. Yvette Marcoux.
21. *Ibid.*
22. Paul Petit.
23. *Ibid.*
24. *Ibid.*
25. Conrad Black, *op. cit.*, p. 444-453 ; et également Denis Monière, *Le Développement des idéologies au Québec*, Montréal, Éditions Québec/Amérique, 1977, p. 292 et 303.
26. Gérard Bergeron, *Du duplessisme au johnsonisme 1956-1966*, Montréal, Parti Pris, 1967, p. 25 et 161.
27. Le grand argentier de l'Union nationale, Gérald Martineau, versa 50 000 dollars aux créditistes pour favoriser cette alliance avec les libéraux (Jacques Pineault).
28. Robert Rumilly, *op. cit.*, p. 565.
29. Georges-Émile Lapalme, *Mémoires. Le Paradis du pouvoir*, Montréal, Éditions Leméac, 1973, volume 3, p. 101.

30. *Ibid.*
31. Paul Petit.
32. *Le Devoir*, le 20 juin 1956.
33. *Ibid.*, le 15 juin 1956.
34. *Ibid.*
35. Robert Rumilly, *op. cit.*, p. 568.
36. Jacques Pineault.
37. Denis Monière, *op. cit.*, p. 295-296.
38. Cardinal, Lemieux et Sauvageau, *op. cit.*, p. 185 et 215.
39. Gérard Bergeron, *op. cit.*, p. 152-153.
40. Denis Monière, *op. cit.*, p. 301 et 307.
41. *Ibid.*, p. 299.
42. *Ibid.*, p. 303 et 305.
43. Cardinal, Lemieux et Sauvageau, *op. cit.*, p. 245.
44. Denis Monière, *op. cit.*, p. 301.
45. *Ibid.*, p. 301 et 302.
46. *Ibid.*, p. 306.
47. Gérard Bergeron, *op. cit.*, p. 42-50.
48. *Ibid.*, p. 154-179.
49. Cardinal, Lemieux et Sauvageau, *op. cit.*, p. 227-229.
50. Gérard Bergeron, *op. cit.*, p. 111-116.
51. Cardinal, Lemieux et Sauvageau, *op. cit.*, p. 240.
52. *Ibid.*, p. 241.
53. Denis Monière, *op. cit.*, p. 311-317.
54. Cardinal, Lemieux et Sauvageau, *op. cit.*, p. 239.
55. *Ibid.*, p. 237.
56. *Ibid.*, p. 234.
57. Gérard Bergeron, *op. cit.*, p. 120.
58. *Ibid.*, p. 121-135 et 197-198.
59. Jacques Pineault.
60. René Chaloult, *op. cit.*, p. 196.
61. Peter Stursberg, *Diefenbaker. Leadership Gained, 1956-1962*, Toronto, University of Toronto Press, 1975, p. 54-56.
62. Cardinal, Lemieux et Sauvageau, *op. cit.*, p. 276.
63. Les sommes engagées par l'Union nationale en 1957 varient selon les sources. Conrad Black indique que les archives de Duplessis sont muettes pour cette année-là, alors que Pierre Sévigny et Robert Rumilly mentionnent un montant de 750 000 dollars. M. Sévigny a admis que ce montant pouvait s'appliquer aussi à l'élection de 1958, soit 15 000 dollars pour chacun des 50 comtés choisis. En 1957, Duplessis ayant fait la lutte dans 25 circonscriptions seulement, les sommes engagées auraient donc été de l'ordre de 375 000 dollars.

64. Peter Newman, *Renegate in Power,* Toronto/Montréal, McClelland and Stewart, 1964, p. 291.
65. Cardinal, Lemieux et Sauvageau, *op. cit.,* p. 279.
66. Le juge Maurice Johnson.
67. Clément Vincent.
68. *Ibid.*
69. Marc La Terreur, *Les Tribulations des conservateurs au Québec,* Québec, Presses de l'Université Laval, 1973, p. 153.
70. Conrad Black, *op. cit.,* p. 180.
71. Peter Newman, *op. cit.,* p. 292.

Chapitre 3

Le roi est mort ! Vive le roi !

Avril 1958. Duplessis et l'un de ses collaborateurs passent devant le bureau de Johnson, au parlement.

— Ça, c'est un jeune homme d'avenir ! dit le Chef en pointant de sa célèbre canne le député debout dans l'embrasure de la porte.

— M. Duplessis, riposte Johnson avec un large sourire, je passe pour un jeune homme d'avenir depuis douze ans, ça devient ennuyeux, vous savez...

— Ton tour viendra, ton tour viendra, ricane Duplessis en s'éloignant vivement[1].

Le Chef rit dans sa barbe. Il a enfin décidé de procéder au remaniement qu'il prépare depuis un an. Le 30 avril, Duplessis soulage son ministre des Finances, Johnny Bourque, du ministère des Terres et Forêts et des Ressources hydrauliques. Mais à qui confier le portefeuille libéré ? À l'éternel « jeune homme d'avenir » ou à Jean-Jacques Bertrand, tout aussi apte que lui à assumer des responsabilités ministérielles ?

Avec la sagesse d'un Salomon, Duplessis coupe la poire en deux. Une première moitié, les Ressources hydrauliques, va à Daniel Johnson et la seconde à Jean-Jacques Bertrand. Avec ses quarante et un ans bien sonnés, le nouveau ministre des Terres et Forêts devient le benjamin du cabinet. Daniel Johnson est de deux ans son aîné.

Johnson et Bertrand, c'est une véritable injection de sang neuf dans un corps ankylosé par la routine. Après quinze ans de pouvoir, le cabinet Duplessis tient du musée : la majorité des membres du Conseil des ministres a en effet dépassé depuis fort longtemps la fleur de l'âge. Les deux nouveaux venus font figure de louveteaux dans une bergerie de vieux moutons fatigués. Ils tranchent également sur une députation sans envergure et renommée pour sa servilité et son anonymat. Tous les deux sont dans les bonnes grâces du Chef, mais pour des raisons différentes. Chez Johnson, Duplessis recherche la ruse et le zèle du croisé ; chez Bertrand, la sincérité et surtout une belle éloquence.

Au collège, Bertrand ne mâchouillait pas de cailloux comme Démosthène pour améliorer son élocution. Il avait des habitudes plus intimistes. Ce n'était pas devant la mer en furie qu'il déclamait à haute voix, mais au cabinet d'aisance... quand il s'y croyait seul. De sa voix la plus forte, l'étudiant récitait ses prières ou ses leçons en détachant de façon exagérée chaque syllabe, chaque mot. Avec un tel procédé, le jeune Bertrand agaçait ses pairs, mais acquérait du même coup une parfaite maîtrise de l'art oratoire.

Durant la cérémonie d'assermentation, le premier ministre se tourne vers son ministre de la Voirie, Antonio Talbot, et lui glisse à l'oreille : « J'ai nommé un fin renard et un rhétoricien[2]. » Chacun a cultivé son chef à sa façon. Johnson s'est mêlé de toutes les luttes électorales, a fait l'espion et n'a ménagé aucune courbette. Bertrand s'est contenté de jouer de son éloquence en débitant à l'Assemblée des discours farcis de compliments bien tournés à l'intention du chef de l'Union nationale.

La carrière de Jean-Jacques Bertrand ressemble comme un calque à celle du député de Bagot. Le premier rejoint le second d'abord au séminaire de Saint-Hyacinthe, puis à la faculté de droit de l'Université de Montréal où il s'inscrit une année plus tard. Reçus tous deux avocats, l'un et l'autre manifestent un goût marqué pour l'action politique. Le prétoire ne leur suffit pas.

Johnson devance Bertrand au parti, puis à l'Assemblée législative où ils sont élus respectivement en 1946 et en 1948. On dirait deux Mohicans se suivant à la trace. Mais l'éclaireur possède sur le chasseur une avance qui ne diminue pas. Ils ont beau emprunter les mêmes sentiers, s'arrêter aux mêmes étapes, séjourner dans les mêmes campements, le premier a toujours une lune d'avance sur le second.

Le parallélisme est même géographique : leurs circonscriptions sont presque voisines. Enfin, les deux ministres ambitionnent de diriger un jour l'Union nationale. Pareille trajectoire ne peut que les pousser, un jour ou l'autre, à s'entre-dévorer...

Il y a tout de même une dissemblance entre les deux émules. À l'encontre de Johnson, le député de Missisquoi vient d'une famille libérale demeurée imperméable aux sirènes du nationalisme québécois. La règle politique du « rouge de père en fils » ne s'appliquera pas à Jean-Jacques Bertrand.

Son père, Lorenzo Bertrand, était libéral depuis toujours. Chef de gare du petit village laurentien de Sainte-Agathe, on le reconnaissait à deux traits précis : sa ponctualité et son bilinguisme. Le train partait toujours à l'heure et dans les deux langues ! Comme tous les cadres des chemins de fer du début du siècle, Lorenzo Bertrand tirait une grande fierté de son bilinguisme, fierté qu'il transmit à son fils. Il lui légua également sa couleur politique qui était le rouge.

Un jour, la compagnie ferroviaire transféra Lorenzo Bertrand à Farnham où on avait un urgent besoin d'un chef de gare bilingue capable de faire démarrer les trains à l'heure. Jean-Jacques grandit donc dans une région libérale à dominance anglophone. Le « bleu », il ne le voyait qu'au ciel. Un tel legs aurait dû le pousser à faire carrière à Ottawa ou encore avec les libéraux provinciaux. Mais il n'en fut rien. Les hasards de sa carrière d'avocat et les flèches de Cupidon le dirigèrent, au contraire, vers l'Union nationale.

En 1942, le conseiller législatif Louis-Arthur Giroux, un bleu élevé à cette dignité par Duplessis après les élections de 1936, se sent débordé. Il lui faut un assistant pour son étude de Sweetsburg, à côté de Cowansville, et Maximilien Caron, doyen de la faculté de droit à l'Université de Montréal, lui conseille, au cours d'une rencontre, un jeune avocat prometteur, Me Jean-Jacques Bertrand[3].

Devenir l'associé du conseiller Giroux, c'est se relier directement à Maurice Duplessis. Le conseiller (que ses amis surnomment « Ti-Louis ») est un drôle de pistolet. C'est un affamé de la politique qui néglige le droit, dépense beaucoup et se mêle de toutes les élections. Au scrutin général du 24 août 1931, il est candidat conservateur dans Brome, aux côtés de Duplessis et de Camillien

Houde. Battu par 100 voix seulement, Me Giroux demeure néanmoins l'un des compagnons d'armes de Duplessis jusqu'à la formation de l'Union nationale en 1935-1936, mais il renonce alors à briguer les suffrages. Une fois au pouvoir, Duplessis paye sa dette de reconnaissance envers « Ti-Louis » en lui faisant cadeau du siège de conseiller législatif du district de Sherbrooke. Pratiquer le droit avec un avocat aussi en vue que Me Giroux constitue indéniablement la filière idéale pour un jeune avocat talentueux que les débats de palais vont attirer de moins en moins. Jean-Jacques Bertrand ne fera pas fausse route en acceptant le poste, il se liera à la dynastie des Giroux qui domine la vie politique du comté de Missisquoi depuis le début du siècle.

Le premier de la lignée, Me F.-X. Giroux, avait tenté à plusieurs reprises de se faire élire au fédéral sous une étiquette bleue que délavait un peu plus chaque élection perdue. D'une fois à l'autre, il empruntait ou hypothéquait sa maison afin de récolter l'argent nécessaire à sa campagne. Le destin voulut qu'il mourût sans avoir jamais goûté aux délices du pouvoir. Dans ce Québec des années 1900, placé sous l'hégémonie rouge, il eût mieux valu pour lui de tirer sa poudre aux moineaux que de solliciter un mandat conservateur. Son épouse Eugénie, surnommée Lady Giroux par les villageois, souffrait, elle aussi, du virus bleu. Depuis l'imposition de la conscription par le gouvernement conservateur de Borden, en mai 1917, il était assez mal vu, au Québec, de s'afficher avec les tories à moins d'être particulièrement résistant. Lady Giroux n'était pas plus masochiste qu'une autre, mais elle avait tout simplement le courage de ses convictions. Quand, en 1930, le chef conservateur R.B. Bennett fut élu premier ministre du Canada en dépit du « Rappelez-vous 1917 ! » des libéraux, Lady Giroux accrocha sa photographie sur un mur vieillot de sa maison. Élue présidente des Femmes conservatrices du Canada, l'indomptable militante n'hésitait pas, en temps de campagne électorale, à se coiffer d'un voile noir, célèbre dans le canton, et à faire du porte-à-porte pour démolir la propagande libérale[4].

Le conseiller Louis-Arthur Giroux ne fut pas plus heureux en politique que son père. Mais il eut la satisfaction de fonder une belle famille qui comptait une jolie fleur baptisée Gabrielle. C'était écrit dans le ciel : Jean-Jacques Bertrand s'éprit de la fille de son patron et, en 1944, les tourtereaux s'épousèrent. Une bonne fée présidait au déroulement de la carrière du futur député de Missisquoi. Les portes du pouvoir s'ouvraient devant lui, il n'avait qu'à suivre la pente. Ce qu'il fit docilement, avec l'appui de son beau-père.

En 1946, au moment même où un autre jeune avocat, Daniel Johnson, se lance à l'assaut du comté de Bagot, Jean-Jacques Bertrand et sa jeune épouse s'installent dans la maison ancestrale de Sweetsburg dont Gabrielle vient d'hériter, au 769 de la rue Principale. Deux ans plus tard, lors des élections provinciales de 1948, le comté de Missisquoi se donne à Bertrand. La relève est assuré : le gendre perpétuera la mainmise de la dynastie des Giroux sur la vie politique de la région.

Un ministre sous tutelle

Après 1948, les deux anciens collègues du séminaire de Saint-Hyacinthe et de la faculté de droit se côtoient une fois de plus sur le parquet de l'Assemblée législative. Dès leurs premières années de session, à l'ombre d'un chef qui aime les tenir tous deux en laisse, une émulation, qui deviendra parfois de l'antagonisme, commence à s'emparer d'eux. Dans les cercles politiques de la capitale, on parle rarement de Daniel Johnson sans mentionner aussitôt Jean-Jacques Bertrand. C'est une habitude. Comme si l'un était le jumeau de l'autre ou sa copie conforme. Ils forment une paire de « jeunes qui promettent » dans un parti où cette qualité fait terriblement défaut.

Mais le député de Bagot, qui préférerait faire cavalier seul, finit par en avoir plus qu'assez d'être continuellement mis en parallèle avec Bertrand et il ne se gêne pas pour répéter à ses intimes : « Je l'aime bien, Jean-Jacques, mais pourquoi faut-il qu'il soit nommé, lui aussi, quand je le suis ? » En 1954, Johnson devient l'adjoint parlementaire du premier ministre. Bertrand est promu au même poste, mais auprès du ministre des Terres et Forêts, Johnny Bourque. Le scénario se répète en 1958 : ils entrent au cabinet le même jour.

Duplessis n'attise pas le feu de leur rivalité : quand il donne à l'un, il donne l'équivalent à l'autre. Certes, le Chef se reconnaît davantage en Johnson en qui il a vite discerné le politicien d'avenir. « Ah ! le p'tit maudit ! » laisse-t-il parfois échapper devant son secrétaire Roger Ouellet, quand le député de Bagot a fait un bon coup[5].

Néanmoins, il aime bien le côté moraliste de Bertrand, sa candeur qu'on prendrait parfois pour de la naïveté, son refus des compromis faciles. Mais ce sont surtout ses morceaux d'éloquence qui le font vibrer. Pour lui, Jean-Jacques Bertrand, c'est saint Jean Bouche d'or. Il trouve que c'est un excellent orateur et ne se prive pas de le faire savoir à son entourage. Hommage surprenant, car le Chef est avare de compliments.

En 1958, s'il élève le député de Missisquoi au rang de ministre, c'est, bien sûr, parce qu'il l'en juge capable, mais c'est aussi parce qu'il veut encore une fois témoigner sa reconnaissance à Louis-Arthur Giroux. Duplessis n'oublie jamais ceux qui l'ont soutenu dans ses revers de fortune. En épousant Gabrielle Giroux, Bertrand a rejoint le clan des favoris du Chef.

Après douze années de vie politique, Daniel Johnson préfère encore exprimer ses sentiments par écrit quand une émotion trop vive lui paralyse la langue. Le 8 mai 1958, quelques jours après avoir prêté serment comme ministre, il trempe sa plume dans la plus belle de ses encres pour remercier son chef. Sa lettre ne manque pas de pathétique :

Mon cher Premier,

Maintenant que le flot des premières émotions est un peu calmé, je sens le besoin de vous dire de nouveau et par écrit la vive reconnaissance que je vous ai témoignée, bien inadéquatement et en marmottant, lors de l'entrevue de mardi et après l'assermentation, le mercredi trente avril mil neuf cent cinquante-huit ; également le lendemain lorsque, dans votre bureau, vous m'avez remis l'enveloppe, lourde de votre générosité.

Si vous avez pu lire — et je vous soupçonne de l'avoir fait — à travers le rideau de tension, vous aurez découvert la sincérité de ma gratitude pour la confiance que vous avez mise en moi, malgré mes erreurs et mes défauts. Je ne pouvais me retenir de penser aux circonstances, un peu cahoteuses, de mon entrée en politique en 1946 ; et surtout à ce dimanche matin 11 janvier 1953 lorsque j'ai offert au premier ministre de ma province ma démission que mon chef a refusée. Je ne saurai jamais comment vous remercier pour ce geste et pour ces paroles si humaines et en même temps si chrétiennes qui ont sauvé une famille entière. Dieu seul peut récompenser de pareils actes.

Ma manière à moi de vous dire merci, c'est de travailler. Travailler sans relâche sous votre directive à la réalisation de plus en plus étendue de votre politique inspirée et bienfaisante.

L'émotion et la joie ont été profondes et intenses pour ma femme, ma petite famille, le vieux papa, la belle-mère, les frères et sœurs, les fidèles organisateurs comme M. Gagnon, les gens qui vous aiment dans Bagot. Tous vous remercient, et nos quatre petits ont une prière pour vos intentions chaque soir. Et moi aussi.

Votre obligé et loyal collaborateur[6].

Malgré son émotion, le nouveau ministre n'oublie pas de sabler le champagne avec un groupe d'intimes. Il vient de franchir une autre étape importante vers sa destination ultime : le fauteuil de l'homme à qui il voue une reconnaissance indicible. « *The sky is the limit...* » c'est là le genre de défi qui lui trotte par la tête tout au long de cette soirée où il fait jouer et rejouer son disque favori...

Ce jour-là au bois de Chaville
Y avait du muguet,
Si ma mémoire est docile
C'était au mois de mai...

Pendant que Jacques Pills répète inlassablement son refrain, le ministre des Ressources hydrauliques pense déjà à une autre réception qu'il a décidé de donner pour les fonctionnaires de son ministère. Un ministre, songe Johnson, ça fait les choses en grand ! Du caviar et du champagne, voilà ce à quoi ces braves auront droit ! Heureusement pour le budget du nouveau ministre, son personnel est passablement restreint. Daniel Johnson accède en effet à la direction d'un embryon de ministère qui ne compte que 38 fonctionnaires. Un patron qui reçoit ses employés au caviar, ça impressionnera sûrement ! En tout cas, c'est une bonne façon de se les attacher[7]. Johnson est reconnu pour payer chichement ses collaborateurs immédiats, mais quand il s'agit d'élargir le cercle de ses appuis politiques ou administratifs, il ne regarde pas à la dépense !

Un ministre, se dit également Johnson, ça doit rouler en limousine. Son « pair », Jean-Jacques Bertrand, est du même avis. Leurs fonctions exigent qu'ils puissent se déplacer vite et loin. Après tout, c'est pour mieux servir la population, non ? Peut-être, mais Maurice Duplessis n'est pas du tout d'accord. Ses ministres ne doivent pas avoir l'air de pachas ! Le gouvernement dispose de quelques voitures officielles et la coutume veut qu'on se les partage. Il n'est absolument pas question de voir chacun des ministres rouler carrosse aux frais de la princesse !

Un jour, le chef du Service des achats du gouvernement, Alfred Hardy, reçoit deux réquisitions inhabituelles. Les nouveaux ministres Johnson et Bertrand lui demandent, le premier une Olsmobile, le second une Buick. Et avec tout le grand luxe, s'il vous plaît : radio, bar et tous les « gadgets » possibles ! Hardy décroche le téléphone et demande à Duplessis ce qu'il doit faire.

— Refuse-les, répond ce dernier sans hésiter.

— Avec plaisir, M. le premier ministre.

— Fred, ajoute Duplessis, signe toi-même le refus. Ne leur dis pas que c'est moi qui ai dit non et rappelle-moi après.

Le Chef veut connaître la réaction de ses nouveaux bras droits. Ceux-ci ne tardent pas à entrer en communication avec le fonctionnaire et s'étonnent de son refus. Johnson ne fait pas trop d'histoires, mais Jean-Jacques Bertrand, qui a un caractère primesautier, éclate :

— Ce n'est pas un fonctionnaire qui va décider ! On va aller en haut lieu !

— Allez-y, M. le ministre. Moi, j'ai pris mes responsabilités. J'ai fait mon devoir ! réplique Alfred Hardy.

— Je ne tolérerai pas d'impertinences de la part d'un fonctionnaire ! proteste encore Bertrand avant de raccrocher.

L'affaire se termine là en ce qui concerne Johnson. Le patron du Service des achats rappelle Duplessis et lui raconte ce qui s'est passé. Le Chef écoute et commente d'un ton incisif :

— Ces deux-là, je les ai nommés ministres et ils croient qu'ils le sont[8] !

Duplessis sait se montrer impitoyable avec ceux qui le déçoivent. Quelque temps après la nomination de Johnson et de Bertrand, un vieux député, membre du parti, était venu le voir, en proie à la colère :

— M. Duplessis, comment ça se fait que tous ces jeunes-là passent avant moi ?

— T'as pas compris, avait répondu Duplessis pour l'apaiser. C'est comme un singe dans un arbre. Plus il monte haut, plus on lui voit le cul...

C'est finalement le trésorier du parti, Gérald Martineau, qui procure sa Buick à Bertrand. Martineau préfère le député de Missisquoi à Johnson dont il a deviné l'ambition dévorante. Il accepte les arguments que lui fait valoir le ministre des Terres et Forêts : la distance, ses revenus plutôt maigres, sa famille nombreuse. Bertrand est un homme simple, un avocat de campagne que l'argent laisse raisonnablement indifférent. Contrairement à certains de ses collègues, il ne patauge pas dans des combines susceptibles de grossir son modeste salaire de ministre de la Couronne. Il commet cependant une maladresse en demandant à Martineau de payer également les assurances. Le grand argentier se fâche : « Après un tel cadeau, tu pourrais au moins payer la police d'assurance[9] ! » Les rapports entre Martineau et Bertrand se refroidiront après cet incident car Martineau, comme Duplessis, catalogue rapidement les hommes. Son cynisme et sa misanthropie ont atteint un sommet, après tant d'années passées dans les coulisses du pouvoir !

Depuis sa nomination, Johnson commence, lui aussi, à prendre de grands airs. Le succès lui monte à la tête ! Au bureau de comté, à Saint-Pie, le secrétaire Paul Petit voit bien que les choses ne sont plus pareilles. Un jour, un petit vieux du comté tient absolument à voir son député. Mais Johnson lui fait dire par son secrétaire qu'il est absent. Comme le bonhomme continue d'insister, il lui délègue Reine, sa femme :

— Je suis peinée, mais mon mari n'a pas le temps de vous recevoir aujourd'hui.

— C'est correct, d'abord, fait le petit vieux courroucé. Aux prochaines élections, il courra après mon vote[10] !

Paul Petit voit son travail et ses responsabilités se multiplier, maintenant que son patron dirige un ministère. Lui aussi monte en grade. Désormais, c'est au « secrétaire adjoint particulier » du ministre des Ressources hydrauliques qu'on s'adresse. Il est très loin le temps où Paul Petit passait le plus clair de ses journées au volant de l'antique autobus de la compagnie Intercité, brinquebalant, au printemps, sur les routes défoncées.

Johnson lui a donné carte blanche pour tout ce qui concerne le comté. Routes, prêts agricoles, etc. Mais il l'a d'abord mis en garde :

— Toi, ta juridiction s'arrête aux frontières du comté !

Occupé à assimiler le langage des chevaux-vapeur et des kilowatts, Johnson dispose de moins de temps pour courtiser ses électeurs. Il ne se déplace plus maintenant que pour les « gros enterrements » ou les « grands mariages ». C'est donc le secrétaire du comté qui doit, le plus souvent, faire acte de présence à sa place. Un certain samedi matin, alors que son ministre survole en hélicoptère un barrage hydro-électrique, le programme de ce pauvre Petit prévoit trois obsèques d'affilée[11] !

Le ministère des Ressources hydrauliques n'est pas, quantitativement, le plus imposant. Néanmoins, il est de toute première importance puisqu'il est appelé à jouer un rôle majeur dans l'industrialisation du Québec. Que le premier ministre l'ait confié à Johnson témoigne de la confiance qu'il nourrit envers son jeune adjoint. S'il est vrai, comme l'opposition libérale le lui reproche avec beaucoup d'âpreté depuis des années, que Duplessis répugne à étatiser les sociétés d'électricité (en violation flagrante du programme électoral de 1936), du moins permet-il à Hydro-Québec de s'accaparer une part grandissante du développement hydro-électrique.

Au moment où Johnson en prend la direction, la régie d'État s'est tracé un programme évalué à quelque 340 millions de dollars. Les projets sont ambitieux : construction d'une seconde centrale sur la Bersimis, extension de la centrale de Beauharnois et érection de sous-stations ainsi que de lignes de transmission et de distribution. Enfin, entreprise qui fera l'orgueil de l'Hydro si elle voit le jour, les ingénieurs envisagent d'aménager la Manicouagan[12].

Si l'Union nationale ne se souvient plus d'avoir promis de nationaliser les sociétés d'électricité, dont la puissante Shawinigan Water and Power où l'on ne parle qu'anglais et qui dessert tout le centre du Québec, le quotidien *Le Devoir* ne souffre pas d'amnésie.

Pierre Vigeant, à la fois chef suprême de l'Ordre de Jacques-Cartier et éditorialiste à ses heures, salue la nomination de Daniel Johnson par une interrogation : « Voudra-t-il parachever l'étatisation des entreprises d'électricité[13] ? » Il considère Johnson « comme l'un des plus brillants parmi les jeunes députés de l'Union nationale ». Et il n'en tient qu'à celui-ci de confirmer cette opinion en servant les intérêts de la population du Québec plutôt que ceux des entreprises privées.

Le dilemme qui attend le jeune ministre est celui-ci : son ministère est déficitaire. En 1957, les revenus ont atteint 5 millions de dollars et les dépenses, 7 millions. Johnson pourrait équilibrer son budget en haussant les redevances des sociétés privées, mais, suggère Pierre Vigeant, il serait plus simple de parachever l'étatisation qui, commencée en 1944 avec la création de l'Hydro, est stoppée depuis. Le journaliste conclut qu'on ne saurait tolérer plus longtemps que les actifs des société privées (745 millions de dollars) soient supérieurs à ceux de la régie d'État (615 millions de dollars)[14].

Daniel Johnson est insensible à ce genre de plaidoyer. Comme son chef, il croit à la coexistence de l'État et de l'entreprise privée dans le développement des ressources naturelles du Québec. L'étatisme intégral lui répugne autant qu'à Duplessis. De toute façon, s'il lui prenait la fantaisie de changer d'idée et de tenter une opération à saveur socialisante, le Chef le remettrait prestement sur le chemin de la vertueuse entreprise privée. Pour une raison toute simple : pas plus que les autres personnages qui ont titre de ministres, Johnson n'a le moindre pouvoir. C'est à Duplessis, et non à son ministre qui lui sert tout bonnement de paravent, que l'Hydro rend des comptes. Ce dernier doit donc déranger le moins possible les plans échafaudés par son chef avec les commissaires.

Pour être ministre de l'Union nationale, il faut savoir souffrir en silence, ronger son frein et, surtout, accepter de porter parfois le bonnet d'âne. Le Chef pratique souvent une forme d'humour plus désobligeante que noire à l'endroit de ses collaborateurs. Il vaut mieux alors avaler la pilule en se consolant à l'idée que même lui, le tout-puissant Maurice, n'est pas immortel.

Un jour, quelques semaines à peine après avoir été nommé ministre, Johnson reçoit, en compagnie de son maître, une délégation du Nord-Ouest québécois. D'un ton enjoué, Duplessis leur présente son collègue :

— Vous connaissez mon nouveau ministre ? Il a été créé ministre, et créer, ça veut dire à partir de rien !

Tout le monde rit comme on se doit de le faire après les calembours du Chef, drôles ou non. Mais un avocat qui n'a pas la langue dans sa poche, Ted Meighen, le fils de l'ancien premier ministre conservateur Arthur Meighen, réplique, une fois le silence rétabli :

— Si vous me permettez, M. Duplessis... ça vous a pris douze ans, à vous, pour créer quelque chose[15] ?

L'allusion est claire et tout le monde rit de bon cœur, Duplessis plus que les autres parce qu'il la trouve « bien bonne. » Celui dont la « création » a servi de prétexte à cet échange de bons mots, Daniel Johnson, rit également, mais un peu jaune... On pardonne presque tout à M. Duplessis !

Subir la moquerie d'un chef bien-aimé, passe encore ! Mais vivre sous une tutelle qui révèle aux autres votre statut de pantin, c'est plus difficile, même pour un politicien comme Johnson qui est prêt à avaler toutes les couleuvres pour arriver à ses fins. Un jour, le journaliste Jean-Louis Laporte va le voir à son bureau qui, à l'époque, se trouvait dans l'édifice de l'Hydro, rue Craig, à Montréal. Durant les deux heures qu'il fait le poireau, il entend des éclats de voix traverser la cloison, une secrétaire téléphoner au premier ministre à Québec, et voit deux fonctionnaires furieux sortir en coup de vent du bureau de Johnson. En un mot, cela sent la poudre ! Quand Laporte pénètre dans le bureau de son ami, il peut lire sur son visage toute la violence qu'il retient.

— Tu ne sais pas comme cela me ferait du bien de t'engueuler ! tempête Johnson.

Le ministre a besoin de se défouler. Les quelques phrases qu'il débite d'une voix hachée par la colère font comprendre à Laporte que Daniel Johnson n'a aucun poids dans l'administration de son ministère :

— J'espère qu'un jour, ajoute-t-il, je deviendrai le chef du parti et, ce jour-là, je prendrai les moyens pour ne pas être seul à décider. Jamais je ne deviendrai un dictateur. Le Québec en souffrirait[16]...

Johnson devra attendre la mort de Duplessis avant d'avoir vraiment son mot à dire dans les affaires de l'Hydro.

Quelque temps avant que ne disparaisse le Chef, le député de Bagot, n'en pouvant plus, refuse qu'on octroie le contrat de construction du barrage de la Manicouagan à la multinationale américaine Acres. À Labrieville, sur la Côte-Nord, il n'avait pas été sans remarquer que tous les postes de commande sur le chantier étaient détenus par des ingénieurs francophones. Aussi est-il incapable d'accepter que la conception et la gestion du plus grand projet hydro-électrique au monde, le futur chantier de la Manicouagan, soient confiées à ces Américains que Duplessis s'obstine à combler de cadeaux.

Juste avant de mourir, Duplessis prévient son ministre qu'il est prêt à écouter ses doléances. Johnson a bien l'intention de lui démontrer que l'Hydro possède tous les ingénieurs nécessaires pour pouvoir être le maître d'œuvre. Mais la rencontre est annulée par la mort de Duplessis. Son successeur, Paul Sauvé, comprend en un instant la situation. Une fois premier ministre, il dit à Johnson : « Marche. » Duplessis disparu, Daniel Johnson devient enfin maître chez lui. Ce sont les ingénieurs québécois de l'Hydro, sous la direction de J.-Arthur Savoie, qui mettent au monde la Manic[17].

Avant de céder les rênes de son ministère à l'impétueux René Lévesque, en juin 1960, Johnson a le temps d'achever les travaux de la Bersimis et d'amorcer la construction des barrages de Carillon, de la Manicouagan et de la rivière aux Outardes. De 1944 à 1959, sous le régime Duplessis, la capacité de production hydro-électrique est passée de 5,85 à 11,26 millions de chevaux-vapeur. Durant la même période, celle de l'Ontario s'est élevée de 2,67 à 7,79 millions de chevaux-vapeur. En 1959, le Québec produit à lui seul la moitié de l'énergie hydro-électrique canadienne[18].

Si dévoué qu'il soit à l'entreprise privée, le député de Bagot s'ingénie, durant son mandat de deux ans, à multiplier au sein de son ministère des postes destinés à de jeunes technocrates, statisticiens et analystes. C'est, à l'échelle de ce seul ministère, l'embryon de la future fonction publique que mettra bientôt en place le régime de Jean Lesage.

Le scandale du gaz naturel

Duplessis a vieilli. S'il domine encore d'une main de fer l'appareil politique, des combines se nouent à son insu dans la zone grise qui sépare intérêts privés et intérêt public. Le 13 juin 1958, *Le Devoir* porte au régime duplessiste un coup mortel. En manchette sur cinq colonnes, le journal affirme que plusieurs ministres (dont, peut-être, le premier ministre lui-même), des fonctionnaires et des financiers sont impliqués dans une opération boursière de 20 millions de dollars réalisée lors de la vente à une société privée du réseau public de gaz naturel[19].

Duplessis est le premier renversé par cette révélation. Opposé à la spéculation, il avait conseillé à sa secrétaire Auréa Cloutier, sollicitée par les agents de change de la rue Saint-Jacques, de ne pas acheter d'actions de la nouvelle Corporation du gaz naturel du Québec, formée lors de la vente du réseau public : « N'y touchez donc pas ; l'affaire se terminera en queue de poisson[20] ! »

L'accusation du *Devoir* est sérieuse et crée un remous dans l'opinion publique. C'est un « cas d'espèce » de conflit d'intérêts. *Le Devoir* divulgue les noms de 13 ministres et conseillers législatifs (dont celui du tout nouveau ministre des Ressources hydrauliques) qui « se sont vendu à eux-mêmes un bien qui appartenait à la province ».

En quoi consiste la machination, si machination il y a ? Le 7 mars 1957, le Conseil des ministres a adopté un arrêté autorisant la vente du réseau public à une compagnie privée. Les contrats ont été passés le 25 avril suivant. Durant un intervalle de sept semaines, les ministres ont pratiquement été les seuls à être au courant du projet.

Or, c'est précisément durant ce laps de temps qu'ils ont commandé à leurs courtiers d'acheter des actions. Selon l'usage, celles-ci n'ont été inscrites aux livres que quelques jours après la vente. Les ministres ont donc « eu, en exclusivité, sept semaines pour préparer leur coup », conclut le journal. Ils étaient à la fois vendeurs et acheteurs du réseau de gaz. Et le directeur du *Devoir,* Gérard Filion, de demander :

— Permettrait-on à un avocat de plaider à la fois pour le demandeur et le défendeur devant un tribunal[21] ?

Duplessis se sent frappé au cœur ! Furieux contre un journal qui ne lui passe rien depuis dix ans, il s'écrie :

— C'est une sale rumeur et des racontars en ce qui me concerne. C'est une insinuation canaille dont *Le Devoir* a l'habitude. D'ailleurs, je ne lis jamais *Le Devoir*...

Le premier ministre convoque une conférence de presse pour sommer le quotidien de publier la liste des ministres impliqués, s'il en a le courage ! Daniel Johnson se fait l'écho de son chef en déclarant à un journaliste :

— Moi, je n'attache pas d'importance à ce qu'écrit le journal *Le Devoir* parce qu'il ne sait pas ce qu'il écrit[22].

Ce faisant, Duplessis et Johnson appellent la tempête. Le lendemain, *Le Devoir* lâche les noms des ministres et des conseillers législatifs qui ont trempé dans l'affaire. Daniel Johnson figure en tête de liste. Alors qu'il était vice-président de la Chambre, soutient le quotidien, il s'est porté acquéreur de 100 actions de la Corporation du gaz naturel du Québec. Celles-ci ont été inscrites aux livres le 30 avril 1957, cinq jours après la vente du réseau — le numéro de compte est 1950[23].

Les enquêteurs du *Devoir* ne dévoilent qu'une partie de la vérité. Celle-ci ne sera connue totalement qu'en août 1962 avec la publication du rapport de la commission royale d'enquête Salvas, instituée par le gouvernement Lesage, le 5 octobre 1960. Daniel Johnson a acheté 150 actions, au prix unitaire de 140 dollars, soit 100 chez Forget et 50 chez René-T. Leclerc, pour une somme globale de 21 000 dollars. Le député de Bagot a réalisé un profit de 35 dollars par action, ce qui s'est traduit par un bénéfice total de 5250 dollars en moins de sept semaines[24].

Daniel Johnson ne gît pas seul au fond de la fosse. Les autres ministres accusés sont : Antonio Barrette (Travail), Antonio Talbot (Voirie), Johnny Bourque (Finances), Paul Dozois (Affaires municipales), Yves Prévost (secrétaire de la Province), Jacques Miquelon et Arthur Leclerc, tous deux ministres d'État. Au palmarès du *Devoir* figurent aussi les noms des conseillers législatifs Gérald Martineau, Jean-Louis Baribeau, Édouard Asselin, Jean Barrette et Albert Bouchard. Même le lieutenant-gouverneur, Onésime Gagnon, n'a pas su résister à la tentation. Jean-Jacques Bertrand, lui, s'est sagement tenu à l'écart de la transaction.

Un tel étalage équivaut à un coup de cravache ! Le surlendemain, soit le 15 juin, Duplessis se rend avec Johnson à Baie-Comeau, territoire du colonel McCormick, inaugurer une nouvelle fonderie de la Canadian British Aluminium. Une meute de journalistes l'accompagne, flairant quelques éclats de la part d'un premier ministre cloué au pilori par *Le Devoir*. Le journal a délégué l'un de ses jeunes reporters, Mario Cardinal. Il est attendu « avec une brique et un fanal » ! Avant la conférence de presse qui suivra la cérémonie, Cardinal croise par hasard Antoine Rivard, le Solliciteur général, qui déteste cordialement les gens de la presse.

— Tiens, *Le Devoir* ! lance Rivard d'un ton sarcastique. Viens-tu me demander si j'ai des parts dans le gaz naturel ?

— Inutile, réplique Cardinal avec assurance. Nous connaissons les noms. Je voudrais savoir quelle fut la réaction parmi vos confrères ministres ?

— La réaction ? fait Rivard, en prenant la mouche. Je vais vous la donner, moi ! Vous êtes une bande d'écœurants ! Vous entendez ? Une bande d'écœurants !

— Merci, M. le ministre ! Mais pourquoi ? hasarde innocemment le reporter.

— Allons donc ! C'est à croire maintenant qu'un ministre n'a plus le droit d'avoir des parts dans une compagnie[25] !

Le Solliciteur général se sent mieux. Depuis un certain temps déjà, il est l'une des cibles préférées des caricaturistes et des journalistes du *Devoir*. On en a fait le symbole du ministre duplessiste : insignifiant et servile. Pourtant, Rivard a longtemps été considéré comme l'un des ministres les plus intelligents du cabinet Duplessis. Son amitié pour son chef remonte aux années 20. Les deux hommes ont milité ensemble au sein du Parti conservateur, puis à l'Union nationale.

Dès son élection comme député de Montmagny, en 1948, Me Rivard a été nommé ministre sans portefeuille et, en avril 1950, il devient Solliciteur général, poste qu'il gardera jusqu'à la mort de Duplessis. En 1959, le Chef lui confie un second portefeuille : les Transports. Au début des années 50, Rivard fait figure d'homme fort du gouvernement Duplessis. Le premier ministre le tient pour un expert en droit criminel et en droit constitutionnel. Il l'amène avec lui aux conférences fédérales-provinciales et l'associe à sa lutte contre Ottawa à propos des subventions fédérales aux universités.

Si l'image de Rivard se gâte après le milieu de la décennie 50, c'est à cause de son caractère. Le Solliciteur général est un petit homme qui s'accorde trop d'importance. Sa fatuité finit par irriter Duplessis, tout comme son adulation perpétuelle qui lui fait écrire en 1957 : « Tu m'invites à vivre dans le rayonnement de ton prestige, et je sais les bienfaits que j'en retire... Je n'ai rien d'autre à t'offrir que mon désir de servir le plus magnifique des chefs de ma race[26]... »

Un jour, au cours d'une réunion du cabinet où Antoine Rivard manifeste une diligence exagérée en soumettant à Duplessis une quantité inouïe d'arrêtés ministériels, le Chef humilie son ministre en jetant par terre la pile de documents et en hurlant :

— Mais as-tu perdu la tête ?

Antoine Rivard vit également au-dessus de ses moyens. Ses goûts de grand bourgeois de village lui attirent des difficultés avec le fisc. À deux reprises, Duplessis se voit contraint de régler les impôts de Rivard, menacé de poursuites judiciaires par le ministre responsable de la perception des revenus de l'État[27] !

La grandiloquence du Solliciteur général, les rebuffades de son chef et ses démêlés perpétuels avec l'impôt finissent par le désigner à l'attention des échotiers qui voient dès lors en « Ti-Toine » le M. Prudhomme du cabinet. Un jour, devant les membres du club Kiwanis-Saint-Laurent, Antoine Rivard se permet d'exalter en ces termes le bas niveau d'éducation des Québécois :

— Nos ancêtres avaient la vocation de l'ignorance et ce serait une trahison que de trop instruire les nôtres...

*   *   *

Le visage encore cramoisi, le ministre Rivard abandonne subitement Cardinal pour rejoindre les autres ministres qui se sont déplacés avec le chef : Daniel Johnson, Antonio Talbot et Jean-Jacques Bertrand. La conférence de presse doit se dérouler en présence d'une légion de dignitaires et d'invités. Duplessis cuve sa rage depuis deux jours. La présence de tout ce beau monde ne l'empêche nullement d'apostropher Cardinal :

— Je n'ai pas le temps de lire un journal canaille, puant,

putride et cancéreux comme *Le Devoir* ! clame le chef de l'UN, dès
la première question du journaliste.

Durant toute la conférence de presse, seul Duplessis parlera,
interrompu une seule fois par Antoine Rivard :

— Écoutez, M. le premier ministre, je n'ai pas...

— Tais-toi, tais-toi, laisse-moi faire[28]...

Le débat reprend entre le premier ministre et le journaliste du
Devoir dont chacune des questions constitue une provocation en
soi. Le Solliciteur général frétille et tente une seconde fois de placer
un mot :

— Votre pissotage... commence-t-il, les yeux rivés sur Cardinal.

— Je t'ai dit de te tenir tranquille, coupe Duplessis.

— Vous ferez une déclaration publique, prochainement, sur
le gaz naturel ? enchaîne Cardinal, nullement intimidé.

— J'ai dit ce que j'avais à dire pour l'instant. Personnellement, je suis tranquille. Je n'ai pas trempé dans cette affaire...

Comme s'il regrettait sa dernière repartie qui sonne un peu
comme un aveu (« moi je suis blanc, mais je ne peux pas parler pour
mes ministres... »), Duplessis se raidit et enguirlande de nouveau le
représentant du *Devoir*.

— Quand un journal agonise, il s'accroche à des saletés...

— M. le premier ministre, rectifie Cardinal, on a parlé de vos
ministres...

— Vous êtes cancéreux...

— *Le Devoir* est le premier journal, depuis les élections, à
avoir publié dans une même page la photo de six de vos ministres,
réplique avec ironie le reporter.

— Vous êtes putride[29]...

Le chef de l'Union nationale se lève brusquement. Sa colère
est maintenant tombée. La conférence de presse n'a plus de raison
d'être. Les témoins de la diatribe du premier ministre sont soulagés,
l'air redevient respirable. Pendant qu'il « dialoguait » avec Duplessis,
le journaliste Cardinal s'est amusé à observer les ministres silencieux, groupés autour de leur chef, et en particulier Daniel Johnson.
Selon les coups portés, on pouvait lire sur son visage l'angoisse,
l'intérêt, l'inquiétude ou la jubilation...

Mais ce jour-là, le vieux chef est loin de tenir la forme. Il paraît plus fatigué que d'habitude. Son diabète a progressé « à vue d'œil » depuis le début de 1958. Il a perdu beaucoup de poids et s'est mué en un vieillard flottant dans ses habits. En mars précédent, trois mois avant que n'éclate le scandale du gaz naturel, Duplessis a eu une attaque sérieuse. Il conversait avec un visiteur dans son bureau du parlement quand il a été pris d'un malaise qui a inquiété son personnel. Mais il s'est remis rapidement et n'a plus voulu entendre parler des projets de voyage et de repos élaborés par son entourage. Quand les journalistes font état devant lui des rumeurs relatives à sa santé, le premier ministre s'exclame : « Je suis dangereusement bien[30] ! »

Durant les jours qui suivent, le quotidien s'acharne contre sa proie avec l'opiniâtreté d'un butor. Le scandale fait la manchette pendant une bonne quinzaine de jours, comme si le monde n'existait plus autour du chef de l'Union nationale ! Les détails s'accumulent à tel point qu'on se retrouve devant une montagne de corruption au sommet de laquelle le nouveau chef du Parti libéral tonne avec une voix qui porte loin : « L'attitude de Duplessis est un aveu de culpabilité. Qu'il démissionne ! » Jean Lesage comprend qu'il peut forcer la chance. Il tempête, s'agit et réclame une enquête royale pour nettoyer ces écuries d'Augias que sont devenus le gouvernement et le parti de l'Union nationale.

Un ministre, au moins, a la conscience en paix. Antonio Talbot déclare : « Oui, j'ai acheté des actions de la Corporation du gaz naturel. Mes courtiers m'avaient averti que la chose était intéressante ! » Quelques quotidiens, comme *La Presse*, *Le Soleil* et *L'Action catholique* qui pactisaient avec le régime depuis quinze ans, redécouvrent leur liberté de parole et exigent eux aussi une enquête royale. Le mouvement syndical monte sur ses ergots. Il profite de cette occasion en or pour réclamer l'étatisation complète des services publics et des ressources énergétiques. Bref, la levée de boucliers contre un gouvernement en voie de se désintégrer tout seul paraît générale[31].

Après l'éclat de Baie-Comeau, Duplessis s'est retiré sous sa tente. Il prépare la défense du régime. Sa réaction ne tarde pas. Il ordonne à ses ministres dont les noms ont été étalés dans la presse d'intenter des poursuites contre *Le Devoir* — lui-même en fera autant de son côté. La stratégie du Chef est habile : il bâillonne l'opposition libérale puisque l'affaire devient *sub judice*. On ne peut donc plus en discuter en Chambre. En outre, les ministres se passent le mot : ils diront, pour leur défense, que ce sont leurs courtiers qui ont acheté ces actions en leurs noms. Eux ne savaient pas trop de quoi il retournait ! Le plaidoyer vaut pour tous les ministres, sauf pour l'imprudent Antonio Talbot qui a déjà affirmé le contraire[32].

Il existe une tradition bien ancrée dans la vie parlementaire de la vieille capitale. Tous les vendredis après-midi, le chef du gouvernement s'entretient avec les membres de la tribune de la presse. C'est un rituel sacré et il faudrait un cataclysme pour le modifier. Le 20 juin, Duplessis se défend : la vente n'a pas été faite par le gouvernement, rappelle-t-il, mais a résulté d'une loi adoptée à l'unanimité par les deux Chambres. La conférence de presse dure une heure et demie. C'est un long monologue au cours duquel Duplessis évite de répondre aux accusations précises portées par *Le Devoir*.

L'argumentation du vieux chef tombe à plat. Duplessis est sur la défensive : il n'a pas son mordant habituel. Il ignore délibérément le nœud de la question, le conflit d'intérêts dans lequel certains de ses ministres se sont placés. Pour les excuser, il manie le sophisme, mais l'effet est nul. Pourquoi s'en prend-on à mes ministres ? s'étonne-t-il. N'ont-il pas, comme des centaines d'autres citoyens, exercé leur droit d'épargnant ? Les actions de la Corporation du gaz naturel ont été achetées par toute la bourgeoisie de Montréal et de Québec ! Par des institutions aussi vénérables que le Séminaire de Québec, l'Université de Montréal, les Pères Blancs — des libéraux même, comme Me Antoine Geoffrion, trésorier du Parti libéral à Montréal ! Duplessis ne comprend vraiment pas pourquoi *Le Devoir* manifeste autant de hargne à son endroit[33] !

Le numéro du premier ministre n'impressionne pas Gérard Filion, le directeur du journal, qui rétorque le lendemain : « Ne répondez pas à côté de la question, M. Duplessis ! » Filion rappelle à l'ordre le chef du gouvernement et lui demande de faire le nettoyage dans son cabinet :

Que MM. X, Y, Z, que M. le curé un tel, que les bonnes sœurs de la congrégation de saint-frusquin se soient portés acquéreurs de dix, cent, mille unités de la Corporation du gaz naturel, cela n'a rien à voir avec la question. Ils n'avaient pas, eux, la responsabilité de l'administration de l'Hydro-Québec, ils ne se sont pas vendu à eux-mêmes un bien qui appartenait à la province. Car tout le fond de la question est là ; M. Duplessis n'en sortira pas. Ses ministres ont trempé dans une sale affaire[34]...

Le journal publie en première page un texte encadré où il répète ses accusations. Le titre conseille à Maurice Duplessis : « Découpez et conservez pour votre prochaine conférence de presse. »

Le bruit provoqué par la campagne du *Devoir* atteint Daniel Johnson. Il se terre en souhaitant que l'orage passe au plus vite. Son collègue Jean-Jacques Bertrand, dont la réputation reste intacte, est l'objet d'une grande fête qui a lieu à Shefford, dans son propre comté. Les organisateurs ont invité Johnson à la soirée, mais le ministre ne s'y est pas montré. Pas plus que son collègue Johnny Bourque, également compromis dans le scandale qui continue de défrayer la chronique.

— Qu'est-ce qui a retenu M. Johnson à la maison ? plaisante *Le Devoir*. Craint-il le public ? Il aurait pu aller célébrer car il n'a pas été question de gaz naturel durant la fête[35]...

Duplessis ne veut plus entendre parler de cette histoire qui le mine et le rend taciturne, lui qui aime tant plaisanter. Il ne peut même plus tolérer qu'on mentionne en sa présence les noms de ses attaquants : les Filion, Laurendeau et Laporte. Plus encore : il fait expulser *manu militari* un jeune reporter du *Devoir*, Guy Lamarche, qui a osé se présenter à sa conférence de presse du 27 juin, sa dernière.

Avant chaque entretien, les journalistes ont l'habitude de défiler devant le premier ministre, tels des élèves devant M. l'inspecteur. Duplessis aime leur serrer la main et échanger de bons mots avec certains d'entre eux. La coutume est sacrée. Guy Lamarche ne connaît pas Duplessis : c'est la première fois que son journal le délègue à Québec. Tout souriant et la main tendue, le reporter s'approche du chef du gouvernement, qui l'accueille avec un regard soupçonneux :

— Qui est-ce que vous représentez, vous ?

— Vous ne me connaissez pas, M. Duplessis. Je suis Guy Lamarche, du *Devoir*.

Un coup de massue aurait produit le même effet sur Duplessis !
Celui-ci retire vivement la main qu'il présentait à Lamarche,
comme si le reporter avait la lèpre, et tonne en lui montrant la porte
du doigt :

— Dehors ! Dehors !

— Mais pourquoi, monsieur Duplessis ? fait innocemment le
reporter qui se doute bien un peu de la cause de sa colère.

— Dehors ! répète Duplessis d'un ton cinglant.

— Je ne comprends pas, monsieur Duplessis, je suis journaliste et vous avez convoqué une conférence de presse...

— Voulez-vous sortir ? rétorque Duplessis, excédé par la
résistance de Lamarche.

— Monsieur Duplessis, je considère que j'ai le droit d'être ici...

— Nous allons voir ! Je vous fais sortir par la police[36] !

Le premier ministre annule définitivement ses rencontres avec
les journalistes. En expulsant Lamarche, il vient de leur déclarer la
guerre. Son geste suscite l'indignation parmi la gent journalistique
québécoise. Dans les autres provinces, on n'en revient tout simplement pas ! Faut-il que la démocratie soit morte au Québec,
commentent les grands quotidiens anglophones, pour que le
« dictateur Duplessis » puisse ainsi écraser impunément la liberté de
presse ?

Le régime paraît touché. Le scandale du gaz naturel et ses
suites secouent l'opinion. L'opposition libérale relève la tête.
L'éditorialiste André Laurendeau commente l'expulsion de Guy
Lamarche :

M. Duplessis ne peut réduire la province au silence. M. Duplessis
règne dans le silence. On dit que M. Duplessis n'aime pas la liberté.
Je crois le contraire. Il l'aime. Il l'aime pour lui, et pour lui seul.
Partout où il la voit, il se jette dessus et la dévore. Cette fois, il
s'attaque à un gros morceau. Il veut manger trop de libertés à la
fois[37].

La carrière ministérielle de Daniel Johnson débute mal. Appelé (enfin !) au cabinet en avril, il se fait éclabousser par
la « boue » du *Devoir,* à peine un mois plus tard. Heureusement pour
lui, le silence enveloppe peu à peu l'éclat, à la suite des poursuites

intentées par Duplessis contre le « gang à Filion ». L'enquête réclamée à cor et à cri par l'opposition n'aura pas lieu. Le Chef a dit non. Et c'est bien ainsi. Car comment pourrait-il se défendre, lui, Daniel Johnson ? *Le Devoir* a raison : comme les autres ministres, il a bel et bien acheté des actions. Allez donc réfuter cela ?

Johnson ne condamne cependant pas son geste avec la même virulence que *Le Devoir,* cette feuille qu'il abhorre, mais dévore chaque matin en avalant café sur café, même si, en public, il fait mine de ne jamais la lire ! Le député de Bagot est un politicien réaliste qui connaît à fond la dynamique du système politique dans lequel il trempe. Chez lui, dans Bagot et Saint-Hyacinthe, il n'hésite pas à menacer ceux qui oseraient acheter de l'espace publicitaire dans la feuille libérale dirigée par Yves Michaud, *Le Clairon* de Saint-Hyacinthe.

Ce faisant, il ne pèche pas par originalité ; au contraire, il singe son chef qui se permet le même chantage, mais auprès des annonceurs du *Devoir.* Est-ce immoral ? Johnson ne se pose même pas la question. Le chantage, les pressions, les menaces (comme le patronage) sont enracinés dans les mœurs politiques. Ces procédés font partie des règles. Voilà tout !

Johnson essaie de garder le pas, mais une chose est certaine : il n'ira pas plus vite que la troupe. Il ne peut que suivre les autres ministres. Ni plus ni moins. À force de baigner, pendant de si nombreuses années, dans ce climat de confusion morale dénoncé au lendemain des élections de 1956 par les abbés Dion et O'Neil, il est atteint, lui aussi, du « syndrome duplessiste ». En ce qui a trait à la politique, il ne sait plus trop ce que la morale autorise ou réprouve.

Une ambition dévorante

Le monde familier du ministre des Ressources hydrauliques est sur le point de basculer. L'homme qu'il vénère depuis quinze ans comme un père à la fois craint et aimé agonise dans l'Ungava, à 700 milles au nord de Montréal.

Le jeudi 3 septembre 1959, à quinze heures, Maurice LeNoblet Duplessis s'approche de la baie vitrée d'une maison de bois rond que la compagnie Iron Ore a mise à sa disposition. Il fume un bon cigare en contemplant le lac Knob et, au loin, cette terre de Caïn au sous-sol gorgé de fer. Ce royaume nordique aux richesses fabuleuses, c'est lui, Duplessis, qui l'a bâti avec la sueur des Québécois et l'argent des Américains.

Soudain, le Chef ne peut plus bouger ; son côté droit est entièrement paralysé comme si on venait de le couler dans du béton. Tout s'embrouille. Quelques pas derrière lui, le député Maurice Custeau s'aperçoit de son malaise. Duplessis le regarde, hagard, et essaie de lui dire quelque chose, mais ses lèvres sont scellées, son visage figé. Seul son œil gauche roule dans tous les sens. Maurice Duplessis s'écroule sur le sol, foudroyé par une hémorragie cérébrale.

Le même jour, Paul Sauvé, le dauphin attitré, parcourt le Lac-Saint-Jean. Une élection partielle s'y déroule et il est venu épauler le candidat unioniste, Paul Levasseur. Durant la soirée, il se repose dans sa chambre d'hôtel, à Alma, en compagnie des députés Maurice Bellemare, Claude Gosselin et Lionel Ouellet qui font campagne avec lui.

Le téléphone sonne. Sauvé décroche. Il ne parle presque pas — quelques interjections seulement, exprimées d'un ton grave. Il raccroche et annonce d'une voix émue :

— Duplessis est dans le coma. Je dois partir pour Québec en vitesse[38].

Paul Sauvé cache la vérité à ses collègues : le médecin de Duplessis, le Dr Lucien Larue, l'a averti, il y a quelque temps déjà, de se préparer à succéder au chef de l'Union nationale.

— Ce n'est pas une question d'années, lui a-t-il dit, mais de mois[39].

La nouvelle de la maladie de Duplessis crépite sur les téléscripteurs des salles de rédaction dès le vendredi midi. Dans l'intervalle, Paul Sauvé envoie à chacun des ministres un message personnel :

— Tenez-vous prêt, ordonne-t-il, à vous rendre à quelques heures d'avis au Château Frontenac.

Daniel Johnson lit le message de Sauvé. Deux sentiments contradictoires le déchirent : la tristesse et l'ambition. Que Duplessis soit subitement tombé malade ne le surprend pas outre mesure. Au cours des dernières semaines, il l'a vu baisser, presque de jour en jour. Il s'est même laissé dire qu'au moment de son départ pour la Côte-Nord Duplessis manquait d'entrain. Lui qui a toujours le mot pour rire, qui prend un vif plaisir à taquiner ses collaborateurs, il s'est contenté, ce jour-là, de sourire aux plaisanteries de Custeau et du député Lucien Tremblay, deux drôles dont la réputation n'est plus à faire. Le Chef n'a même pas essayé de mettre son grain de sel dans la conversation. Cette lassitude est un mauvais présage.

Le climat autour de lui tourne à la tragédie, mais le politicien Daniel Johnson n'oublie pas l'objectif qu'il s'est fixé dès 1946 : accéder, un jour, à la direction de son parti. Certes, Duplessis n'est pas mort. À l'instar des autres ministres intéressés par la succession, Johnson n'ouvre pas son jeu. Il temporise. Outre Sauvé et lui, Yves Prévost, secrétaire de la Province, aimerait bien prendre la relève du Chef et il y a Antoine Rivard, dont l'impatience ne se compare pas à celle d'un Johnson, mais qui ne se ferait pas tirer l'oreille si jamais ses collègues lui offraient la succession.

Les intrigues de cour se nouent donc, mais discrètement car Duplessis est encore sur son lit d'agonie. Le dimanche 6 septembre, trois jours après la première attaque, l'état du premier ministre empire. De Schefferville, on fait savoir à Sauvé que le Chef n'a plus que quelques heures à vivre. La situation est désespérée. Le colosse ne se relèvera pas.

Paul Sauvé convoque immédiatement au Château Frontenac l'un des plus anciens ministres du cabinet, Antonio Barrette. Deux jours auparavant, il lui avait fait parvenir un premier message. Barrette pêchait la truite. Il a attendu le dénouement dans sa chaloupe. Une semaine plus tôt, on lui avait raconté que Duplessis cherchait en tâtonnant le bouton d'appel de l'ascenseur : il voyait difficilement. Mais le second pli de Sauvé interrompt la partie de pêche de Barrette qui prend l'avion et, à quinze heures précises, rejoint son collègue dans sa suite du Château Frontenac[40].

— Maurice Duplessis est agonisant, ce n'est plus qu'une question d'heures, annonce Sauvé au ministre du Travail.

Les deux hommes se mettent d'accord pour convoquer tous les ministres. Cette tâche revient à Yves Prévost en sa qualité de secrétaire de la Province. Celui-ci saute aussitôt sur le téléphone et rejoint ses collègues. Le défilé des ministres dans les appartements de Paul Sauvé commence en fin d'après-midi. Une longue veille se prépare ; à l'autre bout du Québec, le pouls de Maurice Duplessis faiblit d'heure en heure.

Le cabinet s'entend pour confier à Paul Sauvé le soin de diriger les opérations quand la fatidique nouvelle de la mort du Chef lui parviendra de la Côte-Nord. Dans l'ambiance victorienne du Château Frontenac, les ministres évoquent à tour de rôle la personnalité imposante de Duplessis, son paternalisme, ses mots célèbres, le vide immense qu'il laissera dans la politique canadienne.

Le drame collectif qu'ils vivent en ce dimanche soir, 6 septembre, chacun d'entre eux le pressentait depuis plusieurs semaines déjà. Au début de 1959, les forces du chef de l'Union nationale ont commencé à décliner rapidement. Tous s'en sont aperçus, mais personne n'aurait osé lui en faire la remarque car Duplessis détestait souverainement que l'on s'apitoie sur son sort.

Lui-même ne se faisait aucune illusion sur son état de santé. Dès 1958, son médecin, le Dr Lucien Larue, accouru à son chevet au moment d'une première attaque, l'avait mis en garde :

— Si vous ne vous reposez pas, vous ne vivrez pas plus d'un an.

Au début de 1959, une tumeur maligne apparaît sur son front et pousse rapidement, comme un champignon vénéneux. Son teint devient cireux, sa peau s'assèche. Ses pertes de mémoire se multiplient. Malgré l'avis de ses médecins, Duplessis reste à son poste, refusant même de prendre des vacances. Son dernier voyage dans le Sud remonte à 1957. Il préfère mourir à la barre[41].

En juin, la presse a fait état de bruits inquiétants sur la santé de Duplessis. Les caricaturistes présentent « Popol » comme son successeur en titre. *Le Devoir* ne se gêne pas, même du vivant de Duplessis, pour reconnaître à Sauvé les qualités qui font les chefs et le désigne comme « le successeur de M. Duplessis ».

Maurice Duplessis est un homme fini. Tout le monde le sait. Les libéraux comptent les jours qui les séparent non seulement de la mort du chef de l'Union nationale, mais aussi du pouvoir. Leur nouveau leader, Jean Lesage, est convaincu comme tant d'autres que Duplessis emportera tout dans la tombe : gouvernement et parti.

L'attente — qui est en réalité une veillée funèbre — se poursuit. Certains ministres rappellent l'état pitoyable de Duplessis lors du dernier Conseil des ministres.

— Quand je suis entré dans la salle du Conseil, dit Yves Prévost de son ton monocorde d'universitaire, je me souviens qu'il faisait pitié à voir. Sa figure était rouge et il avait les yeux gonflés.

Je n'ai pas pu m'empêcher de lui dire : « Vous avez l'air fatigué, ce matin. » Il m'a répondu : « Ah ! on parlera de ça une autre fois[42]... »

À minuit cinq, le lundi 7 septembre, jour de la fête du Travail, Duplessis rend le dernier soupir. On vient de téléphoner de Sept-Îles. Paul Sauvé transmet la nouvelle du décès à ses collègues, la voix brisée par l'émotion. Le Chef les a quittés. Daniel Johnson incline la tête. Il a l'impression d'être orphelin.

Le lendemain, le quotidien du parti, le *Montréal-Matin,* titre en gros caractères : QUÉBEC A PERDU SON PAPA. C'est le sentiment qui habite les ministres. Le char de l'État n'a plus de guide sûr. Une certaine façon de gouverner vient de disparaître avec Maurice LeNoblet Duplessis.

Les hommes meurent, mais les cités demeurent. Remis de leur émotion, les ministres arrêtent les détails des funérailles et s'entendent sur la tenue d'un caucus de tous les députés pour trouver un remplaçant au « père ». La réunion aura lieu à Québec après l'enterrement de Duplessis, qui se déroulera à Trois-Rivières.

Le lendemain, Duplessis repose en chapelle ardente. L'appétit du pouvoir se manifeste déjà. La presse évoque la succession en des termes qui ne laissent pas de doute : quatre clans réclament l'héritage duplessiste. On avance quatre noms : Paul Sauvé, Yves Prévost, Antoine Rivard et Daniel Johnson. Mais un seul aspirant fait vraiment le poids, selon les journalistes. C'est le corpulent ministre de la Jeunesse, le seul à qui Duplessis laissait la bride sur le cou à la Chambre, sans craindre de maladresses ou de sottises. Joseph-Migneault-Paul Sauvé a plusieur longueurs d'avance sur les autres.

Toutefois, la succession n'est pas aussi réglée qu'elle en a l'air. « Popol » rencontre l'opposition voilée de Gérald Martineau qui dispose d'un pouvoir de persuasion déterminant : la caisse électorale. Martineau détient également plusieurs documents compromettants sur certains ministres et députés. Sauvé doit aussi compter avec l'ambition démesurée du jeune et turbulent ministre des Ressources hydrauliques.

Yves Prévost est le premier à baisser pavillon. Le secrétaire provincial est un intellectuel distingué qui se présente comme le grand seigneur du parti. Sa faiblesse réside dans son manque de panache. Il fait fuir la foule ou l'endort, murmurent méchamment ses adversaires. On le voit mal face à un Jean Lesage aussi batailleur qu'un lion.

Et Antoine Rivard ? C'est à lui que songe d'abord Gérald Martineau pour bloquer la route à Sauvé qu'il ne peut souffrir. Mais il abandonne vite ce poulain qui a plutôt l'air d'un âne. Contrairement à Prévost, le Solliciteur général est trop coloré ! Rivard manque aussi d'autorité. Depuis l'incident de Baie-Comeau, monté en épingle par *Le Devoir* et au cours duquel Duplessis lui a cloué le bec un peu trop cavalièrement, sa crédibilité politique tient à peine à un fil. En tout cas, Jean Lesage n'en ferait qu'une bouchée ! Et la presse s'en tiendrait les côtes[43].

Daniel Johnson s'illusionne sur ses chances de chausser les bottes de Maurice Duplessis. Il possède peut-être des appuis au Conseil législatif et parmi la députation, mais, au cabinet, on le perçoit comme un « ambitieux effréné[44] ». Avant de croiser ouvertement le fer avec un homme comme Sauvé, visiblement plus fort que lui et capable de lui briser les reins s'il lui en prenait fantaisie, le jeune ministre sonde néanmoins le terrain.

À Montréal, une campagne s'organise autour de la candidature de Johnson. Le ministre tient des consultations au Reine Elizabeth. Il suppute ses chances avec ses proches. Si au moins, il n'avait pas affaire à Paul Sauvé, cet ami qu'il admire ! Son sondage ne lui est pas favorable : on lui dit qu'il est trop tôt, que son heure n'est pas encore venue. Johnson répond infailliblement : « C'est une grande ambition chez moi. » Il paraît sincèrement désolé. Comme s'il était dans l'ordre des choses que ce soit lui qui prenne la relève du grand Maurice Duplessis comme timonier du peuple canadien-français[45].

Johnson sait que l'unanimité est presque faite au Conseil des ministres autour du nom de Paul Sauvé. Néanmoins, il commet l'erreur de cabaler en faveur de la tenue d'un congrès au leadership. Il le dit à tous et à chacun. Ce faisant, il indispose Sauvé et s'aliène les ministres[46].

Le député de Bagot a-t-il perdu la tête ? Un congrès « à la chefferie » ! Depuis celui de Sherbrooke, en 1933, où Duplessis a été choisi, jamais on ne s'est embarrassé d'en tenir un autre. C'est aux ministres qu'il appartient de désigner le successeur du chef de l'Union nationale et non aux militants. Où se trouvent-ils d'ailleurs, ces militants ? Le parti est dépourvu de structures et n'existe, en réalité, qu'en période électorale. C'est une grande famille, l'Union

nationale, avec un père qui, jusqu'ici, s'appelait Maurice. Il y a fort
à parier que le prochain papa portera le nom de « Popol » et non celui
de Daniel. L'Union nationale constitue aussi une gérontocratie dont
les membres se succèdent selon le droit de l'ancienneté. Aux yeux
de leurs aînés, Daniel Johnson ou Jean-Jacques Bertrand portent
encore la couche aux fesses. L'ambition aveugle sûrement le ministre
des Ressources hydrauliques ! S'imaginer dans le fauteuil du premier des ministres, après une seule année au cabinet ?

Avec ses cinquante-deux ans, on ne peut certainement pas
dire de Paul Sauvé qu'il est un vieillard. Sa candidature supplante
les autres sans difficulté pour une raison très simple : depuis 1934,
il passe pour le bras droit de Duplessis. Il est son successeur logique. Son ancienneté correspond à un droit naturel. Tout le monde a
saisi cette évidence, sauf Daniel Johnson et le grand argentier
Gérald Martineau. Comment contester cet homme qui siège à
l'Assemblée législative depuis près de trente ans ? Dans le plateau
de la balance, il pèse plus lourd que Johnson et Martineau réunis.
Ses titres sont impressionnants.

Paul Sauvé a succédé à son père, Arthur, comme député
conservateur du comté agricole de Deux-Montagnes. À la fois
journaliste et *gentleman farmer*, Arthur Sauvé avait tenu le comté
de 1908 à 1930 et dirigé le Parti conservateur de 1916 à 1927. Aux
élections fédérales de juillet 1930, il avait laissé la direction des
conservateurs provinciaux à Camillien Houde, maire de Montréal,
et brigué les suffrages au fédéral ; élu, il était devenu ministre des
Postes dans le cabinet Bennett. Profitant d'une élection provinciale
partielle, en novembre 1930, son fils Paul avait à son tour réussi à
se faire élire député provincial de Deux-Montagnes.

En 1930, donc, le père et le fils défendent les intérêts du même
comté aux niveaux fédéral et provincial. Inutile de dire qu'ils ont
vite fait de transformer en un véritable château fort la circonscription
de Deux-Montagnes. Dix-huit écoles, 3 millions de dollars en prêts
agricoles, 4 millions pour le drainage des terres, des ponts et quantité
de nouvelles routes : tel est le bilan de leur gestion à la fin des
années 50[47].

Natif du village de Saint-Benoît où les Patriotes affrontèrent
l'armée anglaise en 1837, Paul Sauvé a fréquenté, comme son père,
le Séminaire de Sainte-Thérèse. L'un de ses confrères est le futur

cardinal Paul-Émile Léger. Sauvé néglige d'abord ses études pour
la politique. Mais, par la suite, il ira les terminer au collège Sainte-
Marie, puis fera son droit à l'Université de Montréal.

Sauvé n'a connu qu'une seule défaite. En 1935, il perd son
comté par 14 voix seulement, mais le reprend neuf mois plus tard
lors du scrutin général de 1936. Duplessis et Sauvé ont formé
équipe dès le congrès de Sherbrooke de 1933 où le premier fut
choisi comme chef du Parti conservateur au détriment d'Onésime
Gagnon. Après sa victoire de 1936, Duplessis nomme son coéquipier
au poste de président de la Chambre. Celui-ci se distingue très tôt
du reste de la députation. Il maîtrise rapidement la procédure parlementaire. Sa jovialité et sa gentillesse font le reste.

Après la défaite de 1939, toutefois, Duplessis prend ombrage
de la popularité de son lieutenant et met sa propre tête en jeu.
Plusieurs militants ne lui pardonnent pas d'avoir déclenché des
élections hâtives. Ni, surtout, de les avoir perdues.

Paul Sauvé porte une part des responsabilités dans la déconfiture de l'Union nationale. Avec son père Arthur, il est l'un de
ceux qui ont poussé Duplessis à précipiter le scrutin pour profiter du
climat de guerre. Les libéraux « seront définitivement écrabouillés »,
affirmait-il à son chef. C'est le contraire qui se produisit.

Au début de 1940, une première conjuration pour déloger
Duplessis au profit de Sauvé avorte grâce à la fidélité de ce dernier.
À l'été de 1940, Sauvé ne tient plus en place. Le guerrier prend le
dessus sur le politicien : il part se battre en Europe. Duplessis se met
à boire pour oublier sa déconvenue. En octobre 1942, un nouveau
complot s'organise pour confier la direction du parti au député de
Deux-Montagnes, malgré son absence[48].

Ce second putsch se termine également en queue de poisson.
Au fond de ses tranchées, Sauvé ignore tout des démêlés de Duplessis
avec certains militants. Quand il revient, le Chef a réussi à sauver
sa peau, mais il se méfie du « héros de Normandie ». Il le craint. Aussi,
quand il constitue son cabinet après sa victoire de 1944, il oublie
son rival qui n'est pas encore revenu d'Europe, mais demeure
néanmoins député puisque sa femme a fait campagne en son nom et
l'a fait élire. Duplessis attendra le printemps de 1946 avant de
rappeler Sauvé au cabinet, une fois qu'il aura consolidé ses assises.

Les deux hommes retrouvent rapidement l'harmonie qui les

avait soudés l'un à l'autre entre 1930 et 1939. Paul Sauvé redevient presque aussitôt le numéro deux du gouvernement. De tous les ministres, il sera le seul à pouvoir servir durant près de quinze ans, et sans perdre sa dignité, un chef que le pouvoir et la maladie rendront peu à peu capricieux et autocratique.

Son statut spécial, Sauvé le doit en bonne partie au fait que Duplessis le considère comme son dauphin. Celui-ci le reconnaît publiquement dès 1955, à l'occasion d'une fête organisée pour marquer les vingt-cinq ans de vie politique de son collègue. Dans son laïus de circonstance, à la fin des célébrations qui ont lieu dans le fief de Sauvé, à Saint-Eustache, Duplessis déclare carrément que le ministre du Bien-Être social et de la Jeunesse lui succédera. Il reviendra sur le sujet devant ses députés : au cours de son dernier caucus avec eux, en 1959, Duplessis désigne Sauvé comme son héritier présomptif. Poussé sans doute par la prémonition de sa mort prochaine, le Chef fait l'éloge de son ministre avant de lever la séance. Comme ce n'est pas dans les habitudes de Duplessis de faire des compliments (il va jusqu'à féliciter chaleureusement son lieutenant qui, dit-il, a toujours su le remplacer avec compétence durant ses absences), personne ne s'y trompe. Le Chef vient de leur désigner celui qui lui succédera si jamais il doit disparaître[49].

Le temps est venu pour Sauvé de s'emparer de la succession. Il la considère comme un droit acquis et malheur à celui qui voudrait lui marcher sur les pieds ! Les funérailles ont lieu jeudi, le 10 septembre, à Trois-Rivières. Ce n'est pas seulement un chef politique que l'on enterre, mais toute une époque. Après la cérémonie, Daniel Johnson regagne Québec. Il a renoncé à la succession, il se ralliera à la décision de ses collègues.

De son côté, le trésorier Martineau n'a d'autre choix que d'accepter Sauvé, lui aussi. L'arme avec laquelle il se fait obéir — l'argent — perd sa magie devant le ministre du Bien-Être social et de la Jeunesse.

Sauvé ne méprise pas l'argent, bien au contraire ! Il est l'un des ministres les plus riches du cabinet Duplessis. Trente années de vie politique lui ont permis de se constituer une caisse électorale personnelle. C'est là que réside sa force : il est indépendant du trésorier du parti. Paul Sauvé n'est pas forcé, contrairement à certains de ses collègues enchaînés à Martineau par leurs dettes, de ramper comme un chien aux pieds du grand argentier.

Dans le parti, beaucoup de militants répètent que Paul Sauvé est « un grand patronneux ». Il est en politique depuis les années 30, n'a jamais pratiqué le droit et, pourtant, sa fortune est importante. Duplessis a toujours su que son lieutenant possède de gros intérêts dans les mines, qu'il spécule audacieusement et qu'il a réussi quelques bons coups[50]. Son ami le plus intime est le riche entrepreneur H. J. O'Connell qui a obtenu du gouvernement d'importants contrats de voirie sur la Côte-Nord et à Chibougamau. Parfois, des visiteurs trouvent derrière le bureau du ministre Sauvé le « contracteur » O'Connell qui les reçoit en son nom[51] !

Il faut dire que Paul Sauvé est un farceur. C'est un bon vivant qui fait de la politique, bien sûr, mais a aussi d'autres préoccupations. Il aime la vie, les copains, la bonne chère et, comme son père, se pique d'être un fin connaisseur en matière de vins. Ce sont la pêche et la chasse qui occupent ses loisirs et ceux de sa famille. Sauvé emprunte régulièrement l'avion personnel d'O'Connell non seulement pour ses parties de chasse ou de pêche, mais parfois aussi pour ses déplacements ministériels. Au début de 1959, trouvant que la politique empiète un peu trop sur ses loisirs, il remet sa démission à Duplessis qui refuse de l'accepter. Évoquant, quelque temps plus tard, cette envie qu'il avait eue de se retirer de la politique pour vivre paisiblement, Sauvé avoue à Blair Fraser, du *Maclean's Magazine* : « J'ai une famille que j'aime et avec laquelle j'aime passer mon temps. J'ai aussi plusieurs vices que je me fais un devoir de satisfaire... » Il ajoute, avec ce sourire moqueur qui le caractérise : « Sur ces deux plans, la politique m'inhibe[52]. »

Duplessis ne reprochait qu'une seule chose à Paul Sauvé : sa paresse. Ses fins de semaine, il les passait avec sa famille, à Saint-Eustache. C'était sacré et même le premier ministre n'y pouvait rien. Il était le seul de tous les ministres à refuser de remplacer Duplessis quand celui-ci, pris ailleurs, faisait appel à lui. « Sauvé est paresseux comme deux ânes », lançait alors Duplessis en raccrochant le téléphone[53].

Le Chef admirait l'indépendance d'esprit de son ministre et son désintéressement d'où découlait une autorité morale qu'aucun autre membre du cabinet ne possédait. Mais Duplessis savait une chose qu'ignoraient tous les ministres : Paul Sauvé souffrait d'une

maladie cardiaque qui avait failli lui coûter la vie en 1945, au retour
de la guerre. Frappé par une thrombose coronarienne, Sauvé s'était
juré de prendre la vie non seulement avec un grain de sel, mais en
épicurien. Tous les hivers, il passait deux mois en Floride. Duplessis
tolérait cette « paresse » parce qu'il aimait Sauvé et aussi à cause de
ses dons exceptionnels[54]. Le talent aussi bien que l'argent assuraient
donc à Paul Sauvé son autonomie.

Avant la mort de Duplessis, l'hostilité qui opposait le dauphin
à Gérald Martineau était notoire. Le militaire Sauvé ne se gênait pas
pour envoyer promener le trésorier chaque fois qu'il en avait envie.
Il pouvait même dénoncer ses roueries sans que le ciel lui tombât
sur la tête. Sauvé répétait souvent à ses proches :

— Martineau ne me mènera pas !

Pour sa part, le trésorier ne cachait pas qu'il « accepterait mal
de servir tout autre que le chef et ami auquel il s'est fidèlement
attaché[55] ».

Duplessis disparu, personne ne donnera d'ordre à Paul Sauvé,
surtout pas Martineau ! Les temps ont changé et le grand argentier
de l'Union nationale est l'un des premiers à le réaliser.

Avant les funérailles de Duplessis, Martineau avait décidé de
son propre chef, sans même en parler au Conseil des ministres, que
son patron bien-aimé serait d'abord exposé chez lui, c'est-à-dire au
Conseil législatif, et non à l'Assemblée du peuple. Mais Paul Sauvé
intervient sans perdre de temps :

— C'est à l'Assemblée législative qu'il a siégé tant d'années,
c'est là qu'il a défendu les intérêts de sa province. C'est avec nous
qu'il a vécu. C'est à l'Assemblée qu'il doit être exposé d'abord !

Martineau cède, ce qui ne lui ressemble pas. L'ancien vendeur
de machines à écrire est très mauvais perdant, mais le Chef n'est
plus là pour l'appuyer. Il lui reste un seul recours pour exprimer son
mécontentement : s'enfermer chez lui. Il brille par son absence au
caucus du parti qui choisit Sauvé, quelques heures à peine après la
mise en bière de Maurice Duplessis[56].

La désignation de Paul Sauvé est à l'image du futur premier
ministre. L'investiture, précise comme une cérémonie militaire, se
déroule tambour battant. Il ne faudra pas plus d'une heure seize
minutes au caucus du parti pour ratifier un choix qu'aucun des
ministres — pas même Daniel Johnson — n'a plus osé mettre en

doute dès l'instant où le député de Deux-Montagnes, le fils du grand
Arthur Sauvé, a franchi au pas militaire le seuil du Conseil exécutif.
Il était dix-sept heures trente. Avant ce premier caucus réservé aux
seuls membres du cabinet, Paul Sauvé a confié à Antonio Barrette,
au moment de quitter sa suite du Château Frontenac :

— La tâche sera lourde. Je compte sur l'appui de tous mes
collègues pour l'accomplir[57]...

Son ton est empreint d'une gravité inhabituelle chez lui. En
effet, tout ancien soldat qu'il soit, Paul Sauvé aime badiner avec ses
collègues, à l'exemple de Duplessis, même dans les moments où le
sérieux serait plus indiqué. En général, Sauvé a la réputation d'être
un homme distant. Certains députés le trouvent snob, collet monté,
inabordable comme un colonel qui ne serait pas familier avec sa
troupe. En revanche, ses proches et ses collègues du cabinet le
connaissent comme un type jovial qui a toujours le mot pour rire et
ne se prend pas au sérieux. C'est l'une des raisons de son succès.
Paul Sauvé sait porter des masques convenant aux circonstances.

Le Conseil des ministres ne dure que quelques instants. C'est
à peine une formalité. L'unanimité est en effet déjà réalisée autour
du nom de Sauvé et la procédure en est simplifiée d'autant. Le but
de la réunion : la rédaction d'une pétition ministérielle en faveur du
député de Deux-Montagnes. Une fois ratifiée par chacun des membres
du cabinet, on ira la proposer au caucus dont la réunion est prévue
pour dix-neuf heures trente. C'est à cette séance seulement que
Sauvé pourra mesurer son autorité réelle sur le parti. Son test de
popularité aura lieu dans la salle du Comité des bills privés, moins
de deux heures plus tard.

Tous les membres du cabinet entourent Paul Sauvé. Il y a
cependant un grand absent. Un fauteuil, celui du bout de la table,
reste vide... Le fantôme de Maurice Duplessis inhibe encore chacun
des participants. Une époque vient de finir. Le moment est historique.
Dans quelques minutes, c'est à Paul Sauvé que reviendra le redoutable honneur d'occuper le siège abandonné par le « père »...

Ministres, conseillers législatifs et députés se retrouvent à
l'heure prévue dans la salle du Comité des bills privés, au rez-
de-chaussée de l'aile principale du parlement. La lourde porte se
referme sur eux. Walter Duchesnay, qui fut le garde du corps de
Duplessis durant vingt-trois ans, fait office de garde suisse. La

presse est là, attentive au moindre mouvement. Elle épie.

À l'intérieur, on observe deux minutes de silence en hommage au Chef disparu. Chacun s'apprête à jouer son rôle dans une pièce dont personne n'ignore le dénouement. Le Solliciteur général, Antoine Rivard, se lève le premier et prend la parole :

— Il faut un chef, dit-il simplement aux députés en leur soulignant ainsi la nécessité de la continuité. Un nom est à peu près sur toutes les lèvres. Je n'ai sans doute pas besoin de le prononcer[58]...

Ce nom, Antoine Rivard le prononce tout de même... Il est alors vingt heures vingt-deux. Dans le corridor, la meute de journalistes dresse l'oreille : une bruyante et longue ovation éclate de l'autre côté de l'épaisse cloison. Walter Duchesnay sourit. Un reporter commente à haute voix :

— Le roi est mort ! Vive le roi !

Il est vingt heures quarante-deux quand la double porte s'ouvre pour livrer passage à trois membres du caucus : les ministres Bégin et Bourque et le *whip* du parti, Maurice Bellemare. Leur mine est à la fois solennelle et détendue. Le protocole leur interdit de s'adresser aux journalistes.

Les messagers du caucus se rendent chez le lieutenant-gouverneur qui attend dans une pièce voisine. Ils lui portent une pétition entérinée par tous les parlementaires. Le document suggère au représentant de Sa Majesté britannique de confier la direction des affaires de l'État à Joseph-Migneault-Paul Sauvé, député de Deux-Montagnes et ci-devant ministre du Bien-Être social et de la Jeunesse. Onésime Gagnon lit la pétition, l'accepte et délègue son aide de camp auprès du futur premier ministre.

À vingt heures quarante-quatre, les émissaires du caucus reviennent, accompagnés du colonel Jean-Paul Martin dont les talons claquent sur le sol de marbre. Le colonel se met au garde-à-vous et attend qu'on veuille bien l'inviter à pénétrer dans la salle des représentants du peuple. Quelques secondes s'écoulent puis le colonel disparaît avec les délégués du caucus derrière la porte massive.

Quelques secondes passent encore. Les journalistes entendent soudain des applaudissements qui roulent comme un coup de tonnerre. Walter Duchesnay s'efface : un Paul Sauvé rayonnant sort de la pièce. Il se rend chez le lieutenant-gouverneur. En chemin, il lève les yeux. Accroché au mur, dans son cadre doré, un autre Paul

Sauvé le contemple, un Paul Sauvé plus jeune de vingt-trois ans, un Paul Sauvé dans une raideur toute hiératique à jamais fixée par le photographe... le plus jeune des présidents de l'Assemblée législative de la province de Québec[59].

Debout derrière son bureau, le représentant de la reine lui dit la phrase rituelle :

— J'ai pris connaissance du document attestant la mort de l'honorable Maurice Duplessis et du désir, exprimé par les membres des deux Chambres, que je vous confie le soin de former le prochain gouvernement.

Paul Sauvé répond :

— J'accepte avec plaisir de former un gouvernement.

À partir de cet instant précis — il est vingt heures quarante-six —, le cabinet Duplessis n'existe plus. Après avoir prêté serment, le lendemain matin, le nouveau premier ministre est pris d'assaut par les journalistes :

— Allez-vous continuer l'œuvre de M. Duplessis ? lui demande un reporter.

— Aucun premier ministre, réplique-t-il, ne peut changer le but à atteindre, les droits de la Province. Mais les moyens pour y arriver peuvent différer[60]...

« Désormais... »

Le gouvernement de Paul Sauvé ? Un coup de vent frais. Cent jours de réformes symbolisés par le mot « désormais ». Puis une mort brutale qui détruit l'architecture d'un renouveau social et politique. Le gouvernement de Paul Sauvé ? Un coup de fouet qui a poussé au plus noir pessimisme, mais pour des raisons différentes, deux hommes qui aspiraient au trône : le libéral Jean Lesage et l'unioniste Daniel Johnson.

En moins de vingt-quatre heures, Sauvé passe à l'action avec une équipe sensiblement modifiée. Daniel Johnson conserve son ministère. La veille, la presse s'était demandé s'il n'accéderait pas à un ministère plus important, celui du Bien-Être social et de la Jeunesse, occupé sous Duplessis par nul autre que le nouveau premier ministre.

Eh bien, non ! Sauvé conserve son portefeuille en plus de sa nouvelle charge. Pas de promotion pour ce Johnson qui a osé parler

d'un congrès au leadership ! Comme Duplessis, Sauvé reconnaît au
ministre des Ressources hydrauliques l'étoffe d'un futur chef de
gouvernement, mais il est agacé par son impatience.

Quelques semaines après son investiture, Paul Sauvé révèle au
ministre des Affaires municipales, Paul Dozois :

— Je ne ferai pas plus de deux termes. Mais avant de quitter,
je vais préparer mon successeur. Ce sera Jean-Jacques Bertrand[61].

Tout compte fait, Sauvé laissera peu de chose à la postérité,
guère plus que des espoirs de changement. Il n'aura fait que passer
en suscitant néanmoins, chez plusieurs, la conviction que « désormais » le Québec de l'obscurantisme duplessiste est bien mort.

Sauvé a tout juste le temps d'amorcer sa réforme. Aux fonctionnaires, il donne le goût de demeurer à leurs postes en améliorant
leurs salaires. Duplessis payait très mal les serviteurs de l'État qu'il
considérait comme des incapables. Le nouveau premier ministre a
dans sa serviette un projet de refonte complète de la fonction publique. Sa grande priorité est l'éducation. Seule l'éducation primaire
et secondaire avait paru digne d'intérêt à Duplessis. Sauvé, lui, entend
mettre l'accent sur l'éducation supérieure. Finie aussi l'époque des
subventions discrétionnaires aux institutions d'enseignement ! Désormais, l'assistance financière sera régulière et stable[62]. Il prépare
également une réforme électorale et parlementaire et une politique
d'assurance-hospitalisation. Le premier ministre ne partage pas
l'espèce de crainte maladive de son ancien chef envers le rôle de
l'État.

Le dégel des relations du Québec avec Ottawa lui tient aussi
à cœur. Sauvé s'est juré de modifier radicalement le climat fédéral-provincial. Il tombe bien car la fonte des glaces a commencé après
la défaite du premier ministre libéral fédéral, Louis Stephen Saint-Laurent. Avant la victoire de John Diefenbaker, en 1957, Saint-Laurent et Duplessis se haïssaient comme chien et chat. Le dialogue
Québec-Ottawa qui, de toute façon, n'avait jamais été chaleureux
s'était rompu à propos de l'épineuse question des subventions fédérales aux universités.

Saint-Laurent disparu, le premier ministre Diefenbaker s'est
empressé de reprendre la discussion avec Québec. Si les relations
fédérales-provinciales passent de la guerre froide à la détente à la
fin des années 50, ce n'est pas seulement à cause de la mort de

Duplessis ou de l'accession de Paul Sauvé au pouvoir, mais également à cause de la défaite de Saint-Laurent, aussi inflexible dans ses visées centralisatrices que Duplessis l'était dans ses sentiments autonomistes. Le déblocage devient possible le jour où tous les deux s'envolent, le premier vers une retraite dorée, le second vers le paradis.

Paul Sauvé dit aux Québécois : on nous a habitués à marcher sur la tête. Dorénavant, nous marcherons sur les pieds !

Durant les derniers mois du gouvernement Duplessis, Sauvé piétinait d'impatience. Il n'était pas aveugle. Il se rendait bien compte que l'immobilisme politique de Duplessis nuisait à l'essor du Québec, mais il ne pouvait faire taire en lui le militaire.

— Quand j'étais dans l'armée, j'étais un simple major. Je ne discutais pas les ordres de mes supérieurs. Quand Duplessis était premier ministre, j'exécutais ses ordres. Je ne discutais pas.

Cette phrase, Paul Sauvé la répète maintenant qu'il est devenu premier ministre, d'une part pour imposer son autorité au cabinet et, d'autre part, pour justifier son obéissance à un chef dépassé par les événements. Dans le domaine de l'éducation et de la jeunesse, par exemple, il avait senti la nécessité de bouger. Il attendait son heure. Aussi, une fois à la tête du gouvernement, il est prêt à foncer[63].

Paul Sauvé a conservé de sa carrière militaire le sens de l'administration et des décisions rapides. Ses ministres seront les premiers à s'en rendre compte. Pour eux aussi, ce sera « désormais ». Sauvé réagit toujours vivement. En Normandie, par une nuit noire, il avait aperçu la lueur de cigarettes allumées alors qu'il avait interdit à ses hommes de fumer. Aussitôt, il avait filé vers le groupe qu'il avait vertement réprimandé en français avant de se rendre compte, avec une sueur froide, qu'il s'agissait de soldats allemands ! Il avait eu la vie sauve grâce à sa rapidité : il avait déguerpi sans attendre que les Allemands, revenus de leur surprise, lui missent la main au collet[64] !

Dès le premier caucus du parti, Sauvé annonce la couleur :

— Désormais, je veux que chacun des ministres prenne ses responsabilités. Je ne veux pas m'accaparer tous les pouvoirs, tout contrôler de mon bureau. Le premier qui ne sera pas capable de faire son travail, je le dis ouvertement, j'en mettrai un autre à sa place. Les temps ont changé. Chaque ministre va conduire son ministère[65].

C'est une révolution dans les esprits que veut provoquer le nouveau chef. Les ministres recouvrent leur autonomie, Sauvé leur fait confiance. L'effet de surprise passé, ils prennent goût à leur indépendance. Daniel Johnson peut enfin régenter cette Hydro-Québec qui le ridiculisait avec la complicité de Duplessis, depuis sa nomination en 1958.

Oui, les temps ont bien changé ! Imaginez donc ! Le premier ministre pousse même l'audace jusqu'à consulter ses collègues, à solliciter leur avis sur des textes préparés par son bureau. Sous Sauvé, ce n'est plus un homme seul qui travaille, mais une équipe. Avec leur mauvais esprit habituel, les journalistes ne tardent pas à inventer une maxime pour décrire le nouveau climat : « Sous Duplessis, vingt ministres regardaient travailler le premier ministre ; sous Sauvé, c'est le premier ministre qui regardera travailler les vingt ministres[66] ! »

L'ère nouvelle comporte des risques pour des ministres qu'une tutelle implacable n'a pas habitués à penser tout seuls et à prendre des décisions sans d'abord consulter Dieu-le-père. Sauvé fait confiance, mais il ne badine pas.

— Les ministres, dit-il à la presse, devront démontrer qu'ils connaissent leur travail.

Au caucus, il avait dit aux jeunes députés :

— Ne vous en faites pas, les jeunes ! Il y a de la place pour tout le monde. Que chacun fasse ses preuves[67] !

Le premier ministre signe aussi la paix avec les journalistes :

— Les opinions sont libres. Je suis en mesure de le comprendre, étant le fils d'un homme qui a fait carrière dans le journalisme.

Politicien rusé, Sauvé se défend bien de renier le duplessisme ou même de le contredire. Il est tout simplement en quête d'un nouveau style qu'il définit dans un slogan : « Le même but, mais pas les mêmes moyens ! » Néanmoins, personne ne s'y trompe. Ni la presse ni les libéraux moroses. Rien ne sera plus comme avant. Ce qu'on appellera dans moins d'un an « la Révolution tranquille » vient de commencer.

Le 22 juin 1963, André Laurendeau, rédacteur en chef du *Devoir*, dira des cent jours de Sauvé : « L'époque nouvelle a commencé par la mort de quelqu'un... » Ce quelqu'un était, bien sûr, Maurice Duplessis. Sauvé impose rapidement une nouvelle vision

des choses. La coupure avec le duplessisme est si brutale que René
Lévesque, l'animateur-vedette de l'émission télévisée *Point de Mire,*
n'hésite pas à l'étiqueter de « gauchiste ». Outré par un tel abus des
mots, un journal de l'Union nationale, *Le Temps,* foudroie le journaliste[68].

René Lévesque pratique déjà la provocation. Dire de Sauvé
qu'il est un gauchiste parce qu'il s'applique à rattraper le temps
perdu, c'est comme dire du pape qu'il est communiste parce qu'il
prêche la bonne entente avec Moscou. Le nouveau chef de l'Union
nationale n'a rien du révolutionnaire ni du gauchiste. Il incarne le
conservateur intelligent, mais il n'en tranche pas moins avec un
Duplessis devenu, en vieillissant, un réactionnaire passionné et
aussi un peu maniaque. Comme Jean Lesage, écrasé par sa popularité, il a senti monter des grondements sourds contre l'ancien
régime et a compris que la population attendait des changements.
Son « gauchisme » se limite à cela[69] !

Daniel Johnson n'est pas le seul à remiser ses ambitions dans
le grenier d'une histoire imprévisible. À la mort de Duplessis, Jean
Lesage a bien cru son heure venue. Quelques semaines plus tard, il
n'en mène pas large ! En novembre 1959, les libéraux sondent la
population. Les chiffres leur arrachent des gémissements. S'il y a
des élections, Sauvé va tout balayer. Il ne restera à peu près plus rien
des rêves improvisés d'un Lesage accouru d'Ottawa pour jeter par
terre un autocrate qui a eu la « sagesse » de mourir avant d'aller devant
le peuple. Tout au plus les libéraux peuvent-ils espérer accroître
légèrement le pourcentage des voix en leur faveur et le nombre de
leurs sièges. Rien de plus ! En quelques semaines, Paul Sauvé a réduit
à néant la première vraie chance qu'avait le Parti libéral de s'emparer du pouvoir, depuis 1944. Les libéraux sont au bord du désespoir.
Dans le camp unioniste, le cœur se remet à battre. La respiration est
plus libre avec ce chef qui sait si bien lire la nouvelle carte politique
du ciel québécois. On fait peu de cas de la fatalité qui pèse parfois
très lourd dans la marche de l'histoire.

*   *   *

En mourant, Duplessis a laissé comme héritage l'épineux
dossier des subventions fédérales aux universités. Avec une grâce
éléphantesque et le généreux prétexte de venir en aide aux institutions

de haut savoir, Ottawa a envahi, en 1952, le secteur de l'éducation, jusque-là de juridiction exclusivement provinciale. L'écot fédéral, égal à 50 cents per capita, s'élève à 2 millions de dollars pour le Québec. Conscient des besoins des universités, Duplessis accepte les subventions la première année, puis se ravise. Incapable de s'entendre avec le gouvernement Saint-Laurent sur une formule qui respecterait la compétence du Québec en éducation, il décide de refuser cet argent maudit. En effet, Ottawa vient le prendre dans la poche des Québécois pour ensuite le verser dans un secteur où la constitution lui interdit de mettre son nez ! Pour Duplessis, le fédéral agit comme un voleur qui vous prend votre montre et vous remet la chaîne en disant que c'est un cadeau !

De 1953 à 1959, Ottawa dépose les sommes destinées aux universités québécoises dans un fonds géré par la Fédération canadienne des universités. Avec les années et les intérêts, le montant grossit et finit par atteindre 25 millions de dollars. De quoi mettre l'eau à la bouche des recteurs québécois ! De son côté, l'opposition libérale ne se gêne pas pour accuser Duplessis d'affamer les universités. Demi-vérité car si Duplessis interdit aux universités de toucher à l'argent empoisonné, il leur verse chaque année l'équivalent de la subvention fédérale en plus de la contribution statutaire du provincial !

En novembre 1958, la question est soulevée de nouveau. Le nouveau gouvernement Diefenbaker veut la régler une fois pour toutes, sans cependant s'aliéner les autres provinces. Les universités ont de pressants besoins d'expansion. Elles trompettent et lorgnent avec convoitise vers les 25 millions de dollars qui dorment en fiducie. Mais le vieux chef est inflexible :

— Jamais, tonne-t-il à l'ouverture de la session de novembre 1958, le présent gouvernement n'acceptera les subsides fédéraux en matière d'éducation. La Constitution n'est pas une enchère où les droits des Canadiens français sont à vendre[70] !

— Deux mois plus tôt, Diefenbaker a invité Duplessis à le rencontrer à Montréal, à l'occasion de la Conférence du Commonwealth. Flairant un traquenard, le Chef délègue plutôt Daniel Johnson dont les rapports avec le Lion des Prairies sont au beau fixe. Mais le dossier dépasse la compétence du ministre des Ressources hydrauliques. Paul Sauvé désire, comme Diefenbaker, trouver une solution à ce problème et il s'entremet entre son chef et le premier ministre canadien.

Tout ceci explique pourquoi, dès qu'il se retrouve à la tête du gouvernement, Sauvé s'attaque à ce dossier en priorité. Mais sa hâte lui joue un vilain tour. Il s'engage sur une pente dangereuse : celles des compromis sur le droit exclusif du Québec en éducation. Quand il s'en rend compte, il est trop tard. Il est pris au piège. Il mourra avant d'avoir pu s'en dégager.

Le 9 décembre, Diefenbaker écrit à Sauvé pour lui proposer une formule d'entente. Québec versera aux universités une subvention fixée à un dollar cinquante per capita et, en échange, Ottawa lui consentira un point d'impôt de plus sur le revenu des sociétés afin de compenser les subventions fédérales aux universités. Par ailleurs, si le revenu provenant de ce point d'impôt est supérieur à la subvention provinciale, Ottawa déduira la différence des paiements de péréquation. Le 14 décembre, Sauvé répond qu'il accepte les conditions du fédéral, mais s'étonne du silence d'Ottawa au sujet du fonds de 25 millions de dollars. Diefenbaker n'a pas perdu la mémoire. Fin renard, il garde le magot jusqu'à ce que Québec ait signé l'entente proposée. Le 22 décembre, il écrit à Sauvé : « Entendons-nous d'abord sur la question des subventions, après nous trouverons une autre formule au sujet des sommes accumulées à la Fédération canadienne des universités depuis 1953[71]. »

Juste avant Noël, Diefenbaker délègue à Québec son ministre des Finances, Donald Fleming, chargé de conclure l'accord. L'espoir d'un règlement est grand et la presse a déjà crié victoire au nom de Sauvé.

Coup de théâtre : le projet d'entente est à l'eau ! Fleming repart pour Ottawa et le chef de l'Union nationale quitte la capitale pour Saint-Eustache. Il s'est aperçu à temps de l'impasse dans laquelle son acceptation du 14 décembre l'avait placé et il a refusé d'aller plus loin. Le dilemme n'est pas résolu pour autant : il ne peut ni détruire sa lettre ni négocier sur cette base.

Sauvé a commis une double erreur. Il a accepté que ce soit Ottawa qui fixe le montant de la subvention provinciale et il a consenti à une diminution des paiements de péréquation. De ce fait, il ouvrait la porte toute grande à du tripotage fédéral dans le partage des impôts entre les deux gouvernements. Fort d'un tel précédent,

Ottawa aurait pu prendre prétexte du moindre litige fiscal ou monétaire avec Québec pour diminuer, à son aise, les paiements de péréquation. Quand il lui succédera, au début de 1960, Antonio Barrette réglera définitivement le problème sans porter atteinte, comme son prédécesseur avait failli le faire, à la compétence exclusive du Québec en matière d'éducation.

Le stratagème du *brigadier* Paul Sauvé a complètement échoué devant l'ennemi fédéral. Durant les derniers jours de décembre, son incapacité à résoudre la question mine sa santé. Au cours du dernier caucus du parti avant les fêtes, le premier ministre pique une colère noire contre Diefenbaker — un « vieux croche », dit-il — et l'accuse de duplicité :

— S'il faut que je remettre l'uniforme pour aller chercher ce qui nous appartient, je vais le faire ! tonne l'ancien militaire qui sent remonter en lui des instincts guerriers[72].

À ses ministres, Sauvé exprime ses regrets et sa déception. Il n'a pas l'air très fin maintenant, après avoir annoncé à l'avance le règlement du litige ! Il apparaît à ses collaborateurs comme un homme épuisé et hanté par son échec. Où est donc passé le fougueux premier ministre de septembre ?

Contrairement au dicton des journalistes, le chef du gouvernement ne s'est pas contenté de mettre son cabinet à l'ouvrage. Il a travaillé d'arrache-pied. Il a trimé dur. À la sortie du Conseil des ministres, il dit à sa secrétaire, Auréa Cloutier :

— Je suis assez fatigué. Le problème des universités me bouleverse. Je n'en dors plus[73] !

Sauvé doit reprendre trois fois l'enregistrement de son message de Noël. Finalement, il déclare à son attaché de presse, Jean Pelletier :

— Vous vous débrouillerez avec tout ça, je suis trop fatigué pour continuer[74].

Le 29 décembre, Paul Sauvé convoque une conférence de presse. Ce sera sa dernière. Il paraît serein en dépit du revers de sa politique outaouaise. En bon militaire, il s'est convaincu qu'il a perdu une bataille, mais non la guerre. Il reprendra l'offensive dès la rentrée de janvier.

— Tout ce qui a une influence sur le développement culturel du Québec, comme l'éducation, doit rester au Québec, réaffirme-t-il aux journalistes. Là-dessus, aucun compromis n'est possible.

Pour le reste, le chef du gouvernement se montre disposé à oublier définitivement l'hostilité farouche de Duplessis envers Ottawa :

— Pourquoi faire de l'autonomie un fétiche ? Je veux vous dire ceci. Je m'efforcerai de trouver une voie pour dire oui à toute proposition de coopération venant du fédéral. Je ne chercherai pas un prétexte pour dire non[75].

Le rondelet Joseph-Migneault-Paul Sauvé n'aura à dire ni oui ni non. Son odyssée de simple mortel s'achève. La maladie de cœur dont il souffre depuis 1945 l'emporte à l'aube du 2 janvier 1960.

Notes — Chapitre 3

1. *Post Scriptum, op. cit.*
2. Robert Rumilly, *op. cit.*, p. 637.
3. Maurice Giroux.
4. *Ibid.*
5. Roger Ouellet.
6. Conrad Black, *op. cit.*, p. 39.
7. Paul Petit.
8. Alfred Hardy.
9. *Ibid.*
10. Paul Petit.
11. *Ibid.*
12. Robert Rumilly, *op. cit.*, p. 639.
13. *Le Devoir*, le 2 mai 1958.
14. *Ibid.*
15. *Post Scriptum, op. cit.*
16. Jean-Louis Laporte, *op. cit.*, p. 85 et 86.
17. Jean-V. Dufresne, *op. cit.*, p. 48.
18. Conrad Black, *op. cit.*, p. 452.
19. *Le Devoir*, le 13 juin 1958.
20. Robert Rumilly, *op. cit.*, p. 599.
21. *Le Devoir*, les 15 et 28 juin 1958.
22. *Ibid.*
23. *Ibid.* et *Le Devoir* du 26 juin également.
24. *Rapport* de la Commission royale d'enquête sur la vente du réseau gazier d'Hydro-Québec à la Corporation du gaz naturel, août 1962, Québec, p. 98.
25. *Le Devoir*, le 16 juin 1958.
26. Robert Rumilly, *op. cit.*, p. 327.
27. Conrad Black, *op. cit.*, p. 40 et 41.
28. Vingt ans après cet incident, le journaliste Mario Cardinal a corrigé, au bénéfice de Conrad Black, la première version des faits. Selon Cardinal, Duplessis n'aurait pas dit à son ministre Rivard : « Tais-toi, tais-toi... » mais plutôt : « Dis rien, laisse-moi parler. » Il semble que ce soit un membre du pupitre, au *Devoir*, qui ait modifié le texte de Cardinal. De là, la légende du cruel « Toé, tais-toé » qui ruina à tout jamais la crédibilité d'Antoine Rivard. Voir Conrad Black, *op. cit.*, p. 169 et 186.
29. *Le Devoir*, le 16 juin 1958.
30. *Le Devoir*, le 5 septembre 1959.
31. *Le Devoir*, les 16 et 19 juin 1958 ; et Robert Rumilly, *op. cit.*, p. 653.
32. Cardinal, Lemieux et Sauvageau, *op. cit.*, p. 43 et 44.

33. Robert Rumilly, *op. cit.*, p. 650 et 651.

34. *Le Devoir*, le 21 juin 1958.

35. *Ibid.*

36. *Le Devoir*, le 28 juin 1958.

37. *Le Devoir*, le 8 juillet 1958.

38. Claude Gosselin.

39. *Le Devoir*, le 7 septembre 1960.

40. Antonio Barrette, *Mémoires*, Montréal, Beauchemin, 1966, p. 189.

41. Conrad Black, *op. cit.*, p. 583.

42. Cardinal, Lemieux et Sauvageau, *op. cit.*, p. 95 et 96.

43. Jean-V. Dufresne, « Jean-Jacques Bertrand est-il un mythe ? » *Le Magazine Maclean*, vol. 3, n° 3, mars 1963, p. 45 et 46.

44. Paul Dozois.

45. Jacques Pineault.

46. Paul Dozois.

47. *The Monetary Times*, « Joseph-Mignault-Paul Sauvé », vol. 128, n° 1, janvier 1960, Toronto, p. 53 et 54.

48. Robert Rumilly, *op. cit.*, p. 618.

49. *Le Devoir*, le 7 septembre 1959.

50. Robert Rumilly, *op. cit.*, p. 599.

51. Alfred Hardy.

52. Blair Fraser, « Forecast : a stormey spring — Without Sauvé, can the Union nationale stay in power ? » *Maclean's Magazine*, vol. 73, n° 3, janvier 1960, p. 2.

53. Conrad Black, *op. cit.*, p. 25.

54. *Ibid.*, p. 26.

55. Robert Rumilly, *op. cit.*, p. 706.

56. Antonio Barrette, *op. cit.*, p. 191.

57. *Ibid.*, p. 192.

58. *La Presse*, le 11 septembre 1959.

59. *Ibid.*

60. *Ibid.*, le 12 septembre 1959.

61. Sauvé ménageait-il, comme Duplessis, la susceptibilité des deux jeunes loups du cabinet ? Alors qu'il laissait entendre à Paul Dozois que son dauphin était Jean-Jacques Bertrand, à d'autres — dont à Daniel Johnson lui-même — il affirmait le contraire. Selon le journaliste Jean-Louis Laporte (*op. cit.*, p. 89), Sauvé déclara, quinze jours avant sa mort : « Daniel Johnson a l'étoffe non seulement pour devenir premier ministre du Québec, mais pour être un grand premier ministre. Ce qui lui manque encore, c'est l'expérience, mais d'ici quelques années il sera prêt. » D'après l'un de ses collaborateurs immédiats, M. Jacques Pineault, Johnson aurait déclaré au moment de la succession Sauvé, que le premier ministre défunt lui avait fait comprendre qu'il le considérait comme son successeur.

62. « Nous avons perdu un homme d'État », *Relations,* n° 230, février 1960, p. 30.

63. Cardinal, Lemieux et Sauvageau, *op. cit.,* p. 100.

64. *The Monetary Times, op. cit.*

65. Claude Gosselin.

66. *Le Devoir,* le 12 septembre 1959.

67. Claude Gosselin.

68. Jean Provencher, *René Lévesque, portrait d'un Québécois,* Montréal, Éditions La Presse, 1973, p. 125.

69. Cardinal, Lemieux et Sauvageau, *op. cit.,* p. 45.

70. *La Presse,* le 20 novembre 1958.

71. La correspondance entre Diefenbaker et Sauvé est publiée en annexe des *Mémoires* d'Antonio Barrette, *op. cit.,* p. 428-434.

72. Claude Gosselin.

73. Cardinal, Lemieux et Sauvageau, *op. cit.,* p. 103.

74. Antonio Barrette, *op. cit.,* p. 220.

75. Blair Fraser, *op. cit.,* p. 2.

Chapitre 4

La soif d'être chef

Chez les Sauvé, la soirée du Jour de l'An se passe à la maison. Durant l'après-midi, le premier ministre a reçu chez lui, selon la coutume, plus de 300 personnes venues lui offrir leurs vœux. Après un plantureux repas arrosé de grands crus, la famille s'est assise devant la télévision où l'on présente *Cyrano de Bergerac*.

Avant de tourner le bouton et d'éteindre les lumières de l'arbre de Noël, le premier ministre décide d'aller chasser avec son fils Pierre, le lendemain matin. La maison centenaire en déclin de bois, d'où la dynastie des Sauvé domine depuis un demi-siècle la vie politique de la région de Deux-Montagnes, est bientôt envahie par le calme de la nuit hivernale.

Peu avant l'aube, une lumière s'allume soudain dans la chambre à coucher du chef du gouvernement. Paul Sauvé marche de long en large en se tenant la poitrine traversée par des spasmes de plus en plus violents et douloureux. Éveillée, sa femme lui demande :

— Qu'est-ce qu'il y a, Paul ?

— Je ne sais pas, halète son mari en luttant contre l'étouffement, je ne me sens pas bien du tout... il y a quelque chose qui ne va pas...

Paul Sauvé s'écroule sur le parquet, inconscient. Le désarroi s'empare de sa femme qui court réveiller leur fils Pierre. Celui-ci ne perd pas un instant et téléphone au médecin personnel du premier ministre, le Dr Claude Guilbault, qui habite Oka, municipalité voisine de Saint-Eustache. Avant les fêtes, le Dr Guilbault avait soumis le premier ministre à un examen médical complet. « Vous êtes en très bonne santé », lui avait-il dit.

Sur les lieux, le médecin ne peut que constater l'évidence : le chef du gouvernement agonise, victime d'une trombose coronarienne. Le curé de Saint-Eustache a juste le temps de lui administrer l'extrême-onction. Paul Sauvé expire à cinq heures quarante-cinq.

Prévenu par Pierre Sauvé, l'entrepreneur O'Connell, l'ami intime de la famille, saute dans sa voiture. Dans cette aube gelée de janvier, il franchit à une vitesse folle les quelques kilomètres qui séparent Mont-Gabriel de Saint-Eustache. À six heures, quand il pénètre dans la chambre à coucher de l'homme qui lui a ouvert la voie royale du patronage d'État, il est trop tard. Paul Sauvé a cessé de respirer.

O'Connell avertit immédiatement Fernand Dostie, le chef du cabinet[1]. Puis il règle avec la famille les questions relatives à la succession, dont celle de la caisse électorale de Paul Sauvé confiée à la Banque provinciale.

Vers sept heures du matin, le téléphone sonne chez Daniel Johnson. À l'autre bout du fil, la voix brisée du doyen du cabinet, le ministre Johnny Bourque, lui apprend la stupéfiante nouvelle. Johnson est l'homme le plus malheureux du monde. Il met quelques secondes avant de retrouver ses esprits.

Pour lui comme pour la province tout entière, Paul Sauvé a été une révélation. Les cent jours passés avec ce chef dynamique et libre ont vite éteint chez Johnson la soif de leadership qui s'était emparée de lui après la mort de Duplessis. Il a retroussé ses manches et a travaillé loyalement à faire sauter les embâcles que la myopie d'un vieux chef toqué avait amoncelés dans le cours de l'histoire.

Avant de raccrocher le récepteur, Bourque prévient Johnson qu'un Conseil des ministres se tiendra probablement dans l'après-midi à Westmount, chez Paul Dozois, ministre des Affaires municipales. On l'avisera en temps et lieu.

L'entourage retarde jusqu'à dix heures l'annonce officielle du décès du « chef pressé ». Ce surnom lui vient de la presse américaine, qui voyait en lui un nouveau Sir Georges-Étienne Cartier (l'un des Pères de la Confédération) et le successeur incontestable du premier ministre Diefenbaker. Fervent admirateur de Sauvé, Diefenbaker est l'un des premiers à être mis au courant de la tragédie de Saint-Eustache par son secrétaire, Mike Deacey.

Du fond de ses lointaines Prairies, « Dief » saisit en un instant les conséquences de cette mort inattendue sur sa propre fortune politique. Duplessis disparu, la normalisation des rapports Ottawa-Québec avait été rendue possible grâce à la volonté de Sauvé et en dépit du conflit relatif aux subventions universitaires.

Qui succédera au premier ministre défunt ? Si jamais Jean Lesage conquiert le pouvoir aux élections générales du printemps, l'Union nationale ne s'effondrera-t-elle pas ? John Diefenbaker ne doit aller aux urnes qu'en 1962. Mais, privé du soutien d'un gouvernement bleu à Québec et face au dynamisme retrouvé des libéraux de Lesage, saura-t-il conserver sinon les 50 conservateurs québécois élus en 1958, du moins un nombre suffisant pour lui assurer la majorité à l'échelle nationale ? Maintenant que Sauvé est mort, l'avenir politique de John Diefenbaker devient tout à coup très aléatoire[2].

À huit heures, certains postes de radio diffusent « sous toute réserve » des flashes sur le décès du premier ministre. La province entière reçoit un direct à l'estomac. On doit déjà parler au passé d'un homme qui, en moins de trois mois, est parvenu à rendre toute sa signification au mot « avenir ». La politique québécoise est infestée de politiciens. Les hommes d'État de la trempe de Paul Sauvé sont rares. Aussi, le 2 janvier au matin, le Québec a-t-il l'impression d'avoir perdu un homme d'État, non un politicien.

— Un colosse vient de tomber, n'hésite pas à dire Georges-Émile Lapalme.

Libéré de ses œillères de chef de parti depuis que Jean Lesage lui a succédé à ce poste, Lapalme a reconnu dès novembre que Paul Sauvé était en voie de « déstaliniser » le Québec. « La province est étreinte depuis samedi par la certitude d'un malheur public », écrit, pour sa part, l'éditorialiste André Laurendeau[3].

Les réactions des états-majors politiques sont antinomiques. Les rouges dissimulent mal leur ravissement. Une seconde fois en moins de quatre mois, le créneau du pouvoir se libère de lui-même devant Jean Lesage. Lapalme n'en revient pas, lui qui, durant les années noires, a dû, selon ses propres termes, se dynamiter une voie !

Chez les bleus, c'est l'affolement. La mort de Duplessis avait procuré à l'Union nationale un second souffle ; celle de Paul Sauvé la décapite. Le destin exige d'un parti, dominé durant vingt ans par un père tyrannique qui a réduit ses ministres à l'état de marionnettes ou de sycophantes, le tour de force de trouver un troisième chef aussi bien trempé que les deux premiers. Existe-t-il seulement, ce leader ?

De tous les ministres de Duplessis, Sauvé avait été le seul à pouvoir traverser sans trop d'anicroches les mailles serrées et nivelantes du joug duplessiste. Avant la disparition du Chef, les libéraux ne se gênaient pas pour médire de ses ministres. Ils ne voulaient voir en eux qu'une bande de « suiveux » dépourvus de caractère, d'idées ou d'opinions personnelles. Quand on leur objectait : « Et Paul Sauvé… ? » ils voyaient rouge !

Aucun nom ne s'impose en ce samedi 2 janvier où les observateurs évoquent déjà avec une assurance d'astrologue la chute du parti de Maurice Duplessis. Les candidats à la succession ne manquent pas, cependant. C'est même là le nœud gordien de l'héritage laissé par Sauvé et Duplessis. Les candidats abondent, mais aucun n'affiche une stature suffisamment imposante pour éliminer les autres, maintenir l'unité et préparer les élections.

À l'exemple de Jean Lesage, le député de Bagot entend lui aussi l'appel de la fortune. Quand il passe à l'action, le corps de Paul Sauvé est encore chaud.

La succession de Paul Sauvé

Avant de se rendre chez Paul Dozois, à la réunion spéciale du Conseil des ministres prévue pour quatorze heures, Johnson arrête sa stratégie. Il consultera d'abord ses proches, montera une organisation efficace et poussera l'idée d'un congrès au leadership. L'Union nationale doit se mettre à l'heure de la démocratie.

Daniel Johnson donne quelques coups de téléphone, jette sa sonde ici et là, puis se présente chez Paul Dozois où des ministres l'ont devancé. Antonio Barrette, ministre du Travail, est arrivé le premier. Dozois est entré au cabinet en 1956, seulement. Il ne possède pas l'expérience politique des anciens. Depuis le matin, il essaie de se faire une idée sur le nom du successeur, mais n'y arrive pas. Il a l'impression de jouer à colin-maillard et demande même à Barrette, à brûle-pourpoint :

— Accepteriez-vous le poste de premier ministre?

— Non, jamais! réplique le ministre du Travail.

Le ton résolu de son collègue étonne Dozois, mais il n'insiste pas. Les autres membres du cabinet arrivent l'un après l'autre. Il paraissent tous désemparés comme des victimes d'un mauvais sort. Parler déjà de succession alors qu'ils n'ont pas encore vu la dépouille du premier ministre leur semble inconvenant. Tout s'est passé si vite! Pourtant, le sujet s'impose. La continuité politique l'exige.

Certains aimeraient mieux éluder la question; la conversation traîne, des allusions voilées par-ci par-là, des demi-phrases... Qui veut être premier ministre? Deux parlementaires insistent auprès d'Antonio Barrette qui met habilement fin aux pressions en menaçant de rentrer chez lui immédiatement. Le ministre du Travail ne nourrit aucune ambition de cette nature! Qu'on se le dise!

Antoine Rivard résiste lui aussi, Jamais, laisse-t-il entendre à ses collègues, il n'a songé au poste. Deux ou trois autres noms circulent parmi les hôtes de Paul Dozois, dont celui de Jean-Jacques Bertrand. Un nom revient plusieurs fois sur le tapis sans rencontrer de dénégation vigoureuse de la part de l'intéressé: Yves Prévost, secrétaire de la Province. Pour quatre ministres au moins — Johnny Bourque, Antonio Élie, Jean-Jacques Bertrand et Paul Dozois —, Prévost paraît le meilleur, compte tenu des circonstances. Après avoir essuyé le refus catégorique de Barrette, Dozois s'est rangé à l'avis de ses trois collègues en qui il a une grande confiance[4].

S'il avait nourri quelque illusion au sujet de sa popularité, Daniel Johnson n'en a plus aucune! Il sort du caucus des ministres avec la conviction qu'on va tenter de lui barrer la route par tous les moyens. Tous ses collègues connaissent bien ses aspirations; pourtant, aucun n'a mis son nom de l'avant. La seule unanimité à la réunion a été le silence général sur sa candidature. Si Yves Prévost paraît avoir le vent dans les voiles, aucune initiative susceptible de le faire désigner rapidement comme chef du gouvernement n'a cependant été prise.

L'hostilité des ministres à son endroit n'anéantit nullement Daniel Johnson. La lutte sera plus dure, c'est tout. Dès le lendemain, le ministre des Ressources hydrauliques pose les premiers jalons de sa campagne à la tête du parti. Une première réunion au Club Maskoutain de Saint-Hyacinthe regroupe quelques amis, dont Jacques

Pineault venu de Québec. Plus tard dans la journée, tout le monde déménage au Reine Elizabeth où un comité d'organisation voit le jour. Le clan Johnson réserve un étage complet de l'hôtel montréalais et une douzaine de suites au Château Frontenac où le théâtre des opérations se transportera après les funérailles de Paul Sauvé.

Au début, le noyau de sympathisants est petit. On retrouve principalement des hommes d'affaires, comme Régent Desjardins et T. L. Simard, ou des amis dévoués, comme Bob Paré et Paul Gros d'Aillon, journaliste de Montmagny avec qui Johnson s'est lié d'amitié. Lorsque les journaux feront état de sa candidature, la famille s'agrandira. L'organisation Johnson dispose d'un fonds de 200 000 dollars[5].

La partie est loin d'être gagnée. On ne se fait pas d'illusions dans le camp Johnson. Mais c'est mal connaître le ministre des Ressources hydrauliques que de croire qu'il se contentera de lutter pour la forme. Johnson se bat toujours en vue de la victoire.

Le vieux routier Jacques Pineault évalue cependant les rapports de forces avec plus de réalisme que son chef. Il ne croit pas en sa victoire. Pineault a bien des défauts — c'est un as de l'indiscrétion plus ou moins calculée —, mais il possède une grande qualité. Si Johnson se l'est attaché, c'est un peu à cause de celle-ci : l'organisateur est un livre ouvert. Il dit ce qu'il pense sans détour et ceux qui lui demandent son opinion s'en repentent parfois amèrement. Au cours de la soirée, Johnson prend le « père Pineault » dans un coin et lui demande en le regardant droit dans ses yeux atteints de strabisme :

— Est-ce que je suis mûr pour remplacer Sauvé ?

— Non ! répond presque durement Pineault d'une voix éternellement rauque.

— Pourquoi ?

— Vous avez les plis de Duplessis, qui ne sont plus bons aujourd'hui.

— Ça me déçoit beaucoup ce que vous me dites, reprend Johnson, visiblement remué. Sauvé m'a dit : « Tu seras mon successeur s'il m'arrive quelque chose. »

— M. Johnson, regardez les choses en face... Vous n'avez pas d'appuis. Dozois, Bégin, Martineau même, seront contre vous. Il y a aussi Jean-Jacques Bertrand qui veut être chef[6].

Le grand argentier s'opposerait à sa candidature ? Johnson veut en avoir le cœur net, car il sait que l'influence de Martineau sera déterminante dans le choix du futur chef de l'Union nationale. Sauvé disparu, il n'y a pas de force capable, pour le moment du moins, de faire obstacle à sa volonté de fer. Peut-il au moins compter sur la neutralité de Gérald Martineau ? Il veut le savoir à l'instant et compose son numéro de téléphone. La réponse du trésorier est à la fois claire et brutale :

— Tu ne seras jamais chef. Si tu t'essaies, je mettrai 100 000 dollars contre toi[7] !

Un autre que Daniel Johnson aurait fait de nécessité vertu. Mais, au contraire, la menace de Martineau fouette celui-ci ; il se sent impatient comme un boxeur pressé de monter sur le ring.

Ce dimanche-là, veille des funérailles, Johnson n'est pas le seul à s'agiter autour de la succession de Paul Sauvé. Au cours de la journée, Antonio Barrette prend contact avec Antonio Talbot, ministre de la Voirie. Le ministre du Travail quitte son repaire de Joliette et vient rencontrer son collègue à Montréal. Il ne le sait pas encore, mais Talbot est le candidat favori de Martineau. Naïvement, il lui propose d'accepter temporairement la direction du parti afin de donner à l'UN le temps de se retourner et d'éviter ainsi le risque d'une candidature aventureuse comme celle de leur collègue Johnson.

Ennemi juré de Gérald Martineau, le ministre du Travail offre la direction de l'Union nationale à un homme tout dévoué au premier ! Même si le grand argentier se montre bien disposé à son endroit, Talbot refuse la proposition de Barrette. La mort de Sauvé, dont il était très proche, a tout simplement désemparé ce grand timide dépourvu d'ambition. Barrette lui demande :

— Mais qui allons-nous choisir, Antonio ?

— Pourquoi pas Jean-Jacques Bertrand ? risque le ministre de la Voirie qui a beaucoup d'estime pour le député de Missisquoi.

— Bertrand n'a pas assez d'expérience, coupe Barrette. Les temps qui s'en viennent seront chargés d'écueils dans le parti et au dehors. Et puis, il n'est pas assez connu dans la province[8].

En soirée, les conciliabules et les tractations continuent de plus belle, tant à Saint-Eustache où certains ministres et députés sont descendus à l'hôtel de la municipalité qu'au Reine Elizabeth de Montréal. Le bouche à oreille bat son plein. On murmure des noms.

Qui ramassera l'héritage de l'homme que l'on s'apprête à conduire vers son dernier repos ? Les factions se multiplient et le nombre des candidats possibles également. Cinq noms reviennent maintenant dans les conversations de coulisse. Toujours les mêmes : Antoine Rivard, Yves Prévost, Antonio Talbot, Antonio Barrette et Daniel Johnson.

À Saint-Eustache, quelques ministres réunis dans la chambre de Maurice Bellemare discutent jusqu'à quatre heures du matin avant d'en arriver à un consensus autour de la candidature d'Yves Prévost. Le secrétaire de la Province paraît l'aspirant le plus sérieux.

Au même moment, plusieurs députés se sont rassemblés au Reine Elizabeth pour discuter du leadership du parti. Des clans se forment à l'intérieur de la députation en faveur de l'un ou l'autre candidat. Les paris se prennent. Aussi désarçonnés que les ministres par la mort brutale de leur chef, les députés scrutent d'un œil méfiant cette brochette d'aspirants dont aucun ne fait, non plus, l'unanimité chez eux.

Les anciens et les ministres du parti se préparent-ils, encore une fois, à leur imposer un chef sans les consulter ? Après la mort de Duplessis, de jeunes députés avaient exigé qu'on tînt compte de leur avis, mais sans succès. La députation avait fini par accepter la façon de désigner le successeur de Duplessis pour l'unique raison que celui-ci s'appelait Paul Sauvé. La déesse aux cent bouches avait donc favorisé le choix rapide mais antidémocratique du nouveau chef. Le scénario se répétera-t-il pour le successeur de Sauvé ? Le caucus du Reine Elizabeth laisse présager une certaine dissidence[9].

Les journaux du 4 janvier se perdent en conjectures sur l'identité du futur premier ministre du Québec. Les choses ne paraissent pas aussi simples qu'en septembre 1959. « L'Union nationale se cherche un nouveau chef », titre *Le Devoir* qui signale également qu'un nom émerge parmi les éventuels successeurs : celui d'Yves Prévost. Le quotidien des Filion et Laurendeau se demande également si l'Union nationale ne devrait pas tenir un congrès pour trancher la question. De Daniel Johnson, *Le Devoir* écrit qu'il a été le « jeune premier » de la politique provinciale au cours des dernières années. Il a un handicap de taille, cependant : on lui reproche d'être un politicien à la manière de Duplessis, c'est-à-dire de faire flèche de tout bois.

La Presse se demande : « L'intérim à M. Bourque. Après... ? »
Tout est interrogation dans cette première page du quotidien de la
rue Saint-Jacques : « Lequel de ces hommes deviendra (et quand) le
premier ministre du Québec ? » Les noms cités sont les mêmes que
ceux mentionnés par *Le Devoir*. Le quotidien croit savoir cependant
que l'on désignera un chef intérimaire jusqu'à la tenue d'un congrès
à la direction du parti. Yves Prévost est « un dur travailleur », Antonio
Barrette, « un grand monsieur » et Antoine Rivard reçoit l'appui de
partisans sérieux, mais on doute qu'il les laissent proposer son nom.

Et Daniel Johnson ? Jeune et extrêmement populaire dans
certains secteurs du parti, il est un charmant causeur et a la répartie
facile en Chambre. Mais sa jeunesse paraît un lourd obstacle auprès
des anciens de l'UN. Ceux-ci, note le journal, veulent à tout prix
éviter un congrès qui serait extrêmement dangereux pour l'Union
nationale à cause de la proximité des élections générales.

La presse présente la face semi-officielle d'une réalité à la
fois complexe et mouvante. La roue de la fortune tourne toujours,
s'arrêtant tantôt sur un nom tantôt sur un autre, sans que personne
parvienne à s'imposer d'emblée. L'histoire hésite.

Il fait un froid de loup à Saint-Eustache et une neige épaisse
recouvre le lac gelé des Deux Montagnes. Vingt mille personnes ont
bravé ce froid qui brûle la peau et gerce les visages pour assister aux
funérailles du « brigadier ». Silencieuse et morne, la foule entoure
la maison des Sauvé, suit le cortège jusqu'à l'église où le cardinal
Léger pleure un chef en qui « notre petite patrie avait mis toutes ses
espérances », puis accompagne la dépouille mortelle jusqu'au cimetière.

Ce matin-là, un double rituel se déroule simultanément. Une
famille et un peuple émus, indifférents aux impératifs de la continuité gouvernementale, portent en terre un chef bien-aimé. Au
milieu d'eux, apparemment étrangers à l'émotion commune, le
groupe d'initiés que préoccupe la succession se chuchote le nom du
successeur éventuel.

— Yves Prévost a accepté, souffle un ministre à l'oreille d'un
collègue.

Pierre-Marc Johnson, alors âgé de treize ans, entend son père
dire à voix basse à quelqu'un qui vient sans doute de lui murmurer
le message :

— On réglera cette question plus tard...

Le ministre se tourne vers son fils et lui explique doucement le caractère à la fois sordide mais inévitable de toutes ces manigances et de ces chuchotements dont il est le témoin. L'adolescent est choqué : tous ces hommes au visage décomposé jouent-ils la comédie ? Éprouvent-ils vraiment du chagrin pour ce premier ministre à jamais enfermé dans un cercueil que l'on conduit au cimetière ?

Après les obsèques, les ministres ne chuchotent plus. Réunis en Conseil à Saint-Eustache, ils tentent de s'entendre sur la candidature du secrétaire provincial. Yves Prévost est indécis. Il invoque sa santé et des raisons familiales. Son épouse ne s'est jamais remise de la disparition brutale d'un de leurs enfants tué sous ses yeux par une automobile. Lui-même a été profondément atteint par ce double drame. Il est sujet à des dépressions nerveuses. Avant de lever la séance, on fixe la procédure qui sera suivie pour la désignation du nouveau premier ministre, peu importe son nom ! Le caucus général du parti se tiendra le jeudi 7 janvier, à quinze heures. Il reste à peine trois jours pour dénicher l'oiseau rare.

Devant la « valse-hésitation » de Prévost, des collègues ont suggéré d'autres noms. Celui de Jean-Jacques Bertrand revient encore sur le tapis. Daniel Johnson est en mesure, une fois de plus, de constater la sourde hostilité qu'on réserve à sa candidature. On l'ignore complètement. Et pour cause, les ministres ont eu vent de son comité d'organisation qui fait déjà beaucoup de bruit et de *lobbying* au sein du parti. Certains d'entre eux se demandent comment arrêter l'ambitieux ? Ils n'ont encore rien vu !

Antonio Barrette nourrit une prédilection pour les conciliabules restreints. Après le caucus ministériel, il retrouve Yves Prévost dans sa chambre d'hôtel et insiste sur sa très grande responsabilité. Si jamais il laisse le champ libre à Daniel Johnson, qui sait si ce dernier ne parviendra pas à arracher le leadership ? Ce serait alors une véritable calamité non seulement pour l'Union nationale, mais pour le Québec tout entier. La démarche du député de Joliette s'inspire également d'un autre motif : Barrette veut en avoir le cœur net et savoir exactement à quoi s'en tenir au sujet de son collègue Prévost.

La réponse du secrétaire demeure la même : ni oui ni non.

Barrette regagne alors sa suite du Château Frontenac, à Québec, où il s'enferme toute la journée du mardi. Il donne l'impression à ses collègues de se retirer de la course. Il se met à l'abri des solliciteurs. Que les loups se dévorent entre eux, il s'en fiche ! En réalité, Antonio Barrette joue à la diva, car, avant de quitter Montréal, il a chargé des tiers d'intervenir auprès de Paul Dozois.

Le lundi soir, le ministre des Affaires municipales se remet chez lui des émotions de la journée. Il doit partir le lendemain pour la vieille capitale où se jouera l'acte final d'une pièce qui a déjà trop duré. Dozois est convaincu que Prévost fléchira finalement. La sonnerie du téléphone se fait entendre. À l'appareil, Grégoire Perreault, l'organisateur principal d'Antonio Barrette, lui dit :

— Si vous faites des pressions sur M. Barrette, il est disposé à dire oui...

— Écoutez, M. Perreault, il a refusé. C'est trop tard. Maintenant, on s'est entendu sur le nom d'Yves Prévost[10].

Paul Dozois est médusé. Le non catégorique du ministre du Travail ne serait donc qu'un oui déguisé ? Le « grand monsieur » a attendu longtemps avant d'abattre son jeu. Le téléphone sonne une seconde fois. Robert Lafleur, militant de la région de Montréal reconnu comme un sympathisant de Barrette, affirme à Dozois :

— Il nous faut absolument un premier ministre de la région de Montréal. Paul Sauvé n'a occupé le poste que durant trois mois.

Paul Dozois ne se montre pas insensible à l'argument. Il appelle aussitôt Barrette au Château Frontenac. Il veut savoir sur quel pied danser. Le ministre du Travail a-t-il, oui ou non, changé d'idée ? Barrette refuse de discuter de l'affaire au téléphone. Il demande à son interlocuteur de le rejoindre dans sa chambre dès son arrivée à Québec[11].

Dans le clan Johnson, on ne reste pas non plus inactif. Le député de Bagot dispose d'un bon service de renseignements. On le tient au courant des tractations entre Barrette et Dozois au sujet de la candidature de Prévost. Un vent de panique souffle-t-il dans les rangs de ses adversaires ? On le croirait à voir les uns et les autres multiplier ainsi consultations et démarches.

L'astucieux Pineault, qui ne croit pas à une victoire de son patron, décide néanmoins de lancer un ballon dans la presse, histoire d'énerver encore un peu plus les anciens du parti qui écartent l'idée même d'une candidature de Johnson ou de la tenue d'un congrès au leadership.

Pineault connaît bien le journaliste Cyrille Felteau, de *La Presse*, qui « couvre » l'événement en compagnie de deux autres reporters du quotidien : Vincent Prince et Gilles Constantineau. Pineault fait venir Felteau au Reine Elizabeth et lui trace un tableau de son cru au sujet de la candidature de Johnson. Il lui met en tête deux idées principales : 1) il n'y a que deux candidats sérieux, Prévost et Johnson ; 2) les députés appuient le ministre des Ressources hydrauliques et auront voix au chapitre lors du caucus de jeudi, à Québec[12].

Le journaliste Felteau prend des notes et il écrit dans le journal du lendemain :

> D'ores et déjà, il semble que M. Prévost puisse compter sur une certaine majorité au sein du cabinet alors que M. Johnson bénéficierait de l'appui d'une bonne proportion des députés, en particulier des plus jeunes et de ceux de la région de Montréal. (...) S'il y a division au sein du cabinet et si M. Prévost ne l'emporte que par une faible marge, il est possible que les députés ayant eux aussi voix au chapitre renversent au vote secret la décision du cabinet. Ce serait là tout un événement[13]...

Il s'agit d'une caricature de la réalité. Les deux collègues de Felteau, les journalistes Prince et Constantineau, tombent un peu dans le même piège. Ils écrivent : « Tard hier soir (lundi), un caucus de bonne envergure était en voie de formation dans un hôtel de Montréal groupant des partisans de Johnson... »

En vérité, les partisans de Johnson réunis au Reine Elizabeth forment un groupuscule. Le caucus dont parlent les journalistes a été convoqué à Saint-Eustache durant les obsèques de Sauvé. Il réunit certains députés et ministres du parti, mais n'a rien à voir avec les activités du groupe Johnson. C'est le ministre Jos-D. Bégin qui l'a suscité dans le but d'obtenir un consensus parmi la députation. Bégin favorise Antoine Rivard et tente de l'imposer. Il pique une colère noire devant le peu de popularité de son poulain. Le nom d'Yves Prévost surclasse tous les autres, mais pas suffisamment pour que le caucus se rallie à sa candidature.

En voyant que la partie n'est pas encore jouée, le député de Compton, Claude Gosselin, se met en campagne lui aussi. Son objectif : regrouper les députés favorables à la candidature de Jean-Jacques Bertrand. Les deux hommes sont des amis et représentent tous les deux des circonscriptions rurales des Cantons de l'Est.

Si les dirigeants de l'Union nationale n'arrivent pas à décider qui sera leur nouveau leader, le quatrième pouvoir, lui, a déjà fait son choix : Prévost. Les journaux du mardi et du mercredi sont en effet unanimes : la candidature du secrétaire de la Province « semble l'emporter ». La veille, *Le Devoir* avait écrit qu'on se dirigeait vers un congrès de l'Union nationale. Le mercredi, il affirme : « Le projet de congrès général perd du terrain. »

Le nom de celui qui gagnera finalement l'épreuve, Antonio Barrette, n'attire guère l'attention des médias. Barrette se terre dans sa suite du Château toute la journée du mardi. Le remuant ministre des Ressource hydrauliques fait beaucoup plus de bruit ! En pure perte, semble-t-il, car son idée d'un congrès a fait long feu et les gens de la presse estiment maintenant que ses chances de décrocher le titre se sont amenuisées au cours des dernières heures[14].

La journée du mercredi est décisive. Le Château devient une immense salle de caucus. Daniel Johnson est beaucoup plus fort que la presse ne le juge. Sa force réside dans la crainte qu'il inspire aux anciens du parti, lesquels ne veulent entendre parler ni d'un congrès ni d'un vote au sein du caucus. Ce serait là, pour eux, l'équivalent d'une boîte de Pandore. Qui sait si c'est la force ou la faiblesse du parti qui en sortirait ? Le seul vote que l'on connaisse dans l'Union nationale, c'est celui de l'électeur, tous les quatre ans. La désignation du chef se fait par cooptation.

Aussi longtemps que la succession reste largement ouverte, le député de Bagot peut se glisser au pouvoir. Mais les événements se précipitent. Le ministre des Affaires municipales s'effraie lui aussi de la candidature de Johnson. Paul Dozois partage la hantise des dirigeants du parti : un vote du caucus révélerait, à l'approche des élections générales, l'existence de dissensions au sein du parti au pouvoir.

Il faut trouver un chef, et vite ! Paul Dozois va jouer un rôle de catalyseur pour sortir le parti de l'impasse.

À midi, le ministre glisse sous la porte de Barrette, toujours cloîtré, un billet avec son nom et un numéro de téléphone. Barrette lit la note, glisse entre ses lèvres le long fume-cigarette d'aristocrate qu'il a toujours à la main et compose le numéro de son collègue. Dozois veut l'entretenir du caucus du lendemain. Barrette lui dit :

— Venez donc me rejoindre à ma chambre, Paul !

Avant la rencontre, Paul Dozois annonce à tous où il se rend[15]. Tout va se dénouer dans la suite princière d'Antonio Barrette, encombrée d'objets d'art de toutes sortes. L'ancien machiniste des Chemins de fer nationaux est un collectionneur passionné. Aux murs sont accrochées des toiles de maîtres, cadeaux de Duplessis pour la plupart.

Antonio Barrette a fait du chemin ! À quatorze ans, il se sentait comme un vrai « bronco » et avait déclaré à son père, fonctionnaire modeste mais cultivé du gouvernement fédéral :

— L'école ne me dit rien !

En dépit des exhortations paternelles, « Tonio » quitte l'école de Joliette et s'engage comme messager aux Chemins de fer nationaux. Deux ans plus tard, il devient apprenti dans un atelier, au salaire horaire de 70 cents. Entre-temps, le jeune ouvrier a compris son erreur. Il décide de se former lui-même et se trace un programme d'études : le français d'abord, puis l'anglais. Il s'attaque ensuite à l'économie, aux sciences politiques, à la philosophie, la sociologie, l'architecture, la mécanique et, enfin, à la musique et aux arts. Barrette étudie toutes les nuits, sept jours par semaine.

C'est vers cette époque qu'il commence à édifier sa fameuse bibliothèque de 5000 volumes. Après son mariage, en 1924, son épouse, Estelle Guilbault, décide de relier en cuir chacun des livres de son mari[16]. Sa bibliothèque n'existe pas pour la parade. Barrette lit beaucoup. Il a ses auteurs préférés, comme Lamartine dont il peut citer de larges extraits des *Méditations poétiques*.

La distance est grande, maintenant, entre le petit « Tonio » des ateliers du Canadien National et cet homme raffiné et maniéré qui attend tranquillement dans sa chambre qu'on vienne le prier d'accepter la succession de Paul Sauvé.

Antonio Barrette fait aristocrate. Il a soixante ans, mesure six pieds et il est très élancé. Ses ennemis disent de lui qu'il a le « complexe de la boîte à lunch ». S'il pose tant au pacha, c'est pour mieux masquer ses origines ouvrières. Avant l'ascension politique de Barrette, Joliette était sous l'emprise des Tellier, grande famille bourgeoise dont l'ascendant remontait au juge en chef Mathias Tellier. Député de Montcalm depuis 1944, son fils Maurice accédait à la présidence de l'Assemblée législative en 1955. Et Barrette a adopté les tics de la dynastie des Tellier pour effacer tout vestige de sa basse extraction.

Le ministre du Travail aime recevoir ses visiteurs vêtu d'une longue robe de chambre en satin et le cou enserré dans une lavallière en soie légère. Il inhale avec une désinvolture étudiée la fumée d'une cigarette introduite dans un élégant fume-cigarette. Tant d'affectation frise le ridicule, mais impressionne aussi l'interlocuteur. Dans le parti, on l'appelle le « grand monsieur ».

Paul Dozois fait son entrée, suivi bientôt d'autres ministres avertis par ses soins de ce Conseil plus ou moins improvisé. Au milieu de l'après-midi, Antoine Rivard, Antonio Talbot, Yves Prévost, Jean-Jacques Bertrand, Daniel Johnson, Johnny Bourque et Paul Beaulieu entourent leur hôte. Barrette a bien manœuvré. Officiellement, il n'est pas candidat, mais c'est chez lui qu'on discute de la succession.

Le « grand monsieur » aux tempes argentées et au nez en bec d'aigle s'affaire autour de ses invités. Il ouvre la porte à l'un, cause gentiment avec l'autre, met tout son monde à l'aise.

— Vous prendrez bien un scotch, mon cher ? propose-t-il, affable, à Daniel Johnson.

Antonio Barrette n'affiche aucun intérêt personnel à propos de la succession. Sa contribution se limite à fournir un cadre propice aux conciliabules ministériels et à créer un climat susceptible d'inspirer à ses collègues un choix judicieux. Rien de plus ! Assis dans son coin, Paul Dozois est peut-être le seul à ne pas être dupe du manège de son collègue. Il attend d'ailleurs le moment opportun pour lui tendre la perche.

Le carrousel des noms recommence à tourner. Celui d'Yves Prévost sort encore le premier, mais le ministre laisse passer, une fois de plus. Antoine Rivard se désiste lui aussi. Le ministre de la Voirie, Antonio Talbot, décline poliment, à son tour, l'honneur qui lui est fait. Il propose plutôt le nom de son ami Jean-Jacques Bertrand, mais personne ne l'appuie. La candidature de Johnson vient aussi sur le tapis, mais est vite écartée...

En fin d'après-midi, on revient à l'intellectuel Prévost. Harcelé de toutes parts, le secrétaire est sur le point de plier. Il ne lui reste qu'un seul argument à opposer : son état de santé. Il pose une dernière condition.

— J'accepterai si mon médecin me donne le feu vert, dit-il à ses collègues.

Le secrétaire s'absente durant une heure et demie. Avant son départ, le ministre Jos-D. Bégin, qui s'est rallié à ce choix, annonce à ses collègues qu'il va procéder à un sondage téléphonique dans la province pour connaître l'opinion des militants. On lève la séance jusqu'au retour d'Yves Prévost. Le cabinet attend le verdict médical[17].

Au Château toujours, les rumeurs de coulisses se multiplient. L'animation règne parmi les députés, militants, entrepreneurs et journalistes qui s'y sont donné rendez-vous. Le va-et-vient incessant indique à la presse que rien n'est joué. Dans le clan Johnson, on met tout en œuvre pour provoquer une décision favorable au ministre des Ressources hydrauliques.

La douzaine de chambres retenues par l'organisation Johnson bourdonne comme une ruche d'abeilles. Le jeune ministre multiplie les appels téléphoniques dans la province pour évaluer ses chances et semer dans l'esprit des militants de la base et des organisateurs l'idée d'un congrès au leadership afin de dénouer l'impasse. Des émissaires de Johnson s'empressent autour des députés et des conseillers législatifs, leur soulignant le caractère antidémocratique de la procédure suivie pour nommer le chef du parti. Il faudrait « un vote démocratique », glissent-ils dans la conversation.

Le journaliste Pierre Laporte rode dans les parages du clan Johnson et prodigue ses encouragements au candidat. Jacques Pineault mesure la popularité grandissante de son patron à l'état de panique qui gagne l'establishment du parti. Quelqu'un lui souffle à l'oreille que les ministres Bégin et Dozois mènent une « anticampagne » auprès des députés pour les convaincre de renoncer à la tenue d'un vote lors du caucus du lendemain et encore plus à celle d'un congrès général. « Pas de vote, chuchotent-ils, choisissons entre nous le successeur de Sauvé. » Le « père Pineault » rit dans sa barbe car, pour lui, toute cette agitation autour de Johnson ne constitue qu'un ballon d'essai. On prépare le terrain pour plus tard. On sème aujourd'hui pour récolter demain.

Les chances immédiates de Daniel Johnson sont en effet très faibles. Si sa popularité grandit d'heure en heure auprès des militants, elle décroît dans la même proportion parmi les députés et est nulle chez les ministres. Son organisation a commis des maladresses, comme celle de faire circuler parmi la députation une photographie peu flatteuse de son principal rival, Yves Prévost. Cette fausse note lui a mis à dos des députés et le Conseil des ministres tout entier et a provoqué la colère du secrétaire de la Province[18]. En outre, Johnson doit faire face à l'hostilité farouche du trésorier Martineau, pointée sur lui comme un canon.

Le premier choix de Martineau était Talbot[19]. Une fois celui-ci rayé de la course, le trésorier s'est rallié à la candidature de Prévost. Malgré tout, Johnson veut encore se convaincre de sa neutralité. Au cours d'une conversation téléphonique, il apprend le contraire de la bouche même du trésorier. Le député fédéral de Chambly-Rouville, Maurice Johnson, perd lui aussi tout doute à ce sujet quand il entend son frère hurler dans le combiné :

— Je pensais que je pouvais au moins compter sur ta neutralité ! Je ne me présente pas là par ambition ! Je ne veux pas diviser le parti. Si tu es pour appuyer Prévost, alors je me retire[20].

Il n'y a donc aucun espoir de ce côté pour Johnson, ni d'ailleurs du côté du cabinet. Vers dix-huit heures, nouveau meeting ministériel chez Barrette. Yves Prévost a en poche sa fiche de santé. Soulagé, le ministre tranche :

— Je suis dans l'obligation de ne pas vous laisser mettre mon nom sur la liste. Je ne pourrais pas accepter. Ma décision est irrévocable !

Son médecin a été formel : la santé fragile du secrétaire ne saurait supporter longtemps la charge de travail inhérente à la fonction de premier ministre. On repart à zéro ! On ne sait trop pourquoi, mais les regards commencent alors à se tourner de plus en plus vers le ministre du Travail. Antonio Barrette serait-il maintenant l'unique rempart contre les menées ambitieuses du ministre des Ressources hydrauliques ? Le seul capable, par son autorité morale et son expérience politique, de barrer la route à Johnson ?

Paul Dozois en est convaincu. Le moment paraît venu de brusquer les choses avant qu'il ne soit trop tard. Dozois se penche vers Barrette et lui demande d'un ton qui ne tolérera pas de faux-fuyant :

— Pouvez-vous m'affirmer sur votre honneur que c'est votre état de santé qui vous empêche vraiment d'accepter ?

Imperturbable, le ministre du Travail répond :

— Si vous me posez la question de cette façon-là, je dois vous répondre non.

Pendant les dernières années du régime Duplessis, Barrette a dû s'absenter souvent pour des raisons de santé. En réalité, il s'agissait le plus souvent de migraines d'origine psychosomatique résultant d'une brouille avec le Chef. Pour lever tout doute, le futur premier ministre ajoute, à l'intention de ses collègues :

— Mon médecin me dit que je n'ai jamais été en si bonne forme[21] !

Les ministres tiennent enfin leur proie. Certains deviennent plus pressants. Barrette écoute les opinions des uns et des autres, se fait désirer encore un peu, résiste de plus en plus mollement. Il se lève lentement. Son long corps se déplie comme un accordéon. Il tire une dernière fois sur son fume-cigarette, jette un regard à la ronde et laisse tomber avec beaucoup de solennité :

— J'accepte à deux conditions. Que le sondage sur mon nom se révèle positif et que les ministres et les députés approuvent ma candidature à l'unanimité.

Comment combler les vœux de Barrette ? Facile. Le ministre Bégin révèle qu'il aura terminé son sondage dans moins de deux heures et suggère que le cabinet confie à Maurice Bellemare le soin de communiquer avec chacun des députés pour leur demander leur avis.

Daniel Johnson est loin d'être convaincu de l'à-propos du choix d'Antonio Barrette. Il nourrit des doutes sur ses capacités. De plus, il ne l'aime pas. Mais quel choix lui reste-t-il devant l'unanimité du cabinet ? Il doit se rallier ou briser l'unité du parti. Daniel Johnson n'est pas si mauvais coucheur.

Ses dernières réticences tombent au cours d'un dîner en tête à tête avec Yves Prévost, dont les deux hommes ont convenu pour faire la paix. Il est vingt heures. Prévost attend son collègue dans le lobby du Château. Les journalistes s'accrochent à lui. Sera-t-il le prochain premier ministre du Québec ? Le secrétaire fait alors connaître à la presse son désistement pour raison de santé.

— Nous nous tenons tous ensemble et vous verrez que la

solidarité de l'équipe formidable que nous formons l'emportera.

— Votre médecin, monsieur Prévost, est-il opposé à ce que vous deveniez premier ministre de la Province ? demande un reporter.

— Oui, monsieur.

— Êtes-vous, M. le ministre, de ceux qui écoutent l'avis de leur médecin ?

— Oui, car, autrement, on s'expose à des suites regrettables[22]...

Johnson rejoint son collègue, mais refuse de faire le moindre commentaire. En réalité, la question est déjà tranchée. Barrette sera le prochain premier ministre. Johnson s'est fait à cette idée. S'il a accepté l'invitation à dîner de Prévost, c'est pour examiner avec lui les implications de la désignation de Barrette et pour régler également la question des photographies que son organisation a fait circuler.

Au retour, Johnson est plus disert. Il ne lui répugne pas d'affirmer à deux reporters de *La Presse* :

— L'honorable Antonio Barrette possède plusieurs immenses qualités et est admirablement bien situé entre Québec et Montréal, à Joliette, dans une région mi-rurale mi-citadine.

En révélant la primeur aux journalistes, Johnson indique aussi qu'il se rallie derrière le ministre du Travail[23].

Il reste encore à connaître l'opinion des militants et des députés consultés par Bégin et Bellemare. À vingt-deux heures, tous les ministres se retrouvent de nouveau chez le futur chef. Bégin leur communique les résultats de son test : le nom de Barrette reçoit un très bon accueil partout au Québec. Trente minutes plus tard, c'est Bellemare qui rend compte de sa mission : plusieurs parlementaires s'opposent au choix du ministre du Travail.

Matois comme aucun autre député de l'Union nationale, Maurice Bellemare a rempli son mandat à sa façon. Au lieu de demander aux députés leur avis ou leur accord, il leur a annoncé avec sa rudesse coutumière :

— Le médecin d'Yves Prévost lui interdit d'accepter le poste de premier ministre. Les ministres se sont entendus sur le nom de Barrette. Tout le monde est d'accord[24] !

Parfois, il a raccroché sans même attendre la réaction de son interlocuteur. Certains députés, plus volubiles, ont rouspété en entendant le nom de Barrette. Fernand Lizotte et Alfred Plourde, respectivement députés de L'Islet et de Kamouraska, ont sursauté. Le dernier a commenté :

— Moi, j'accroche mes patins ! Je m'en vais[25] !

Des dissidents, il y en a, en effet ! Parallèlement aux laborieuses délibérations des ministres, se déroule dans une salle du Château un « caucus de révolte » réunissant une quinzaine de députés anti-Barrette. Les parlementaires ne s'entendent pas sur le nom de celui qui devrait succéder à Paul Sauvé, mais sont au moins d'accord sur un point : Barrette n'est pas l'homme de la situation. Avec lui comme chef, l'Union nationale court à sa perte. C'est le suicide politique. Il personnifie le passé, les anciennes méthodes électoralistes, la « vieille Union nationale » que Sauvé était en train de démaquiller.

Une autre revendication unit les factieux : le choix du chef du parti ne doit plus être l'apanage exclusif du Conseil des ministres, mais résulter d'un vote du caucus général ou d'un congrès au leadership. Autres temps, autres mœurs ! Aucun candidat ne faisant le poids, la plus élémentaire prudence politique exige la désignation d'un leader intérimaire qui aura pour mandat de convoquer un congrès avant les prochaines élections. C'est la thèse répandue par le groupe Johnson dès la mort de Duplessis. L'idée fait son chemin petit à petit. La vieille garde du parti l'a toutefois mise à l'index, de peur qu'un vote soi-disant démocratique ne divise les militants. L'unité avant toute chose, même au prix d'un simulacre !

Trois groupes de députés contestent la nomination de Barrette. Le premier s'est formé autour de trois députés : le Dr Lizotte, Alfred Plourde et Émilien Rochette, député de Québec-Comté. Leur programme : confier l'intérim au ministre de la Santé, le Dr Arthur Leclerc, jusqu'à la tenue d'un congrès. Un autre groupe rassemblé autour des députés de Compton et de Shefford, Claude Gosselin et Armand Russell, veut confier la direction du parti à Jean-Jacques Bertrand. Le dernier, constitué des députés Maurice Custeau, Lucien Tremblay et Fernand Lafontaine, ne jure que par Daniel Johnson.

Des parlementaires formulent un autre reproche à l'adresse d'Antonio Barrette : il n'a pas les mains propres.

Certains ministres soupçonnent le trésorier Gérald Martineau d'être l'instigateur de cette manœuvre. Depuis le jour où il l'a pris en flagrant délit de patronage à propos de la construction de l'hôpital de Joliette, celui-ci ne peut pas sentir Barrette. L'affaire remonte à novembre 1956.

Le ministre du Travail a la réputation de trop aimer l'argent. Martineau apprend un jour par ses espions que le bureau d'assureurs de Barrette a vendu pour un montant considérable une police d'assurance au sanatorium de Joliette, alors en construction. De plus, le ministre se sucre abondamment à même les contrats alloués pour cet établissement en obtenant pour un entrepreneur de ses amis tous les travaux de portes et fenêtres[26].

Averti par son zélateur, Duplessis pique une colère. C'est la disgrâce. Le Chef interdit à son ministre d'assister aux séances du cabinet. Celui-ci a beau protester : « Ce n'est pas Martineau qui me dira quoi faire à Joliette... » il doit se résigner à l'exil. Il ne siège plus à l'Assemblée et boude dans son coin durant plus de deux ans. Duplessis l'excuse néanmoins auprès des collègues : « Il est fatigué », explique-t-il. Barrette ne rentrera en grâce qu'au printemps de 1959 après avoir vu, à trois reprises, Duplessis refuser sa démission[27].

Barrette a gardé un souvenir amer de la dénonciation de Martineau. Quant au trésorier, il méprise chez le ministre son penchant immodéré pour les biens matériels. Il ne veut pas entendre parler de lui comme chef de l'Union nationale. Aussi ne se gêne-t-il pas pour répandre parmi la députation tous les potins imaginables au sujet de la longue et mystérieuse absence du ministre du Travail. Il fait circuler parmi les députés les lettres de démission de Barrette qu'il a récupérées dans les affaires de Duplessis après sa mort.

Pour ce qui est du patronage, Barrette est dans le bain jusqu'au cou. Georges-Émile Lapalme, l'ancien chef libéral, le dénonçait régulièrement. Et pour cause ! Il avait appris l'affaire à ses dépens lors des élections de 1952. Candidat contre Barrette dans Joliette, il avait perdu l'appui d'un de ses meilleurs organisateurs, aux prises avec une situation financière difficile. Informé de la chose, Barrette avait convoqué l'ami de Lapalme :

— Écoute, tu as passé au feu, ta femme a été tuée, tu es mal pris, tu as des dettes, ça te prend combien ?

— Je suis pris pour 5000 dollars.

— Je peux te régler ça tout de suite.

Et le ministre avait fait remettre la somme au militant libéral qui s'était ensuite retourné contre Lapalme en pleine campagne[28] !

* * *

La panique s'empare des ministres. Leur candidat de dernière heure risque d'encourir le désaveu des députés. Il faut à tout prix éviter la tenue d'un vote pendant ce caucus prévu pour le lendemain. Trois ministres se chargent de désamorcer la révolte : Paul Dozois, Jos-D. Bégin et Antoine Rivard. Tout d'abord, ils vont se gagner l'un des instigateurs de la rébellion, Maurice Custeau, en lui faisant miroiter un fauteuil de ministre d'État s'il appuie la candidature de Barrette.

On frappe à la porte de la salle où complotent les députés. C'est un message pour le député Custeau. Celui-ci sort de la pièce et ne revient pas !

Convoqué par les députés, le ministre Antoine Rivard leur affirme sans ambages :

— Si vous proposez un autre nom que celui de M. Barrette, tous les ministres refuseront d'être mis en candidature...

À la conjuration des députés répond celle des ministres ! C'est en effet la tactique qui a été décidée par le Conseil pour éviter un vote du caucus. Quelques instants plus tard, c'est au tour des ministres Dozois et Bégin de tenter de rallier la députation à Barrette. On en vient à un compromis : le ministre du Travail devra recevoir l'approbation du caucus des députés qui seront libres d'exprimer leurs opinions ou de poser toute question pertinente.

La réunion débute le lendemain, à quinze heures. Le climat est lourd de suspicion. Un clan voudrait Bertrand, un autre, Johnson. Certains députés sont prêts à appuyer Barrette, pourvu qu'ils aient leur mot à dire. Quel contraste avec le débordement d'enthousiasme pendant le caucus qui, à peine trois mois plus tôt, avait plébiscité le successeur de Duplessis !

Barrette sait qu'il doit passer sous les fourches de la députation. Il n'a pas le choix. La direction du parti est à ce prix ! Dès l'ouverture du caucus, le président cède la parole à Émilien Rochette, l'un des fomentateurs de la révolte. Le député de Québec-Comté, un marchand de tapis prospère de la vieille capitale, possède une grande influence. Il tient en quelque sorte l'avenir de Barrette dans ses mains. Rochette fait l'éloge de Paul Sauvé, puis demande à brûle-pourpoint à celui qui espère lui succéder :

— Pouvez-vous nous jurer que vous n'avez rien à vous re-procher en rapport avec les contrats accordés à l'hôpital de Joliette ?

— J'ai les mains aussi blanches que la neige, réplique Barrette avec un accent de sincérité[29].

Applaudissements. Antonio Barrette a presque gagné la partie. Il vient de passer avec succès le test de la probité. Il reste encore aux ministres à arracher aux députés et aux conseillers législatifs leur consentement unanime sur une candidature unique, celle de Barrette. Ce sera la tâche du procureur général, Antoine Rivard.

— Écoutez, les amis, pontifie le ministre en se levant de son siège. Nous traversons une période difficile. Nous venons de perdre deux grands premiers ministres. Nous sommes en plein désarroi. Il ne faudrait pas de chicane dans le parti. Aussi, le Conseil des ministres a-t-il décidé à l'unanimité de porter son dévolu sur Antonio Barrette[30].

Dans la bouche de Rivard, qui a passé toute sa carrière politique sous l'aile de plomb de Duplessis, le mot « chicane » est un mot de code pour désigner un vote ou un congrès. Que le choix du chef soit laissé à la base n'entre tout simplement pas dans sa conception de la politique. Rivard est d'une autre époque, ce qui n'est pas le cas pour plusieurs députés, plus jeunes, entrés à l'Union nationale à la fin des années 50.

Le député de Compton, Claude Gosselin, est de ceux-là. Le laïus du ministre Rivard lui met les nerfs en boule. Il a l'impression d'avoir un dinosaure en face de lui. Gosselin est un pro-Bertrand, mais comme son candidat a renoncé à être chef et s'est rangé sous la bannière de Barrette, que peut-il dire ou faire de plus ?

Le ralliement de Daniel Johnson désarme également le groupe de députés qui entendait mettre son nom de l'avant. Johnson ne fait jamais les choses à moitié. Son acceptation a été laborieuse, mais une fois donnée, elle est totale. Antoine Rivard s'est à peine rassis que le ministre des Ressources hydrauliques se lève pour appuyer la motion :

— Je suis heureux et fier de servir sous un homme de la trempe de M. Barrette, s'exclame Johnson[31].

Mais un terrible malentendu préside à la sélection du successeur de Sauvé. Certes, le Conseil des ministres a mis les députés pro-Bertrand ou pro-Johnson devant le fait accompli. Barrette sera le prochain chef de l'Union nationale, c'est l'évidence même. Tout espoir est-il perdu ? Non. La pétition qu'on leur a demandé d'entériner stipule que Barrette devra faire confirmer son leadership avant la convocation d'élections générales. Pour Claude Gosselin, comme pour d'autres députés, Barrette sera donc un premier ministre intérimaire, rien de plus !

La perspective d'un vote et peut-être même d'un congrès fait tomber les dernières réserves de ceux qui ont du mal à digérer la personnalité du nouveau chef[32]. Antonio Barrette, lui, ne voit pas les choses du même œil. Le chef, c'est lui. Et il se promet bien d'exercer toutes les prérogatives d'un chef. Brave homme, Barrette se leurre. Il est le seul à ne pas comprendre que sa nomination est un pis-aller. On ne lui demande que de tenir jusqu'aux élections et de présider à la liquidation du duplessisme en attendant la venue d'un vrai leader capable de relancer le parti.

Durant huit mois, Antonio Barrette régnera, mais ne gouvernera pas. Il sera un monarque sans trône.

L'unanimité tardive autour de son nom n'est-elle pas de nature à lui ouvrir les yeux ? Comment expliquer l'adhésion rapide de Daniel Johnson à sa cause, alors que celui-ci n'a rien ménagé pour contrer la candidature d'Yves Prévost ? N'y a-t-il pas, dans le comportement du ministre Johnson, anguille sous roche ?

La veille du caucus, après avoir dîné avec le secrétaire provincial, le député de Bagot a câblé à son organisation de Montréal : « Lâchez tout ! On m'a convaincu que Barrette sera le chef ! » Le plaidoyer pour l'unité que lui a tenu Yves Prévost durant leur tête-à-tête a pesé lourdement sur sa conversation. Autant que l'attitude hostile du trésorier Martineau. Mais il y a plus.

Johnson s'est laissé écarter du pouvoir une fois de plus parce qu'il sait, mieux que tout autre, que le mandat accordé à Barrette est sans lendemain. Au sein du gouvernement, il s'en trouve pour penser, comme lui, que l'heure de Jean Lesage a sonné avec le dernier souffle de Paul Sauvé. On n'y peut rien. Point n'est besoin d'être grand clerc pour deviner la mauvaise fortune qui attend dans l'immédiat l'Union nationale : défaite électorale, luttes et dissensions internes, affrontements entre les nostalgiques du duplessisme et les réformateurs, défections et démissions. Enfin, pour couronner le tout, une âpre et longue course au leadership. Daniel Johnson a décidé de conserver ses forces pour cette étape. Puisque Barrette veut être chef à tout prix, eh bien, qu'il le soit ! À lui de se brûler les ailes ! Considérée sous cet angle, la nomination de « Tonio » marque pour Johnson l'ouverture de sa campagne à la tête du parti. Son entourage lui a susurré : « Accepte Barrette. Il va se faire battre aux élections. Après, tu passeras... » Les considérations d'âge jouent également. À soixante ans, le nouveau chef du gouvernement québécois ne risque de prendre racine ni au pouvoir ni même à la direction de l'Union nationale. Pour André Laurendeau, l'écart de seize ans entre les deux hommes permet de comprendre pourquoi Barrette s'est acquis la faction Johnson plus aisément que ne l'aurait fait Yves Prévost. « Si cette hypothèse est exacte, écrit l'éditorialiste du *Devoir,* M. Barrette aurait à ses côtés son successeur probable : l'influence de M. Johnson serait dès l'abord considérable[33]... »

À une époque où le nom même de Duplessis est devenu synonyme de corruption et d'arriération politique, Barrette possède un avantage certain sur Johnson auprès de l'opinion publique. Le député de Bagot ne peut prononcer le nom de Duplessis sans que l'émotion fasse trembler sa voix. Le fantôme de Duplessis domine encore l'esprit de son ancien protégé. Johnson, c'est le héraut intégriste, dur et pur du duplessisme.

Au contraire, le ministre du Travail fait figure de victime du même régime. L'opinion ignore la véritable cause de sa rupture avec le Chef : une triviale affaire de patronage. Les soupçons adoptent plutôt la forme d'une interrogation : « Duplessis n'aurait-il pas limogé brutalement un ministre du Travail trop sympathique aux ouvriers ? »

Car Antonio Barrette a réussi le tour de force de conserver l'amitié des milieux syndicaux en dépit des affrontements souvent violents de la décennie 50 entre le régime et les syndicats. Plusieurs grandes grèves, d'Asbestos à Murdochville en passant par Louiseville, ont été réglées autant par la matraque que par la négociation. Mais toujours, c'est Duplessis qui en a porté l'odieux, jamais Barrette.

Après le « désormais » de Sauvé, dont la détonation a pulvérisé d'un seul coup toutes les velléités libérales, la seule chance pour l'Union nationale de se maintenir en selle ne consiste-t-elle pas, pensent certains stratèges du parti, à trouver un chef dont l'image publique s'inscrit dans la ligne Sauvé ? De ce point de vue, Barrette cadre beaucoup mieux que Johnson avec le climat de renouveau et de rupture avec le duplessisme instauré par Paul Sauvé.

Pour d'autres ministres, gérontes et éminences grises du régime, ce n'est pas à son étiquette de « libéral », de réformateur, que Barrette doit sa promotion. S'il occupe aujourd'hui le siège de Maurice Duplessis, c'est bien plutôt à cause de sa « grande manœuvrabilité ». Barrette n'est pas avocat. En politique, c'est presque une infirmité. Il connaît mal la loi et son expérience administrative se limite au secteur du travail. Autodidacte d'ascendance ouvrière, Antonio Barrette manque de confiance en lui. Il ne possède pas la stature d'un véritable chef d'État ; son rôle se limitera donc, tout au plus, à « présider » une équipe ministérielle.

Bref, certains d'entre eux voient en Barrette un chef de pacotille, un roi sans couronne qu'ils pourront manipuler et influencer à leur gré. On lui laissera l'honneur, mais non l'autorité attachée à sa fonction. « Maintenant, c'est moi qui mène... » se vantent déjà des ministres au lendemain de la prestation de serment du faible Antonio Barrette[34].

*   *   *

La désignation du nouveau chef de l'UN redonne à Jean Lesage cet air de bravade qui convient si bien à sa personnalité fanfaronne. Les libéraux mettent à nouveau leur voile en bannière. Les dieux protègent Jean Lesage. Devant lui, les obstacles s'écroulent d'eux-mêmes sans qu'il ait à tirer un seul boulet !

Qui est donc ce Barrette sorti tout droit du musée unioniste où il aurait mieux fait de rester ? La propagande libérale répond : c'est « un candidat de compromis imposé à coups de promesses par les bleus d'Ottawa ». Sa connivence avec les conservateurs fédéraux est connue depuis 1949. Ministre provincial du Travail à l'époque, le « grand monsieur » n'avait-il pas déclaré en pleine campagne fédérale : « Le colonel Drew est mon chef et j'en suis fier ! » Cet étalage de bons sentiments ne fut pourtant d'aucun secours, le chef conservateur ne réussissant même pas (en dépit du concours avoué de Barrette) à faire élire au Québec plus qu'une poignée de députés.

Lesage s'applique à dégonfler le « mythe Barrette ». L'homme n'est pas aussi intègre qu'on le dit. Est-il si proche des ouvriers ? Toutes les grèves sauvagement réprimées par la police du régime ne l'ont pas empêché de conserver son poste avec tous ses avantages pécuniaires. Il ne faut pas non plus oublier son implication dans le scandale du gaz naturel. Pour Jean Lesage, Barrette se résume ainsi : c'est « l'homme d'Ottawa, de la police provinciale et du gaz naturel[35] ».

La critique libérale va plus loin. Si le ministre du Travail se retrouve par on ne sait trop quel faux miracle à la tête du gouvernement, il ne le doit ni à sa valeur ni à ses talents, mais à la débandade et au désarroi que connaît maintenant l'Union nationale. Les ministres se sont jetés sur lui comme sur une bouée de sauvetage pour écarter du pouvoir « le grouillant ministre des Ressources hydrauliques qui, entouré d'entrepreneurs et de coulissiers, a tenté de s'emparer du poste qu'il convoitait dès la minute où il a appris la mort de Maurice Duplessis[36] ».

Les libéraux croient reconnaître sous les agissements de Johnson la griffe de l'habile manœuvrier qu'est Gérald Martineau. Usant d'une dialectique pour le moins élastique, ils n'hésitent pas à suggérer que le trésorier a imposé l'homme qui a le moins de chance de durer afin d'assurer la succession à celui qui est en réalité son poulain : Daniel Johnson. Mais toutes les manigances tramées, la veille du caucus, dans les suites luxueuses retenues par Johnson se sont révélées inutiles car personne au Conseil des ministres « n'a pris au sérieux cette petite vulgarité politique » ...

Le parti de Jean Lesage se trompe sur l'identité des amis et ennemis du ministre des Ressources hydrauliques. Mais sa hargne contre lui montre, en revanche, qu'il le considère déjà comme le chef avec qui il faudra traiter tôt ou tard, une fois que le navire Barrette aura donné de la bande. Ce qui ne saurait tarder.

*   *   *

Le jour de la prestation de serment du nouveau cabinet, Daniel Johnson n'affiche pas la mine patibulaire d'un mauvais perdant. « M. Johnson : le sourire malgré tout ! » titre la presse. Pourtant, le nouveau premier ministre lui administre une bonne taloche en confiant à son rival, Jean-Jacques Bertrand, le prestigieux ministère de Paul Sauvé. Un ministre sans portefeuille, Jacques Miquelon, succède à Bertrand aux Terres et Forêts.

Deux députés, Maurice Custeau et Armand Maltais, sont promus ministres d'État. Barrette n'est pas un partisan du chambardement : il garde presque intact le cabinet hérité de Sauvé dont il poursuivra l'œuvre, car, annonce-t-il aux journalistes, « la route est bien éclairée et droite[37] ».

Pauvre Daniel ! Sa hâte d'arriver à ses fins le met en marge des honneurs. Les fleurs et les promotions sont pour Bertrand. « On prédit à ce jeune et talentueux ministre un rôle de premier plan dans le nouveau gouvernement », souligne avec un malin plaisir Pierre Laporte qui, malgré son attachement à Johnson, ne se prive pas d'user d'un soupçon d'arsenic. Rapportant une conversation qu'il aurait eue avec un chauffeur de taxi (stratagème employé par les journalistes pour exprimer le plus souvent leurs opinions personnelles), il rappelle à son ami Johnson que son nom anglais constitue toujours un obstacle de taille à son ascension politique :

Le chauffeur : « Ils en ont choisi un bon, Barrette ! »

Le journaliste : « Il semble... »

Le chauffeur : « C'était le meilleur possible... »

Le journaliste : « Peut-être... »

Le chauffeur : « Mais l'Anglais n'avait pas de chances. »

Le journaliste : « L'Anglais ? Quel Anglais ? »

Le chauffeur : « Ben... Johnson ! »

Le journaliste : « Mais il n'est pas anglais, c'est un Canadien français même s'il porte un nom d'origine anglaise... »

Le chauffeur : « Ça fait rien... il porte un nom anglais. Au commencement, c'était un Anglais... ça n'aurait pas pris ici. Ils ont compris ça[38]... »

En véritable machiavel, Duplessis avait prédit que son parti le suivrait dans la tombe. Son dynamisme et son réformisme aidant, Paul Sauvé avait fait mentir son chef pendant cent jours. Antonio Barrette aura besoin d'à peine six mois pour prouver que celui-ci avait peut-être raison. Tout va déjà mal pour lui, quelques jours seulement après son intronisation. Sa galère tangue dangereusement sous les coups sournois que se portent mutuellement la vieille garde duplessiste et les éléments réformateurs. Il sera trahi par les deux camps, mais pour des raison différentes. Les grands et les petits de l'Union nationale s'apprêtent à immoler le brave mais impopulaire « Tonio » sur l'autel de leurs démêlés. La politique est une jungle où il faut des crocs bien acérés pour survivre. La veille de l'ouverture de la session, fixée par Barrette au 11 janvier, Gérald Martineau déserte la vieille capitale pour la Floride, non sans claironner qu'il ne reconnaît pas l'autorité du nouveau chef.

L'éclat du petit homme sec et intransigeant, qui gère les fonds du parti depuis ses débuts, tombe comme un pavé dans une véritable mare aux grenouilles. Le député de L'Islet, le Dr Fernand Lizotte, « coasse » encore plus fort que Martineau.

— M. Antonio Barrette nous a été imposé ! Nous n'avions pas le droit de parler ! accuse le député en claquant la porte.

La bombe Lizotte ravit les libéraux qui n'en demandaient pas tant ni si rapidement, mais sème la consternation chez les ministres. Soucieux de maintenir contre vents et marées une unité devenue factice, ils avaient choisi, les maladroits, le candidat le moins apte à s'acquitter de ce mandat. Le Dr Lizotte compromet dans sa rébellion les députés Plourde et Rochette qui, entre-temps, ont fait la paix avec le nouveau chef. Au caucus, révèle-t-il encore à la presse, une grande partie des députés s'opposaient au choix du ministre du Travail, symbole à leurs yeux du vieillissement du parti, de la corruption politique et de la désertion.

— Je pense qu'un chef qui veut commander doit commencer par obéir, ponctifie le Dr Lizotte. M. Barrette s'est absenté de son siège durant deux ans, alors que moi, je voyageais chaque jour de Saint-Jean-Port-Joli à Québec pour assister aux travaux de l'Assemblée. Je n'ai pas le droit de servir sous un tel chef[39].

De tous les factieux, le député de L'Islet demeure le seul, avec Martineau, à ne pas reconnaître l'autorité du nouveau chef. S'il n'a pas signé la trêve avec les autres, c'est parce que Barrette ne lui en a pas laissé le loisir. Après le caucus, Lizotte a sollicité une entrevue auprès du premier ministre qui lui a fait répondre par le ministre Antoine Rivard (son voisin de comté) qu'il ne sera pas « son » candidat aux élections du printemps[40]. Affligé d'un tempérament belliqueux, le député de L'Islet a couru chez Barrette pour lui administrer une raclée, mais les collaborateurs de ce dernier ont réussi à le maîtriser avant le premier coup de poing[41]. Le premier ministre réagit aussitôt en prince insulté par un manant. Lizotte n'a plus sa place dans l'Union nationale tant qu'il en sera le chef. Il ne reste au médecin qu'à retrouver son Bas-Saint-Laurent, ce qu'il fait après avoir ébranlé sérieusement l'autorité plus que vacillante du chef du gouvernement.

Un fiasco nommé Antonio Barrette

La cacophonie, et non plus cette discipline d'airain maintenue durant près de vingt-cinq ans par Duplessis, dominera la courte vie du gouvernement Barrette.

Trois mois d'une session sous le signe de la continuité avec les cent jours de Sauvé, une campagne électorale désordonnée, une démission marquée au coin du règlement de comptes et la marée de l'histoire engloutiront Antonio Barrette.

Éducation, santé, travail, agriculture : Barrette reprend et mène à terme les projets de lois soumis par Sauvé. Il règle définitivement le problème des subventions fédérales aux universités, ordonne la reconstruction du pont de Trois-Rivières et amorce une politique de centralisation des édifices gouvernementaux afin de mettre un terme à l'éparpillement des services publics dans plus de 412 immeubles.

Et l'assurance-hospitalisation promise par Sauvé ? Le plus tôt possible, annonce son successeur en créant, en mars 1960, la commission d'enquête Favreau. Son rapport devra être déposé avant l'automne et formera la base de la future loi assurant une hospitalisation sans frais à tous les citoyens du Québec.

Toujours titulaire du Travail, le premier ministre propose une refonte complète du Code du travail, mais le temps lui manquera pour pousser plus loin son ambitieux projet. Son gouvernement améliore les lois existantes, notamment en haussant les allocations aux veuves des victimes d'accidents de travail et les indemnités aux handicapés.

Sur le plan international, Barrette innove en révélant son intention de faire revivre le projet d'une maison du Québec à Paris, projet envisagé puis abandonné par Duplessis en 1959. Afin de donner plus de force à la loi adoptée par Sauvé « pour favoriser la tenue d'une exposition mondiale à Montréal », il fait aussi approuver un programme de voirie évalué à quelque 150 millions de dollars pour la région montréalaise.

À l'ajournement des Chambres, fin mars, le gouvernement dresse un bilan impressionnant de son travail législatif : 75 projets de loi ont été adoptés.

En poursuivant ainsi la politique de réformes amorcée par son prédécesseur, Antonio Barrette ne s'est-il pas doté des outils électoraux capables de le reporter au pouvoir sans coup férir ? Il en est si persuadé qu'aussitôt la session ajournée il convoque ses députés pour leur annoncer que les élections auront lieu au printemps. Certains font la grimace. L'habileté politique ne commande-t-elle pas plutôt d'attendre l'automne ? Le temps de permettre aux citoyens de goûter aux fruits de la nouvelle législation ?

C'est là l'opinion de plusieurs. Mais Barrette reste sourd à leur appel à la prudence car il a ses raisons pour précipiter l'affrontement électoral. Certain de sa victoire, il compte, après coup, purger le parti de la « force destructrice aveugle » qui le ronge de l'intérieur depuis la mort de Paul Sauvé[42]. Mauvais stratège, l'ancien machiniste s'aveugle en outre sur ses chances réelles de mater ceux qui, comme Martineau ou Daniel Johnson, attendent sa défaite pour l'expédier définitivement dans son musée-bibliothèque du boulevard Manseau, à Joliette.

Trois mois au gouvernail de la barque de l'État n'ont pas accru d'un iota la popularité de Barrette auprès de la députation. On ne l'aime guère. Au milieu de la session, les grognements de la base parviennent à ses oreilles. Les députés lui reprochent son manque d'énergie et sa passivité face à l'opposition libérale qui affabule à cœur joie et brode des scandales, vrais ou faux.

Un jour, soutenus par la presse, les libéraux accusent de conflit d'intérêts le ministre de la Chasse et de la Pêche, Camille Pouliot, dont le fils possède des intérêts dans une société d'aviation de la Gaspésie. Selon l'accusation, son père aurait accordé de plantureux contrats à ladite société. Un titre à double sens de la presse résume l'incident : « Un ministre apprend à son fils à voler ». Or Barrette se montre très peu combatif devant un Lapalme déchaîné et plus caustique que jamais. Lors du caucus qui suit ce débat à l'Assemblée, des députés stigmatisent l'apathie du premier ministre[43].

La performance de leur chef en Chambre désole les députés. Barrette n'a pas la stature qu'il faut pour occuper un tel poste. Il se révèle un piètre législateur. Ses deux années d'exil lui ont fait perdre contact avec le milieu parlementaire. Le chef de l'opposition à la Chambre, Georges-Émile Lapalme, qui a tellement souffert des railleries de Duplessis, se venge sur un Barrette incapable de lui répliquer et qui, à la moindre objection, ne peut que se lever majestueusement de son siège et commencer sa réponse en répétant chaque fois, comme s'il s'agissait d'un dogme : « M. le président, je suis le premier ministre de la province de Québec... »

Lapalme n'a jamais pu lui arracher son siège de Joliette. Il le déteste et s'amuse à lui tendre des pièges. Il lui demande, un jour, s'il envisage d'amender la loi des faillites. À un Barrette qui s'empresse de le rassurer, le député d'Outremont apprend qu'il s'agit d'une loi fédérale[44]...

Barrette se sait impopulaire ; aussi n'est-il pas question pour lui de convoquer, avant le scrutin, un congrès qui ratifierait son leadership. Sa stratégie est simple : gagner les élections et briser ceux qui contestent son autorité. Seule une victoire électorale peut le consacrer maître dans sa maison. Avant même la réunion des députés au Château Frontenac, sa décision est déjà prise. Il y aura un scrutin général avant l'été. À l'exemple de Duplessis qui, une fois son opinion faite, consultait pour la forme une députation de toute façon acquise à ses vues, le député de Joliette demande :

— C'est à vous, messieurs, de prendre la décision. Devons-nous faire des élections cette année ? Devons-nous aller devant le peuple tout de suite ou attendre plus tard[45] ?

Mais Barrette n'est pas Duplessis. Plusieurs députés lui reprochent de les mettre devant le fait accompli. Le bouillant député de Compton, Claude Gosselin, fait une violente sortie qu'il conclut ainsi, avant de claquer la porte :

— Les élections, on les gagnera pas au Château. Moi, je m'en vais dans mon comté[46] !

À l'exception d'un seul, tous les ministres, en revanche, se montrent favorables à un scrutin hâtif. Certains, comme l'organisateur en chef Jos-D. Bégin, le tiendraient même dès le lendemain matin si c'était possible ! Un tel empressement devrait susciter de la méfiance chez Barrette, mais celui-ci ne comprendra qu'après le naufrage du 22 juin qu'il était tombé dans un guet-apens.

Amer, il écrira plus tard : « Ce n'est qu'après coup qu'on m'a reproché la date et fait valoir que l'abondante législation de la session de 1960 n'était pas connue[47]. »

Sans le savoir, le premier ministre fait la volaille en demandant au renard Bégin :

— Êtes-vous prêt à faire des élections tôt ?

— À une semaine d'avis, nous serons prêts à entrer en campagne, rétorque avec assurance l'organisateur en chef.

— Nous aurons donc des élections en juin, conclut Barrette. J'en ferai connaître la date ultérieurement.

La date du scrutin ? L'organisateur Bégin s'en moque éperdument ! Il quitte Québec pour un voyage de plusieurs semaines au Proche-Orient en laissant dernière lui une organisation embryonnaire. De son côté, l'homme qui doit avaliser la moindre dépense électorale, Gérald Martineau, se promène en Europe. On laisse Barrette à lui-même. Quant à Daniel Johnson, il se terre dans sa circonscription car il sait fort bien que son chef ne fera pas appel à ses services.

Les libéraux de Lesage ont « deviné » que les élections se dérouleront en juin. Aussi monopolisent-ils les meilleures heures d'antenne à la radio et à la télévision pendant que les compères Bégin et Martineau explorent avec leur appareil photo et leurs jumelles l'un, l'Orient mystérieux, l'autre, les vieux pays.

Tout est en place pour le sabordage du gouvernement Barrette. Le seul peut-être à ne pas le comprendre est le pigeon sur qui sont braqués les fusils fratricides. Le plus étonnant, en effet, c'est qu'Antonio Barrette ne doute pas un seul instant de la réélection de son gouvernement. Quand on dirige un parti qui fait la loi depuis un quart de siècle, comment imaginer le contraire ?

Barrette fonde sa confiance inébranlable non seulement sur la pérennité de l'Union nationale, mais encore sur la prospérité économique du Québec, générée par le régime Duplessis. Les Québécois seraient-ils assez fous pour bouter dehors un gouvernement qui a fait ses preuves ? On ne change pas le général d'une armée victorieuse. Les chiffres parlent d'eux-mêmes : de 1944 à 1960, en seize années à peine, le Québec est devenu un géant industriel.

Établie en 1944 à 87 dollars per capita (305 millions de dollars), la dette provinciale n'est plus, en 1960, que de 39 dollars par habitant (194 millions de dollars), en dépit de la hausse constante des dépenses gouvernementales. Au 1ᵉʳ avril 1960, le gouvernement affiche, en outre, un surplus budgétaire de 114 423 dollars — le quinzième d'affilée depuis 1944.

Pourrie, l'administration unioniste ? Qui prendra au sérieux cette accusation libérale contre un gouvernement qui a réussi le tour de force de réduire la dette collective de 50 dollars par habitant et d'accumuler des surplus budgétaires tout en dépensant davantage pour le développement économique et social du Québec[48] ?

Les Québécois sont loin d'être le plus malheureux des peuples... Malgré la « grande noirceur duplessiste », ils sont entrés dans l'ère de la consommation. Comme tant d'autres sociétés, le Québec a profité de la guerre. Il vit dans une aisance plus grande que jamais. Les salaires augmentent plus vite que le coût de la vie.

De 1945 à 1959, l'indice du salaire moyen a triplé : de 69 à 168. Même croissance pour le revenu personnel qui est passé de 2,3 à 6 milliards de dollars. Durant la même période, on a investi au Québec plus de 24 milliards de dollars dans les six principaux secteurs économiques : services publics, habitation, secteur manufacturier, commerce, ressources naturelles et finance[49].

Sous la pression des capitaux américains qui entrent à pleines portes, la population s'est urbanisée. En 1959, 71 pour 100 des Québécois habitent la ville. À vrai dire, une ville : Montréal. En effet, 64 pour 100 de la population urbaine s'entasse dans la région métropolitaine.

En 1939, il y avait à Montréal 2501 établissements industriels comparativement à 3885 à Toronto. Vingt ans plus tard, Montréal supplante Toronto avec 3951 établissements contre 3073. Si la production ontarienne des biens de consommation dépasse celle du Québec, en revanche les Québécois dominent dans les industries primaires. En 1944, le travailleur québécois gagnait en moyenne 1500 dollars par année. En 1959, il reçoit 3800 dollars, mais son collègue ontarien touche un peu plus, soit 4240 dollars[50].

En quinze ans, les dépôts dans les caisses populaires sont passés de 99 à 576 millions de dollars, le nombre de véhicules moteurs de 219 000 à 1 022 000. La province entière est couverte d'un réseau routier moderne, ouvert douze mois par année, malgré la neige.

Durant les mêmes années, le gouvernement Duplessis a

construit 4100 écoles. Rien de surprenant donc si, en 1959, le Québec dispose d'un plus grand nombre d'établissements scolaires que l'Ontario pour une clientèle pourtant plus restreinte. Toujours en 1959, le nombre d'étudiants dans les universités est plus élevé au Québec qu'en Ontario. Il est passé, en quinze ans, de 23 493 à plus de 65 000.

Les hôpitaux ? À l'orée des années 60, le Québec avec ses 108,9 lits pour 10 000 habitants devance encore l'Ontario qui n'en a que 94,9 pour le même taux de population. En 1944, le Québec se classait au sixième rang en ce domaine ; seize ans plus tard, il distance toutes les provinces, exception faite des hôpitaux militaires[51].

Arriéré, le Québec de Maurice Duplessis ? Retardataire ? Il convient, en tout cas, de nuancer par le grand révélateur de la mathématique les « représentations collectives » de la génération de la Révolution tranquille.

Au moment du déclenchement des élections, l'état-major de l'Union nationale sait parfaitement à quoi s'en tenir sur l'essor social et industriel du Québec depuis la guerre. Le Bureau des recherches économiques du ministère du Travail, notamment, a entrepris, depuis trois ans déjà, d'en dresser le tableau. Au début des hostilités, Barrette demande à deux reprises à l'organisateur en chef Bégin de consulter les rapports statistiques avant d'élaborer sa publicité électorale.

Fort d'un tel bilan, Barrette n'hésite pas à affirmer, le 27 avril, en révélant la date des élections fixée au 22 juin :

— Je ne crains pas d'affronter l'électorat de la province de Québec.

Le chef de l'Union nationale devrait, au contraire, avoir toutes les raisons de se méfier. Il n'y a pas que les chiffres ! Dans le camp gouvernemental, on ne saisit pas qu'il y a rupture entre ce que représente l'Union nationale et ce nouveau Québec industrialisé, pourtant sorti de ses entrailles. Antonio Barrette comprend difficilement la nature de ce monde qui l'entoure. Il en est encore à pratiquer, par exemple, un électoralisme à la mode de 1936. Il perpétue, dans le style et les méthodes, cette Union nationale de Duplessis qui doit mourir de la main de ses propres enfants.

Le sacrifice s'impose pour permettre à ces enfants joufflus et en bonne santé de trouver un deuxième souffle, celui de la Révolution tranquille.

Le pouvoir politique doit donc changer de mains. La bourgeoisie provinciale et rurale qui soutient le régime n'est plus à la hauteur de la situation. Ses valeurs et sa vision de l'avenir québécois sont aux antipodes de l'actuelle conjoncture. Elle manque tout bonnement de compétences face aux défis qui attendent ce Québec récemment industrialisé. Les politiques du gouvernement Duplessis ont donné naissance à une mutation socio-économique qui a permis à une nouvelle élite, plus urbanisée, de se constituer. En 1960, celle-ci réclame rien de moins que la destitution de l'ancienne. Formée de professionnels libéraux, d'universitaires, de technocrates et de cadres liés à la frange supérieure du syndicalisme, cette nouvelle classe sait mieux analyser l'avenir québécois que la petite bourgeoisie rurale associée à l'Union nationale.

Les progrès économiques du Québec sont incontestables. Mais on ne saurait nier, cependant, que l'envers de la prospérité québécoise, c'est la dépendance vis-à-vis de l'extérieur. Duplessis a fait cadeau de sa province aux Américains. Les Québécois ne gouvernent pas leur propre développement ; ils le subissent en se contentant, comme des gueux, des miettes tombées de la table des maîtres. En dépit de la modernisation de leur société, les francophones sont toujours au bas de l'échelle en ce qui a trait à l'emploi et au revenu. Depuis 1926, le revenu per capita du Québécois francophone tire de l'arrière par rapport à celui de l'anglophone du Québec ou de l'Ontario.

À Montréal, un anglophone jouit d'un salaire supérieur de 35 pour 100 à celui du francophone, lequel n'occupe, par ailleurs, que 20 pour 100 des postes-cadres. La proportion des francophones propriétaires des moyens de production oscille entre 10 et 15 pour 100. Considéré sous cet angle social et linguistique, le progrès québécois devient tout relatif[52].

Depuis la guerre, il n'y a pas eu de rattrapage. L'inégalité entre francophones et anglophones s'est tout simplement maintenue. Les Québécois ont progressé, mais les autres aussi ! Pour les rattraper et aller de l'avant, il faut maintenant devenir « maître chez soi ».

Comment y parvenir ? En sortant du cercle paralysant de la dépendance économique et politique dont les principaux traits sont les suivants : domination des multinationales, exportation des produits de base, importation des capitaux et des produits finis, concentration industrielle poussée, taille réduite des entreprises appartenant à des francophones, État tronqué et privé des pouvoirs constitutionnels et des moyens fiscaux ou monétaires nécessaires à l'orientation du développement[53].

La nouvelle élite sait une chose : la politique de patronage mâtinée d'anti-ouvriérisme, instaurée par le parti de Duplessis pour constituer une petite bourgeoisie nationale, ne suffit plus. Les quelques millionnaires mis au monde grâce aux contrats gouvernementaux octroyés par Gérald Martineau et consorts, ne représentent pas, loin de là, un acquis dynamique pour l'avenir. Aussitôt enrichis, ils deviennent les relais des intérêts américains ou canadiens avant de leur vendre parfois leur entreprise pour aller finir leurs jours en Floride.

Le Québec est privé d'une véritable classe capitaliste aux reins solides qui accumulerait une richesse spécifiquement québécoise. Tout prend le chemin de l'étranger. Comment inventer un capitalisme québécois ? Une évidence se fait jour en 1960 : les Québécois disposent d'une force capable, par son poids et son action envahissante, de compenser l'absence de leur communauté des centres de décision économique. C'est l'État du Québec. Il faut donc s'en emparer, le dépoussiérer, en faire le moteur du développement. Le déifier aussi. Pour cela, on doit, sans perdre un instant, libérer le peuple de sa méfiance antiétatique que vingt-cinq années de duplessisme ont ancrée dans son subconscient. Bref, il faut créer, de toutes pièces, une nouvelle bourgeoisie : celle de l'État. La Révolution tranquille s'en chargera.

Depuis 1958, c'est dans le camp de Jean Lesage que se retrouvent les initiateurs du mouvement de réforme — véritable volcan dont l'éruption secoue sur ses bases l'immuable Union nationale. À la fin des années 50, le tirage de *La Réforme* passe de 5000 à 45 000 exemplaires. Les idées nouvelles foisonnent tellement que le parti n'arrive pas à en dégager un programme électoral cohérent et accessible à l'électorat.

Devant l'impasse où se trouve le comité de stratégie, un Jean Lesage excédé n'hésite pas à rogner quelque peu les ailes du processus démocratique. Il ordonne à Lapalme de s'enfermer dans une chambre du Windsor pour rédiger un programme électoral. L'ancien chef du parti accouche, en deux jours, d'une série de propositions qui deviendront l'évangile des deux premières années de la Révolution tranquille[54].

Avant de sauter à bord du train libéral, René Lévesque consulte, dans une chambre voisine, les brouillons du programme auquel Lapalme met la dernière main. Jean Lesage a, en effet, convoqué la *star* de la télévision pour l'inviter à joindre ses rangs. Impressionné par le sérieux et la clarté des propositions de Lapalme, Lévesque s'exclame :

— J'embarque !

Le document lui paraît suffisamment radical et nationaliste.

— L'heure de la libération est arrivée ! C'est le temps que ça change ! s'écrie Lesage en rendant public, le 7 mai, les principaux points de son programme.

La bible électorale des libéraux tient en ces quelques points : gratuité scolaire à tous les niveaux, y compris l'université, enquête royale sur l'éducation, allocations familiales provinciales, assurance-hospitalisation, crédit à l'habitation familiale, création d'un Conseil d'orientation économique et d'une Commission provinciale des universités, création de trois ministères : Affaires fédérales-provinciales, Affaires culturelles et Richesses naturelles.

Quand Antonio Barrette tire le coup de pistolet annonçant le départ de la course, Lesage a déjà détalé. Admirablement secondé par la férocité antiduplessiste de Lévesque et par son côté « p'tit poil », très peuple, le *grand seigneur* Jean Lesage prend l'offensive. Que les libéraux filent ventre à terre, dès le départ, n'émeut pas le moins du monde un Barrette qui marche à pas comptés. Lesage l'assomme d'abord en montant en épingle le scandale du gaz naturel dans lequel le premier ministre a trempé. S'il est porté au pouvoir, Lesage instituera une enquête royale sur cette affaire et sur toute l'administration de l'Union nationale.

— Nous agrandirons les prisons s'il le faut pour y loger tous les profiteurs de l'Union nationale ! avertit le chef libéral en reprenant à son compte une boutade lancée jadis par Duplessis au gouvernement Taschereau[55].

À Sherbrooke, Lesage griffe au passage le ministre des Ressources hydrauliques en l'accusant d'être mêlé avec son chef au « plus grand scandale de l'Union nationale », celui du gaz naturel. Une semaine plus tard, il provoque Barrette sur le même sujet.

— Faites-moi jeter en prison si vous en avez le courage !

Quinze jours avant le vote, Lesage est à Rouyn et donne dans la série noire en accusant l'Union nationale de banditisme :

— Je me doutais bien que sous le régime des 3 B — Barrette, Bellemare et Bégin —, l'Union nationale continuerait sa politique de népotisme et de fraude, mais je ne savais pas qu'on irait jusqu'au banditisme[56] !

La veille, un soi-disant cambriolage au bureau du chef parlementaire libéral, Georges-Émile Lapalme, avait fait la une du quotidien *La Presse,* dirigé depuis 1958 par le libéral Jean-Louis Gagnon. L'affaire n'est qu'une fumisterie et Barrette prend la mouche. Il accuse Lesage de faire flèche de tout bois et intervient auprès de la direction du journal pour qu'elle écarte Gagnon. Celui-ci est retiré du dossier pour la durée de la campagne et deux de ses collaborateurs, Roger Champoux et Vincent Prince, de tendance unioniste, supervisent l'information politique[57].

En mai, la tension mondiale s'accroît à la suite de l'échec du sommet des Grands sur la question de Berlin. Un avion-espion américain U-2 s'est fait intercepter au-dessus du territoire soviétique, ce qui provoque la colère de Nikita Khrouchtchev. La presse mondiale parle de guerre et de catastrophe. La guerre froide se nourrit de cette maladresse du président Eisenhower, qui a fait avorter le sommet sur Berlin. L'anticommunisme revient à la mode, comme aux plus beaux jours de Duplessis.

Les libéraux, qui fustigeaient jadis le maccarthysme du chef de l'Union nationale, tombent dans le même travers. L'occasion est trop belle pour la laisser passer. Jean Lesage proclame à Montmagny :

— L'Union nationale a cédé le fer de l'Ungava à Cyrus Eaton, l'ami de cœur de M. K. Cyrus Eaton est allé donner l'accolade à M. K., l'insulteur du président des États-Unis et du monde libre[58].

René Lévesque, lui, en voit de toutes les couleurs. Il a droit à tous les qualificatifs : communiste, gauchiste débridé, Castro, antéchrist, Gestapo, russophile, etc. Tout le vocabulaire anticommuniste y passe ! Barrette et l'Union nationale sont au bord du désespoir car Lévesque est, à lui seul, en train de les terrasser.

L'Union nationale, qu'est-ce que c'est ? demande Lévesque à la foule. Il répond lui-même : « C'est un ramassis de politiciens qui ont instauré au Québec le régime de l'abaissement de la personne humaine et qui ont vendu notre province aux étrangers. » Barrette ?

« Un chef imposé d'une façon antidémocratique par un petit groupe dans le secret d'une chambre. » Ou bien : « Un petit enfant qui, mécontenté par la politique de Duplessis, s'en est allé bouder chez lui en n'oubliant pas d'emporter dans son sac de bonbons son portefeuille de ministre. » En 1947, rappelle encore le candidat libéral dans Laurier, M. Barrette avait promis de régler la grève des tisserands de Louiseville. Il a tenu promesse. En effet, elle a été réglée, mais à coups de revolvers et de matraques[59] !

Le pessimisme historique de Lévesque le rend agressif. Ses attaques contre les duplessistes sont celles d'un fauve. Il ne mord pas ses adversaires, il les met en pièces. Il les éventre. Ayant atteint l'âge adulte dans le climat de corruption cynique qui régnait sous Duplessis, il en a conservé un sentiment de désespoir :

— Il faut débarquer l'Union nationale, répète-t-il fréquemment. Car si on ne le fait pas, aussi bien s'exiler, bon Dieu !

Lévesque affirme son appartenance à une « génération maudite et damnée par quinze ans de duplessisme[60] ». Sa campagne charrie la force dévastatrice d'un raz-de-marée. Barrette se défend comme il peut, c'est-à-dire mal. On le conseille de travers. Le plus souvent, d'ailleurs, il ne prend conseil de personne.

Durant les dix derniers jours de la campagne, Lévesque obsède tellement le « grand monsieur » que celui-ci ne prononce plus aucun discours sans l'attaquer à son tour. Il commet des impairs qui laissent prévoir le retour du climat inquisiteur de la « loi du cadenas », s'il est réélu le 22 juin. Barrette n'arrête pas de taxer Lévesque de communiste ! Il verra à lui interdire l'accès du nouveau réseau de radio-télévision qu'il compte mettre sur pied après sa victoire. À Saint-Jean-d'Iberville, il met également les journalistes en garde. Ceux qui colportent toutes sortes d'injures sur les dirigeants de l'Union nationale devront prouver leurs accusations et révéler leurs sources. Il « tue » d'un seul discours son candidat dans Saint-Jean, le ministre Paul Beaulieu, qui sera battu[61].

Trahi par les petits et les grands de son parti

La campagne du premier ministre est terne comme la pluie. Barrette est la cible à la fois de ses ennemis de l'intérieur et de ceux du camp adverse. Sous Duplessis, l'Union nationale était une machine sans faille où se conjuguaient deux forces invincibles : la caisse électorale de Martineau et le génie de l'organisateur Bégin. Or, en 1960, l'un et l'autre font à qui mieux mieux pour torpiller le navire Barrette.

Le ministre de la Colonisation est revenu de son périple oriental à temps pour le début de la lutte. Il est déjà trop tard. Les libéraux ont flairé de loin le manque d'organisation et de préparation des unionistes. De son côté, Barrette découvre vite l'absence totale de direction et de discipline qui prévaut au siège du parti où, lui apprennent ses informateurs, le travail se fait dans un chaos indescriptible. Ses assemblées dans la région de Québec sont tellement bâclées qu'il doit mettre sur pied une organisation parallèle à celle de Bégin, dont il confie la direction à un homme sûr, Me Jean Rivard, de Québec[62].

À la suite d'une brouille entre Barrette et Bégin, la publicité va, elle aussi, de mal en pis. Fort de son savoir-faire, le ministre Bégin a bâti un programme que son chef s'amuse à censurer sans façon. Barrette reproche à Bégin de ne pas actualiser sa propagande, de se contenter de vieux clichés. Par exemple, l'organisateur a fait réimprimer des placards publicitaires sur les grains de semence, qui avaient déjà servi durant la campagne électorale de 1956...

De plus, Bégin fait la sourde oreille aux avis de Barrette. Il refuse d'utiliser chiffres et tableaux pour illustrer le prodigieux essor économique qu'a connu le Québec depuis la guerre. Ses tracts électoraux ne soufflent pas un mot, non plus, des nouvelles lois adoptées par le gouvernement Barrette pendant la session du début de 1960.

Bégin se contient difficilement devant les incessantes interventions de Barrette. Un jour, la coupe déborde. L'organisateur a fait publier dans les journaux un placard intitulé «Les Trois Grands» avec les photographies en enfilade de Duplessis, de Sauvé et de Barrette. Il voulait ainsi auréoler ce dernier du prestige des deux premiers chefs de l'Union nationale.

Le premier ministre, qui préférerait qu'on ne pense qu'à un seul grand (lui-même), fait venir son chef de cabinet, Jacques Casgrain. Il le prie de remettre à Bégin la page publicitaire sur laquelle il a écrit en gros caractères le mot «pourrie»... Bégin pique une colère:

— Tu ne connais rien là-dedans! Ça fait dix-neuf ans que je

fais la publicité du parti. Si tu n'es pas content, fais-la toi-même[63] !

L'homme à qui Duplessis avait remis, en 1944, l'administration du parti, reconnaissant en lui un organisateur né, est estomaqué par la critique de Barrette. Lui faire la leçon à lui qui n'a jamais été battu depuis 1935 ! Après tout, n'est-il pas le père du fameux slogan « Les libéraux donnent aux étrangers, Duplessis donne à sa province », qui a fait la fortune électorale du parti depuis 1948 ?

Bégin lâche le bateau Barrette plutôt que de devoir encenser son capitaine. Après, apparaîtront des placards folichons montrant Barrette (seul, cette fois) avec une boîte à lunch, comme un vrai ouvrier ! Un autre proclamera « Vers les sommets ». Lesage aura alors beau jeu d'ironiser :

— Ce n'est pas vers les sommets, mais vers l'abîme, que l'Union nationale conduit la province !

Antonio Barrette ne s'entend pas mieux avec le caissier Martineau. Le 8 mai, le chef du gouvernement inaugure sa campagne à Joliette, entouré d'une batterie de ministres et de députés. Il y a deux grands absents : Daniel Johnson, dont le nom ne figure pas sur la liste des invités, et Gérald Martineau. Pour rien au monde, le trésorier ne s'afficherait en public aux côtés de Barrette, alors que, du temps de « Maurice », jamais au grand jamais le vendeur de machines à écrire n'aurait manqué l'assemblée inaugurale de l'homme qui lui avait permis d'accéder au club des millionnaires.

L'hostilité entre les deux hommes est aussi tenace que leur désir mutuel de s'éliminer. Leur haine est née à propos de l'incident de l'hôpital de Joliette. Elle s'est avivée lors des tractations de coulisses antérieures au choix de Barrette et a fini par se répandre à tous les niveaux dans la vie du parti. Informé, dès sa nomination, des moindres détails de la campagne de salissage menée contre lui par Martineau, Barrette lui a fait savoir en février 1960, soit un mois seulement après sa désignation, qu'il n'hésiterait pas, s'il le fallait, à se passer de ses services et de sa caisse. Naïf et imprudent Antonio Barrette ! On ne peut menacer impunément le trésorier sans protéger d'abord ses arrières.

Rentré de Floride où il était allé digérer la désignation de Barrette à la tête du parti, Martineau veut rencontrer le nouveau premier ministre afin d'établir avec lui un *modus vivendi* dont ne pâtirait pas trop le parti, en attendant les prochaines élections. Mais

Barrette commet la maladresse (volontaire) de ne le recevoir qu'au bout de deux semaines après une troisième requête, un lundi après-midi à dix-sept heures trente[64].

L'argentier n'a jamais pardonné au « pacha », comme il l'appelle, son attitude hautaine et cavalière. C'est pourquoi, durant la campagne, il refuse à son chef tout droit de regard sur les dépenses électorales. Le premier ministre n'a qu'à demander et il recevra. Martineau ne lésine pas. Mais c'est lui, et non le chef du parti, qui délie ou ne délie pas les cordons de la bourse.

La campagne coûte près de 4 millions de dollars à la caisse unioniste. Dans certains comtés comme Outremont, où Barrette entend vaincre à tout prix son ennemi irréductible, Georges-Émile Lapalme, qui le ridiculise en Chambre, l'Union nationale dépense en pure perte la somme de 87 000 dollars. Les dépenses du chef du parti s'élèvent à 200 000 dollars que Martineau acquitte sans mot dire[65].

La prodigalité du trésorier s'arrête cependant aux frontières du comté de Joliette. C'est Barrette qui doit, en effet, assumer le coût de son élection personnelle ! Le premier ministre accepte mal d'être tenu éloigné du « nerf de la guerre ». Il a beau trépigner, Martineau refuse de lui montrer les livres qu'il cache dans ses voûtes. Tout chef qu'il soit, Antonio Barrette ne sait rien de la caisse. Quelle somme contient-elle au juste ? Dix, vingt ou soixante millions comme les libéraux en font courir le bruit ? Le chef de l'Union nationale serait bien en mal de le préciser. Comment cet argent est-il dépensé ? Martineau et Bégin le laissent croupir à ce sujet dans l'ignorance la plus complète. Et lui qui se croyait le chef !

Barrette parvient à constituer, à Montréal, un comité des finances, indépendant de la caisse de Québec gérée par Martineau. Sa manœuvre échoue plus ou moins car l'astucieux trésorier s'empresse de vider cette deuxième caisse dès qu'elle reçoit des fonds. Barrette doit temporiser une fois de plus, mais se jure bien de mettre l'argentier au pas après sa victoire. Il croit toujours à sa réélection, même si ses doutes augmentent à l'approche du scrutin[66].

Quinze jours avant le vote, Jos-D. Bégin porte un dur coup à la crédibilité du gouvernement Barrette. L'organisateur ne limite pas son travail de sape au seul champ de la publicité ou de l'organisation.

Il est au cœur d'une accusation de corruption électorale qu'un modeste cultivateur de Saint-Pacôme, dans le comté de Kamouraska, porte contre lui avec *affidavit* à l'appui.

— Ce ministre tout-puissant de la Couronne, affirme le cultivateur Honorius Pelletier aux journalistes, m'a remis 600 dollars et un chèque de 3200 dollars tiré sur la société Automotive Product (qu'il possède) pour me convaincre de renier publiquement le Parti libéral.

L'accusation est sérieuse et éclate comme une bombe! L'opposition en fait ses choux gras. Lapalme promène Honorius Pelletier avec lui, comme un trophée, et suggère aux électeurs du Bas-Saint-Laurent et des Cantons de l'Est :

— Le choix n'est plus entre l'Union nationale et les libéraux, mais entre un ministre corrompu et un honnête cultivateur de Saint-Pacôme[67]!

Barrette perd patience. Il ne s'entend pas avec l'organisateur, c'est vrai, mais là, la mesure est comble. Il convoque Bégin et, devant tout le Conseil réuni, réclame sa démission. Ses collègues protestent :

— La démission de Jos-D. Bégin, soutiennent-ils, donnera des armes de plus aux libéraux.

Le premier ministre réplique :

— Au contraire, la seule façon de ne pas être sali par cette affaire, c'est la démission de Bégin.

L'organisateur proteste, se démène comme un diable dans l'eau bénite pour sauver sa peau. Barrette fait valoir aux ministres :

— Il suffira d'expliquer à l'électorat qu'on ne juge pas un gouvernement d'après le comportement d'un seul individu, mais à ses œuvres.

Rien n'y fait! Barrette est seul dans son camp. Bégin rassure son chef :

— Tout cela est faux! Des mensonges et des calomnies! Je vais intenter une action en libelle contre Honorius Pelletier. Je vous garantis qu'avant le jour du scrutin mon honneur sera lavé et la mauvaise foi de mon accusateur démontrée!

Le premier ministre finit par céder[68].

Il s'en mordra vite les pouces. Le 20 juin, l'avant-veille du scrutin, le juge Gérard Simard libère Honorius Pelletier de l'accusation de libelle portée contre lui par le ministre Bégin, ce dernier, son avocat et ses témoins brillant par leur absence ! C'est un véritable croc-en-jambe pour Barrette qui se reproche son manque de fermeté. Une foule joyeuse approuve bruyamment la décision du juge Simard. La veille du vote, les quotidiens titrent à la une la nouvelle du déboutement essuyé par le ministre.

Quand viendra le temps des explications, après les élections, le chef vaincu s'en prendra amèrement à Bégin :

— Je vous tiens responsable de la défaite de l'Union nationale, lui dira-t-il. Il y a eu d'autres causes, mais l'affaire Pelletier nous a coûté plusieurs comtés[69].

Ses déboires, Antonio Barrette ne les doit pas qu'à ses seuls démêlés avec le duo Martineau-Bégin. Il n'est pas lui-même au-dessus de tout soupçon. Sa campagne personnelle est, manifestement, un fiasco. Contrairement à Lévesque et à Lesage, il ne sait pas émouvoir les foules. Barrette est un homme du peuple endimanché qui, paradoxalement, déteste la promiscuité, le contact trop direct avec les électeurs. Certains de ses organisateurs, dont Marc Faribault et Paul Levert, parcourent le Québec avec lui et se rendent vite compte du désastre qui se prépare. Aussitôt qu'une assemblée est terminée, le chef de l'Union nationale n'a qu'une seule pensée : s'enfuir au plus vite par une porte dérobée. Ce n'est pas un Daniel Johnson qui aime serrer des mains. Au contraire, cela le fatigue. Il évite le menu peuple d'où il est pourtant issu. La caque sent toujours le hareng !

Un jour, l'organisateur de ses assemblées, Marc Faribault, lui lance :

— Vous allez perdre vos élections !

Réfractaire à toute critique émanant de ses organisateurs, le « grand monsieur » est vexé. Comment pourrait-il deviner le pouls de la population, d'ailleurs ? Les fumées de son orgueil le lui cachent et sa candeur l'empêche d'analyser correctement la conjoncture électorale. Il réplique à Faribault d'un ton catégorique :

— Vous vous trompez, nous allons gagner[70] !

Un autre membre de son intendance, Paul Levert, voit rouge au cours d'une tournée électorale en Abitibi :

— Vous vous croyez premier ministre ! Vous ne le serez jamais !

La scène se passe dans la circonscription du ministre des Terres et Forêts, Jacques Miquelon. L'organisation locale a prévu, avant l'assemblée publique, un grand défilé d'automobiles dans les rues de la ville. On a battu la grosse caisse, retenu des dizaines de voitures et mobilisé plus de 800 personnes pour réserver au chef du parti un accueil royal. Mais le chef, on l'ignorait, déteste les « parades ». Il refuse de quitter l'hôtel et annonce à Paul Levert : « Pas de parade pour moi ! »

Que faire ? Annuler la manifestation ? Impossible ! Les militants locaux se sont mis en quatre pour en faire le clou de la campagne de leur candidat, le ministre Miquelon. On laisse Barrette à ses grands airs et on lui déniche un sosie que l'on installe dans la voiture de tête ! Paul Levert est si courroucé par l'attitude nonchalante de son chef qu'après s'être vidé le cœur il le plaque là avec son entourage, lui préférant, pour le retour, la compagnie des journalistes[71].

* * *

Antonio Barrette est affligé d'un caractère ombrageux. Après sa nomination acquise de haute lutte aux dépens de Yves Prévost et de Daniel Johnson, il accable le second de ses rivaux de mesures vexatoires. Le talent d'orateur du ministre des Ressources hydrauliques est reconnu depuis belle lurette. Pourtant, Barrette ne l'invite à ses côtés qu'à trois reprises et encore faut-il préciser qu'il n'a guère le choix car les ralliements se déroulent en plein territoire johnsonien : à Drummondville, à Granby et à Sherbrooke. Il tient son ministre pour un dangereux aventurier, pour un « allié objectif des Bégin et Martineau, et se sent épié par ce molosse ambitieux. Aussi souhaite-t-il secrètement l'éliminer de son entourage, voire du prochain cabinet.

La solidarité partisane oblige Johnson à oublier son hostilité envers son chef. Il l'épaulera s'il le lui demande. Dans l'intimité, pourtant, il ridiculise Barrette en l'appelant « les pieds ». Non pas parce qu'il a le don de se mettre les pieds dans les plats, mais plutôt parce que la nature l'a affublé de pieds démesurés qui le font se dandiner comme un canard. Avec ses palmes qui font flic ! flac ! flic ! flac ! sur le sol de marbre, on l'entend venir de loin dans les corridors du parlement. Chaque fois, Johnson annonce au secrétaire

Petit, amusé : « Tiens, les pieds qui s'en viennent ! »

La campagne électorale dans Bagot est relativement aisée pour Daniel Johnson qui tient le comté dans ses serres en dépit de la montée libérale. Théogène Ricard, qu'il a fait élire aux élections fédérales de 1957 et de 1958, lui rend la politesse. Il parcourt la circonscription avec lui et Jacques Pineault.

Le député de Bagot prête également main-forte aux candidats de Saint-Maurice, de Saint-Hyacinthe et du Lac-Saint-Jean. Il s'aventure une fois à Montréal, dans le comté de Maisonneuve, pour appuyer son ami, l'électricien Lucien Tremblay, un député au franc-parler dont « l'écorce est rude, mais le cœur bon ». Sauf à deux reprises, ses interventions, durant la campagne de 1960, n'auront guère de résonance provinciale.

Le politicien démagogue qui sommeille en Daniel Johnson ne peut rester à l'écart de la mêlée générale, même si la froideur de son chef l'incite à se tenir tranquille. Jean Lesage fait campagne au nom de la moralité publique et ne ménage pas les coups fourrés à l'endroit d'un gouvernement aux prises avec l'héritage du duplessisme. Dans son coin, Johnson en a, certains jours, la rage au cœur. On traîne dans la boue son maître à penser, Duplessis, et Barrette est incapable de relever le gant, de clouer le bec aux profanateurs !

À la mi-mai, Johnson n'en peut plus de se taire et s'en prend publiquement aux abbés Dion et O'Neil, dont un article vitriolique sur les mœurs électorales, paru en 1956, vient d'être édité à l'occasion de la campagne électorale. Le Devoir fait un tapage terrible avec ce « livre-choc » intitulé Le Chrétien et les Élections, dont il reprend de larges extraits. Les libéraux, eux, en font leur évangile.

Le 15 mai, à l'assemblée monstre de Drummondville, Johnson vole la vedette à son chef. Il s'écrie, en frappant le lutrin du poing, pour bien montrer à ses partisans son indignation :

— Malgré certains prédicateurs qui voudraient arracher du cœur des gens la gratitude, les électeurs voteront pour l'Union nationale ! Malgré tous les livres qu'on pourra publier, les gens sauront dire merci[72]...

Daniel Johnson vient de commettre une double gaffe. En opposant les « prédicateurs » Dion et O'Neil à l'Union nationale, il donne involontairement à penser que son parti est opposé à la moralité politique. L'éditorialiste André Laurendeau, qui scrute à la loupe la carrière de Johnson depuis 1958, ne laisse pas passer une si belle occasion :

> Les prédicateurs sont, d'ordinaire, opposés au péché et favorables à la vertu. (...) Si je parlais le langage des amis de M. Johnson, je lui reprocherais d'insulter notre clergé. Eh quoi ! M. Johnson accuse publiquement des prêtres d'être des saccageurs de vertu[73] !

En cédant à la démagogie de la « reconnaissance », le ministre Johnson donne raison aux deux abbés qui, dans leur livre, écrivent justement à ce propos :

> Ceux qui parlent sans cesse de reconnaissance entretiennent sur le pouvoir des concepts d'une autre époque.

Et Laurendeau de conclure :

> Le vote n'est pas une monnaie d'échange. Mon cher Johnson, vous croyez bien à la monarchie absolue. Vous oubliez que nous sommes en démocratie parlementaire. Après quinze ans de duplessisme, l'erreur est sans doute explicable[74].

Daniel Johnson s'est placé à contre-courant en attaquant les deux abbés. Mais sa sortie lui a valu de faire les manchettes, ce qui, pour un politicien, n'est pas à dédaigner. Barrette supporte difficilement la personnalité démagogique de Johnson. Même aux pires heures des luttes ouvrières du régime Duplessis, il a toujours refusé de sombrer dans la démagogie antisyndicale ou anti-ouvrière, ce qui lui aurait été très facile. Son ton est celui de la conciliation, de la modération, de la médiation. C'est pourquoi il est mortifié par les retombées journalistiques et politiques défavorables de l'esclandre de Johnson.

Il reste encore trois semaines avant le vote, mais déjà le premier ministre compose mentalement son futur cabinet. Impossible d'y trouver un poste pour le ministre des Ressources hydrauliques... Pourquoi ne pas l'évincer définitivement en lui tendant un piège ?

Début juin, au cours d'un Conseil des ministres, Barrette suggère à Johnson de lancer un défi à Paul Gérin-Lajoie, candidat libéral dans Vaudreuil-Soulanges, sur la question du gaz naturel que les libéraux ressassent avec délectation sur toutes les tribunes. Le député de Bagot demande à réfléchir car Gérin-Lajoie, l'un des jeunes turcs de Lesage, est un redoutable orateur.

Après la réunion, Barrette confie à l'un de ses ministres :

— Gérin-Lajoie ne va faire qu'une bouchée de Johnson. Il ne pourra même pas dire un mot ! Le cas échéant, il me sera donc possible de ne pas l'inviter à siéger dans mon cabinet.

Ledit ministre trouve que son chef exagère. Il s'arrange pour faire savoir à Johnson que l'assemblée contradictoire de Vaudreuil risque de lui nuire si jamais il se fait mettre en pièces par le brillant diplômé d'Oxford[75].

L'information stimule encore davantage l'envie que Johnson, batailleur-né, nourrissait déjà de se mesurer à Gérin-Lajoie. Que Barrette veuille le plonger dans un guêpier l'irrite, bien sûr, mais le dessein du premier ministre ne lui révèle rien qu'il ne sache déjà sur l'homme. Une seule chose le préoccupe : quelles sont ses chances de s'en tirer, face à Gérin-Lajoie ? Un homme peut le lui dire : Jacques Pineault. Johnson le fait venir et lui pose la question directement :

— Dites-moi honnêtement, monsieur Pineault, dois-je y aller ?

En vieux matou rusé, Jacques Pineault réfléchit quelques secondes, éclaircit sa voix traînante et caverneuse et dit, avec une pointe de vantardise :

— Je suis un spécialiste des assemblées contradictoires, monsieur Johnson. Chez les libéraux, c'était ma spécialité.

— Je mets ma carrière politique en jeu si je perds.

— Nous allons en faire un succès. Prenons la chance, chef ! Demandons vite à Loyola Schmidt, notre candidat dans Vaudreuil, de bien entourer l'estrade de nos partisans et allons-y, toute visière levée[76]...

Le flair politique du fils adoptif de l'ancien bras droit de Sir Wilfrid Laurier se révèle toujours juste et c'est cette qualité qui lui vaut d'être aux côtés du ministre Johnson. Pineault prépare minutieusement l'assemblée avec l'organisation unioniste de Vaudreuil-Soulanges, afin que, le jour venu, les chahuteurs libéraux n'aient pas le monopole de la claque. Pineault a fait ses classes politiques avec les libéraux et il sait par expérience que l'organisation de Gérin-Lajoie ne négligera rien pour tourner Johnson en ridicule.

Le jour de l'assemblée contradictoire, un après-midi de juin où le soleil tape dru sur les crânes, une foule partisane et bruyante de 3000 personnes, debout sous les érables centenaires du terrain de la mairie, assiste à un match enlevant entre Johnson et Gérin-Lajoie.

Des deux côtés, on a réuni sur l'estrade plusieurs orateurs chargés de réchauffer la foule avant le duel Johnson-Gérin-Lajoie. Pineault, qu'un précédent orateur a qualifié de « vire-capot », a de la difficulté à se faire entendre. Gérin-Lajoie doit demander le silence à ses partisans. Véritable Roger-bon-temps de la politique, Pineault remporte néanmoins beaucoup de succès :

— Si je me suis révolté contre mes anciennes allégeances libérales, c'est parce qu'on a imposé un centralisateur à tout crin, Lesage, comme chef du Parti libéral. (...) Si j'étais M. Gérin-Lajoie, je prierais tous les soirs avec MM. Lapalme et René Hamel pour la défaite d'un fédéraliste comme Lesage !

Eugène Boileau, le président de l'organisation libérale du comté, consacre au scandale du gaz naturel la majeure partie de son intervention bientôt saluée par un mélange d'applaudissements libéraux et de huées unionistes. Sans le savoir, Boileau vient de tendre à Johnson une perche imprudente. Dès qu'il se retrouve devant le micro, le ministre des Ressources hydrauliques se met à tonner :

— Je mets M. Boileau au défi de dire ici, cet après-midi, que j'ai fait quelque chose de croche dans cette affaire ! Je le mets au défi de porter des accusations précises devant moi et tous les gens rassemblés ici !

Le député de Bagot a lancé son ultimatum d'une voix forte où l'indignation est à peine contenue. Le silence se fait subitement dans la foule. Johnson a un sens inné du théâtre. Il se tourne carrément vers Eugène Boileau, assis à côté de Gérin-Lajoie :

— Je suis même prêt, M. Boileau, à vous accorder une minute du temps qui m'est alloué.

Le ministre s'interrompt et fixe l'organisateur libéral dont le visage, déjà rougi par le soleil brûlant, tourne à l'écarlate. Tous les yeux sont braqués sur lui. La foule retient son souffle pendant que Johnson compte les secondes en regardant sa montre avec ostentation. Boileau ne bouge pas. Il est rivé à son siège. Le député de Bagot s'écrie, triomphant :

— À chaque élection, c'est toujours pareil! Ça parle en dessous, mais quand on leur demande de venir le dire devant nous, ils font tous comme M. Boileau. Ils restent assis!

Paul Gérin-Lajoie brûle d'impatience sur sa chaise. Il va tenter de réparer tant bien que mal les pots cassés. Il y met le meilleur de lui-même, toute cette classe que reflètent son éloquence et sa personne. Il conclut une longue diatribe contre le gouvernement en accusant Barrette d'être le «champion de l'affaire scandaleuse du gaz naturel».

Comédien aussi doué que Johnson, celui qui deviendra bientôt le premier ministre de l'Éducation du Québec s'exclame en pointant vers le député de Bagot un index blanc d'universitaire:

— M. Daniel Johnson, je l'accuse de s'être vendu à lui-même, comme membre de l'équipe gouvernementale, des actions du gaz naturel!

L'accusé bondit vers le micro. Il a tout juste le temps de rétorquer:

— Tout ce que vous dites est faux! Faites attention!

Les derniers mots de Johnson se perdent dans les huées entremêlées d'applaudissements. Gérin-Lajoie et Johnson restent un moment côte à côte sans pouvoir parler, tellement la réaction de la foule est forte. Enchanté de son effet, Johnson retourne s'asseoir et le candidat libéral doit patienter encore quelques minutes avant de poursuivre son discours. Les journaux du lendemain concluent à un match nul entre les deux protagonistes[77]. Loin de s'être fait rosser, comme l'avait espéré le premier ministre, Daniel Johnson s'est révélé un gladiateur puissant. Quelques jours plus tard, sans soupçonner un seul instant qu'on avait averti son ministre de ses manigances, Antonio Barrette le félicite sans vergogne pour son succès et surtout son courage[78]!

De toute manière, le sort du gouvernement Barrette est déjà scellé. Le 22 au soir, Jean Lesage compte ses sièges: 51 contre 43 pour l'Union nationale. C'est un parti urbain qui vient d'être élu. Les libéraux remportent 23 des 37 comtés urbains, mais seulement 28 des 58 circonscriptions rurales. Une fois sa victoire assurée, Jean Lesage déclare à la télévision: «Mesdames et messieurs, la machine infernale avec sa figure hideuse, nous l'avons écrasée!»

De son côté, René Lévesque a été élu dans Laurier «par la peau des dents », en dépit des bandes de fiers-à-bras et de voyous qui ont intimidé les votants durant la journée. Le recomptage évaluera à 5000 les voix illégales accordées au candidat unioniste. Lévesque affirme aux journalistes de Radio-Canada :

— J'ai vu des officiers de la police provinciale dirigeant eux-mêmes des bandits qui entraient par six dans les polls[79] !

La veille du vote, Gérard Filion a recommandé à ses lecteurs de renverser le gouvernement : « Seize ans de pouvoir, c'est assez ! » Le lendemain, son vœu est exaucé. Filion commente le résultat : « C'est la fin d'une ère politique, l'ère Duplessis. »

Quelques jours plus tard, *Le Devoir* réclame une enquête sur les agissements de la police provinciale, le jour du scrutin, sous une manchette très descriptive : « Irrégularités, intimidations, actes de violence, saisies injustifiées. » En commentaire, le journal ajoute : « L'UN a vécu de ses scandales jusqu'à ce qu'elle en meur, le 22 juin 1960[80]. » On l'enterre trop vite. L'Union nationale n'est pas morte. Tout au plus entame-t-elle un lent processus de décomposition.

Antonio Barrette a accepté sa défaite comme le loup de Vigny, sa mort. Stoïquement. En 1956, Duplessis avait fait élire 72 députés et conservé le pouvoir. Barrette n'en a plus que 43. Quelle dégringolade ! Du côté des ministres, la carte des élus et des vaincus ne correspond pas à celle que Barrette avait imaginée. Jos-D. Bégin est réélu malgré ses frasques, de même que Johnson.

En revanche, Paul Beaulieu, ministre de l'Industrie et du Commerce, et Johnny Bourque, ministre des Finances, sont battus. Avant que les résultats ne commencent à être diffusés, Barrette espérait enlever au moins 60 comtés — juste assez pour se maintenir au pouvoir. Ses illusions s'évanouissent vers dix-neuf heures trente. Les deux partis sont nez à nez. Il pressent dès lors l'issue de la lutte.

Barrette se rend au quartier général du parti, au centre de Joliette, pour décommander toute manifestation. Il se terre ensuite chez lui pour écouter les résultats, en compagnie des journalistes. À vingt-deux heures trente, le visage calme et impassible du premier ministre apparaît sur les écrans de télévision.

— Si l'Union nationale a la minorité des sièges, dit Barrette, je remettrai immédiatement la démission de mon gouvernement.

Un peu plus tard, le sort en est jeté : Lesage détient huit sièges de plus que l'UN. Barrette tombe sous le couperet de son inaptitude, de la trahison des grands et des petits de son parti, d'une stratégie malencontreuse qui a braqué une lourde artillerie sur « René le Rouge » au lieu de conspuer l'évolution rapide de Lesage vers l'autonomie, de l'absence, enfin, d'un programme.

La politique de Barrette ? Elle se résumait à bâtir des égouts dans toutes les municipalités de la province ! Durant la session précédant les élections, il avait vainement essayé de convaincre le Conseil des ministres d'adopter un vaste projet de voirie de 1 milliard de dollars. À la fin des années 50, il s'était déjà intéressé à ce projet avec le concours de Louis-P. Deslongchamps, président du Service d'aqueducs et de drainage du gouvernement.

Antonio Barrette voulait installer dans toutes les municipalités rurales et les petites villes un réseau complet d'aqueducs et d'égouts[81]. L'entreprise était gigantesque et aurait grugé les fonds publics que les nouvelles lois amorcées durant l'intermède Sauvé tendaient plutôt à orienter du côté de l'éducation, de la santé et de la sécurité sociale.

Le « grand monsieur » n'évoluait plus au diapason de la société nouvelle. L'arrogance acquise au cours de seize années de pouvoir (en plus de lui avoir permis, comme à beaucoup trop de personnages du régime, de s'enrichir jusqu'à l'inconvenance) l'empêchait de considérer, ne fût-ce qu'un instant, la pensée subversive qu'un autre parti que le sien, qu'un autre chef politique que lui-même pourraient peut-être diriger la province.

Le directeur du *Devoir*, Gérard Filion, était allé pêcher à quelques reprises avec Barrette. Il l'avait jugé intelligent, gentil, chaleureux, mais complètement dépassé par les problèmes.

Barrette souffrait de ne pas être avocat. Premier ministre, il fit des pressions auprès des universités pour obtenir un doctorat *honoris causa*, humilié qu'il était de ne pas avoir de diplômes. Il en obtint quatre, finalement, des universités Laval, de Montréal, McGill et de Lennoxville. L'ancien commis des Chemins de fer nationaux en était très fier. Quand un malotru lui niait la capacité intellectuelle de diriger le Québec, il les exhibait comme des oriflammes[82].

Dans le clan Johnson, on disait de lui avec un air de supériorité : « C'est un brave homme, mais il n'a pas la préparation pour conduire une élection ni pour gouverner la province. »

Les soirées de défaite électorale se terminent rarement par des feux de joie chez les vaincus. À Saint-Pie-de-Bagot, chez les Johnson, on est habitué depuis tant d'années à la victoire que l'ambiance est nettement morose. Daniel Johnson est élu dans son comté pour un cinquième mandat. Neuf des 12 paroisses de Bagot lui ont accordé une majorité appréciable.

— Et la défaite de votre gouvernement, M. Johnson, qu'en pensez-vous ? lui demande le reporter de Radio-Canada.

— La classe rurale, commente l'ancien ministre, a encore confiance en l'Union nationale qui reste un parti fort, propre et combatif.

Johnson ne se laisse pas abattre facilement. Mais, ce soir-là, Reine Johnson et ses enfants doivent lui remonter le moral.

Pourtant, le dénouement du vote était prévisible. Pourquoi, alors, ces pleurs et ces grincements de dents ? Combien de fois n'a-t-il pas lui-même laissé entendre aux militants du parti qu'avec Barrette comme chef ce serait le désastre ? Qu'Antonio Barrette n'ait pas été de taille à se mesurer à Jean Lesage, il le savait pertinemment, non ?

Jacques Pineault est venu assister avec d'autres au dépouillement du scrutin chez son « chef ». Il encaisse beaucoup mieux que celui-ci la défaite du gouvernement. Du temps de l'hégémonie duplessiste, Pineault travaillait avec les rouges, systématiquement défaits à chaque élection. Tant de déceptions l'ont rendu fataliste. À la fin de la soirée, il prend par le bras un Daniel Johnson vidé et penaud pour le conduire à sa chambre. Il lui dit d'un ton optimiste et convaincant :

— Reposez-vous quelques jours, chef, et venez à Québec. La porte est maintenant grande ouverte pour un congrès au leadership. Nous allons relever nos manches et travailler à poser les premiers jalons au plus vite[83].

Le député de Bagot ne cède pas longtemps au découragement. La douche a été froide, mais elle lui a fait du bien. Il repart en guerre. Quand il reprend la route de Québec, le lundi 27 juin, Johnson est hanté par une seule pensée : bâtir le plus rapidement possible un comité d'organisation. Il réunit dans sa suite du Château trois collaborateurs qui lui sont dévoués : Jacques Pineault, Étienne

Simard et le député Armand Russell. Deux autres militants vont bientôt se greffer comme des atomes à ce noyau : Christian Viens, un organisateur hors pair, et le député de Labelle, Fernand Lafontaine.

Le groupe élabore une campagne de bouche à oreille auprès des partisans. L'objectif : exiger un congrès démocratique pour le choix d'un nouveau chef. Les jours d'Antonio Barrette sont comptés. Il ne pourra pas s'accrocher longtemps à son titre de chef de l'opposition. Une armée pardonne rarement à celui qui l'a conduite à la défaite. Un chef vaincu a toujours tort. De surcroît, Barrette a une tête de bouc émissaire.

Notes — Chapitre 4

1. *La Presse* et *Le Devoir*, le 4 janvier 1960.
2. Peter Newman, *op. cit.*, p. 278.
3. *Le Devoir*, le 4 janvier 1960.
4. Paul Dozois ; et Antonio Barrette, *op. cit.*, p. 194.
5. Jacques Pineault et Paul Dozois.
6. Jacques Pineault.
7. *Ibid.*
8. Antonio Barrette, *op. cit.*, p. 195.
9. Claude Gosselin.
10. Paul Dozois.
11. *Ibid.*
12. Jacques Pineault.
13. *La Presse*, le 5 janvier 1960.
14. *Le Devoir* et *La Presse* des 5 et 6 janvier 1960.
15. Paul Dozois ; et Antonio Barrette, *op. cit.*, p. 196.
16. *The Monetary Times*, « Antonio Barrette », vol. 128, nº 5, mai 1960, p. 105-106.
17. Antonio Barrette, *op. cit.*, p. 196.
18. Maurice Bellemare.
19. Jean-Noël Tremblay.
20. Le juge Maurice Johnson.
21. Paul Dozois.
22. *Le Devoir*, le 7 septembre 1960.
23. *La Presse*, le 7 septembre 1960.
24. Paul Dozois.
25. *Le Devoir*, le 14 janvier 1960.
26. Robert Rumilly, *op. cit.*, p. 579 ; Conrad Black, *op. cit.*, p. 33 ; Paul Dozois.
27. Robert Rumilly, *op. cit.*, p. 614, 635 et 661.
28. Cardinal, Lemieux et Sauvageau, *op. cit.*, p. 196.
29. Paul Dozois.
30. Claude Gosselin.
31. *Le Devoir*, le 8 janvier 1960.
32. Claude Gosselin.
33. *Le Devoir*, le 8 janvier 1960.
34. Paul Gros d'Aillon, *Daniel Johnson, l'égalité avant l'indépendance*, Montréal, Stanké, 1979, p. 12.
35. *Le Devoir*, le 13 janvier 1960.
36. *La Réforme*, organe officiel du Parti libéral, le 16 janvier 1960.
37. *Le Devoir*, le 8 janvier 1960.
38. *Ibid.*

39. *Ibid.*, le 14 janvier 1960.
40. Antonio Barrette, *op. cit.*, p. 207.
41. Paul Petit.
42. Antonio Barrette, *op. cit.*, p. 198.
43. Claude Gosselin.
44. Cardinal, Lemieux et Sauvageau, *op. cit.*, p. 104-106.
45. Antonio Barrette, *op. cit.*, p. 256.
46. Claude Gosselin.
47. Antonio Barrette, *op. cit.*, p. 257.
48. *Ibid.*, p. 253 ; et *Le Temps*, le 12 décembre 1959.
49. Denis Monière, *op. cit.*, p. 292 et Antonio Barrette, *op. cit.*, p. 353-354.
50. Conrad Black, *op. cit.*, p. 445-450.
51. *Ibid.*, p. 452-455.
52. Denis Monière, *op. cit.*, p. 294-295.
53. *Ibid.*, p. 295.
54. Peter Desbarats, *René Lévesque ou le projet inachevé*, Montréal, Fides, 1977, p. 96.
55. *Le Devoir*, le 21 mai 1960.
56. *Le Devoir*, le 6 juin 1960.
57. Jean-Louis Gagnon, *L'Histoire de la presse écrite au Québec*, série diffusée par Radio-Canada, janvier 1980.
58. *Le Devoir*, le 23 mai 1960.
59. Jean Provencher, *René Lévesque, portrait d'un Québécois*, Montréal, La Presse, 1973, p. 146-149.
60. Peter Desbarats, *op. cit.*, p. 99-100.
61. *Le Devoir*, le 20 juin 1960 ; et *La Patrie*, le 23 octobre 1960.
62. Antonio Barrette, *op. cit.*, p. 259.
63. Cardinal, Lemieux et Sauvageau, *op. cit.*, p. 175.
64. Antonio Barrette, *op. cit.*, p. 330.
65. Roger Ouellet.
66. Antonio Barrette, *op. cit.*, p. 259.
67. *Le Devoir*, le 4 août 1960.
68. Antonio Barrette, *op. cit.*, p. 261.
69. *Ibid.*, p. 261.
70. Marc Faribault.
71. Paul Levert.
72. *Le Devoir*, le 16 mai 1960.
73. *Ibid.*, le 17 mai 1960.
74. *Ibid.*
75. Jacques Pineault.
76. *Ibid.*
77. *Montréal-Matin* et *Le Devoir* du 9 juin 1960.

78. Jacques Pineault.
79. Jean Provencher, *op. cit.*, p. 154-156.
80. *Le Devoir,* les 23 et 27 juin 1960.
81. Antonio Barrette, *op. cit.*, p. 358.
82. Cardinal, Lemieux et Sauvageau, *op. cit.*, p. 107.
83. Jacques Pineault.

CHAPITRE 5

« Danny Boy » ou la naissance d'une légende

Les premiers coups de trompette de la Révolution tranquille sonnent curieusement : le nouveau régime s'installe dans un climat d'intimidation policière. Les nouveaux maîtres humilient les anciens. Jean Lesage ordonne à la police de monter la garde au parlement : aucun document public ne doit sortir ! Il suspend également tous les travaux publics.

Un vent de panique souffle dans les rangs des ministres et députés de l'ancien régime. Après les avoir dépossédés du pouvoir, voilà qu'on s'attaque maintenant à leur réputation, à leur intégrité. Lesage badine-t-il ? Non. La police lui obéit déjà, même s'il n'est pas encore premier ministre. La passation des pouvoirs n'aura lieu que le 5 juillet. Antonio Barrette étire le temps.

Cinq jours à peine après le vote, Jacques Miquelon, ministre des Terres et Forêts, entrevoit l'œil d'acier de l'État policier. Au moment de sortir du parlement, deux zélés représentants du nouvel ordre libéral lui ordonnent d'ouvrir sa serviette, tout ministre qu'il soit ! Son sang ne fait qu'un tour. Il serre son porte-documents contre sa poitrine et hurle :

— Jamais ! Je préfère aller en prison, plutôt !

Les policiers parlementent et, finalement, le ministre s'exécute, la perspective de se retrouver au cachot ne lui souriant guère...

Dans sa serviette, il n'y a rien d' « incriminant » ; quelques papiers personnels, tout au plus. Même traitement pour plusieurs autres députés ou ministres de l'Union nationale. Les arrogants d'hier se font petits, gênés ou apeurés.

Habitués depuis tant d'années à parler haut et fort, les anciens dirigeants rasent aujourd'hui les murs comme des voleurs. Le nouveau pouvoir les a catalogués ennemis de la *res publica*. Épiés à la fois par les policiers et par la presse, certains paraissent perdus et complexés aux journalistes qui ont peine à nouer avec eux des conversations sensées[1].

Des ministres, hier crâneurs devant les reporters, les saluent aujourd'hui du bout des doigts ou les fuient carrément. D'autres refusent de se laisser photographier, comme ces malfaiteurs qui soustraient leur visage aux éclairs de magnésium.

Antonio Barrette finit par s'indigner d'un harcèlement policier « de nature à effrayer les gens épris de liberté et partisans de la véritable démocratie ». Il obtient un vote de confiance de la députation, puis convoque ses ministres. Ils arrivent un à un ou par grappes. Le défilé a quelque chose de pathétique. Plusieurs ministres passent la tête haute devant la troupe de journalistes sans les voir. Quelques-uns risquent un sourire timide. Certains se permettent une blague ou deux, tel Daniel Johnson qui lance aux membres de la tribune parlementaire :

— Nous avons hâte de critiquer à notre tour !

Le nez en l'air, le « grand monsieur » traverse rapidement la double rangée de reporters. Il refuse de ralentir devant les photographes et caméramen de la télévision. Il proteste même :

— Non, non, messieurs, pas de photographies !

Le résultat du Conseil des ministres ? Il est clair et catégorique : Lesage n'aura pas le pouvoir tant et aussi longtemps que les résultats officiels ne seront pas connus entièrement et qu'il ne mettra pas fin à ses représailles policières.

— La tactique de M. Lesage est simple, avance l'ex-premier ministre. Il veut faire peser des soupçons sur des ministres de la Couronne qui ont consacré les meilleures années de leur vie au service de la province.

Barrette fulmine contre le chef libéral et lui rappelle qu'il n'a encore aucune autorité pour se servir de la police à des fins politiques :

Le fait de vouloir fouiller les serviettes des ministres, d'établir des cordons de police autour du parlement, d'obliger des employés féminins à ouvrir leurs sacs à main indique un état d'esprit dangereux parce qu'il prouve soit un désir de vengeance, soit un manque de maturité, soit la mise en application de mesures dictatoriales que le peuple du Québec n'acceptera pas[2].

Les ministres vaincus de l'Union nationale prennent un malin plaisir à retourner contre les libéraux le vocabulaire dont ces derniers ont abusé à leurs dépens durant tant d'années. Les scélérats d'hier sont devenus des victimes. Et les « libérateurs » rouges, rien d'autre que de nouveaux tyrans. Après avoir réprouvé les sévices de la police duplessiste, voilà que leur premier réflexe est de placer un couteau sur la gorge des vaincus. Vengeance politique ? Aberration momentanée ? Répression policière ou excès de zèle ?

Jean Lesage côtoie l'abîme et s'en aperçoit. Dégrisé, il s'excuse publiquement auprès de tous ceux qui ont éprouvé des ennuis avec les policiers. À ceux-ci, il recommande de se servir de leur matière grise et à Barrette, de cesser « ses enfantillages » et de démissionner sans tarder, le verdict des urnes ne laissant place à aucune équivoque.

Naguère si sensible au moindre accroc aux libertés individuelles commis sous Duplessis, le rédacteur en chef du *Devoir*, André Laurendeau, ne paraît pas troublé outre mesure par le climat policier. Que le nouveau gouvernement traite l'ancien comme une bande de brigands de grand chemin laisse sa plume indifférente. Par contre, le retard que met à démissionner le chef unioniste l'indispose au plus haut point : « Politiquement, M. Barrette a tort. Les casse-pieds, les resteux, les colleux ne sont jamais populaires[3]... »

La neutralité bienveillante d'André Laurendeau à l'égard des errements des libéraux préfigure la brève complicité qui marquera les rapports entre le régime Lesage et la presse, de 1960 à 1964.

La longue période de transition politique tire à sa fin. Daniel Johnson a hâte de pouvoir commencer à jouer son nouveau rôle de critique. Le 4 juillet, le « grand monsieur » consent enfin à accepter le verdict du peuple. Le lendemain, le cabinet Lesage est assermenté.

De tous les anciens ministres, Johnson est celui qui retombe sur ses pieds le plus rapidement. Loin d'éviter les journalistes, il s'en approche plus que jamais auparavant. Il les flatte, les frôle, les courtise. À son ami Pierre Laporte, il demande en bon plaisantin de publier dans son journal l'adresse de son bureau d'avocat... car son nouveau titre de simple député de l'opposition lui laissera certainement du temps pour exercer son ancienne profession !

Mais ce n'est qu'une boutade ! Au cours des mois qui suivent, Johnson n'aura pas trop des sept jours de la semaine ni des vingt-quatre heures de la journée pour arracher, de peine et de misère, la direction de l'Union nationale à Jean-Jacques Bertrand.

Pour le député de Bagot, le compte à rebours a débuté le soir même de la défaite de Barrette. Désormais, chacun de ses gestes et chacune de ses paroles vont tendre vers un seul but : le congrès au leadership. À la reprise de la session, son énergie et sa connaissance de la procédure le consacrent leader officieux, sinon officiel, de l'opposition.

L'attitude décontractée de Johnson se double d'une étonnante détermination à se battre. Il n'est pas le genre d'homme politique à laisser les adversaires salir le nom de Maurice Duplessis. L'Union nationale n'est pas le parti mal famé que les libéraux se plaisent à vilipender. Quel contraste entre lui et ses collègues dont le silence, la nervosité et l'inquiétude s'accroissent de jour en jour ! Certains redoutent l'avenir. Comment dormir en paix après le premier cri de guerre lancé par le nouveau premier ministre contre le patronage et l'immoralité politique ? Lesage mettra-t-il à exécution sa menace d'instituer une commission royale d'enquête sur l'administration unioniste ?

Le 22 juin, les Québécois ont changé de gouvernement et de vie. La victoire des libéraux modifie très rapidement leur environnement social et politique. L'ancien régime a vécu. La restauration libérale s'articule autour de deux axes : épuration et réforme.

— Jamais notre gouvernement ne retournera au système du patronage ! s'exclame Jean Lesage, lors de la conférence de presse du 2 juillet où il déclenche la guerre au favoritisme et à l'immoralité politiques.

Il faut exorciser les pratiques immatures de l'ancien régime et faire table rase d'une éthique de la prévarication. Durant les semaines qui suivent, Lesage s'y emploie en multipliant les déclarations incendiaires contre le « patronneux professionnel, ce parasite de la société, ce chancre de l'industrie et du commerce aussi bien que de la politique, qui mène une vie d'entrepreneur en monnayant ses prétendues influences[4] ».

S'il met tant de grandiloquence dans son offensive contre le favoritisme politique, c'est autant pour réduire au sein de son propre parti l'opposition à sa volonté d'épuration que pour préparer l'opinion publique à la grande enquête sur l'Union nationale qui débutera à la fin de l'automne.

Seize années de jeûne ont aiguisé l'appétit des militants libéraux. Certains ont la dent très longue. Nombreux sont ceux qui souffrent du nettoyage des mœurs politiques auquel leurs dirigeants les convient avec tambour et trompette. Le butin est là, il est alléchant, mais les chefs du parti leur interdisent d'y toucher ! Incapables, comme Tantale, de satisfaire leur soif et leur faim dévorantes, certains en éprouvent bientôt un sentiment de frustration qui tourne à la révolte[5].

Durant la campagne électorale, les grandes envolées moralisatrices de Lesage ont laissé plusieurs candidats libéraux complètement indifférents. Une fois élus, ils s'empressent d'ordonner aux fonctionnaires et aux entrepreneurs de la voirie et des travaux publics de faire tourner à leur profit la machine du patronage. L'assiette au beurre vient de changer de mains. L'injustice de vingt ans d'ostracisme et de privations exige réparation. La fin du patronage ? Assurément, mais à la condition que ce soit celle du patronage des *autres* !

Politicien flamboyant, Lesage aime faire des mots. Mais il aime également l'action. Ceux qui, dans son parti, ont cru qu'il se contenterait de dissertations oiseuses sur la nécessaire alliance de la démocratie et du gouvernement en vue de liquider une fois pour toutes le « plus formidable empire de patronneux jamais vu dans un pays libre » se trompent joliment.

En octobre, la police émet un mandat d'arrestation contre Normand Després, secrétaire du député libéral du comté de Bourget, soupçonné d'avoir touché un pot-de-vin de 1000 dollars pour l'émission d'un permis de vente de boissons alcooliques. Jean Lesage ne plaisantait pas. Le lendemain, il commente l'incident en sortant d'une réunion de son cabinet :

— Que chacun se le tienne pour dit ! Il faut que cela cesse[6] !

Le chef libéral ne parlait pas non plus à tort et à travers quand il jurait, durant la campagne électorale, d'instituer une commission royale d'enquête pour faire la lumière sur l'affaire du gaz naturel et sur l'administration unioniste. Le 5 octobre, il annonce qu'il a confié au juge Élie Salvas, de la Cour supérieure, le mandat d'enquêter sur l'administration de l'Union nationale. Le juge Salvas aura neuf mois pour soumettre un rapport sur les méthodes d'achat au ministère de la Colonisation (dirigé alors par Jos-D. Bégin) et au Service des achats de la province. L'enquête devra aussi élucider la question des transactions effectuées en 1958, lors de la vente du réseau de gaz d'Hydro-Québec à la Corporation du gaz naturel du Québec.

La création de la commission Salvas, tant redoutée par certains membres de l'Union nationale, signifie pour ce parti et celui qui en sera bientôt le chef, Daniel Johnson, plusieurs années de purgatoire. Elle arrive à point nommé pour donner le coup de grâce à une formation politique déjà déchirée par les règlements de comptes et les querelles de clans. C'est une lourde hypothèque. Elle gênera jusqu'en 1965 la relance du parti qu'amorcera Johnson après en avoir été élu le chef, en septembre 1961.

L'enquête royale doit avoir lieu à tout prix même si, au sein du cabinet libéral, certains ministres doutent de son à-propos. Élevé au rang de vertu par l'ancien régime, le favoritisme politique, pour être anéanti, doit d'abord faire l'objet d'un exorcisme collectif. Le rituel choisi par les libéraux est une enquête publique dont les répercussions seront assez fortes pour chasser à tout jamais de l'âme du peuple les démons de la malversation politique.

La campagne d'épuration du gouvernement Lesage ne se borne pas à remuer les cendres du passé. Pour mettre fin « aux orgies des dépenses d'élections », le nouveau procureur général, Georges-Émile Lapalme, annonce en juillet la création d'un Conseil du trésor modelé sur celui d'Ottawa et qui aura pour tâche de scruter tous les achats importants. Le 14 du même mois, les observateurs assistent, incrédules, à une première dans l'histoire politique du Québec : les grands quotidiens publient une demande de soumissions publiques pour l'exécution de travaux de voirie aux abords du pont de Québec.

Les libéraux donnent ainsi suite à l'article 50 de leur programme électoral. Avec un quart de siècle de retard, c'est aussi la réalisation d'une promesse de Duplessis. En 1936, le chef de l'Union nationale s'était engagé à instaurer un régime de soumissions publiques, mais, une fois au pouvoir, il avait été frappé d'amnésie. Quand l'opposition lui avait rappelé sa promesse de 1936, Duplessis avait fait marche arrière en apposant sur les soumissions publiques le sceau de « système hypocrite[7] ».

Dans une nouvelle offensive contre le patronage, Jean Lesage révèle, en octobre, qu'il entend restaurer la dignité du député. Sous les libéraux, le député sera avant tout un législateur, un chaînon entre l'État et le peuple, un représentant honnête et libre d'une population honnête et libre. Le député ne sera plus la caricature humiliée des parlementaires d'ailleurs, ni le pion des « patronneux » ni un « patronneux » lui-même.

— Sous notre gouvernement, s'exclame Lesage au congrès de la Fédération libérale du Québec, le député ne redeviendra jamais le porte-paquet d'un soviet de petits « patronneux » gouvernant son comté, comme le soviet des « Grands-Patronneux » gouvernait l'Union nationale tout entière, depuis le chef démissionnaire jusqu'au dernier cantonnier[8].

Même mobilisation contre le patronage du côté de la fonction publique. Les libéraux ont promis de chasser la politique des services publics. « Ils le feront », dit Lesage. Ce ne sont plus la routine, le favoritisme ou les lettres de recommandation qui régiront l'engagement des fonctionnaires, mais un système de concours et d'examens.

S'il faut nettoyer le Québec des relents du duplessisme, il faut aussi le rebâtir. Les premières prises de position du chef libéral ne laissent planer aucun doute à ce sujet. Le nouveau gouvernement invite les Québécois à un gigantesque effort collectif de reconstruction nationale.

Assurance-hospitalisation dès le 1er janvier 1961, gratuité scolaire, réforme en profondeur de la police provinciale, orientation de l'économie, modernisation de l'appareil administratif, création de trois nouveaux ministères appelés à jouer un rôle de premier plan : les Affaires fédérales-provinciales, les Richesses naturelles et les Affaires culturelles. Le Québec devient un véritable chantier. Le « changement de vie » commence[9].

Après sa défaite du 22 juin, Antonio Barrette s'était promis de réorganiser son parti en se passant des services de Gérald Martineau et de Jos-D. Bégin. Le chef battu aura-t-il assez de poigne pour mener à bien cette relance? La politique est un monde dur. Une jungle. Barrette se heurtera à plus carnassier que lui. Deux mois d'intrigues et de manigances des compères Martineau et Bégin auront facilement raison de lui. Le 15 septembre, le «grand monsieur» reprend pour toujours le chemin de Joliette. Pour lui, le rideau vient de tomber.

La lutte solitaire de Barrette contre l'influence provocante du trésorier et de l'organisateur débute le lendemain de la défaite. Quelques ministres lui rendent visite à son bureau du parlement où il est venu s'entretenir avec Jean Lesage du transfert des pouvoirs. Jean-Jacques Bertrand, qui a l'oreille du chef, fait une bruyante sortie contre son collègue Bégin:

— Je ne siégerai jamais plus aux côtés de Bégin! Il est responsable de notre défaite!

Plus tard dans la journée, l'accusé demande à rencontrer le premier ministre battu. Jos-D. Bégin file doux et se montre très inquiet pour l'avenir de l'Union nationale. Sinueux comme un serpent, il propose à Barrette une alliance contre le trésorier Martineau. C'est lui le responsable réel de la débâcle du gouvernement, insinue-t-il.

— Je peux vous prouver que des amis de Martineau ont contribué à la caisse des libéraux, souffle l'organisateur.

— Avez-vous des preuves de ce que vous dites? coupe Barrette d'un ton sec.

Bégin promet de les lui fournir. Elles ne viendront jamais! Les accusations de l'organisateur tournent autour d'une pratique courante chez les bailleurs de fonds des partis politiques. Prévoyant une victoire libérale, des entrepreneurs enrichis grâce aux contrats de Martineau ont tout simplement souscrit aux deux caisses. Barrette n'a cure des insinuations d'un homme qu'il compte, de toute façon, éliminer du parti. Pas question de conclure avec lui un pacte qui pourrait se révéler un marché de dupes[10]!

Au caucus du parti, le 28 juin, Barrette peut croire que les

choses vont tourner à son avantage. Malgré les revers, l'enthousiasme des députés ne se dément pas de toute la réunion qui se
termine par un vote de confiance unanime à l'endroit du chef
vaincu. À la sortie du caucus, le *whip* du parti, Émilien Rochette,
déclare à la presse :

— L'Union nationale reste un parti fort avec à sa tête son
chef d'hier et de demain, l'honorable Antonio Barrette[11].

Même Martineau, aussi rayonnant après la défaite du 22 que
s'il venait de gagner les élections[12], verse dans la complaisance envers
Barrette. Dernier orateur, le trésorier lui adresse un compliment
empoisonné :

— Je demande la confiance de tous envers le chef. Personne
n'aurait pu faire une meilleure lutte que lui.

C'est la moutarde après le dessert ! Antonio Barrette tient le
geste de Martineau pour de l'obséquiosité pure et simple. Sa méfiance est si grande qu'il reste de glace. L'attitude du chef de
l'Union nationale indispose une fois de plus le trésorier qui entre en
campagne contre lui quelques jours après le caucus[13].

Début juillet, les événements s'accélèrent. Fort de l'appui des
députés, Barrette entreprend de réorganiser le parti. Il y a cependant
une question à régler : le chef veut connaître enfin l'état des finances
de l'Union nationale. Il lui faut donc forcer la main du trésorier. Le
temps est venu. Depuis les élections, Barrette se sent dévoré par un
besoin irrépressible : remettre Martineau à sa place !

Le trésorier n'arrête pas de fourrer son nez dans les affaires du
bureau du chef de l'opposition, comme si c'était lui le patron ! À
l'attaché de presse de Barette, Jean Pelletier, qui s'apprêtait à
prendre quelques jours de congé après le scrutin, Martineau intime
d'un ton péremptoire :

— Restez à votre poste ! Vous n'avez pas de congé à prendre !

Quelque temps plus tôt, le millionnaire avait tenté d'imposer
à Barrette des collaborateurs qui lui étaient dévoués, comme la
fidèle Auréa Cloutier qui, en plus d'assumer la direction du secrétariat, l'aurait tenu au courant des activités du chef unioniste.
Mais celui-ci avait vu venir le coup et avait préféré se passer des
services de l'ancienne secrétaire de Duplessis[14].

Rencontre brève et laborieuse — à peine trente minutes —

que celle qui se déroule au début de juillet à la résidence de Gérald Martineau, au lac Beauport. Antonio Barrette est venu aviser le trésorier de ses projets de réforme. Le visage durci par la maladie qui le tenaille depuis quelques mois, celui-ci écoute d'un air distrait les propositions du chef de son parti.

Les deux secrétariats permanents qui constituent toute l'organisation de l'Union nationale ne sont pas suffisants. Il faut moderniser le fonctionnement du parti. Barrette veut mettre sur pied un bureau d'information et de statistiques pour renseigner l'opposition, constituer un cabinet fantôme selon le modèle britannique et entreprendre une campagne de propagande télévisée.

Pour cela, il faut de l'argent. Or, il se trouve dans le coffre-fort de Martineau auquel le chef du parti n'a pas accès. Barrette demande au petit homme :

— Seriez-vous disposé à remettre la caisse à une société de fiducie imperméable à toute influence ou contrôle ?

Martineau se raidit. Il ne semble pas pressé du tout de se libérer « de son esclavage doré », comme il aime à dire en parlant de sa gestion de la caisse électorale unioniste. Son visage reste fermé. Il ne veut rien entendre et, quand Barrette lui demande l'importance des fonds dont il dispose, il rugit d'un ton impoli :

— Je n'ai pas de comptes à vous rendre !

Barrette n'insiste pas, sachant qu'il n'arrivera pas à le faire changer d'avis. Le trésorier s'adoucit soudain et lui propose, comme Bégin plus tôt, une alliance dont l'ancien ministre de la Colonisation ferait les frais...

— Il faut qu'il parte ! dit-il à Barrette[15].

Antonio Barrette n'est pas politicien pour deux sous. Les deux « faux frères » lui offrent à tour de rôle l'occasion unique de les jouer l'un contre l'autre pour mieux les démasquer ! Il refuse la main qu'ils lui tendent, pour la seule et unique raison qu'il veut les voir partir tous les deux. Ce faisant, il provoque inconsciemment leur rapprochement et signe son arrêt de mort.

En insouciant qui calcule mal le rapport des forces en présence, Antonio Barrette quitte la vieille capitale pour un mois. Aussitôt le chat parti, les souris Martineau et Bégin, de nouveau soudées l'une à l'autre par son coup de patte humiliant, se remettent à danser. Elles lancent sournoisement auprès de la direction du parti et des collaborateurs du chef (qui se prélasse au soleil) une même consigne :

— Il faut que Barrette s'en aille !

La campagne anti-Barrette marche si rondement que la presse en fait état dès le 21 juillet, une dizaine de jours avant le retour du principal intéressé. *Le Devoir* écrit : « La plupart des militants et organisateurs de l'Union nationale veulent écarter Barrette, mais il n'y a pas d'unanimité sur le choix du successeur. »

Le lendemain, le journal renchérit : « La situation de M. Barrette est intenable. Dans les hautes sphères de l'Union nationale, on est impitoyable sur son leadership. On est féroce pour le vaincu du 22 juin. M. Barrette garde peu d'autorité sur son parti. Son sort est déjà scellé : il devra partir[16]. »

La course au leadership est déjà commencée, malgré l'absence de celui qui demeure le chef. Tant que l'opinion n'a pas été alertée, Daniel Johnson s'est tu. Il s'est également tenu à l'écart des démêlés entre Barrette et le duo Martineau-Bégin.

Néanmoins, Johnson ne reste pas inactif, bien au contraire. Avec son organisation, il poursuit auprès des militants son travail de sensibilisation en vue d'un éventuel congrès au leadership. Le 20 juillet, le quotidien *La Presse* lance une rumeur susceptible d'inquiéter le député de Bagot. Le journal publie une information selon laquelle la direction du parti cherche comme chef un « homme neuf » qui n'aurait pas pris part à la lutte politique durant les quinze dernières années. L'Union nationale a pressenti Marcel Faribault, président du Trust général du Canada, écrit *La Presse*.

Marcel Faribault n'a nullement l'intention de s'embarquer dans la galère de l'UN, qui fait eau de partout. Il dément vivement la nouvelle de *La Presse*. Daniel Johnson n'a pas aimé l'épisode. Entre la direction de son parti et lui, il n'y a plus que le faible et détesté Antonio Barrette dont les jours sont maintenant comptés. Il y a aussi Jean-Jacques Bertrand, dont *Le Devoir* vient de rappeler qu'il aspire lui aussi à devenir chef, mais Johnson ne le craint pas.

D'avoir été témoin d'une campagne de presse en faveur d'un troisième larron, en l'occurrence Marcel Faribault, a fouetté le député de Bagot. Il accélère le tempo de sa campagne en inspirant à un journaliste de la Presse canadienne l'idée qu'il favorise plus que jamais la tenue d'un congrès dans un avenir rapproché. Le lendemain, il affirme carrément :

— Je ne servirai que sous un chef choisi par un congrès général du parti[17].

À son retour à Québec, au début d'août, Antonio Barrette se retrouve au milieu d'un champ de tir. Les vaincus se retournent toujours, tôt ou tard, contre le chef qui n'a pas su les garder au pouvoir. Le « grand monsieur » refuse néanmoins de céder aux loups qui le cernent. Il n'a pas encore poussé son dernier hurlement. Il va se chercher des alliances, lui aussi, afin de faire échec à la stratégie des longs couteaux, dont Martineau et Bégin se sont faits les instigateurs.

Le caucus des longs couteaux

Le grand argentier tire profit de l'isolement du député de Joliette. Sans appuis, celui-ci n'arrivera jamais à « dégommer » Martineau dont la puissance peut bloquer tout effort de réorganisation du parti et le démolir, lui, le chef. Son pouvoir antidémocratique, Martineau le tire de sa mainmise sur la caisse électorale. Barrette doit, à tout prix, faire comprendre aux membres de son ancien cabinet que la démocratisation du financement de l'Union nationale passe purement et simplement par l'éviction du trésorier. La seule façon d'y arriver consiste à confier la caisse à trois fiduciaires qui seront les seuls, avec le chef, à en connaître le contenu.

Les deux anciens ministres les plus proches de Barrette sont Antonio Talbot et Jean-Jacques Bertrand. Premier ministre, Barrette avait confié à Bertrand plutôt qu'à Johnson l'important portefeuille du Bien-Être social et de la Jeunesse, détenu jusque-là par Paul Sauvé. La confiance qu'il lui a témoignée dans le passé incline le chef de l'Union nationale à croire en la fidélité du député de Missisquoi. D'ailleurs, ses rapports avec lui et avec le député de Chicoutimi sont au beau fixe, même depuis la défaite.

Avant les élections, Talbot et Bertrand ne pouvaient entendre les noms de Bégin et de Martineau sans rager. L'acharnement du trésorier contre Barrette avait incité Talbot à modifier ses sentiments à son endroit. L'ancien ministre de la Voirie avait appris auprès de Duplessis le caractère sacré de la solidarité ministérielle : une fois le chef choisi, on se doit de l'épauler. Il ne pouvait donc tolérer que le trésorier minât l'autorité de Barrette, au su et au vu de tous.

De son côté, le député de Missisquoi avait une dent contre

Martineau depuis le soir où celui-ci l'avait carrément éconduit. Bertrand était allé l'entretenir, au lac Beauport, de certains problèmes qui lui tenaient à cœur. Au milieu de la discussion, Martineau s'était fâché et l'avait presque rudoyé avant de le mettre à la porte en ajoutant qu'il n'avait plus rien à lui dire. Bertrand, qui n'avait pas sa voiture, avait dû marcher longtemps avant de trouver un taxi, tout en jurant contre cet ours mal léché de Martineau[18].

En décidant dans les premiers jours d'août de faire de Talbot et de Bertrand ses complices, Antonio Barrette se prépare, une fois de plus, une lourde déception car il ignore que les deux hommes épousent déjà la cause de ses ennemis. L'alliance qu'il veut passer avec eux se retournera vite contre lui. Après quelques rencontres, Barrette note chez eux un changement d'attitude. Indifférents à ses projets de réforme, Talbot et Bertrand se montrent étrangement bien disposés à l'égard du trésorier et de l'organisateur[19].

L'ambivalence des deux anciens ministres dessille les yeux du « grand monsieur ». Le désarroi le gagne peu à peu. Vers qui pourrait-il se tourner ? Un jour qu'il discute au Château avec eux, on l'informe de la présence de Daniel Johnson. Histoire de tester la bonne foi de ses invités et aussi parce qu'il en est à un point tel qu'il ferait un pacte même avec le diable pour venir à bout de Martineau, Antonio Barrette suggère :

— Pourquoi n'inviterions-nous pas le député de Bagot ?

L'ancien ministre de la Voirie s'y objecte vivement ; quant à Jean-Jacques Bertrand, il reste muet. Dès cet instant, Barrette soupçonne ses deux collègues d'être de connivence avec ceux qui veulent sa tête. Il met leur retournement au compte de la faiblesse et de leur désir de conserver leurs postes, face à la coalition entre le trésorier et l'organisateur, mais la duplicité de Bertrand lui fait mal. De le voir se coller ainsi à Antonio Talbot, qui jouit d'une grande influence au sein du parti, le renseigne sur les intentions de son ancien ami : une fois qu'on l'aura éliminé, lui, Bertrand aura l'appui de Talbot dans la course à la direction du parti et peut-être même, qui sait, celui de Martineau[20].

Le chef de l'Union nationale doit se rendre à l'évidence : le vide s'est fait autour de lui. Il ne peut même pas compter sur ces deux hommes qui, deux mois plus tôt, vitupéraient contre Martineau et Bégin. La veille, Antonio Talbot lui a dit avec une cruauté inconsciente :

— Martineau ne veut pas vous rendre de comptes à vous, mais il serait très heureux de remettre les fonds du parti si ce n'était pas vous qui étiez le chef[21] !

L'heure a donc sonné pour Barrette de vider la question devant le caucus des députés. C'est la dernière instance. S'il échoue, il ne lui restera plus qu'à démissionner. Si les députés se rendent à ses arguments à propos du transfert de la caisse et de la réorganisation du parti, c'est le duo Martineau-Bégin qui devra plier bagage.

Le 11 août, Barrette convoque un caucus du parti à Québec. *Le Devoir* commente : « M. Barrette veut rester chef de son parti. Inébranlable, il donnerait même le signal d'un nettoyage. Demandera-t-il la tête de Bégin et de Martineau[22] ? »

Le chef de l'Union nationale ne peut se résigner à la défection de Talbot et de Bertrand. Deux jours avant le caucus, il tente une dernière fois de leur prouver son désintéressement. Comment leur faire comprendre qu'il ne veut ni la caisse ni liquider Bégin et Martineau dans le but de régenter le parti à sa guise ? Comment les convaincre de la pureté de ses intentions ?

Barrette fait venir les deux hommes au Château. Il les regarde droit dans les yeux et annonce :

— Je suis prêt à démissionner comme chef du parti si Martineau et Bégin en font autant.

Barrette a mûri un plan qu'il communique à ses deux interlocuteurs incrédules :

— Nous dirons que le chef de l'Union nationale, le trésorier et l'organisateur en chef se sont retirés ensemble sous la pression des événements et des députés.

Le député de Joliette nourrit une arrière-pensée : Martineau et Bégin partiraient d'abord et lui dirigerait la prochaine session jusqu'à un congrès au leadership qui pourrait se tenir au cours de l'automne de 1961. Jean-Jacques Bertrand a son air de boy-scout obéissant. Il se tait. Talbot exprime leur sentiment commun :

— Je suis convaincu que M. Martineau va accepter votre proposition[23].

Le chef de l'Union nationale pense le contraire. Il sait maintenant que, au point où en sont les choses, il ne peut y avoir d'autre dénouement que sa démission ou celle du trésorier. Néanmoins, les trois hommes s'entendent pour envoyer des messagers soumettre la proposition de Barrette à Martineau. Toujours aussi rébarbatif, ce dernier interdit sa porte aux deux émissaires ! Il connaît déjà l'offre de Barrette. Il dispose d'un téléphone arabe efficace !

L'astucieux trésorier a son idée. Nationaliste à sa manière et anglophobe, il a néanmoins beaucoup de respect pour certains principes inhérents à la politique étrangère de l'Amérique anglo-saxonne, dont celui qui préconise de « diviser pour régner ». Il va attiser la rivalité entre les deux éventuels candidats à la direction, Daniel Johnson et Jean-Jacques Bertrand, dont il ne veut pas plus comme chef que Barrette.

Martineau décroche le téléphone et transmet à Daniel Johnson, qui se trouve au Château Frontenac, une version revue et corrigée de l'offre de démission de Barrette :

— Je te mets en garde. Barrette est en train de céder ses pouvoirs de chef du parti à Jean-Jacques Bertrand, sans convention. Surveille tes affaires !

Johnson a tout juste le temps de dire merci avant que le trésorier ne lui raccroche presque au nez avec sa brusquerie coutumière. S'agit-il d'un attrape-nigaud ? Le député de Bagot veut en avoir le cœur net. Il communique avec Barrette et lui lance, après quelques minutes d'une conversation ardue :

— Vous avez été élu chef du parti et premier ministre d'une façon non démocratique. Je ne vous permettrai pas d'agir une deuxième fois d'une façon antidémocratique. Je vous avertis que si vous transférez vos pouvoirs à Bertrand, je vous dénoncerai et prendrai des procédures[24] !

La veille du caucus, la machine à détruire les réputations bat son plein. Barrette a convoqué dans sa suite du Château les anciens ministres, les élus comme les vaincus, afin de faire le point sur ses exigences. Il se lance une fois de plus dans un plaidoyer pour la démocratisation du financement et de l'organisation : il faut remplacer, sinon expulser purement et simplement, Martineau et Jos-D. Bégin et remettre la caisse à trois fiduciaires.

Le lendemain, la presse signale les noms de Maurice Bellemare comme futur organisateur et de Me Jean Raymond comme trésorier. Barrette fait un ultime effort pour se rallier les anciens ministres :

— Comme chef du parti, je veux savoir le montant que

Martineau avait en caisse le jour de mon assermentation, le détail des souscriptions reçues depuis cette date jusqu'aux élections, les sommes versées durant les élections et, enfin, ce qui restait le 22 juin, jour du vote.

Barrette dépasse-t-il les bornes ? Est-il normal que le chef soit tenu à l'écart du contrôle des fonds de son propre parti ? Il ne demande pas la lune, mais tout simplement quatre petits chiffres que le trésorier s'entête à garder pour lui.

Il est trop tard. Les manigances de l'homme qui règne seul sur les millions du parti ont eu raison des collègues de Barrette. Il n'est plus qu'un chef en sursis. On n'écoute même pas ses réponses aux objections formulées pour la forme. Dirigée par Martineau et Bégin, la cabale redouble d'intensité en cette veille du caucus.

Beaucoup de députés sont descendus au Château. Bégin et des émissaires de Gérald Martineau vont de l'un à l'autre en répandant, sur le ton de la confidence, une kyrielle de rumeurs à propos d'un chef « qui veut mener l'Union nationale avec les anciens ministres seulement ». Une preuve ? La réunion de l'ancien cabinet dans la suite de Barrette, l'après-midi même ! Si l'ancien premier ministre se démène tant pour retirer la caisse au dévoué trésorier ce n'est pas par souci démocratique ou par angélisme, mais parce qu'il veut exercer personnellement un contrôle sur les fonds du parti[25] !

Remettre la caisse à un chef reconnu pour son goût immodéré de l'argent, son amour du lucre, son patronage, c'est mettre en danger la santé financière d'un parti à qui l'électorat confiera de nouveau, au prochain scrutin général, la conduite des affaires provinciales. Et les agitateurs de laisser planer des doutes sur le financement de la campagne de Barrette dans Joliette...

Barrette, c'est aussi un chef qui coûte trop cher au parti. Qui paie le loyer de ses luxueux appartements du Château ? Le locataire ou le parti ? Le parti. Barrette, ce n'est pas un chef, c'est un pacha habitué aux folles dépenses, c'est un prince qui jette l'argent des autres par les fenêtres. Il est même allé jusqu'à se faire photographier par Karsh, le photographe international des rois et des princesses[26] ! Savez-vous ce qu'il en a coûté ? Une fortune !

Les jeux sont déjà faits quand Barrette se présente au « conclave » du club Renaissance, rue de la Grande-Allée. Il est quatorze heures trente. Il en sortira à dix-huit heures, toujours chef, mais avec une autorité réduite à sa plus simple expression, au bord de la démission.

En traversant les rangs des députés, le chef du parti ressent un vif malaise. Il se sait dans la fosse aux lions. Quelques rares et glaciales poignées de main l'accueillent. Barrette voudrait se trouver à mille lieues ! La plupart des têtes d'affiche sont présentes, à l'exception d'Yves Prévost qui voyage en Europe et des trois figures de proue de la conspiration montée contre lui : l'ancien ministre Jos-D. Bégin et les deux conseillers législatifs Gérald Martineau et Jean Barrette. Ce dernier n'a en commun avec le chef du parti que le nom. C'est un journaliste sportif dont les liens d'amitié avec Duplessis et Martineau lui ont valu un siège au Conseil législatif et un rôle d'éminence grise pour la région de Montréal. Son hostilité envers le député de Joliette est aussi intense que celle de Martineau.

Le « grand monsieur » se sent nerveux. Cette hostilité sourde le prive de ses moyens. Le président du caucus, le député Francis Boudreau, prend la parole pour expliquer à la députation le but de la réunion. Barrette s'agite.

— C'est moi qui ai convoqué la réunion et il m'appartient de dire quel en est le but ! coupe-t-il.

Avant de brosser aux députés un long tableau sur la situation du parti et sur les raisons qui l'ont amené à exiger le départ de Martineau et de Bégin, Antonio Barrette ferme le micro. Il a remarqué plusieurs fils qui courent sur le parquet en direction d'une petite pièce où doivent se trouver des magnétophones... Martineau n'a pas osé se montrer à la réunion ? Eh bien ! il devra se contenter du compte rendu verbal que ses mouchards ne manqueront pas de lui faire[27] !

— C'est l'Union nationale qui a fait de Gérald Martineau un présomptueux personnage ; nous n'avons pas le droit de le laisser détruire l'Union nationale, aussi puissant qu'il soit devenu ! conclut Barrette en demandant aux députés un mandat de deux ans pour rebâtir le parti, après quoi il démissionnera[28].

L'assemblée a écouté son chef dans un silence glacial — Barrette obtiendra-t-il le mandat sollicité ? Non. Quelques interventions sans conséquence, afin de noyer le poisson. Silence ou abstention de ceux sur qui Barrette avait vainement compté, Talbot et Bertrand. Formation d'une délégation de cinq membres qui servira d'intermédiaire entre le chef du parti et le trésorier.

Manœuvre dont l'habileté échappe tout d'abord à Barrette. Son instigateur en est le conseiller législatif Olier Renaud, tout dévoué à Martineau et aspirant au leadership. Tout s'éclaire lorsque Renaud suggère à l'assemblée les noms de ceux qui ont accepté d'en faire partie : Antonio Talbot, Yves Gabias, l'âme damnée du trésorier et son informateur, le conseiller législatif Baribeau, lié lui aussi à Martineau, et, finalement, Germain Caron, député de Maskinongé. C'est le seul dont l'hostilité envers Barrette n'est pas déclarée, mais il sera en minorité[29].

Le chef de l'Union nationale n'a plus aucun espoir. Deuxième humiliation, le caucus forme, sans attendre son avis, une sorte de grand comité qui l'assistera dans ses fonctions de leader. Les deux hommes clés en seront Jean-Jacques Bertrand, à qui reviendra la tâche de préparer la stratégie législative du parti d'ici la prochaine session, et Maurice Bellemare qui prendra en main la réorganisation de l'UN. Feront également partie de cet exécutif parallèle : Daniel Johnson, Yves Gabias et Armand Maltais, député de Québec-Est[30].

Le caucus passe à un cheveu de la scission quand le député de Compton, Claude Gosselin, s'empare du micro. C'est un dur à qui son père a dit avant son entrée en politique :

— Écoute, Claude. Tu entres en politique, mais pense qu'un jour il va falloir que tu en sortes. Prends ton cœur et mets-le dans ta poche. Tu le remettras à sa place quand tu en sortiras[31] !

Claude Gosselin n'attend rien de la politique et sait que, parfois, il faut jouer dur et surtout ne pas escompter de remerciements ! Il s'est présenté au caucus avec l'intention bien arrêtée d'obtenir de Barrette la tenue d'un congrès général du parti pour élire un nouveau chef.

Le député de Compton obéit aussi au trésorier Martineau qui l'a rencontré avant le caucus avec un autre député, Armand Russell. Passé maître dans l'art de manipuler les uns et les autres, le trésorier s'est empressé de laisser planer des doutes sur l'honnêteté de Barrette et sur la pureté de ses intentions au sujet de la caisse et des actions du journal *Montréal-Matin,* lesquelles appartiennent à l'Union nationale.

Le matois caissier laisse même entendre aux deux naïfs députés :

— C'est Barrette qui a les actions de *Montréal-Matin* et la caisse !

C'est vrai pour les titres du journal, mais non pour la caisse. Qu'importe ! Pour se débarrasser de Barrette, tous les moyens sont bons. Comme celui aussi de faire courir le bruit que l'ancien ministre du Travail a touché un pot-de-vin rondelet d'une grande compagnie minière.

Gosselin et Russell harcèlent le chef du parti sur la question d'un congrès à la direction, mais Barrette résiste :

— Je vous donnerai un congrès quand je le voudrai ! rétorque-t-il.

Le député de Compton verse de l'huile sur le feu en évoquant les rumeurs de pot-de-vin. Il demande brutalement :

— M. Barrette, je vous prends pour un honnête homme. Pouvez-vous nous jurer que vous n'avez rien eu à voir avec cette affaire ?

Le chef de l'Union nationale se sent écorché vif. Personne ne se lève pour le défendre contre ces chiens chargés de le mordre, de l'attaquer devant le caucus. Il cherche Bertrand des yeux... il est à sa gauche, quelque part au fond de la salle, dissimulé derrière les autres députés. Le député de Missisquoi reste assis, muet. Deux jours plus tôt, Barrette lui avait presque offert sa succession sur un plateau d'argent. Bertrand n'aurait qu'à se lever, à cette minute précise, pour dédramatiser le climat et se camper comme futur chef en orientant le caucus. Le gouvernail de l'Union nationale est à la portée de sa main, mais Bertrand refuse de s'en saisir. Il ne bouge pas[32].

Et le volubile Daniel Johnson ? Pourquoi reste-t-il ainsi rivé à son siège, silencieux comme une carpe ? Il est certain que le trésorier et le duo Talbot-Bertrand ne l'ont pas mis dans le coup, mais le député de Bagot connaît très bien la situation. Il ne peut pas ne rien savoir du climat de suspicion et de délation entretenu par les factieux autour du chef de son parti.

Pourquoi ce mutisme aujourd'hui alors que, la veille même du caucus, le député de Bagot, loquace comme toujours devant les journalistes, soutenait catégoriquement à Jacques Monnier, de *La Presse,* que les députés ne contesteraient pas l'autorité de Barrette ? Il avait même précisé :

— Il va falloir commencer à construire par la base et non pas au sommet[33].

Aujourd'hui, Daniel Johnson représente à ses yeux un requin à la mâchoire fermée, mais un requin tout de même, qui attend la fin du carnage sans trop montrer d'appétit. Pourquoi volerait-il au secours d'un chef détesté qui, il n'y a pas deux jours, pavait la voie de son rival au leadership, Jean-Jacques Bertrand, en fricotant avec lui sa démission ?

Capitaine d'un navire abandonné par des matelots félons, le « grand monsieur » est en train de couler à pic. Tout vient de s'effondrer en quelques minutes. Après la défaite électorale du 22 juin, Gérald Martineau ne s'était pas caché pour clamer à la ronde, l'œil brillant de vengeance :

— L'Union nationale sera maintenant dirigée par le Conseil législatif.

Les événements vont-ils lui donner raison ? Qui va commander à l'Union nationale : un conseiller législatif ou les élus du peuple ? La composition de la délégation ne laisse aucun doute sur sa partialité. Elle se pliera aux desiderata du grand argentier. La seule présence d'Yves Gabias, qui doit à Martineau son entrée en politique, est sans équivoque. Le caissier saura tout des pourparlers qui se dérouleront entre Barrette et la délégation, avant même que celle-ci ne le rencontre à son tour. La fidélité de Gabias ira d'abord à son maître Martineau dont il est l'oreille durant les caucus[34].

Le député de Joliette va-t-il baisser pavillon ? Pas encore. Il lui reste quelques cartes à jouer dont celle d'un recours devant le tribunal de l'opinion publique. Avant de sortir de la salle du caucus, Barrette, sous le coup de la colère, apostrophe en des termes dont il n'a pas l'habitude le groupe de députés qui le harcèlent :

— Vous êtes une bande d'écœurants !

Deux jours plus tard, l'actualité vient épauler Antonio Barrette dans sa lutte pour épurer l'Union nationale. Jos-D. Bégin est dans de sales draps. Des citoyens du comté de Dorchester, fief de l'organisateur depuis 1935, contestent son élection devant les tribunaux. Les accusations sont nombreuses : achat de votes, chantage auprès des pensionnés, tripotage des listes électorales et ouverture frauduleuse des boîtes de scrutin[35].

Barrette songe à convoquer un troisième caucus qui réunirait non seulement les députés élus, mais aussi les candidats défaits pour demander la tête de l'organisateur et de son acolyte Martineau. Il temporise cependant dans l'attente du rapport de la délégation Renaud qui négocie avec le trésorier. Peut-être parviendra-t-elle, malgré tout, à lui faire entendre raison ? Barrette veut épuiser tous les moyens. En vain.

Les délégués reviennent bredouilles. Barrette leur propose alors le compromis suivant : Martineau remettra ses comptes et versera, à intervalles réguliers, un certain montant dans la petite caisse du parti par l'intermédiaire d'une personne choisie pour son intégrité. De plus, on gèlera les fonds et le trésorier remettra aux fiduciaires tous les dossiers et documents appartenant au parti. Les mandataires du caucus rejettent la proposition, avant même de la soumettre à l'intéressé[36].

Il n'y a donc plus rien à attendre de ce côté. La délégation dont le rôle était d'amener le trésorier récalcitrant à de meilleurs sentiments lui donne raison contre le chef du parti ! Plutôt qu'un caucus où il risquerait de se retrouver en minorité, Barrette opte pour une conférence de presse au cours de laquelle il jouera le tout pour le tout. Il n'a plus rien à perdre. Auparavant, deux conseillers législatifs fidèles au trésorier, Édouard Asselin et Édouard Masson, tentent de l'amadouer. Me Masson lui demande :

— Vous contenteriez-vous de la photocopie des documents et des lettres détenus par M. Martineau ?

Barrette réfléchit quelques secondes puis acquiesce. Le « grand monsieur » a l'impression de tomber à genoux. De se trouver au bord de l'abdication totale.

Pour venir à bout de la puissance de Martineau, il n'hésite pas, devant ses deux émissaires, à sacrifier dignité et autorité. Me Masson conclut d'un ton moqueur :

— Ah ! dans ce cas, c'est bien facile à arranger ! Je croyais que vous demandiez beaucoup plus que cela[37] !

Mais ni le conseiller Masson ni le conseiller Asselin ne donneront suite à leur démarche. Barrette est maintenant le pot de terre, Martineau le pot de fer. La force du trésorier lui vient des documents compromettants (reçus, lettres confidentielles, engagements, etc.) qu'il possède, depuis la mort de Duplessis, sur à peu près tous les ex-ministres et députés. Ces instruments de chantage lui ont été remis par l'une des sœurs de Duplessis, Mme Édouard Bureau. On le craint donc. Nombreux sont ceux qui préfèrent ramper comme des chiens plutôt que de voir leurs incartades étalées à la une des quotidiens ou colportées sous le manteau. Ces informations assurent à Martineau la complicité des faibles et le silence des ambitieux.

Fin août, on informe le chef du parti qu'une pétition émanant d'un entrepreneur en construction, ami de Martineau, circule parmi la députation. Son objectif : sa démission immédiate. Cinq conseillers législatifs et quatre députés l'ont déjà signée. La riposte de Barrette est immédiate. Il joue son va-tout.

Le 31 août, il déclare avec fracas qu'il a accepté la démission de l'organisateur Bégin et que Gérald Martineau a terminé sa carrière de trésorier unique et omnipotent de l'Union nationale. Barrette joue avec les faits. Il prend ses désirs pour des réalités car il ne détient même pas l'autorité nécessaire pour obliger l'un et l'autre à se désister de leurs fonctions. Il côtoie l'abîme. Dans les jours qui suivent, le trésorier et l'organisateur préparent une requête pour censurer ses propos et le faire condamner par la députation.

Mais ce n'est pas tout. Avant de se rendre à Trois-Rivières pour commémorer la mort de Duplessis, Antonio Barrette tombe dans un piège que lui tend, pour le compte du trésorier, le pusillanime député de Chicoutimi. Antonio Talbot lui confie que sa réputation de vieux tory fédéral impénitent nuit grandement à sa crédibilité comme chef de l'Union nationale, parti qui a, de tout temps, conservé ses distances vis-à-vis des conservateurs d'Ottawa. Et il suggère à Barrette :

— Pourquoi ne publiez-vous pas un communiqué pour établir clairement que l'Union nationale ne retournera pas au Parti conservateur ?

Quel est le sens de cette démarche ? Barrette se pose la question, mais ne trouve pas de réponse immédiate. Pourquoi ne pas s'exécuter ? Après tout, il n'a jamais eu l'intention, que lui prêtaient ses adversaires durant la campagne électorale, de fusionner l'Union nationale avec le Parti progressiste-conservateur. Il remet donc son communiqué aux journaux le 2 septembre, avant de partir pour Trois-Rivières.

Geste combien irréfléchi qui permet à Martineau de semer

subtilement dans l'esprit des militants l'idée que l'indépendance de leur parti vis-à-vis des fédéraux ne sera pas assurée tant que Barrette restera à la barre. Plus tard, quand le trésorier présentera, avec ostentation, la tête du chef démissionnaire sur un plateau, il invoquera l'inféodation du député de Joliette aux tories pour justifier son opposition[38].

L'acte final de l'agonie du chef de l'Union nationale se déroule dans la ville natale du fondateur d'un parti qui, pour être en proie aux pires déchirements de son histoire, n'en est pas moins encore très fort puisqu'un million de Québécois lui ont donné leur suffrage lors des élections du 22 juin.

Après le service, les dignitaires du parti assistent au dévoilement d'une plaque sur la façade de l'ancienne maison du premier ministre défunt. Gérald Martineau n'aurait manqué la cérémonie pour rien au monde. Non seulement est-il présent, mais il n'hésite pas, quand il voit les reporters, à se camper devant les caméras aux côtés des deux sœurs de Duplessis, Mmes Henri Balcer et Édouard Bureau. Barrette aussi est là, à cinq pas du groupe. Mais on l'ignore complètement! Comme si le chef véritable du parti, c'était le trésorier. Qui d'ailleurs, parmi les invités, aurait osé relever la désinvolture et le sans-gêne d'un homme craint autant à cause de ses attributions que de certaines lettres compromettantes gardées dans le secret de ses voûtes[39]?

Antonio Barrette n'est pas au bout de ses peines. Il a fixé rendez-vous, dans un hôtel de la ville, aux membres de la délégation Renaud qui se sont, une fois de plus, entretenus avec le trésorier. Le chef de l'Union nationale se présente à l'heure dite, encore tremblant de rage après le soufflet que vient de lui infliger Martineau. Les cinq intermédiaires l'accueillent « avec une froide hostilité dosée d'ironie ».

— Qu'avez-vous à me dire ? Allez-y ! leur ordonne Barrette.

— Ce n'est pas si mal, simule Olier Renaud. M. Martineau refuse de vous rendre des comptes, mais il est prêt à dire à Édouard Asselin quelle est la situation financière du parti...

Barrette bouillonne de colère. Le conseiller Renaud enfonce le clou.

— Pour la petite caisse de Montréal, M. Martineau est prêt à accepter la personne que vous désignerez, mais à deux conditions.

Ce trésorier devra lui remettre les factures et c'est lui, M. Martineau, qui décidera si les dépenses sont justifiées et lesquelles il remboursera.

— Messieurs, si vous parlez sérieusement, vous me connaissez mal ! C'est inacceptable et vous le savez ! hurle Barrette.

Il a mis dans son vin toute l'eau qu'il avait ! Il ne peut s'abaisser davantage sans devenir l'homme de paille du trésorier. Sans se déshonorer. Les délégués du caucus viennent de lui dire en pleine figure qu'il n'a pas suffisamment d'autorité pour obliger le trésorier à lui rendre des comptes ! Martineau réglera au gré de ses caprices les comptes de la caisse de Montréal et lui, le chef, devra avaler sans rien dire toutes ces couleuvres. La boucle est bouclée !

Les protagonistes n'ont plus rien à se dire. La rencontre a duré à peine cinq minutes. Avant de partir, Antonio Talbot, jusque-là silencieux, invite son chef à abandonner la partie, à mots couverts :

— Nous ne pouvons faire constamment la navette entre lui et vous !

— Vous étiez le délégué de la députation, mais, maintenant, vous voilà devenu le représentant de Martineau ! rétorque amèrement Antonio Barrette.

L'homme sur qui il avait compté un moment pour obtenir le départ du trésorier ne relève pas la gifle. L'air désolé, il ajoute avant de se sauver :

— Ne nous lâchez pas, toujours[40] !

Une semaine plus tard, Barrette tire sa révérence. Agissant unilatéralement, sans prévenir aucun de ses anciens collègues du cabinet, contrairement à ce qu'il leur avait promis, il convoque la presse à son bureau du parlement dans l'après-midi du 14 septembre. Il met devant le fait accompli la population et son parti tout entier[41].

À quatorze heures trente, le secrétaire de presse du chef de l'opposition, Jean Pelletier, avise les journalistes : dans une heure, conférence de presse. « Routine », commentent les reporters blasés. Une heure plus tard, une douzaine d'entre eux se présentent au bureau de Barrette. D'habitude très cordial et enjoué avec la presse, le « grand monsieur » paraît calme, voire réservé.

— Messieurs, commence Barrette, la gorge nouée, j'ai préparé une déclaration écrite... j'aurais pu me contenter de vous la faire parvenir. J'ai toutefois tenu à vous faire venir à mon bureau pour vous dire adieu...

Le dernier mot fait l'effet d'une bombe ! Les journalistes tiennent leur manchette !

— Ma démission, bredouille Barrette, le visage défait par l'émotion, est le fruit de cinq semaines d'études, de réflexions, pour ne pas dire d'agonie. Ce n'est pas un coup de tête. Elle est l'unique moyen dont je dispose pour attirer l'attention sur une situation que je déplore, mais qu'il est de mon devoir de dévoiler...

Le chef démissionnaire précise que son départ est dû à un désaccord profond avec Gérald Martineau, Joseph-Damase Bégin et Jean Barrette. Avant de rentrer chez lui, il implore les journalistes de ne pas lui poser d'autres questions[42].

Le lendemain, les principaux collègues du chef démissionnaire versent des larmes de crocodile. Éloquent même dans l'ambiguïté, Jean-Jacques Bertrand lui rend hommage :

— M. Barrette a toujours eu toute ma loyauté et toute mon estime. Il a été, à l'heure des épreuves que nous avons traversées, un chef qui n'a jamais reculé devant le combat.

L'organisateur en chef Jos-D. Bégin fait l'innocent :

— La démission de M. Barrette est personnelle. Je ne vois pas pourquoi Antonio Barrette se plaint d'une mise en tutelle... je ne sais pas ce qu'il veut dire.

Antonio Talbot se montre plus discret : « Aucun commentaire. » Quant à Daniel Johnson, il exprime des sentiments partagés :

— Je suis peiné et surpris d'apprendre la démission de notre chef. Je pense cependant qu'une telle décision aurait dû être communiquée tout d'abord au caucus et non à la presse[43].

L'homme dont la dictature secrète vient de triompher reste silencieux. Gérald Martineau est parti pour une destination inconnue. Le troisième personnage dénoncé par le chef vaincu, le conseiller législatif, se trouve à Philadelphie. Le rédacteur en chef du *Devoir*, André Laurendeau, qui tient la chronique des déboires du parti de Maurice Duplessis, en appelle aux réformateurs :

Ainsi, en partant, M. Barrette a l'air de livrer son parti aux hommes d'argent. En réalité, il leur assène sa démission sur la tête. Et si les réformistes sont assez nombreux au sein de l'Union nationale, assez décidés, voici leur chance inespérée. Le départ de M. Barrette force

l'Union nationale à refaire ses propres fondations. Elle va s'y mettre
— si elle n'a pas le goût du suicide[44].

Leader sans couronne de l'Union nationale

— Après le long repos de deux mois que je viens de prendre,
ma santé est meilleure.

Au moment du décès de Sauvé, le député de Montmorency,
Yves Prévost, avait invoqué sa santé déclinante pour refuser la
succession. Aujourd'hui, 16 septembre, il se laisse convaincre. Il
sera le successeur d'Antonio Barrette, mais à titre temporaire. Le
caucus qui vient de le désigner a enfin accepté la thèse d'un congrès
au leadership du parti, défendue avec obstination, depuis deux ans,
par le député de Bagot.

Huit mois plus tôt, le choix de Barrette s'était fait au milieu
des intrigues. Celui de Louis-Alfred-Yves Prévost, premier chef
intérimaire de l'Union nationale, est marqué par la réconciliation
générale. Assurés enfin de la tenue d'un congrès, Daniel Johnson et
Jean-Jacques Bertrand, les deux aspirants, se sont vite ralliés au
nom de Prévost. Le congrès aura lieu avant juin 1961.

Selon la coutume, les journalistes se sont massés à la porte du
club Renaissance pour assister au défilé des parlementaires. L'air
de fête arboré par la plupart indique aux plus chevronnés d'entre
eux que les jeux sont déjà faits. L'Union nationale n'éclatera pas
aujourd'hui ! En démissionnant, Barrette paraît avoir ôté une épine
du pied de plusieurs !

Même Gérald Martineau, qui voue les journalistes aux
gémonies depuis qu'ils lui ont collé l'étiquette de corrupteur public,
se montre d'une affabilité inhabituelle.

— Certainement, je trouve qu'il fait très beau aujourd'hui !
répond-il au reporter qui lui demande s'il a des commentaires à faire
sur la démission d'Antonio Barrette.

Trois jours plus tôt, le grand argentier était introuvable. Il
s'était envolé pour on ne sait trop où, avec la tête de Barrette dans
ses valises, heureux comme le chimpanzé de *Topaze* d'avoir réussi
son coup[45]. Mais il n'est pas parti très loin ! Alors que Daniel Johnson
se prête aimablement à une séance de photographies devant le club
Renaissance, on l'aperçoit venir à deux pas de là, du côté de l'église
Saint-Cœur-de-Marie.

Un reporter finasse :

— M. Johnson, vous auriez peut-être avantage à attendre l'éminence grise, M. Martineau, vous qui voulez être chef ?

Le député de Bagot n'en fait rien. Il éclate de rire et rentre aussitôt dans le club. Lorgnant la serviette bourrée de papiers que porte le trésorier, un autre reporter s'exclame :

— Des munitions !

Voyant paraître un troisième parlementaire sur le perron du club Renaissance, un plaisantin, dissimulé parmi les badauds, lui crie :

— Cessons nos luttes fratricides !

Quand le député de Missisquoi se présente à son tour, un journaliste lui demande s'il a préparé sa biographie.

— Je ne suis pas mort ! ironise Jean-Jacques Bertrand[46].

Trois heures plus tard, l'Union nationale a fait son choix. C'est Yves Prévost, l'expert en finances municipales et en éducation, qu'une meilleure santé autorise à diriger l'Union nationale pour quelques mois. Le temps de permettre aux militants de trancher démocratiquement, pour la seconde fois dans l'histoire du parti, la question du leadership que la mort brutale de Paul Sauvé a posée quelques mois plut tôt.

Yves Prévost est-il le chef réel ? Son autorité paraît aussi fragile que sa santé. Le parti a confirmé dans leurs fonctions (comme si Barrette avait prêché dans le désert !) le trésorier Martineau et l'organisateur Bégin.

André Laurendeau refuse de gober cette huître sans égratigner au passage le nouveau chef :

M. Barrette est parti. M. Yves Prévost lui succède : mais lui succède en quoi ? En autorité ou en apparence d'autorité ? Est-ce lui le chef ou n'est-ce pas toujours la machine et la caisse ? M. Barrette parti, MM. Martineau et Bégin demeurent. Qui dirige ? Qui va préparer le prochain congrès[47] ?

Le règne du nouveau chef sera plus court que prévu. Prévost avait eu besoin de deux mois pour refaire ses forces. Deux nouveaux mois à la tête d'un parti ingouvernable et toujours tiraillé le conduisent à l'hôpital, victime d'une rechute. La malchance poursuite le député de Montmorency.

L'Union nationale passe l'automne à vider ses querelles. L'ancien chef règle ses comptes avec ses trois ennemis, à la faveur des deux scrutins partiels que Jean Lesage a déclenchés en octobre pour combler le siège de Joliette, vacant depuis la démission de Barrette, et celui de Rouville libéré également par la retraite politique de Laurent Barré, ancien ministre de l'Agriculture dans le gouvernement unioniste.

Antonio Barrette est retourné à ses moutons, amer et déçu de l'attitude de son parti. Il a un peu l'impression d'avoir été mis à la porte... Mais il ne sera pas dit que les rois et maîtres de l'Union nationale, les Martineau et Bégin, auront pu sans coup férir imposer à ses partisans de Joliette leur candidat fantoche. Le 16 octobre, il provoque une scission : il donnera son comté aux libéraux plutôt qu'aux tyrans et aux ambitieux assoiffés de pouvoir dont il n'a pas su libérer son parti !

À 400 militants de Joliette, Barrette demande de ne pas présenter de candidat à l'élection partielle du 23 novembre et de former une nouvelle association de comté. Ce sera, leur dit-il, un premier pas vers la démocratisation de l'Union nationale.

Avant de se retirer définitivement de la scène publique — cette manifestation sera sa dernière —, le chef démissionnaire en appelle à tous les militants de l'Union nationale. Il veut leur expliquer le sens de sa bataille.

— J'ai voulu que l'on choisisse entre le chef et un sac d'argent. L'Union nationale doit à tout prix sortir Martineau, Bégin et Barrette[48] !

La charge d'Antonio Barrette soulève une nouvelle tempête. Le comté de Joliette apparaît à la fois comme le bastion de la réforme de l'Union nationale et son champ de bataille. Le chancelant Yves Prévost doit réagir. Il convoque un caucus du parti pour répondre aux attaques de Barrette et décider si l'on présentera des candidats dans les comtés de Joliette et de Rouville.

La veille du caucus, l'homonyme du chef déchu, le conseiller législatif Jean Barrette, se fâche. Le journaliste rédige habituellement une chronique sportive dans *La Patrie du Dimanche*. Cette fois, il délaisse le sport et pourfend le « grand suicidé du 22 juin ». Jean Barrette emploie contre son accusateur un vocabulaire viril : traître, chef fuyard, lapin tremblotant, déserteur, Judas, gaffeur, mauvais perdant ! Tout y passe !

Et « P'tit Coq » (comme Duplessis aimait à appeler le reporter qui l'accompagnait aux séries mondiales de base-ball) termine son attaque contre Antonio Barrette en lui conseillant d'aller subir un examen médical à l'hôpital de Joliette « si bien placé, à deux pas de la résidence du plus riche citoyen de Joliette, après Grégoire Perreault[49] ». « P'tit Coq » ne s'embarrasse pas de nuances !

Dominé par le trésorier et l'organisateur, le caucus unioniste du 24 octobre dénonce Barrette et consolide leur influence. Yves Prévost leur sert de caution morale. Il se débat dans une situation fausse. « Qui est à la tête de l'Union nationale ? » se demande une seconde fois le rédacteur en chef du *Devoir*. Prévost s'embrouille de plus en plus dans ses explications. Par ailleurs, l'Union nationale décide d'entrer dans la bataille des partielles, en dépit de la dissidence des partisans de Barrette. La démocratisation du parti est reportée à plus tard — au congrès plénier du printemps.

Assistera-t-on dans Joliette à un affrontement entre deux factions de l'Union nationale, celle de Barrette et celle de Prévost ? Non. De guerre lasse, le « grand monsieur » baisse pavillon. Le 4 novembre, trois semaines avant l'élection, il s'envole pour l'Europe, laissant ainsi le champ libre au candidat de Prévost, l'avocat Charles-Édouard Hétu.

Daniel Johnson évite d'intervenir dans les escarmouches entre Barrette et Martineau. Il se consacre plutôt à l'organisation de la lutte dans Rouville, circonscription voisine de la sienne. Maintenant qu'il a obtenu son congrès, il regarde en avant. Sa marche vers la direction de l'Union nationale est commencée. L'élection partielle de Rouville en constitue une étape importante.

Tout politicien qu'il soit, Johnson est à cent lieues de prévoir qu'il sortira de ce match électoral à la fois grandi et rapetissé politiquement. Plusieurs pièges le guettent, le long de la route qui le conduira, dix mois plus tard, à la tête de son parti. Comment pourrait-il les éviter, lui, le duplessiste inébranlable, à une époque où les veaux d'or de l'ancien régime ne suscitent plus l'adoration, mais la profanation ?

Daniel Johnson aborde les années 60 en démagogue et le scrutin de Rouville en fabricant d'équivoques. Son impétuosité va sans doute le désigner rapidement à l'attention de ses pairs, le montrer comme le leader à titre officieux de l'Union nationale. Mais,

dans sa hâte à lancer sa rossinante contre les moulins de la Révolution tranquille, il ternit son image politique. Son attitude inspire
au caricaturiste Normand Hudon, du *Devoir,* un nouveau personnage politique : le grotesque « Danny Boy », ce cow-boy démagogue
qui symbolise à lui seul toutes les turpitudes de l'ancien régime
avec ses pistolets, son lasso et ses garcettes !

L'ascension de Johnson commence un dimanche après-midi
dans le sous-sol de l'église de Marieville, coquet chef-lieu du comté
de Rouville. L'Union nationale choisit son candidat en remplace-
ment de Laurent Barré qui s'est démis en lançant à la foule :

— Je retire ma candidature parce que la population de Rouville
en a assez de la famille Barré !

Cet argument singulier a finalement raison de la résistance
des militants, pourtant déterminés à plébisciter une fois de plus
l'homme qui les représentait depuis vingt-cinq ans.

Quand il prend la parole, Daniel Johnson frappe un grand
coup contre celui qui lui a succédé aux Ressources hydrauliques :
le « laïcisant » René Lévesque qui ne fait pas un seul discours sans
ridiculiser ceux qui l'ont précédé à la tête de son ministère.

— René Lévesque ne représente pas la mentalité de la population du Québec. Il est contre l'école confessionnelle ! insinue
Johnson, cinglant.

La troupe des partisans réagit bruyamment. Depuis six mois,
les unionistes sont devenus les pestiférés de la politique ! Ils ont le
moral bas. L'énergie que met l'orateur à attaquer de front le héros
scintillant de la Révolution tranquille galvanise la foule.

— Je veux aujourd'hui sonner le cri d'alarme, poursuit le
député de Bagot. Avec des gens comme René Lévesque, nos institutions sont en danger !

Habile, Johnson se retranche vite derrière le manteau de l'Église
qui voit d'un œil soupçonneux la réforme amorcée par les libéraux
dans un domaine où elle définissait les règles depuis les débuts de
la colonie.

— D'ailleurs, nos plus hautes autorités religieuses ont dit la
même chose que moi, en termes plus voilés, quand elles ont
récemment dénoncé le laïcisme dans la province[50].

En déclenchant ainsi un débat autour de l'éventuelle création
d'un ministère de l'Éducation, Daniel Johnson se ceint lui-même

d'une auréole. Il se fait le preux chevalier de l'école confessionnelle menacée, soutient-il devant sa base rurale et semi-urbaine, par les libéraux. Son offensive contre Lévesque lui vaut les manchettes. Le député de Bagot vient d'amorcer une version québécoise de la querelle des anciens et des modernes, avec la question scolaire comme enjeu. Il ne faudra pas moins de quatre ans pour vider la question.

André Laurendeau est du côté des modernes. Il reproche à Johnson de semer la confusion et d'inventer des histoires de croquemitaine pour effrayer ses électeurs :

> Je puis réclamer un ministère et en même temps combattre l'école laïque ou non confessionnelle. Ces distinctions ne sont pas faciles à comprendre. Ce qui est inacceptable, c'est qu'un politicien fasse semblant de ne rien comprendre et se serve de sa subtilité d'esprit pour tout mélanger. Le duplessisme moribond tente de relever la tête. Mais sa carrière est finie : ceux qui tentent d'en ressusciter l'esprit tournent le dos à l'avenir[51].

Daniel Johnson entre dans une phase de sa vie politique où il fera flèche de tout bois, quitte à y laisser sa crédibilité. La veille de l'ouverture de la première session régulière du nouveau gouvernement Lesage, le 10 novembre, une assemblée contradictoire mouvementée se déroule à Marieville. Les temps ont changé et, pour une fois, Daniel Johnson n'a pas le dessus.

Pourtant, ses organisateurs ont prévenu les journalistes qu'il lancerait une bombe politique susceptible de ruiner à jamais les chances du candidat libéral dans Rouville, François Boulais. Il le fait, son esclandre, mais l'hostilité de la salle, « paquetée » par les libéraux, et le brio dévastateur du ministre libéral Yvon (« Boum-Boum » !) Dupuis l'empêchent d'être pris au sérieux.

Avant de dénoncer Boulais, le député de Bagot veut appâter l'auditoire en l'entretenant d'une saisie de cidre impropre à la consommation et camouflée par les organisateurs libéraux du comté. L'auditoire ne mord pas à l'hameçon et quand Johnson attaque un autre thème, quelqu'un dans la foule s'empresse de crier :

— Parle-nous donc plutôt du cidre de pomme !

Le député de Bagot est passé maître dans l'art de conserver

son sang-froid, même quand on se moque de lui, même quand on ne l'écoute pas. Notant l'absence à l'assemblée de son « ennemi de prédilection », René Lévesque, Johnson laisse entendre, d'un ton sarcastique qui lui vaut des applaudissements miteux :

— Je suppose qu'il est allé à la confesse pour prouver qu'il n'est pas contre les écoles confessionnelles !

Yvon Dupuis, le plus écouté et le plus applaudi des orateurs, s'étonne de voir Johnson participer à l'assemblée, la veille de l'ouverture de la session, lui qui se considère déjà comme le « cinquième chef » de l'Union nationale ! Il le met en garde :

— Vous êtes en train de vous faire voler votre *job* par Antonio Talbot !

Parmi l'auditoire, il y a au moins deux personnes qui ne rient pas. C'est Yvette Marcoux, secrétaire du député de Bagot, et la femme de son frère, Rita Johnson. Les deux femmes sont venues appuyer moralement Daniel Johnson, en ces temps politiques particulièrement difficiles pour lui. Les sarcasmes de Dupuis ont le don d'exciter la colère de Rita Johnson à tel point qu'elle brûle de l'envie de casser son parapluie sur la tête du corpulent ministre libéral[52] !

Johnson garde sa bombe pour le dessert. S'appuyant sur un article que vient de publier l'hebdomadaire à sensation *Nouvelles Illustrées,* le député de Bagot révèle à la foule, qu'il a de plus en plus de mal à tenir, qu'une somme de 2 500 000 dollars en faux billets a été mise en circulation durant la campagne électorale du 22 juin.

— Nous, nous n'avons pas peur de la lumière ! Si un parti politique est impliqué dans un scandale, ce ne peut être que le Parti libéral ! accuse Johnson avec une agressivité à peine contenue.[53]

L'affaire fait boule de neige. Johnson a vu à ce qu'il en soit ainsi en alertant le ministre fédéral de la Justice, David Fulton. La presse s'intéresse elle aussi à ce trafic, vrai ou faux, de monnaie de singe. Jean-Louis Gagnon, rédacteur en chef de *La Presse,* ordonne à quatre de ses journalistes de fouiller l'histoire à fond. Le nom du député libéral du comté de Québec, Jean-Jacques Bédard, circule sous le manteau avant d'aboutir dans les colonnes des journaux. Pendant quelques jours, faussaires et politiciens se côtoient à la une des quotidiens.

Cette machination politique où l'opinion ne sait plus trop quel parti est l'accusateur ou l'accusé donne le coup de grâce au chef intérimaire de l'Union nationale. La veille de l'ouverture de la session, Yves Prévost est hospitalisé d'urgence. Ses nerfs ont craqué une fois de plus. Son médecin, le Dr Larochelle, dit à son secrétaire particulier, Roger Ouellet :

— Il n'est pas question que M. Prévost soit en Chambre. Je dois l'hospitaliser pour une quinzaine de jours.

Roger Ouellet informe en vitesse le responsable du caucus, le député Hormidas Langlais, qui réunit ses collègues en catastrophe. C'est Antonio Talbot qui assumera le rôle de leader de l'opposition en Chambre[54]. Les malheurs de l'Union nationale continuent.

Comme un boxeur étourdi frappant dans le vide, Daniel Johnson a prodigué aux libéraux des coups sans gravité pour eux. Et c'est lui qui se retrouve au plancher avec l'affaire des faux billets, qui se fait éclabousser par ce que les policiers fédéraux et provinciaux qualifient de « complot antilibéral ourdi par trois repris de justice ».

En Chambre, le procureur général Lapalme résume le rapport de police : « Les seules personnes impliquées dans cette affaire sont des gens de l'Union nationale. »

Le lendemain, *Le Devoir* ne peut s'empêcher de donner une coloration tendancieuse aux résultats de l'enquête policière en titrant en manchette : « L'affaire des faux billets de banque se corse — Le bandit Gérard Gagnon était en communication téléphonique avec Bégin et le club Renaissance[55]. » À une semaine des élections partielles, on devine l'impact de cette révélation dont les lecteurs se repaissent goulûment.

Le titre du *Devoir* simplifie la réalité. La police conclut en effet que les parlementaires et les avocats de l'Union nationale mêlés à la machination — dont l'ancien ministre Jos-D. Bégin et Me Raymond Maher — ont été les instruments inconscients du faussaire Gérard Gagnon. Une seconde intervention du procureur général Lapalme fait la lumière sur toute l'affaire :

— Des bandits ont tramé un complot contre le Parti libéral et se sont servis de l'Union nationale qui s'est fait prendre au piège !

Cette sordide affaire, connue de la police depuis quelques mois et ressuscitée par le député de Bagot à des fins électoralistes, compromet sérieusement et pour longtemps sa réputation politique.

Laurendeau condamne amèrement le style des attaques de Johnson, sa singulière soif de scandales et l'analyse imprudente de ses sources d'information :

> On a le sentiment que, allumé par la perspective d'une affaire retentissante où des adversaires seraient éclaboussés, M. Johnson a réellement cru que les dénonciations des trois récidivistes impliquaient des libéraux. Il s'est lancé à fond, mais l'affaire lui revient sur le nez[56].

Le caricaturiste Normand Hudon, lui, se frotte les mains. Depuis la défaite électorale unioniste du 22 juin, son inspiration était en panne. Quelques jours après le scrutin, Hudon s'était caricaturé lui-même. Devant sa planche à dessin immaculée, il exhortait sa muse de lui trouver de nouvelles têtes de Turc ! « J'ai perdu mes meilleurs ! » lui disait-il en offrant en pâture à ses lecteurs les masques grimaçants des Duplessis, Ti-Toine Rivard ou Barrette...

Le pataugeage de Johnson dans les eaux bourbeuses du trafic des fausses devises stimule l'imagination du caricaturiste qui accouche, le 19 novembre, de son premier « Danny Boy ». Un caissier examine à la loupe un billet de 10 dollars que Johnson vient de lui remettre, en disant : « Danny Boy, après ta fausse histoire, j'prends plus de chance. » Une semaine plus tard, Hudon revient avec son nouveau personnage qu'il affuble d'un double ceinturon à cartouchières, de deux revolvers, d'une garcette et d'un large chapeau de cow-boy. Sur le dessin, Antonio Talbot, chef parlementaire unioniste, bafoue Johnson : « Danny Boy, cesse de cracher en l'air, pis j'te donne un vrai dix piasses[57] ! »

Daniel Johnson n'aura pas trop de quatre ans pour se défaire d'une image qui l'associe ni plus ni moins à un escroc.

L'Union nationale perd les deux comtés de Joliette et de Rouville. Victoire libérale écrasante : dans les deux circonscriptions où l'on votait bleu depuis plus de vingt-cinq ans, la majorité des deux élus libéraux, Gaston Lambert et François Boulais, est supérieure du double au nombre de voix récoltées par les candidats unionistes. Le Parti libéral compte maintenant 53 députés et l'Union nationale, 41.

C'est une défaite personnelle pour Daniel Johnson, tout au

moins dans Rouville où il a été l'architecte de la bataille unioniste. Le député de Bagot était pourtant assuré d'une victoire, cette circonscription constituant, avec son électorat rural, un comté unioniste typique. La veille du scrutin, Johnson avait piqué le premier ministre, au cours d'un débat en chambre, en lui jetant à la figure :

— Attendez le résultat des élections !

— Soyez prudent, vous allez peut-être regretter votre déclaration demain ! rétorqua Lesage.

Le 24 novembre, lendemain du scrutin, Jean Lesage chante victoire.

— Je vais offrir des félicitations à ceux qui ont participé à la lutte de l'autre côté, et particulièrement au député de Bagot ! Ainsi, ses chances de devenir le chef de son parti ont augmenté !

Son échec ne fait pas de Johnson un atrabilaire. Durant le débat, il affiche un large sourire («un peu jaune», écrit le lendemain son ami Pierre Laporte) avant de répliquer à Lesage :

— Je félicite, quant à moi, les électeurs qui ont voté pour mon parti. C'est dur de se battre contre de l'asphalte[58] !

Pour Laurendeau, il faut voir là la défaite des sonneurs de fausses alarmes de l'Union nationale, qui ont voulu aviver les préjugés en faisant de l'école gratuite et de l'école non confessionnelle un seul et même concept. Le résultat du test électoral «réduit les chances du duplessisme que Daniel Johnson a tenté de ressusciter. L'ancien ministre s'est mis en relief au cours de cette lutte. Il est allé ramasser dans les poubelles l'affaire des faux billets. Il a créé artificiellement la crise de la confessionnalité. Il a échoué[59]. »

Cependant, le député de Bagot a réussi à énerver les ministres en répandant dans les cantons son fatras au sujet de l'école laïque. La stratégie unioniste risque de compliquer la réforme de l'éducation dont les premières mesures relatives à la gratuité ont été annoncées dans le discours du Trône. Dans le sillage des partielles s'amorce un débat interminable sur l'école confessionnelle. Ce thème suscite d'ailleurs la première colère de Jean Lesage en Chambre.

Le provocateur n'est pas le député de Bagot, mais l'un de ses partisans à la direction du parti, Fernand Lafontaine, député de Labelle.

— Qu'on me permette, dit ce dernier, de démasquer ces rongeurs bipèdes qui essaient de saper nos structures démocratiques en voulant détruire notre clergé !

Le premier ministre bondit, blanc de colère.

— J'en ai assez de ces insinuations sans fondement ! L'opposition essaie de créer un mythe. Le parti Libéral n'est ni anticlérical ni anticonfessionnel. Cela a assez duré ! Je n'endurerai pas que le député de Labelle se substitue à la hiérarchie pour nous donner des leçons[60] !

Devant cette volée de bois vert, le député Lafontaine, un grand sec, ingénieur de son état, bat rapidement en retraite. Les partielles et leurs retombées ont néanmoins permis à Daniel Johnson de fourbir l'arme de l'école laïque. L'explosion de Lesage et les dissertations moralisatrices du « poète » André Laurendeau ne mentent pas : son arme est aussi piquante que la pointe d'une baïonnette !

Les députés ministériels possèdent, eux aussi, des armes redoutables pour l'Union nationale. Ainsi, la commission d'enquête du juge Salvas sur le patronage doit siéger dès le 7 décembre. Plus tôt, en octobre placé devant le fait accompli, Yves Prévost (alors chef intérimaire) n'avait pas eu d'autre choix que d'offrir sa gorge au couteau de l'ennemi.

— C'est une excellente mesure car nous tenons à la vérité, avait-il commenté. Nous tenons à ce que toute la lumière soit faite sur l'administration des affaires de la province par le gouvernement de l'Union nationale[61].

Quinze jours plus tôt, l'Union nationale avait vainement tenté d'empêcher la tenue d'une enquête publique en présentant une motion surprise à une séance spéciale de l'Assemblée législative. Elle désirait éviter à tout prix « l'opération salissage » qui résulterait nécessairement d'une telle enquête.

— Chacun a droit à sa réputation, professa Yves Prévost en exigeant la convocation du Comité des comptes publics, le tribunal des membres de l'Assemblée.

Les libéraux rejetèrent la motion unioniste. Avant de demander à ses pairs de la défaire, le premier ministre libéral rétorqua au chef intérimaire de l'Union nationale :

— Il y a du mérite à faire juger les députés par d'autres que leurs propres collègues[62].

Fin novembre, Jos-D. Bégin, l'ancien ministre dont la gestion à la Colonisation sera épluchée par les commissaires, est mis au pilori. Au sein même de son parti, on fait le vide autour de lui.

Des « conjurés » exigent de Talbot son expulsion du club Renaissance qui a mis des pièces à la disposition exclusive de l'organisateur.

— Je suis la cible de toutes les attaques depuis deux ans ! Je suis écœuré et je veux me défendre, en finir !

Ce cri du cœur, c'est Jos-D. Bégin qui le pousse au milieu d'un silence religieux. Le député de Dorchester s'est levé en Chambre pour défendre son honneur. Avec son habileté coutumière, le vieux renard va accaparer l'attention des députés pendant une heure entière. Il n'oublie pas une seule des controverses dont il est le centre : l'affaire Pelletier, les grains de semence, les faux billets, la contestation de son élection.

Bégin, dont c'est presque le chant du cygne, vide aussi sa querelle avec Barrette :

— Le 7 janvier dernier, en choisissant un de mes collègues comme chef du parti et premier ministre, je croyais choisir le « grand monsieur » de la politique. J'ai constaté, par la suite, que c'était le plus grand orgueilleux de la politique provinciale.

L'ancien ministre demeure calme. Il conteste toutes les accusations portées contre lui et implore même le juge Salvas de commencer son enquête non pas par le gaz naturel, mais par le ministère de la Colonisation.

— On est allé jusqu'à dire dans mon comté que je faisais le trafic des narcotiques, que je valais 18 millions de dollars, 70 millions, 180 millions ! Ça ne coûtait pas cher, il suffisait d'ajouter des zéros !

— C'est mieux que de passer pour un quêteux ! coupe Lesage.

— On s'est attaqué à ma résidence, j'avoue qu'elle n'est pas mal, en prétendant qu'elle valait entre 300 000 dollars et 400 000 dollars ! Il n'y avait pas de limite !

L'éloquence persuasive de Bégin en impose même à la foule qui remplit les galeries. Là aussi, le silence est de rigueur, surtout quand le politicien joue d'une corde sensible entre toutes, celle de la famille :

— J'ai une femme admirable et des enfants qui me font honneur. Que ceux qui portent de telles accusations pensent à leur femme et à leurs enfants !

Le pathétisme de l'organisateur produit chez René Lévesque

une réaction contraire à celle qui semble dominer dans la salle. Son scepticisme politique — déjà bien ancré après seulement quelques mois passés au service de l'État — l'amène à dire tout haut d'un ton agacé :

— J'en ai assez des airs de vertu offensée du député de Dorchester !

— Je n'ai jamais attaqué un adversaire personnellement, lui réplique suavement l'organisateur.

— Vous aviez des gens qui travaillaient pour vous...

— J'affirme n'avoir jamais reçu un seul sou de gens de mon comté qui ont obtenu des emplois ou autre chose.

— Qui est-ce qui collectait pour vous ? raille Lévesque, brutal et cynique[63].

Jos-D. Bégin a donné un bon spectacle. La presse est unanime sur ce point. Le 1er décembre, néanmoins, la tête de l'organisateur tombe sous le couperet du caucus de son propre parti. La voix des militants unionistes qui désirent enterrer au plus vite un passé gênant a été prépondérante. Le vent tournerait-il ?

Dans un geste décisif en prévision du congrès, le caucus forme également un comité de liaison et d'organisation. Présidé par Antonio Talbot, le comité groupe une douzaine de députés, dont Daniel Johnson, Jean-Jacques Bertrand, Maurice Bellemare et Fernand Lafontaine.

Signe des temps ? Quelques jours après l'intervention de Bégin et son limogeage subséquent, c'est au tour du trésorier Martineau de répondre à ses accusateurs. Le conseiller législatif choisit bien son moment : le 6 décembre, veille du début de l'enquête Salvas. Jurant de son honnêteté, Martineau réduit aussi en miettes une accusation antérieure de Barrette selon laquelle il aurait aidé les libéraux durant la campagne du 22 juin afin de couler son propre chef.

— La seule pensée de poser un tel acte, affirme l'argentier, aurait été, dans mon esprit, une trahison et une lâcheté envers Duplessis.

Antonio Barrette a-t-il jamais été le chef de l'Union nationale ? Gérald Martineau en doute : l'UN a eu deux véritables chefs, dit-il, et un chef temporaire dont le départ a été précipité[64] ! C'est la seule morsure véritable que le trésorier administre à Barrette qui voyage en Europe en attendant de devenir, peu de temps après, ambassadeur du Canada en Grèce.

Au tournant de l'année, Daniel Johnson accélère le tempo de sa campagne à la direction du parti, nullement intimidé par la pluie de caricatures qui s'abat sur lui. Hudon a beaucoup de succès avec son « Danny Boy » et en remet, chaque fois que sa victime se manifeste.

À l'occasion d'une partie d'huîtres à La Malbaie, le député de Bagot invite la jeunesse à venir redorer par son dynamisme les cadres vermoulus de son parti et insiste sur le caractère profondément québécois de l'Union nationale « qui a des amis à Ottawa, alors que les libéraux y trouvent leurs maîtres ». D'une caricature à l'autre, les crayons de Normand Hudon sont plus aiguisés. Le rajeunissement de l'Union nationale, ça se passe « Chez Danny Boy Grill » avec le barman Johnson qui offre à boire à des petits « Danny Boy » !

Cinq jours plus tard, le 15 décembre, Hudon fait de nouveau des siennes : « Danny Boy » pointe sa carabine sur trois cibles : Lesage, Lapalme et Lévesque. Il dit : « C'est curieux, plus je tire, plus ils ne tombent pas ! » Hudon a raffiné son dessin : la tête de Johnson a la forme d'un revolver et son nez est le canon de l'arme.

Le harcèlement du caricaturiste du *Devoir* (qu'il connaît de longue date, tous les deux étant des habitués du restaurant Le 400, boulevard Dorchester) incommode davantage sa famille que le député de Bagot lui-même.

Johnson est partagé entre la soif de publicité propre au politicien (qu'on parle de moi en bien ou en mal, mais qu'on en parle !) et le souci de l'époux et du père qui sait bien qu'une image aussi grotesque ne peut que blesser ceux qui l'aiment. Certain de pouvoir un jour se défaire de cette image et tout aussi convaincu que la route vers le pouvoir sera longue, Johnson dit parfois à ses proches : « Aussi bien que ça m'arrive tout de suite ! »

Grâce à Hudon autant qu'à ses propres activités, la renommée de Daniel Johnson croît beaucoup plus vite que celle de son principal rival au congrès. Jean-Jacques Bertrand tarde, d'ailleurs, à entrer dans la course. À l'Assemblée législative, le dynamisme du député de Bagot tranche tellement sur le manque d'entrain du chef parlementaire Antonio Talbot que ce dernier finit par passer au second plan. La démission d'Yves Prévost, le 12 janvier 1961, donne à Johnson encore plus de poids. Confirmé dans ses fonctions de chef intérimaire jusqu'au congrès du printemps, le vieux routier Talbot s'efface de lui-même devant cet homme pour qui le parquet de la Chambre constitue un tremplin électoral de choix.

Les charges féroces et efficaces de Johnson contre René Lévesque, véritable bête noire de l'Union nationale, impriment dans le subconscient des militants unionistes l'image du chef tant recherché depuis la mort de Paul Sauvé.

Lévesque et Johnson ne s'aiment pas et se livrent un véritable duel depuis la défaite du 22 juin. Pourtant, les deux hommes ont des traits communs : leur peu d'intérêt pour l'argent, un goût évident du pouvoir, leur manie d'être constamment en retard à leurs rendez-vous, une timidité et une réserve qui les empêchent de s'ouvrir totalement, en public comme en privé. Au cours des années 60, leur carrière politique va suivre une même courbe, faite de hauts et de bas. L'un et l'autre connaîtront l'exaltation et le désenchantement.

Les bases de leur hostilité sont carrément politiques. Il y a d'abord le fait que Johnson abhorre les idées sociales avancées par le chef de file de la Révolution tranquille. Au début des années 60, le député de Bagot est encore un adepte convaincu du credo duplessiste maudit par le député de Laurier. Autant ce dernier est un étatiste convaincu, autant Johnson croit à l'entreprise privée comme moteur du développement économique du Québec, perpétuant ainsi la méfiance duplessiste envers l'État. En Chambre, les deux protagonistes se chamaillent pour un oui ou pour un non, mais, le plus souvent, à cause de leurs divergences idéologiques.

À l'occasion du débat sur la création du ministère des Richesses naturelles, en février 1961, les deux vedettes de l'Assemblée législative se heurtent de front. Au ministre Lévesque qui vient de décrire l'État québécois comme un levier de salut national et « le plus bel espoir d'un peuple minoritaire », Johnson rétorque :

— Si l'on veut arrêter le progrès, on n'a qu'à prêcher le socialisme de ces pseudo-intellectuels qui font le jeu des puissances étrangères. Ce n'est pas au moment où l'entreprise privée va devenir rentable pour le Québec qu'il faut la saboter.

Ce genre de démagogie irrite le député de Laurier. Piqué au vif, René Lévesque accuse son opposant de rendre un bien mauvais service à ses compatriotes en faisant de l'État un épouvantail et lui reproche « sa suffisance ».

— M. le président, réplique Johnson, je vous demande de

faire retirer au député de Laurier cette expression antiparlementaire[65].

Parfois, les échanges entre les deux hommes débordent de pétulance. On dirait deux joueurs de hockey qui s'empoignent dans un coin de la patinoire ! Pendant un débat à propos de l'enquête Salvas, Johnson et Lévesque se querellent de nouveau.

— Vous êtes le fossoyeur de l'école confessionnelle ! accuse le premier.

— Vous êtes le personnage le plus vomissant que j'aie jamais connu ! tranche le second[66].

Contrairement à Johnson toujours maître de lui, même dans une passe d'armes particulièrement rude, le député de Laurier est un « paquet de nerfs ». Il a parfois envie de casser la figure du député de Bagot tant il est exaspéré par le comportement cynique et sans scrupules que celui-ci adopte à son égard. L'air ulcéré de Lévesque fait alors comprendre au député de Bagot qu'il est allé trop loin. Son côté charmeur reprend le dessus et, dès que la séance a pris fin, il s'approche de son adversaire et laisse tomber, immanquablement :

— Voyons donc, il faut pas prendre ça au sérieux !

René Lévesque voudrait-il se brouiller tout à fait avec Johnson qu'il ne le pourrait pas ! Incapable de poursuivre ses querelles hors de l'arène parlementaire, le député de Bagot sait trouver le mot ou le geste propre à désamorcer chez ses adversaires toute ardeur belliqueuse. Pour lui, la politique, c'est aussi un jeu[67]. Johnson, c'est l'avocat de la défense prenant un verre avec l'avocat de la poursuite entre deux séances du tribunal.

En prenant la relève de Johnson aux Ressources hydrauliques, Lévesque s'est placé automatiquement dans sa ligne de visée. La moindre de ses décisions lui vaut d'être mis sur la sellette par le député de Bagot.

Sous l'Union nationale, le rôle le plus important de ce ministère consistait à faire du drainage et à entretenir les cours d'eau, et celui de Johnson à servir de garant politique aux activités d'une Hydro-Québec qui l'ignorait. Avec Lévesque aux commandes, la situation change complètement. Toutes les richesses naturelles et non plus seulement l'eau entrent dans la sphère d'activités du ministère. L'objectif de Lévesque : rendre tous les Québécois actionnaires des fabuleuses ressources dont le Québec regorge. Cela veut dire une intervention plus poussée de l'État, notamment dans le domaine de l'hydro-électricité. Sous Lévesque, l'entreprise privée n'aura pas la meilleure part du gâteau. Johnson le pressent et ne rate pas une occasion de fustiger «le gauchisme» du ministre.

Les deux hommes commencent à se chamailler dès la transmission des pouvoirs, le 5 juillet 1960. Quand il prend possession de ses quartiers, le nouveau ministre constate que la moitié des classeurs sont vides. Lévesque laisse filtrer dans la presse une information qui fait ni plus ni moins de son prédécesseur un prévaricateur.

Le Devoir écrit : « Le ministre des Ressources hydrauliques, M. Daniel Johnson, a fait maison nette avant de partir. Il a emporté des centaines de dossiers. On affirme que la majorité d'entre eux ont été préparés par des fonctionnaires de la province, aux frais des contribuables et qu'ils appartiennent à la province[68]. »

— Je n'ai emporté que des dossiers personnels ! réplique Johnson, le lendemain, en précisant qu'il s'agit de coupures de journaux accumulées depuis son élection comme député en 1946.

Avant de faire déménager sa documentation par son personnel, Johnson a pris soin d'en aviser le nouveau chef de cabinet de Lesage, M. Alexandre Larue, qui a lui a donné son accord. Le député de Bagot a la manie des coupures de journaux. C'est Paul Petit, son secrétaire, qui s'était chargé de ramasser, au fil des années, tout ce qui se publiait dans la presse québécoise au sujet de la politique fédérale et provinciale, de sorte qu'en 1960 le «centre de documentation» de Johnson était riche de 14 classeurs rassemblés au secrétariat du ministère des Ressources hydrauliques[69].

L'affaire reste en suspens. Pendant les semaines suivantes, Lévesque charge ses limiers de tirer les vers du nez aux fonctionnaires demeurés en place malgré le changement de gouvernement. Fin janvier 1961, son enquête terminée, Lévesque harponne Johnson à propos de la disparition d'une lettre concernant un fonctionnaire anciennement attaché à son ministère.

— Sa lettre est peut-être dans les dossiers que le député a emportés avec lui sans droit, hasarde Lévesque.

— Le premier ministre lui-même a emporté des dossiers en quittant le ministère du Grand Nord à Ottawa, riposte Johnson.

— Je n'aime pas ce genre d'insinuations, coupe Lesage. Je n'ai emporté que des copies de documents publics auxquelles j'avais droit.

— Je suis tout à fait d'accord. C'est ce que j'ai fait moi-même.

— Vous avez emporté sans justification des documents appartenant à la province, documents d'une valeur de 20 000 dollars, hurle Lévesque, provocant.

— Tout ce que j'ai sorti de mon ministère l'a été après entente avec le chef de cabinet du premier ministre, M. Alexandre Larue. J'ai même dit que si, par hasard, j'emportais un document qui ne m'appartenait pas, je m'empresserais de le retourner. C'est ce que j'ai fait !

— Ce que vous avez fait, on appelle ça du vol !

L'accusation du député de Laurier sort de sa torpeur le chef parlementaire de l'Union nationale, Antonio Talbot :

— Le député va retirer ces paroles immédiatement !

Un magnifique brouhaha accueille la demande de Talbot. Les invectives fusent des deux côtés de la Chambre.

— À l'ordre ! À l'ordre ! adjure le président de l'Assemblée.

— Je retire le mot vol, concède Lévesque. Je donnerai aux journaux un communiqué comportant tous les détails de l'affaire. Si le député de Bagot veut me poursuivre, il sera libre alors de le faire.

— À l'ordre ! À l'ordre ! ordonne de nouveau le président.

— Depuis 1946, je fais des *clippings* de presse. J'ai continué comme ministre. J'avais le droit de les emporter. Tout cela s'est réglé à l'amiable et ça prend le député de Laurier pour dégrader ainsi des parlementaires ! rugit Johnson.

— Les *clippings* dont le député parle ont été payés par la province, faits dans des bureaux de la province à même des journaux payés par la province. Ils ont été sortis du département des Ressources hydrauliques, sur ordre du ministre, quelques heures avant le changement de gouvernement, par une gestapo dirigée par l'ancien ministre.

— Je demande maintenant au ministre de retirer le mot vol à mon endroit !

— Je le retire et avertis le député que je donnerai un communiqué aux journaux. Il pourra ensuite me poursuivre si j'ai menti.

— Est-ce utile de poursuivre un pourceau ? laisse tomber avec mépris Fernand Lafontaine, député de Labelle[70].

Une guerre de communiqués suit le débat parlementaire.

Lévesque révèle que les « coupures » du député de Bagot constituent un véritable service de documentation qui a coûté à la province la somme de 17 684 dollars, soit 15 000 dollars en salaires versés à six employés, 2420 dollars en loyer pour 388 pieds carrés de plancher et 264 dollars en abonnements à 35 journaux et revues.

Quant à la « documentation personnelle » déménagée par les fonctionnaires de Johnson, elle comprenait notamment les dossiers de grandes compagnies qui étaient en relation avec le ministre, comme Miron et Frères, Komo Construction, Perini, Iron Ore, Shawinigan Power, Alcan, etc. À cela s'ajoutaient des dossiers sur les barrages relevant de la juridiction du ministère, les fournisseurs, la classification des employés, les contrats relatifs aux barrages de Carillon, de la Bersimis et de la Manicouagan.

— Bref, conclut l'accusateur, quand nous sommes entrés au ministère le 5 juillet, à neuf heures du matin, il ne restait plus dans les classeurs que sept dossiers, d'ailleurs tous incomplets. Deux cartes murales, une bouteille thermos et une machine à écrire avaient même disparu avec le reste[71] !

Le député de Bagot est tellement ébahi par l'accusation que le doute l'assaille un moment. Il demande à son secrétaire, Paul Petit :

— L'avez-vous emportée, la machine à écrire ?

— Voyons, M. Johnson ! Allez-vous faire un homme de vous ? La machine à écrire est restée sur une tablette, rétorque Petit, vexé.

Dans sa réplique, le député de Bagot taxe de « folichonne et de fantastique » l'allégation de Lévesque et répète que les documents emportés par mégarde lui ont été retournés. Johnson se permet d'ironiser au sujet de la comptabilité utilisée par Lévesque pour fixer à près de 20 000 dollars la valeur de ses coupures de journaux : « Il m'a apparemment fait grâce de la colle et de l'usure des ciseaux. »

Johnson attribue à son inexpérience l'emportement vertueux du ministre. Il lui rappelle que, de tout temps, les hommes politiques ont emporté leur documentation personnelle en quittant leurs fonctions.

— C'est ce qu'a fait M. Lesage. C'est ce qu'a fait M. Lapalme en quittant le bureau du chef de l'opposition. Et c'est ce que fera le député de Laurier quand la population en aura assez de ses méthodes à la Khrouchtchev[72] !

Pas plus que les autres, cette prise de bec entre l'aspirant à la direction de l'Union nationale et le ministre des Richesses naturelles n'aura de répercussions sur le plan judiciaire. Cependant, elle laisse à Johnson un goût amer. Lévesque lui apparaît sous un nouveau jour : celui d'un fieffé opportuniste prêt à faire flèche de tout bois pour démolir ceux qui le critiquent. Se faire traiter de duplessiste ou de vomissure, passe encore ! Mais de voleur public, c'est dépasser les bornes ! « Méfiez-vous de Lévesque ! » deviendra l'une des maximes johnsoniennes. Certains fidèles du député de Bagot, comme Maurice Bellemare, perçoivent maintenant Lévesque comme une ordure[73].

Malgré une étiquette de voleur autour du cou et l'image caricaturale d'un « Danny Boy » impénitent, Daniel Johnson n'en force pas moins le rythme de sa campagne au leadership. Alors qu'au début du printemps 1961 la course n'est pas encore ouverte officiellement, il est déjà en lice, sans même attendre de savoir qui seront ses rivaux. Néanmoins, il en profite pour sonder le terrain et tâter le pouls des militants unionistes. Il affine les thèmes qu'il abordera quand viendra l'heure du véritable marathon.

À l'écouter, il devient clair que Johnson ne fera pas campagne dans le camp de la réforme. On ne pourrait trouver ni pire démagogue ni plus redoutable chasseur de sorcières que lui ! Pour se mériter l'appui à la fois de la vieille garde du parti et de la base unioniste dont il connaît l'imperméabilité aux idées de la Révolution tranquille, le député de Bagot met entre parenthèses toute idée de progrès. Le leadership de son parti lui semble acquis à ce prix. Il défendra le duplessisme sans Duplessis.

Au début de mars, à Saint-Jérôme, Johnson croit déceler une révolte dans la province et même au sein du « cabinet Lesage-Lévesque », contre la clique de pseudo-intellectuels, de socialisants gauchistes et d'éléments révolutionnaires qui, véritables termites, ont pris dans le Parti libéral la place des vrais libéraux ! (À elle seule, cette envolée vaudra à son auteur trois nouvelles caricatures de Hudon !)

L'extrémisme du député de Bagot provoque des grincements de dents chez le premier ministre. Au cours du débat relatif à la création d'un ministère des Affaires culturelles, Johnson dénonce les visées étatistes du gouvernement en matière de langue et de culture et plaide en faveur d'un rôle supplétif de l'État.

Lesage n'attendait que cette occasion pour lui tomber dessus à bras raccourcis.

— Dans le domaine des affaires culturelles, je prétends que l'État a plus qu'un rôle supplétif à jouer, affirme-t-il. Lorsqu'on parle du rôle de l'État du Québec, le député de Bagot s'effarouche, il crie au gauchisme, à l'étatisme, au socialisme. Nous nous rendons coupables de ce qu'il appelle le gauchisme dans son langage d'épouvantail à corneilles !

— Si le premier ministre veut des discussions partisanes, réplique Johnson, je peux lui parler de ses *beatniks* de Radio-Canada qui le font marcher, lui, bien plus que le peuple de la province. Je m'objecte aux gauchistes, aux intellectuels gauchistes et aux artistes gauchistes quand ils veulent gouverner et nous gouverner à leur manière[74] !

Les clichés duplessistes dont le candidat Johnson émaille de plus en plus ses interventions publiques crispent également le directeur du *Devoir,* Gérard Filion :

> Le duplessisme avec Daniel Johnson, c'est une marchandise de contrefaçon. Cela devient de la camelote, du chiqué, du réchauffé, du suri. Ignorant l'énorme déblocage qui s'est opéré au Québec depuis le 22 juin, M. Johnson ressemble aux émigrés de la Révolution française. Rentrés d'exil après la Restauration, ils n'avaient rien oublié et rien appris. Pourtant, il y avait eu la Révolution et l'Empire. Une France nouvelle était née à laquelle ils étaient restés complètement étrangers[75].

Plus la démagogie johnsonienne s'enfle, plus elle se déploie, plus Jean-Jacques Bertrand fronce les sourcils. Le député unioniste de Missisquoi n'a pas encore pris sa décision. Participera-t-il à la course à la direction de son parti ? Il hésite encore, attend de voir plus clair. Le lièvre Johnson aura déjà franchi plusieurs bornes quand Bertrand se mettra finalement en route. Contrairement à la fable, mais en accord avec la réalité, la tortue arrivera deuxième, cependant.

Notes — Chapitre 5

1. *Le Devoir*, les 28 et 29 juin 1960.
2. *Ibid.*
3. *Ibid.*, le 30 juin 1960.
4. *Ibid.*, le 10 octobre 1960.
5. *Ibid.*, le 16 juillet 1960.
6. *Ibid.*, le 6 octobre 1960.
7. *Ibid.*, le 15 juillet 1960.
8. *Ibid.*, le 10 octobre 1960.
9. *Ibid.*, le 11 novembre 1960.
10. Antonio Barrette, *op. cit.*, p. 273.
11. *Le Devoir*, le 29 juin 1960.
12. *Le Devoir*, le 12 août 1960.
13. Antonio Barrette, *op. cit.*, p. 274.
14. *Ibid.*, p. 275.
15. *Ibid.*, p. 276.
16. *Le Devoir*, le 22 juillet 1960.
17. *Ibid.*
18. Antonio Barrette, *op. cit.*, p. 284.
19. *Ibid.*, p. 278.
20. *Ibid.*, p. 279 et 280.
21. *Ibid.*, p. 286.
22. *Le Devoir*, le 12 août 1960.
23. Antonio Barrette, *op. cit.*, p. 283 et 284.
24. Jacques Pineault.
25. Antonio Barrette, *op. cit.*, p. 281.
26. Cardinal, Lemieux et Sauvageau, *op. cit.*, p. 181.
27. Antonio Barrette, *op. cit.*, p. 288.
28. *Ibid.*, p. 289.
29. *Ibid.*, p. 291.
30. *La Presse*, le 19 août 1960.
31. Claude Gosselin.
32. Un mois et demi plus tard, à Joliette, Barrette dit textuellement à Bertrand : « Je n'aurai jamais rien vu de semblable de ma vie, jamais un pareil cas ne se présentera où un homme aura manqué l'occasion de diriger un parti qui a été au pouvoir vingt ans, parce qu'il aura refusé de faire un pas pour prendre le gouvernail. » Voir Antonio Barrette, *op. cit.*, p. 290.
33. *La Presse*, le 18 août 1960.
34. Antonio Barrette, *op. cit.*, p. 292 et 298.
35. *Le Devoir*, le 20 août 1960.

36. Antonio Barrette, *op. cit.*, p. 298.

37. *Ibid.*, p. 299.

38. *Ibid.*, p. 316.

39. *Ibid.*, p. 329 et 363.

40. *Ibid.*, p. 317.

41. Paul Dozois, qui avait joué un rôle clé dans l'élévation de Barrette à la direction de l'Union nationale, apprit la démission de son collègue par la radio.

42. *La Presse* et *Le Devoir* du 15 septembre 1960.

43. *La Presse*, le 15 septembre 1960.

44. *Le Devoir*, le 16 septembre 1960.

45. Dans *Le Devoir* du 16 septembre 1960, le journaliste Pierre Laporte utilise une analogie tirée de la pièce *Topaze*, de Marcel Pagnol, pour décrire la guerre menée par Gérald Martineau contre le chef de son parti. Ayant reçu un jeune chimpanzé en cadeau, une dame l'éleva, l'engraissa, le dorlota jusqu'à ce que le singe, devenu grand et puissant, détruise tout dans sa maison. Et Laporte conclut : « M. Martineau n'est-il pas en train de faire à l'Union nationale le coup du chimpanzé ? »

46. *La Presse* et *Le Devoir* du 17 septembre 1960.

47. *Le Devoir*, le 4 octobre 1960.

48. *La Presse*, le 17 octobre 1960.

49. *La Patrie*, le 23 octobre 1960. Note : Grégoire Perreault était l'organisateur principal d'Antonio Barrette.

50. *Le Devoir*, le 7 novembre 1960.

51. *Le Devoir*, le 22 novembre 1960.

52. Yvette Marcoux.

53. *Le Devoir*, le 10 novembre 1960.

54. Roger Ouellet.

55. *Le Devoir*, les 17 et 18 novembre 1960.

56. *Ibid.*

57. *Le Devoir*, les 19 et 25 novembre 1960.

58. *Ibid.*

59. *Ibid.*

60. *Le Devoir*, le 26 novembre 1960.

61. *Le Devoir*, le 7 octobre 1960.

62. *Le Devoir*, le 22 septembre 1960.

63. *Le Devoir*, le 24 novembre 1960.

64. *Le Devoir*, le 7 décembre 1960.

65. *Le Devoir*, le 2 février 1961.

66. Cité par Jean Provencher, *op. cit.*, p. 166.

67. René Lévesque, in *Daniel Johnson*, émission de Radio-Québec diffusée dans la série « Visages », le 2 novembre 1977.

68. *Le Devoir*, le 8 juillet 1960.

69. Paul Petit.

70. *Le Devoir*, le 20 janvier 1961.

71. *Le Devoir*, le 21 janvier 1961.

72. *Le Devoir*, le 21 janvier 1961.

73. Les termes employés par Maurice Bellemare pour décrire le comportement de René Lévesque à propos de cet incident sont « cochon et sale ».

74. *Le Devoir*, le 4 mars 1961.

75. *Le Devoir*, le 1er mars 1961.

CHAPITRE 6

Le bon et le méchant

Au moment où les unionistes partent à la chasse aux candidats à la direction de leur parti, au début de l'été de 1961, la Révolution tranquille a un an. Entre les cent jours de Paul Sauvé et les douze premiers mois du régime Lesage, la filiation apparaît nettement. Lesage n'a pas trahi Sauvé. Avec lui, la réforme esquissée par le défunt premier ministre s'est largement déployée dans les domaines de la santé, de l'éducation, de l'administration publique, des mœurs politiques, de l'économie.

Sur le front outaouais, le chef du Québec a cru devoir hausser le ton à la conférence fédérale-provinciale de février. Le climat nationaliste naissant s'y prêtait parfaitement. Lesage a exigé 25 pour 100 de l'impôt des particuliers, 25 pour 100 de l'impôt sur les sociétés et 10 pour 100 de l'impôt sur les successions. Diefenbaker a concédé 20 pour 100 de l'impôt, mais en abaissant le montant des paiements de péréquation. Furieux, Lesage a quitté la capitale canadienne en maugréant : « Ottawa enlève d'une main ce qu'il donne de l'autre[1] ! »

Mil neuf cent soixante et un est une année où la contestation indépendantiste prend son envol. Fondé en septembre 1960 par une vingtaine de personnes dont l'âge moyen est de trente ans, le Rassemblement pour l'indépendance nationale (RIN) commence à faire la une des quotidiens. Il vient de se donner un nouveau président, Marcel Chaput, un chimiste tapageur suspendu pour activisme politique par le Conseil de recherche pour la Défense, son employeur.

Après avoir siégé pendant plus de six mois et entendu des dizaines de témoins, la commission d'enquête Salvas ajourne ses travaux au début de juillet. L'Union nationale pourra respirer durant tout l'été. Les commissaires quittent la scène afin de laisser les militants unionistes choisir leur chef en paix. Les activités reprendront après le congrès de l'Union nationale, fixé finalement au 19 septembre, à Québec. On attend du gros gibier à la reprise de l'enquête, dont nul autre que le trésorier de l'Union nationale, Gérald Martineau.

Les libéraux avaient promis d'enquêter avant de rebâtir le Québec. Ils tiennent parole. Le 8 février, Paul Gérin-Lajoie présente un projet de loi créant la Commission royale d'enquête sur l'éducation. Fin mars, la commission amorce ses travaux avec un mandat qui l'oblige à faire rapport avant la fin de 1962. Mgr Alphonse-Marie Parent, ancien recteur de l'Université Laval, la préside, avec le directeur du *Devoir,* Gérard Filion, comme vice-président.

Au milieu de l'année 1961, la roue de la réforme continue de tourner. Pourquoi, alors, commence-t-on à lire, sous la plume attentive des chroniqueurs de la Révolution tranquille, des phrases comme celle-ci :

> Par moments, on a, de l'extérieur, l'impression d'un ralentissement, au moins d'une hésitation — qui porte sur les objectifs et non seulement sur les moyens. Le gouvernement vieillirait-il trop vite[2] ?

Une année de réformes aurait-elle déjà essoufflé Jean Lesage ? Qui l'a poussé à lancer sa fameuse tirade sur la « possession tranquille de la vérité », lors de la remise des diplômes à l'Université de Montréal ? L'équipe du tonnerre serait-elle déjà divisée en clans ? Et ce damné René Lévesque, encore plus remuant que Daniel Johnson, qui parle d'étatiser l'électricité ? Où va la Révolution tranquille ? Où vont les libéraux ?

Décapitée depuis la mort de Paul Sauvé, l'Union nationale cherche encore son grand homme. Pour l'instant, elle a l'air d'un parti à la dérive, partagée entre ses velléités de démocratisation et sa fidélité bornée à un duplessisme révolu. Par quel miracle saura-t-elle trouver le leader capable de la délester du poids de son passé et de la relancer à la conquête du pouvoir ? L'Union nationale a-t-elle seulement encore une raison d'être, face à ce Jean Lesage, qui a l'air de vouloir se montrer plus autonomiste que Duplessis, Sauvé et Barrette réunis ?

Dirigée par Antonio Talbot, un vieux routier politiquement anémique et exécutant docile des mots d'ordre de l'éminence grise Gérald Martineau, comment cette formation politique parviendra-t-elle à estomper cette impression de déclin qu'André Laurendeau ne peut s'empêcher de mettre en relief avec une cruauté qui lui est inhabituelle ?

> Battue de justesse en juin 1960, l'Union nationale s'effondre, perd bientôt son chef, s'en cherche péniblement un autre, s'enfarge dans ses vieux députés, perd Montréal, patauge, fait du bruit pour prouver qu'elle existe, se demande si elle ne se réformera pas à son tour, expectore et régurgite[3].

À la mi-janvier, quand un Yves Prévost, incapable de guérir ses névroses, a dû céder sa place à Antonio Talbot, le ministre René Hamel n'a pas manqué l'occasion de taquiner en Chambre Daniel Johnson à propos de la décapitation continuelle de son parti. Celui-ci lui a alors décoché une flèche destinée, en réalité, à Jean Lesage :

— L'Union nationale en est à son cinquième chef, c'est vrai, mais elle a encore assez de ressources pour ne pas aller s'en chercher un sixième à Ottawa[4] !

À l'été de 1961, le temps est donc venu pour ce parti de scruter ses rangs afin d'y dénicher un sixième chef, génial si possible, qui saura le remettre sur les rails. Depuis que le comité organisateur du congrès a publié les dates définitives, les 21, 22 et 23 septembre, trois noms circulent dans la presse, outre celui de Johnson. Il y a d'abord celui du chef intérimaire, Antonio Talbot. Mais sa candidature suscite, généralement, un profond scepticisme.

Quelques rumeurs font également état du juge Omer Côté, du district de Terrebonne, et du maire de Sherbrooke, Armand Nadeau. Où est Jean-Jacques Bertrand ? On ne le sait trop. Craint-il de se mesurer à son éternel rival Daniel Johnson, le seul aspirant qui n'a pas opposé un démenti formel à sa candidature ? Du côté de la baie de Missisquoi, si belle et si chaude en cette période de l'année, c'est le silence.

Début juillet, la presse trouve fort maigre la brochette de

candidats. Eh quoi ! ce parti fort de son million d'électeurs, ce parti qui aspire à reconquérir un pouvoir perdu à cause des inepties d'Antonio Barrette, ce parti n'aurait-il rien d'autre à montrer qu'un vieux député fatigué, un maire sans crédibilité politique ou un ambitieux démagogue à qui le chapeau noir des vilains sied si bien ?

Quel sombre avenir attend l'Union nationale si jamais ses militants, privés d'une véritable alternative, la remettent entre les mains douteuses de « Danny Boy » ? Quelle sorte de réforme faudrait-il attendre de ce duplessiste forcené, impliqué, de surcroît, dans le scandale du gaz naturel ?

La Révolution tranquille a produit bien des fruits, notamment un manichéisme politique dont sont atteints les milieux journalistiques. Le monde de la politique se divise en deux camps : les bons et les méchants. Duplessis était le méchant ; Lesage est le bon. Daniel Johnson est le méchant... Qui sera le bon ? Est-il encore possible de trouver un honnête homme dans les entrailles d'un parti fouillé par la sonde de commissaires enquêteurs ?

Par ses interrogations, la presse pave la voie du seul juste, peut-être, de l'Union nationale. Le bon, le pur, le réformateur existe bel et bien. Il s'est enfermé chez lui, à Cowansville, avec ses conseillers. C'est le député de Missisquoi. C'est Jean-Jacques Bertrand. Contrairement au *méchant* « Danny Boy », qui parcourt déjà la province, le *bon* hésite encore à prêcher la vertu à son parti. Ses hésitations, Jean-Jacques Bertrand les doit à ce qu'il est en réalité : un honnête politicien de province, dépourvu d'ambition et qui serait bien heureux de limiter l'aire de sa souveraineté aux frontières de son fief de Missisquoi.

* * *

Jean-Jacques Bertrand ne viendra pas à bout de ses atermoiements avant le 21 juillet, date à laquelle il laisse entrevoir pour la première fois la possibilité de sa candidature. Mais le héraut de la réforme ne rendra sa candidature officielle que le 13 août, un mois seulement avant le congrès de Québec. Daniel Johnson a démarré au printemps, comme le lièvre de la fable. Quand Bertrand décide enfin de se mettre en piste, le député de Bagot a eu le temps d'annoncer ses couleurs, de serrer des milliers de mains et, surtout, de roder une organisation redoutable autant par son fanatisme et son total dévouement que par son importance numérique.

Le député de Bagot compte en effet peu d'appuis parmi les anciens ministres et les députés. Les militants de la base qu'il va conquérir un par un constituent la véritable cible de sa campagne. En début de course, seulement trois députés sur 40 osent s'afficher aux côtés de « Danny Boy » : Fernand Lafontaine, député de Labelle, Armand Russell, député de Shefford et Germain Caron, député de Maskinongé. Celui-ci a détecté en Daniel Johnson le fils spirituel de l'homme qui l'a converti à la politique en 1944. Une fois que le marathon aura débuté, un quatrième parlementaire se joindra aux premiers : le rustre député de Maisonneuve, l'électricien Lucien Tremblay.

Un soir, le député de Labelle déambule avec Johnson dans les rues de Québec, entre le parlement et le Château Frontenac. À ce dernier, complètement démoralisé par l'hostilité générale de la députation à son endroit, il déclare :

— Commençons par le commencement. Je vais d'abord vous appuyer publiquement. Avec moi, ça vous fait au moins un député. De toute façon, ce qu'il vous faut en premier lieu, c'est l'appui des militants. Les députés suivront[5].

L'ingénieur Lafontaine est un novice en politique. Natif de Montréal, il s'est installé dans le comté de Labelle en 1956, à la recherche d'air pur, et est devenu député lors des élections partielles de 1959 grâce à l'appui de Paul Sauvé et de Duplessis. L'un des ministres réfractaires à sa candidature n'était nul autre que Daniel Johnson !

Dès que Lafontaine a commencé à siéger à l'Assemblée législative, les deux hommes se sont rapidement découvert des points communs. Depuis le changement de gouvernement, il n'est pas rare de les voir s'unir dans un débat pour monter en épingle les tendances ou socialisantes ou anticonfessionnelles de l'équipe Lesage.

Si le député de Labelle a choisi Johnson, ce n'est pas parce qu'il nie tout mérite à Jean-Jacques Bertrand, bien au contraire. Mais ce qui le séduit par-dessus tout chez Johnson, c'est son humanisme, son humour et aussi ses grandes capacités intellectuelles[6].

Durant les tractations qui avaient caractérisé le choix du successeur de Sauvé, puis celui de Barrette, Armand Russell, député de Shefford, était gagné à Bertrand. Mais il avait changé d'opinion en voyant celui-ci appuyer d'abord la candidature de Barrette, après la mort de Sauvé, puis refuser la succession que lui offrit le premier en catimini, quelques mois plus tard. Pour refuser une pareille chance, Bertrand devait manquer ou de logique ou de jugement[7] !

C'est alors que Russell s'était tourné vers Daniel Johnson qu'il connaissait depuis 1946. Dix ans plus tard, les deux hommes s'étaient mesurés l'un à l'autre lors de la désignation du candidat de l'Union nationale dans Shefford. Estimant que Russell, maire de Saint-Joachin, n'avait pas à se mêler de politique sur le plan provincial, Johnson avait opté pour un autre aspirant au titre, mais l'avait vu mordre la poussière.

Une fois en campagne, la puissance de son adversaire libéral, Me Henri Lizotte, avait plongé dans le désarroi Armand Russell qui avait appelé Duplessis à son secours :

— Il me faut de l'aide, monsieur Duplessis.

— Je vais t'envoyer Johnson, ça fait ton affaire ? demanda le Chef.

Russell n'avait pas le choix. Il marcha sur son orgueil et pria Johnson de venir l'épauler, à Waterloo, comme principal orateur à une assemblée contradictoire qui promettait d'être tumultueuse. Johnson accepta. Ce fut la dernière assemblée contradictoire du comté de Shefford, à la demande même de l'évêque !

Les libéraux avaient soudoyé de jeunes réservistes pour qu'ils créent des incidents et conspuent les orateurs unionistes. Johnson parvint à les mater en s'écriant au milieu de leurs huées :

— Je suis scandalisé et peiné de voir des jeunes qui ne respectent pas l'uniforme qui symbolise cette fierté canadienne gagnée avec le sang de leurs propres pères[8] !

La conjoncture politique particulièrement difficile de 1961 confirme Russell dans sa conviction que c'est Johnson, et non Bertrand, qui est bien l'homme de la situation. Pour relever le moral des troupes et ramener le parti au pouvoir, il faut un homme comme Johnson : batailleur, avec de la poigne et ayant du jugement politique à revendre !

Privé du soutien de la députation et de l'establishment du parti, Daniel Johnson doit chercher à l'extérieur des organisateurs qui formeront un noyau dur et solide, car la lutte sera farouche. C'est à cette époque qu'il se constitue un clan. C'est le propre d'un

chef de créer son *gang,* d'aller chercher du sang neuf ! Le futur chef
de l'Union nationale organise donc un commando parallèle que
Jean-Jacques Bertrand, vaincu et amer, désignera par la suite
comme « le *gang* de Lagarde ».

Homme d'affaires au caractère bien trempé, André Lagarde
est, en effet, la figure de proue du noyau d'organisateurs. Quand, en
décembre 1960, Rodrigue Bourdage, ancien député conservateur
fédéral du comté de Laval, lui avait demandé : « On forme un groupe
pour appuyer la candidature de Daniel Johnson à la chefferie.
Embarques-tu avec nous ? », il avait rétorqué : « Rodrigue, pas un
Anglais ! Jamais je ne travaillerai pour un Anglais[9] ! »

Fontaine, je ne boirai jamais de ton eau, dit le proverbe. André
Lagarde est le premier à être conquis par « l'Anglais », au point de
devenir la cheville ouvrière de son comité d'organisation.

Le clan Johnson ne saurait se passer des services d'un conseiller
juridique de première force, sachant allier le droit et la politique,
quelqu'un de réaliste, de cynique même s'il le faut ! Johnson
s'adresse à Me Jean-Paul Cardinal qui s'est joint, en 1946, au
groupe de militants qui a fait sa campagne dans Bagot. Depuis, les
deux hommes n'ont pas entretenu de rapports suivis, mais
Me Cardinal ne demande pas mieux que de mettre son savoir-faire
juridique au service de l'aspirant.

Aussi, le jour où Johnson lui propose de l'accompagner aux
Bermudes pour de brèves vacances, Cardinal ne se fait-il pas prier.
Un matin, sur la plage de sable blanc, Johnson demande à son
compagnon de voyage, un drôle dont la réputation n'est plus à
faire :

— Veux-tu travailler pour moi ?

— Je veux travailler avec un professionnel de la politique,
grimace Cardinal. Bertrand, c'est un amateur ! Toi, tu es un pro[10] !

À Québec, l'homme de Johnson sera Christian Viens, ancien
secrétaire du ministre de l'Agriculture, Laurent Barré. Viens se
spécialise dans l'organisation électorale et les « missions impossi-
bles ». Il a, avec le député de Bagot, au moins deux points en
commun. Ils raffolent tous deux d'opéra. Quelques années plus tôt,
le premier était maître de chapelle à Saint-Pie, le second à Saint-
Césaire, son village natal. En outre, ils ont le souci du détail, surtout
quand il s'agit d'un comité d'organisation.

À l'automne de 1959, au lendemain de la mort de Duplessis, Johnson dit à Viens :

— Christian, je vais être candidat à la chefferie. Veux-tu travailler pour moi ?

— Je ne sais pas, répond Viens d'un ton hésitant. Tu sais que ma femme est la cousine de la femme de Jean-Jacques... Je te donnerai une réponse dans quinze jours.

Le comté de Christian Viens, Rouville, se trouve entre les circonscriptions de Missisquoi et de Bagot. L'organisateur « à la voix d'or » est écartelé entre ses attaches familiales et ses sympathies politiques. Finalement, c'est son faible pour le « politicien » Johnson qui l'emporte. Quinze jours plus tard, le député de Bagot communique avec lui :

— Et puis ? As-tu pris ta décision ?

— J'embarque ! annonce Viens tout de go. Qu'est-ce qu'on fait[11] ?

Pour les élections de 1960, Johnson et Viens ont uni leurs organisations de Bagot et de Rouville et récolté une double victoire en dépit de la vague libérale. La défaite de Barrette venant de lui dégager, une fois de plus, la voie vers la direction du parti, Johnson mobilise Viens dès le lendemain du scrutin :

— Christian, tu viens avec moi, car tu as fait des miracles avec Barré !

Il ne reste plus à l'organisateur qu'à faire part de sa décision à Bertrand. Ce qui n'est pas sans provoquer l'ire de ce dernier.

— Tu ne peux pas me faire ça ! explose Bertrand.

— J'ai déjà donné ma parole à Daniel, répond Viens, un peu penaud[12].

Le quatrième homme clé du clan Johnson, Mario Beaulieu, fait ses premiers pas en politique active. C'est un notaire qui a trimé dur pour obtenir son titre. Beaulieu est un « p'tit gars » de l'est de Montréal. Il a grandi rue Desormeaux où son père avait une épicerie. Pour payer ses cours universitaires, Beaulieu travailla le soir comme garçon de table, dans les cabarets de l'est de la ville. Après avoir décroché son diplôme, il fit un « beau mariage » et ouvrit un cabinet en association avec Me Esposito. L'un des bureaux d'avocats avec lesquels le jeune notaire faisait affaire était celui de Tormey et de Johnson. Et si on fit des affaires, on parla aussi politique.

En 1961, Mario Beaulieu lorgne du côté de Québec. Il inter-roge Me Tormey afin de se faire une idée précise du candidat Johnson. Les augures favorisent-ils le député de Bagot ? Me Tormey en est persuadé et recommande chaudement son ancien associé à Beaulieu[13]. Cela lui est d'autant plus aisé qu'il sera lui-même un des piliers de l'organisation Johnson dans la région de Montréal. En juin 1960, il avait passé le dimanche suivant la défaite de Barrette en compagnie de Johnson qui l'avait fait venir à Saint-Pie pour lui parler de sa candidature qu'il était déjà en train de préparer. Tormey n'a pas hésité un seul instant avant de l'encourager à continuer sur sa lancée. Depuis les années de collège, Johnson n'a cessé de monter dans son estime : à son avis, celui-ci possède l'expérience et le talent nécessaires pour revendiquer la succession, en dépit d'une mauvaise réputation qu'il saura bien faire oublier, une fois devenu le chef[14].

Tormey se met à l'œuvre au tout début du printemps de 1961. Johnson lui a demandé de former des comités d'appui dans chacun des 16 comtés de l'île de Montréal. Tâche particulièrement difficile, car l'Union nationale ne possède pas de structures dans la région métropolitaine où son électorat est passablement clairsemé. Une fois les comités constitués, la seconde étape consiste à y faire adhérer le plus grand nombre possible de sympathisants. Cela fait, Me Tormey convoque une assemblée à laquelle Johnson s'empresse d'accourir.

Comme une bataille à la direction d'un parti ne se gagne pas uniquement par persuasion, Tormey s'occupe également de ramasser des fonds dans sa région. Comment s'y prend-il ? C'est très simple. Le midi, il réunit au Lutin qui bouffe, restaurant du nord de la ville, des groupes de 10 à 15 sympathisants. Chacun règle son addition et verse, en plus, une certaine somme pour la campagne de Johnson.

De l'argent, il en faudra beaucoup ! À elle seule, la publicité va gruger près de 55 000 dollars. Les souscriptions individuelles ne sont pas suffisantes. Il faut également celles, plus généreuses, des sociétés, entrepreneurs et gros bonnets divers. De ce côté-là, le clan Johnson ne manque pas de ressources. Dans la région de Saint-Hyacinthe, par exemple, l'un de ses principaux bailleurs de fonds est l'entreprise d'huile à chauffage J.E. Chartier et Fils, fondée par l'ancien député unioniste de Saint-Hyacinthe, J.E. Irénée Chartier[15].

Deux hommes accompagnent Johnson partout, durant la campagne. Ce sont ses deux hommes à tout faire, ses deux « béquilles ». Il y a, bien sûr, le fidèle « père Pineault » qui ne lâche pas son chef d'une semelle, et Étienne Simard, le chauffeur. Simard aime Johnson au point qu'il se suiciderait pour lui ! Fils d'un marchand de Québec, il a une femme, mais pas d'enfants. Il dispose de temps et d'économies qu'il n'hésite pas à mettre entièrement au service de son chef. Non seulement Simard conduit la voiture, mais aussi il adore se mêler à la foule durant les assemblées. Il écoute et rapporte à Johnson opinions, cancans et potins. Étienne Simard est aussi, comme Tormey, un collecteur de fonds, à cette différence près qu'il préfère travailler par téléphone, plutôt que dans un restaurant. Il n'est pas rare de l'entendre téléphoner aux quatre coins de la province pour convaincre tel ou tel sympathisant de payer son écot[16].

* * *

En mai 1961, deux organisateurs unionistes de la région de Montréal, l'avocat Jean Bruneau et l'homme d'affaires Régent Desjardins, se demandent qui opposer à Daniel Johnson. Tous deux connaissent bien le député de Bagot, mais ils sont convaincus que l'Union nationale ne reprendra jamais le pouvoir si elle doit être dirigée par lui. Il faut, se disent-ils, un homme à la réputation intacte, un homme propre, pour relever un parti complètement démoli. Pour ne pas être accusés de frapper Johnson dans le dos, ils lui demandent quelques minutes d'entretien pour lui faire part de leurs intentions. Le député de Bagot tente de les décourager :

— Vous n'aurez pas de succès, leur dit-il, sûr de lui. J'ai déjà labouré le terrain, fait le tour de la province. Vous êtes en retard !

Johnson s'est effectivement mis à l'œuvre depuis longtemps et craint, plus que tout, de se voir opposer à la dernière minute un candidat de taille. Aussi déploie-t-il toute sa persuasion pour amener ses deux interlocuteurs brouillons à renoncer à leur projet. Rien n'y fait !

— On va se trouver un candidat de valeur, lancent-ils d'un ton provocant qui ébranle Johnson. On n'est pas contre toi. Ce n'est pas personnel, mais on croit que tu ne pourras jamais prendre le pouvoir avec ton nom anglais et ta mauvaise réputation[17] !

Entre Daniel Johnson et Jean Bruneau persiste un froid, conséquence d'un différend électoral d'avant 1960. Quant à Desjardins, il éprouve un peu de dépit envers Johnson qui a oublié de solliciter son concours, le croyant acquis à sa candidature. Les deux hommes sont, en effet, liés depuis l'élection de 1946, alors que, jeune entrepreneur en construction, Régent Desjardins transportait de Montréal à Saint-Pie, dans sa camionnette toute neuve, du matériel d'élection.

Où dénicher le candidat de prestige dont Bruneau et Desjardins ont besoin, ainsi qu'ils l'ont promis à Johnson, pour bloquer son ascension ? À l'hôtel de ville de Montréal, peut-être ? Jean Drapeau vient à peine de reprendre sa ville que le sénateur Sarto Fournier, appuyé en sous-main par Duplessis, lui a ravie en 1957. La question est de savoir si le maire, qui vient aussi de fonder le Parti civique, voudra lâcher la proie pour l'ombre.

Jean Drapeau est trop attaché à Montréal pour émigrer à Québec. Mais certains membres de son entourage, dont Charlie Roy, son chef de cabinet, entament des discussions avec les tentateurs. Les négociations cessent d'elles-mêmes, car le principal intéressé n'est visiblement pas attiré par la direction de l'UN.

Drapeau éliminé, où lancer l'hameçon ? Du côté de Sweetsburg ? Pourquoi pas ? Après tout, Jean-Jacques Bertrand a une réputation d'intégrité aussi solide que celle du maire de Montréal. Il n'est pas compromis, comme Johnson, dans le scandale du gaz naturel. Avec lui, on ne risque pas de se retrouver, un jour, avec un chef traduit devant les tribunaux de la Révolution tranquille. Bruneau et Desjardins recommencent leur harcèlement, mais, cette fois, auprès du député de Missisquoi. Malheureusement pour eux, ce dernier ne peut se décider à répondre par un oui ou un non. C'est d'autant plus ennuyeux que le temps passe.

Deux autres « solliciteurs » se sont joints à Me Bruneau et à Régent Desjardins qui avait été, à vingt-quatre ans, le plus jeune président de la Chambre de commerce des Jeunes à une époque où son conseiller juridique se nommait Daniel Johnson. Il s'agit du Dr Albert Surprenant, gai compagnon de pêche de Paul Sauvé, et éventuel trésorier du comité pro-Bertrand si jamais celui-ci se décide à faire face à la musique. À Québec, Me Jacques Marquis est lui aussi un partisan convaincu de Bertrand[18].

À Québec aussi, se trouve un dénommé Gérald Martineau qui détient, avec sa caisse, le pouvoir de couronner les rois. Que pense-t-il de Bertrand comme chef de l'Union nationale ? Desjardins et Me Marquis vont lui poser la question. Le trésorier a déjà son poulain, en effet ! Ce n'est pas Bertrand, mais le juge Omer Côté, ancien secrétaire de la Province sous Duplessis.

Les délégués du futur clan Bertrand tombent des nues. Le juge Côté ? Ça n'a aucun sens. Aller chercher le prochain chef dans le musée de l'Union nationale ! Ils rouspètent. Avec sa dureté habituelle, Martineau tonne :

— Ça va marcher comme ça ! Ce sera Côté !

— Nous, on veut Bertrand ! Il a une bonne image. Il est le seul à pouvoir sauver le parti, répliquent Desjardins et Marquis, nullement impressionnés par le grand argentier[19].

Si seulement le député de Missisquoi pouvait mettre fin à ses hésitations ! Tout ce qu'il sait dire à ceux qui le pressent de relever le gant, c'est « noui ». Pourtant, la bourgeoisie de l'Union nationale est derrière lui et il le sait. Quant à la députation, elle n'attend qu'un signe sans équivoque de sa part pour se ranger, dans son ensemble, sous sa bannière réformiste.

Qui Duplessis aurait-il choisi, de Bertrand ou de Johnson ? Les organisateurs Bruneau, Desjardins et Marquis s'interrogent. Le jour où ils sentent leur futur candidat prêt à mordre à l'appât, les trois hommes se rendent consulter « l'oracle » de Trois-Rivières, Auréa Cloutier. L'ancienne secrétaire de Duplessis perpétue la pensée de son défunt patron.

— Si M. Duplessis vivait encore, quel candidat appuierait-il selon vous ? lui demande Jean Bruneau.

— Il aurait choisi Bertrand, répond sans hésiter Auréa Cloutier, visiblement flattée par la démarche du trio[20].

On est en juillet et Daniel Johnson se prépare à annoncer officiellement sa candidature. À Sweetsburg, Bertrand sert toujours des réponses de Normand à ses proches. Le coup d'encensoir d'Auréa Cloutier a chatouillé son amour-propre. Pas assez toutefois pour faire sortir de ses lèvres le oui tant attendu.

L'indécision de Bertrand finit par exaspérer Régent Desjardins.

— Quand tu seras décidé, tu m'appelleras ! Moi, je m'en vais à Old Orchard !

À son retour, deux messages téléphoniques attendent l'homme d'affaires. Le premier est de Johnson, le second de Bertrand. Le reclus de Missisquoi aurait-il enfin pris une décision ? Et Daniel ? Pourquoi l'appelle-t-il maintenant ? Si Jean-Jacques a décidé de franchir le Rubicon, c'est avec lui qu'il ira. Ce sera effectivement le cas. Bertrand a enfin fait son choix : il sera candidat.

L'appel de Johnson a néanmoins aiguisé la curiosité de Desjardins. Il se rend au Reine Elizabeth, qui héberge le quartier général de celui-ci, à Montréal. Ça bourdonne d'activité chez Johnson. Beaucoup de personnel, du matériel de toute sorte, des filles qui tapent fébrilement. Même Mario Beaulieu, le notaire à la tranquille efficacité, s'est déjà mis à l'œuvre.

Johnson glisse à l'oreille de Desjardins :

— Viens, on va aller dans les toilettes pour parler...

Les deux hommes s'enferment dans une toilette. Johnson baisse le siège, place un pied dessus et affirme à Desjardins, en lui jetant un regard intense :

— L'heure est arrivée où je dois sortir les gants de boxe. Cette convention, il faut que je la gagne et j'ai besoin de toi pour la diriger !

— Je regrette, mais je vais diriger une autre campagne, celle de Bertrand ! rétorque Desjardins, heureux de manifester son indépendance vis-à-vis de cet homme qu'il aime bien, au fond, mais qui avait oublié son existence.

La déception barre le visage de l'aspirant. Le refus de l'organisateur l'étonne vivement : son pied vient près de glisser dans l'eau de la cuvette ! Johnson implore :

— Régent, tu ne peux pas me laisser tomber !

— Tu peux te compter chanceux que ce soit moi, car je te promets que ce sera une campagne propre, qu'il n'y aura pas de coups en bas de la ceinture[21] !

Le sort en est jeté. Bertrand a dit oui. Dans les jours qui suivent, son organisation se met en branle. Moins bien nantis que le clan Johnson, les organisateurs se contentent, comme quartier général, de modestes bureaux situés rue Sainte-Catherine Est, de biais avec le Café Saint-Jacques. On n'a pas encore les moyens de se payer le Reine Elizabeth !

Il a fallu aider Jean-Jacques Bertrand à faire le saut. Seul, il n'y serait pas arrivé. Bertrand, c'est un ténébreux, un inquiet qui manque totalement de confiance en lui et pour qui deux avis valent mieux qu'un. Il aime et déteste à la fois le monde de la politique dont il craint certaines facettes, celle de l'argent, par exemple. Durant la campagne, il passera son temps à répéter à ses organisateurs :

— Attention, les gars ! Il ne faut pas que j'aie de dettes ! J'ai une famille !

Les circonstances le contraignent toujours à accepter les propositions qu'on lui fait. Mais sa charge finit par l'écraser. Il la ressent comme une chape de plomb. Bertrand, c'est un homme simple qui a horreur de la ville. Il se sent bien chez lui à la campagne ou à la mer. Son comté de Missisquoi, il en a fait le centre de sa vie pour lui et sa famille de sept enfants. Il a fait construire des routes, des écoles, des ponts. Il a fait beaucoup, mais en petit. Bertrand, ce n'est ni un visionnaire ni un grand entrepreneur.

Le député de Missisquoi est le verso du député de Bagot. Autant le premier est introverti, autant le second est extraverti. Autant le premier est désintéressé, autant l'ambition dévore le second. Bertrand n'affiche même pas ces petits défauts de l'homme politique, qui se voient à l'œil nu chez Johnson : aimer la politique plus que tout, savoir faire preuve d'opportunité, être à l'aise avec les gens comme le poisson dans l'eau — défauts sans lesquels on ne saurait faire carrière en politique.

Bertrand se distingue encore de son opposant à la direction de l'Union nationale par son mépris de la politicaillerie, de toutes ces petites manigances souvent sordides dans lesquelles le député de Bagot est passé maître. Il ne possède pas non plus son habileté politique : comme un mauvais boxeur, il se découvre devant l'adversaire qui en profite pour cogner. S'efforcer, comme Johnson, de retenir par cœur le prénom ou le nom de famille de chacun de ses électeurs n'offre pour lui aucun intérêt. Ni le fait de passer des heures ou des jours à jongler avec des questions d'organisation électorale, comme Johnson en a l'habitude, pour ne pas dire la manie. Ce sont là, pour Bertrand, des tics relevant de la politique politicienne[22].

Comme Hamlet, l'avocat de Sweetsburg finit toujours par succomber au rôle que lui assignent non seulement la fatalité politique, mais également son entourage — son épouse Gabrielle, notamment.

En digne fille du conseiller législatif Louis-Arthur Giroux, la femme de Bertrand a attrapé au berceau le virus de la politique. Elle a de l'ambition pour deux. C'est elle qui tient la main de Jean-Jacques Bertrand depuis ses premiers pas dans la carrière et qui l'a initié aux arcanes d'un métier pour lequel il ne ressentait, à l'origine, aucune attirance. En 1948, Bertrand ne voulait pas être député de Missisquoi. Il l'est devenu. En 1958, Bertrand n'ambitionnait pas un poste ministériel. Il a été nommé ministre des Terres et Forêts. Son attitude ambiguë lors de la démission de Barrette et ses hésitations à se laisser présenter comme candidat au congrès de septembre témoignent encore de ses tourments d'homme partagé entre ses rêves personnels et les attentes de son entourage, de sa famille, de son épouse[23].

Les décisions de Bertrand portent la double marque du devoir et de l'influence de Gabrielle. Le jour où la presse a parlé de lui comme du chef possible de l'Union nationale, les johnsonistes ont pris un malin plaisir à insinuer que Gabrielle menait son mari par le bout du nez ! Ce que Gabrielle veut, Jean-Jacques le veut, laissait-on entendre pour discréditer l'autorité de celui-ci. En réalité, la compétence politique de Gabrielle Giroux l'impose à son mari comme conseillère. De plus, le couple est très uni — les époux Bertrand sont bien ensemble. Aussi, loin de pâtir de l'influence de sa femme, Bertrand accorde, au contraire, beaucoup d'importance à ses opinions[24].

S'il s'est finalement décidé, lui aussi, à enfiler les gants de boxe et à monter sur le ring, c'est également parce qu'un groupe de parlementaires, pressés de nettoyer une fois pour toutes la basse-cour unioniste, lui ont fait valoir que les réformistes du parti devaient avoir leur candidat, tout comme les nostalgiques du duplessisme avaient trouvé le leur en Daniel Johnson. Aux yeux de députés comme Claude Gosselin, Armand Maltais ou Paul Dozois, le seul homme jouissant d'une image politique vierge et d'une envergure suffisante pour conduire à bon port le frêle esquif de la réforme s'appelle Jean-Jacques Bertrand.

De tous les députés pro-Bertrand — et ils sont nombreux ! —, celui de Compton, Claude Gosselin, est le plus mordu. C'est un campagnard, comme Bertrand. Et son ami très intime depuis l'élection de celui-ci en 1957. Gosselin n'a que vingt-six ans, fait de la politique depuis quatre ans seulement, mais a la « couenne » très dure. Il ne joue pas non plus avec la morale ! Il se montre aussi pur et intransigeant que Bertrand. Comme lui, il éprouve une méfiance toute provinciale pour l'entourage de Johnson, formé essentiellement de « gens de Montréal ». Pour tout dire, Claude Gosselin ne peut pas voir Daniel Johnson, même en peinture. Il trouve qu'il sent mauvais...

Originaire d'East Angus où son père tenait boucherie, Gosselin est le troisième d'une famille de 13 enfants. Avant d'entrer en politique, il faisait le tour des fermes de la région pour alimenter son petit abattoir, adjacent à son importante porcherie. Dans le clan Johnson, quand on parle de Claude Gosselin, on dit le « vendeur de cochons »... D'ailleurs, il faisait justement boucherie le jour où des émissaires de l'Union nationale sont venus lui demander de se porter candidat, après la mort subite du député libéral du comté, le Dr Fabien Gagnon.

Jusqu'en 1956, la circonscription de Compton, à dominance anglophone, était représentée par un anglophone à Québec et un francophone à Ottawa, en vertu d'une sorte d'entente tacite entre les deux ethnies. Aux élections provinciales de 1956, mécontents de la performance de leur député anglophone, John French, le frère de Charles D. French, ancien ministre des Mines, les « Anglais » du comté pressentent Gosselin. Mais John French refuse de se retirer. Mal lui en prend, car ses compatriotes lui tournent le dos et appuient le candidat libéral Fabien Gagnon. Quand ce dernier meurt l'année suivante, imposant la tenue d'une élection partielle, on pressent de nouveau Claude Gosselin[25].

Celui-ci n'hésite pas longtemps avant d'accepter. Un peu tout de même, car ses affaires marchent bien ! Il lui faut également savoir si Duplessis accueillera favorablement la candidature d'un éleveur de porcs de trente-deux ans ! Quelque temps plus tard, un membre de l'organisation unioniste de Compton, Albert Bouchard, dit à Gosselin :

— Ne perds pas ton temps ! Notre candidat est choisi d'avance : ça sera Benoît Roberge, le secrétaire de French.

Gosselin n'a pas la langue dans sa poche. Outré, il réplique, l'œil mauvais :

— Mêlez-vous de vos affaires ! Les gens de Compton sont capables de choisir eux-mêmes leur candidat !

Quelques jours plus tard, à la demande de Jos-D. Bégin, l'organisateur en chef de l'Union nationale, le marchand d'animaux se rend chez Peter French. La liste des aspirants s'est allongée : elle comporte sept noms. Gosselin est le plus jeune. Bégin dit aux candidats :

— Il n'y aura pas de convention. Il faut de la bonne entente dans l'Union nationale. Duplessis aimerait bien avoir comme député de Compton Benoît Roberge qui a plus d'ancienneté.

— M. Bégin, grogne Gosselin. Tous les gens ici, ce soir, feraient de bons députés. Laissez-nous libres de choisir notre candidat ! Si vous voulez parachuter quelqu'un, je vous avertis que je mettrai autant de temps à le faire battre que j'en mettrais à me faire élire !

— Ça a bien de l'allure, mon jeune ! Tu veux une convention ? Tu vas en avoir une. Ce sera samedi prochain !

Le jour dit, Claude Gosselin ne fait qu'une bouchée des autres candidats avant de remporter le comté pour l'Union nationale. La lutte s'est faite entre un éleveur de porcs et un entrepreneur de pompes funèbres, le libéral Paul Paquin, lui aussi d'East Angus[26].

Le député de Compton, à qui Bertrand confie la responsabilité de l'Estrie durant la course à la direction du parti, déteste chez Johnson son côté « politicailleur ». Les méthodes du député de Bagot le scandalisent. Un jour, en 1959, une inondation emporte une digue près de Sayersville, dans le comté de Compton. Les barrages relevant du ministère des Ressources hydrauliques, Gosselin frappe à la porte de Johnson et lui expose le problème.

— Il y a une possibilité de reconstruire la digue, fait Daniel Johnson. Regroupe ton monde et venez me voir.

À la date convenue, la délégation de Compton avec, à sa tête, son député et le maire de Sayersville, Lloyd French, envahit l'antichambre de Johnson. Il est neuf heures, mais M. le ministre n'est pas au rendez-vous. On l'attend. Les heures passent. Toujours pas de ministre ! À midi, la délégation va casser la croûte. On a fait dire à Gosselin que Johnson sera là à quatorze heures.

À quatorze heures, l'attente reprend ! Les minutes s'écoulent. Le maire French commence à trouver que Daniel Johnson oublie les convenances. Enfin, à quatorze heures quarante-cinq, M. le ministre fait son entrée, se confond en excuses, sourit et multiplie les poignées de main — le politicien à l'œuvre !

Le maire French lui explique les données du problème. Johnson écoute, puis l'arrête :

— Pour le barrage, M. le maire, ne soyez pas inquiet. Vous l'aurez...

La délégation est ravie. L'attente n'aura pas été vaine. Remerciements. Nouvelles poignées de main. Au moment où Claude Gosselin s'apprête à quitter le bureau de Johnson, celui-ci lui tapote l'épaule.

— Entre donc une minute, Claude, et ferme la porte.

Une fois les deux hommes seuls, Johnson hasarde d'une voix lente :

— Es-tu content pour ton barrage Claude ? Tes gens ont l'air heureux... mais il faut que je te dise que ce n'est pas pour tout de suite. Je n'ai pas d'argent pour cette année.

— Pourquoi leur avez-vous dit qu'ils l'auraient si vous n'avez pas d'argent ! éclate Gosselin, en montant sur ses grands chevaux.

D'un geste rapide, il ouvre la porte du bureau de Johnson et rappelle la délégation restée dans l'antichambre.

— Le ministre vous a dit que la reconstruction de la digue se ferait, mais il a oublié de préciser que ce ne serait pas cette année.

Daniel Johnson reste impassible. Il ne dit rien, mais ses yeux bleus dissimulent mal sa colère. En quittant son bureau, le député de Compton se permet même de claquer la porte ministérielle ! Quelques jours plus tard, Johnson convoque ce blanc-bec de Gosselin qui a osé l'humilier en public :

— T'es un p'tit maudit cochon ! tonne Johnson.

— Pourquoi leur avez-vous dit qu'ils l'auraient, leur pont, si ce n'était pas vrai !

— Mais comment ? Tu ne sais donc pas comment ça se fait de la politique ?

— Vous êtes un menteur ! Je n'accepte pas cette façon d'agir !

Cet incident donna naissance à une hostilité profonde entre les deux hommes[27].

Seul contre tous

Au printemps, Jean-Jacques Bertrand encore indécis promet son appui à Daniel Johnson tout en se réservant le droit de poser sa candidature. Vers la fin juillet, il met fin à sa valse hésitation et fait un saut à Saint-Pie pour annoncer sa décision à Johnson. Les dés sont donc jetés : ce sera Johnson contre Bertrand !

La candidature de son jumeau politique ne laisse pas le député de Bagot indifférent, mais elle ne l'inquiète pas non plus. Bertrand a trop tardé à prendre parti. La tortue ne rattrapera jamais le lièvre ! Du moins Johnson le croit-il, au moment où il s'apprête à convoquer, à Saint-Pie, son assemblée de mise en candidature. La date est choisie : ce sera le 30 juillet.

Il fait une chaleur caniculaire à l'assemblée monstre de Saint-Pie où Daniel Johnson annonce qu'il briguera les suffrages à la direction de son parti. « Je serai candidat, s'exclame-t-il, et j'espère qu'il y en aura plusieurs autres afin d'offrir un véritable choix aux délégués[28]. »

Le député de Bagot est beau joueur ! Faire le magnanime lui est facile, car il considère que son avance sur les autres est décisive. Il est, en tout cas, le premier à ouvrir les hostilités. Son discours-fleuve annonce les idées majeures qui guideront sa campagne : l'école confessionnelle, le patronage, l'antiétatisme, la dénonciation systématique du régime Lesage.

La carte maîtresse du candidat Johnson est le duplessisme. La coalition qui se prépare contre lui sera formidable et il le sait. Il devra se battre non seulement contre les partisans de Jean-Jacques Bertrand, mais aussi contre les journaux, l'Ordre de Jacques-Cartier, les Chevaliers de Champlain, la députation et même les libéraux qui préféreraient affronter Bertrand. Johnson sait aussi une autre chose ; c'est la base du parti qui va trancher la question du chef et celle-ci est encore fortement imbue de duplessisme[29].

Aussi l'astucieux député de Bagot n'oublie-t-il surtout pas, dès sa première intervention officielle, de rendre un vibrant hommage au fondateur de l'Union nationale, Maurice Duplessis, et de faire appel aux valeurs dont se réclame encore la vieille garde de son parti.

Pourquoi Daniel Johnson est-il candidat ?

— C'est un acte de foi envers les principes chrétiens qui, dans une province comme la nôtre, doivent inspirer les serviteurs de l'État, lance-t-il à ses partisans. Un acte de foi dans la démocratie, de foi dans l'entreprise privée, de foi dans l'avenir de la province de Québec et de foi dans ce parti magnifique qu'il faudrait inventer s'il n'existait pas et qui porte le nom symbolique d'Union nationale[30] !

Les idées neuves, Johnson les laisse à Bertrand. Il a compris qu'en s'affichant comme candidat réformiste son rival court le risque de se faire complice de la campagne de dénigrement amorcée contre Duplessis et l'Union nationale peu après les élections de 1956. Au candide Jean-Jacques reviendra donc tout l'odieux du salissage du parti qui a présidé aux destinées du Québec durant vingt ans. Lui va s'appliquer plutôt à rassurer les petites gens de l'Union nationale, bousculées ou désorientées par les idées de la Révolution tranquille, et à mettre en évidence l'actif unioniste, non son passif.

Sa stratégie est simple. Concentrer d'abord son tir contre le gouvernement Lesage. « Quoi qu'il arrive, répète-t-il, je tirerai toujours sur les rouges ! » Éviter ensuite de ressasser ad nauseam le passé de l'Union nationale, en mettant une sourdine au thème de la démocratisation et de la réforme du parti. À Bertrand de se compromettre là-dessus : lui, Daniel Johnson, se fera le défenseur attitré de la bonne réputation du parti.

Johnson neutralise aussi l'impact que pourrait avoir auprès des militants le renouveau prêché par Bertrand, en laissant tomber insidieusement, par-ci par-là, des accusations feutrées qui ricochent sur son rival comme des boules de billard par la bande :

— Je laisse à d'autres le privilège de présider à des séances d'autopsie et de psychanalyse de notre parti. Quant à moi, je fais converger tous mes efforts vers la défaite prochaine de l'administration Lesage[31].

Le 13 août, c'est au tour de Jean-Jacques Bertrand (« Nouvel espoir des réformistes de l'Union nationale ! » titre *Le Devoir* du lendemain) d'inscrire officiellement son nom sur la liste des candidats à la direction de l'UN. L'impact est grandiose. La presse tient enfin son réformateur, voire son « révolutionnaire » unioniste !

Bertrand s'enflamme. Son œil est pétillant quand il révèle à ses 2000 partisans, massés dans une salle surchauffée de l'école Sainte-Thérèse à Cowansville, les principales articulations d'un programme axé d'abord et avant tout sur la démocratisation de l'Union nationale.

— Je constate un système et je veux le corriger ! lance Bertrand en suivant le texte préparé par Maurice Giroux, frère de sa femme.

Dans le clan Bertrand, on est conscient des périls qui guettent celui qui, au nom de la réforme et de l'épuration, se voit contraint de dénoncer le système de favoritisme attribué par l'adversaire libéral à son propre parti. Le porte-parole du renouveau marche sur une corde raide. Aussi prend-il beaucoup de précautions pour ne pas faire le faux pas qui le projetterait au sol comme un trapéziste maladroit ou donnerait à son groupe l'air d'une cinquième colonne libérale.

— Je suis membre d'un parti politique et non un juge, commence Bertrand. Il ne peut être question de condamner des hommes. L'histoire fera cette besogne. Je n'ai pas le droit d'éclabousser ceux qui, à leur façon, ont pensé servir leur province et leur parti. Cependant, il ne saurait encore moins être question de passer l'éponge sur des pratiques néfastes. L'heure du courage, de la sincérité et de la lucidité est arrivée[32] !

Le député de Missisquoi médite depuis peu sur une question aussi importante, à ses yeux, que la réforme interne de l'Union nationale. C'est la révision constitutionnelle, thème auquel les états-majors des partis politiques commencent à s'intéresser avec la montée du nationalisme. À ce sujet, Bertrand est en avance sur Johnson et sur Lesage. Il est le premier à proposer pour le Québec un statut particulier au sein de la Confédération. Il s'affiche clairement comme un souverainiste :

— Nous devons chercher à faire reconnaître la souveraineté entière du Québec dans tous les domaines où la Constitution nous y autorise et aussi dans les domaines qui s'imposeront comme essentiels à notre plein développement. En conséquence, notre but ne doit pas se limiter à la récupération de droits acquis. Il doit viser aussi à en conquérir de nouveaux[33].

Hormis « l'exercice impitoyable » du patronage libéral contre lequel ils font front commun, Bertrand et Johnson s'opposent sur presque tous les grands débats de l'heure.

Johnson accuse les libéraux de congédier des fonctionnaires qui ont voté contre eux : « C'était peut-être à la mode, il y a trente ans, dit-il à Sorel, mais, en 1961, un gouvernement n'a pas le droit de guillotiner, de congédier sans avis des pères de famille[34]... » Bertrand en parle lui aussi en connaissance de cause, car il a obligé le gouvernement à reprendre à son service un contremaître de la voirie de son comté, congédié après le 22 juin. Ironie du sort, ledit contremaître, père de famille nombreuse, était un libéral nommé par le gouvernement Godbout ! Bertrand avait refusé de le licencier après son élection comme député de Missisquoi, en dépit de l'avis contraire de ses organisateurs. Moins enclins à la pitié, les libéraux de Lesage le limogèrent automatiquement, pensant que le brave homme était un bleu nommé par Duplessis[35] !

L'observateur attentif n'en détecte pas moins entre les deux hommes une divergence sur la question du patronage. Dans son programme d'action, Bertrand précise que le patronage est condamnable, car tous les citoyens ont droit à un traitement égal devant la loi, mais il ajoute du même souffle : « Mais, à compétence égale, je le dis franchement, je ne vois pas pourquoi on n'encouragerait pas nos amis[36]. » Le député de Missisquoi donne donc sa bénédiction à la théorie du « bon patronage », mise à la mode par le ministre libéral de la Voirie, René Saint-Pierre.

Daniel Johnson ne fait aucune concession en cette matière. Il va partout en fustigeant le bon et le mauvais patronage et propose, pour extirper le mal à sa racine, deux réformes : session en permanence du Comité des comptes publics de l'Assemblée législative et formation d'une commission de surveillance des achats et octrois de contrats gouvernementaux[37].

À propos du rôle de l'État, la ligne de démarcation entre les deux protagonistes est encore plus nette. Johnson et Bertrand sont comme chien et chat. Au hasard de ses tournées, Johnson n'oublie jamais de pourchasser « les gauchistes socialisants qui font plier Lesage et qui ont usurpé le pouvoir » ou encore « ceux qui prônent les réformes étatisantes, neutralistes et centralisatrices[38] ». Pour le député de Bagot, l'étatisation revient à admettre que « les Canadiens du Québec » sont incapables de rivaliser avec d'autres dans une économie de libre entreprise. Il existe, dit-il, une autre formule que l'étatisation pour obtenir des capitaux. Et il propose la création d'une banque d'expansion industrielle qui regrouperait les capitaux domestiques et étrangers[39].

— Certains me demandent si je suis un homme de droite ou de gauche, explique, de son côté, Bertrand à ses auditeurs. Ma position est très claire : je suis loin d'être un réactionnaire. Notre but est de conquérir notre libération économique. L'individualisme doit, ici, céder le pas au travail collectif, ordonné, voulu, dirigé. L'État doit intervenir dans tous les domaines où l'initiative privée a échoué[40].

L'école sans Dieu a le don de provoquer chez le candidat Johnson un véritable déluge de mots. Toutes les tribunes lui sont bonnes pour dénoncer les politiciens gauchistes comme Paul Gérin-Lajoie qui, dit-il à ses sympathisants de Marieville, dirige l'éducation à la façon d'un dictateur et ouvre la voie aux écoles neutres où la religion est exclue de l'enseignement[41].

Si l'école neutre est devenue le dada de Johnson, ce thème est pratiquement absent de la campagne du député de Missisquoi. Johnson s'affiche carrément contre la création d'un ministère de l'Éducation et avertit :

— Dans un État pluraliste, un ministère de l'Éducation finit toujours par enfanter des écoles séparées. Si l'on veut convertir nos écoles confessionnelles en écoles séparées, on n'a qu'à continuer de glisser sur la pente actuelle. (...) Je suis persuadé qu'en matière d'éducation l'avenir donnera raison à M. Duplessis[42].

Chacun des candidats a sa marotte. Celle de Bertrand, c'est la réforme de l'Union nationale, thème sur lequel Johnson observe un silence stratégique. Ce qui ne l'empêche pas de faire la leçon à son opposant en lui rappelant qu'il n'appartient pas aux candidats, mais au congrès de l'Union nationale d'imposer les réformes nécessaires.

Bertrand n'impose pas ; il propose. Il a d'ailleurs les moyens de sa politique de renouveau car sa réputation ne s'en va pas à vau-l'eau comme celle de Johnson. Politicien sans peur et sans reproche, Bertrand peut prêcher la vertu. Il ne se fait pas faute de rappeler à son auditoire : « Les libéraux ne peuvent rien me reprocher[43]... »

Le député de Missisquoi se veut le « candidat de l'opinion publique ». Son passé politique ? Un livre ouvert ! Il en sera de même pour l'avenir du parti si les militants entérinent sa réforme.

Comment s'articule-t-elle, cette réforme ?

Le renouvellement de l'Union nationale doit toucher aux cadres et aux structures, mais aussi aux principes fondamentaux. D'abord, une démocratisation qui amènera les militants et les citoyens à prendre une part active aux mécanismes politiques et qui transformera les diverses instances du parti en des centres vivants d'action politique. Ne plus copier le passé et ne plus se figer dans l'immobilisme, mais faire enfin une place de choix à la génération montante et aux femmes. Il faut donc contrer le pouvoir absolu de la gérontocratie qui préside depuis trop d'années aux décisions de l'Union nationale.

Et la caisse électorale de Gérald Martineau ? Il faut la lui enlever, sans l'abolir cependant, car « à moins d'une loi spéciale, la caisse électorale est nécessaire ». Néanmoins, il faut en arriver à une réduction draconienne des dépenses électorales par une loi qui fixera un maximum. Il faut aussi diminuer radicalement les dons de « gros financiers » et confier la caisse du parti à des fiduciaires. Bertrand reprend à son compte la demande d'Antonio Barrette[44].

* * *

Aidé de ses deux « béquilles », Jacques Pineault et Étienne Simard, l'aspirant Johnson s'est mis en marche très tôt, profitant de l'indécision de Bertrand. Pendant que celui-ci se tâte le pouls, il parcourt la province — un itinéraire de plus de 25 000 milles ! Au hasard de son périple, l'habile politicien participe à l'organisation des associations de comté. Le jour venu, le choix des délégués acquis à sa cause se fait tout seul sans qu'il ait à tirer les ficelles. Quand ses devoirs parlementaires l'empêchent de prendre la route, il téléphone aux quatre coins du pays, sondant sans cesse le cœur et les reins des militants de la base.

Le vendredi midi, Johnson dîne souvent avec deux anciens journalistes attachés maintenant à l'opposition, Charles Pelletier et Charles-Julien Gauvin. Pelletier a été journaliste à *L'Action catholique* durant vingt-cinq ans avant de passer au service de Johnson en 1958. Après avoir été élu chef du parti, Barrette lui avait demandé d'être son « cerbère de la langue ». Tous les documents du Conseil des ministres lui passaient entre les mains[45].

Pelletier est un fabricant de formules politiques. Johnson se fait un devoir de mettre au point avec lui ses discours de fins de semaine. Au printemps, Johnson avait demandé à Lesage vers quelle époque le budget serait déposé.

— Ce sera bientôt le temps de sortir vos piastres ! avait répondu le premier ministre, énigmatique.

En bon politicien, Johnson voulut tirer parti de la gaffe de Lesage et demanda à Charles Pelletier de lui forger une répartie. Au cours du même week-end, le député de Bagot se promenait parmi ses partisans en lançant :

— Si vous voulez garder les libéraux, sortez vos piastres ! Si vous voulez garder vos piastres, sortez les libéraux[46] !

Johnson met toutes les chances de son côté. Un sondage lui révèle-t-il qu'une région est sur le point de succomber aux chants du vertueux Bertrand ? Il n'hésite pas à l'investir. Dans Nicolet-Yamaska, le sentiment pro-Bertrand est dominant. Pour les ruraux de ces circonscriptions, Johnson, c'est le bandit « Danny Boy ». On n'en veut pas. Mais le député jouit toutefois de l'appui de Clément Vincent, l'homme fort de la région.

— Il faut que tu m'organises une assemblée pour les délégués de Nicolet-Yamaska, lui dit Johnson.

Vincent a peu d'espoir. Les deux députés unionistes de la région, Camille Roy et Antonio Élie, sont vendus à la cause de Bertrand. Johnson s'amène néanmoins un dimanche après-midi à l'hôtel Chambertin, de Nicolet, pour rencontrer les délégués. Vincent, qui le présente, conclut en ces termes :

— M. Johnson, je vous souhaite bonne chance et j'espère que, parmi les délégués ici présents, quelques-uns au moins vous appuieront...

Ce sont là des vœux de sympathie. Johnson n'en veut pas et réplique du tac au tac :

— Il faut que ça soit plus qu'une espérance. J'ai besoin de l'appui de tous les délégués de Nicolet-Yamaska[47].

Le 10 août, à vingt-sept jours du congrès de Québec, Daniel Johnson fait toujours cavalier seul. Bertrand s'apprête, il est vrai, à se mettre en selle, mais son rival a déjà eu le temps de prononcer des dizaines de causeries, de multiplier les poignées de main et les sourires et de parcourir des milliers de kilomètres. Il estime que son avance est décisive.

Après l'entrée en lice du député de Missisquoi, Johnson l'écoute, un soir, en compagnie de Réginald Tormey expliquer à la télévision les différents points de son programme réformiste ; il remarque à l'intention de son compagnon :

— Il fait bien cela, mais il est trop tard[48]...

Daniel Johnson, c'est ce type de politicien qui fait florès à chacune de ses randonnées électorales, en dépit de l'image du vilain gravée par les médias dans les subconscients. Son approche ne laisse personne indifférent. Il charme et désarme ceux qui, dans la foule, se préparent à formuler des objections. Johnson rencontre chacun sur son terrain et possède l'intelligence du contact humain. À un intellectuel, il parle en intellectuel, à un ouvrier en ouvrier et à un rural en rural. Dès qu'on lui donne la main, « Danny Boy » s'estompe. Mais le député de Bagot a beau être doué, il fait face à une formidable armada. Au début du mois de septembre, le vent tourne à son désavantage. Bertrand avec son regard triste d'épagneul qui s'anime dès qu'il s'aperçoit qu'on se sent bien en sa compagnie, Bertrand avec ses airs de jeune collégien en vacances, Bertrand qui vous regarde droit dans les yeux comme le boy-scout qui attend sa corvée, Bertrand, après seulement quinze jours de campagne, sème la consternation dans le clan adverse.

Johnson sait, depuis le début que le combat sera long et rude. Condottiere solitaire, il se bat contre plusieurs ennemis à la fois : le caucus des députés, les notables du parti, Gérald Martineau et même la presse. Tous sont pour Bertrand[49] !

— J'ai une triste nouvelle à vous apprendre, M. Pineault. J'ai décidé de tout lâcher et de ne pas me présenter à la convention...

Dans l'écouteur, la voix traînante de Johnson est plus triste qu'à l'accoutumée. Le « père Pineault » est estomaqué par ce qu'il entend ! Il sait que la situation de son patron est devenue intenable depuis l'entrée en trombe de Bertrand dans la course. Les journalistes en bavent d'aise et leurs articles de courtisans gonflent artificiellement la voilure du candidat réformiste. Johnson n'est plus qu'un point sur la mer de la presse.

Le moral du député de Bagot n'a jamais été aussi bas. Sa femme rêve au jour où il quittera la politique. À l'école, les enfants de « Danny Boy » sont l'objet de toutes les moqueries. Le nouveau rédacteur en chef de *La Presse*, Gérard Pelletier, a convaincu Hudon de quitter *Le Devoir*. Ses caricatures dévastatrices s'étalent maintenant dans les pages du plus grand quotidien français d'Amérique. Leur impact en est décuplé.

Johnson paraît au bord du découragement. Pineault l'apprendra plus tard : son patron le testait. Johnson cherche la confiance. Il considère Pineault comme un miroir du peuple, l'expression du gros bon sens. L'idée d'un retrait de Johnson provoque chez Pineault une réaction irrespectueuse, comme toujours.

— C'est une sottise ! maugrée-t-il de sa voix rauque. Vous avez été marqué par la Providence. Vous avez été avocat des syndicats délégué de Pax Romana, porte-parole des parlementaires du Canada en Australie. M. Duplessis ne voulait pas de votre candidature et vous avez été élu. Vous êtes devenu vice-président de la Chambre, puis ministre des Ressources hydrauliques ! Vous allez maintenant gagner la convention, être chef du parti et premier ministre d'ici cinq ans ! Arrêtez de raisonner comme un enfant d'école !

Pineault n'écoute même pas la réponse de son interlocuteur et raccroche. Le lundi suivant, Johnson le convoque au Château pour le remercier de ses paroles d'encouragement[50]...

Les journalistes ont noté, eux aussi, le désenchantement du député de Bagot. Le 24 août, *Le Devoir* écrit : « Contre Bertrand, Johnson devra prendre les grands moyens. Johnson avait le vent dans les voiles, mais l'entrée en scène de Bertrand a rendu plus amer son sourire. Johnson sent qu'il perd du terrain[51]. »

« Jean-Jacques Bertrand a une forte avance sur Daniel Johnson », titre le 5 septembre le journal de Gérard Filion. Le journaliste Jean-Marc Laliberté publie les résultats d'un sondage artisanal effectué auprès de 1000 maires du Québec réunis en congrès au Manoir Richelieu, à Pointe-au-Pic. Laliberté leur a demandé :

— Qui, croyez-vous, sera le prochain chef de l'Union nationale ?

Les réponses une fois décodées se résument ainsi : il y a un mois, Johnson aurait remporté 95 pour 100 des voix ; il y a quinze jours, les deux candidats étaient sur un pied d'égalité ; aujourd'hui, Bertrand est assuré de la victoire[52].

Est-ce déjà le terminus pour le député de Bagot ? En frôlant le ravin, Johnson vient de comprendre qu'il doit, pour ne pas quitter la route, mettre dans la balance toutes les ressources de son machiavélisme politique. En ce domaine, Bertrand est un enfant de chœur.

Il va jouer le tout pour le tout comme le joueur de poker qui doit aller sous la table pour remporter la victoire. Malgré le feu d'artifice qui accompagne l'ascension de son principal antagoniste, Johnson garde à l'esprit deux évidences. Ce ne sont pas les journalistes qui vont voter, mais cette base unioniste dont il a cultivé le commerce depuis plus de six mois. De plus, il peut compter sur une organisation au militantisme conquérant. Le « *gang* de Lagarde » est petit, mais fanatique.

Johnson cherche d'abord à miner l'influence des enragés de la presse. L'accueil réservé à sa candidature et à celle de Bertrand lui a fait mal. Dans *Le Devoir*, Gérard Filion a souhaité son élection, mais en expliquant que l'Union nationale devra brûler encore au moins deux ou trois chefs avant de reprendre le pouvoir !

Filion a sorti la hache :

> Ce serait dommage que les victimes soient des hommes hautement estimables comme un Jean-Jacques Bertrand. Avec Daniel Johnson, pas d'hésitation. Il s'offre en holocauste aux dieux de la politique, tant mieux. Quand il aura été immolé, un successeur peut-être moins brillant et moins retors, mais plus intelligent et plus sûr, prendra sa place et fera de l'Union nationale une formation politique de rechange[53].

De son côté, Laurendeau a vu dans la candidature de Bertrand un accent nouveau :

> Son discours à Cowansville ne ressemble aucunement à ceux que débitent d'ordinaire les partisans de l'Union nationale. C'est un texte rafraîchissant.

Et le directeur Filion d'approuver :

> Il possède une réputation de bon sens et de sagesse. On ne l'a jamais regardé comme un arriviste. Surtout, il se pose en réformateur ; sa victoire aurait le sens d'une restauration de l'Union nationale[54].

Comment ne pas rager devant un tel concert d'éloges ? À la salle Cambray de Québec, Johnson explose, le 1er septembre :

— Si *Le Devoir*, Normand Hudon, certains journalistes de *La Presse*, de *La Réforme* et du *Progrès de Rouyn-Noranda* étaient en ma faveur, je commencerais à m'inquiéter de mes chances de succès.

À la convention libérale de 1958, *Le Devoir* était contre Jean Lesage !

Jean-Jacques Bertrand commente, trois jours plus tard :

— L'appui des journaux ne m'inquiète aucunement[55].

Même l'organe officiel de l'Union nationale, le *Montréal-Matin*, penche trop du côté de Bertrand. Johnson s'en plaint auprès de la direction du quotidien. Maurice Giroux, secrétaire de presse de Bertrand, est ravi, quant à lui, des égards que témoigne à son beau-frère le *Montréal-Matin*. Tous les soirs, il fait parvenir son « papier » au journal. Le lendemain matin, il le retrouve automatiquement en très bonne place, coiffé d'un titre impressionnant[56].

Bertrand, un mythe ? Bertrand, une créature des médias ? Les journalistes ne se posent même pas la question. Dans le paysage désolant de l'Union nationale, ils ont cru apercevoir un homme neuf qui expose des idées neuves, sans louvoyer comme « Danny Boy ». Séduits par ce personnage qui respire la candeur et l'honnêteté, les journalistes oublient de jauger sa valeur. On colle à Bertrand l'image d'un réformateur et d'un nationaliste, tout comme on s'est plu à voir en Johnson l'image d'un duplessiste réactionnaire.

« *Le Devoir* ? Des journalistes qui trempent dans le patronage, à partir du directeur jusqu'à ses simples rédacteurs ! » fulmine, un jour, Johnson. L'apostrophe lui vaut de se faire ridiculiser par le journaliste Marcel Thivierge qui intitule son article : « Quand les mots d'esprit viennent à Danny. » La veille du congrès, Johnson revient à la charge : « Ce qui fait le plus défaut à notre population, ce sont des moyens d'information impartiaux[57]. »

Le futur chef de l'Union nationale fait également face à un second bloc d'opposants aussi « graniteux » que la presse : la députation. Johnson doit se contenter de sa brochette de députés ; la majorité des autres se cloître dans une neutralité bienveillante envers Bertrand ou l'embrasse ouvertement. Comment briser ce mur ? Pourquoi ne pas essayer de modifier les allégeances des plus actifs ?

— Claude ? Peux-tu venir à ma chambre, à l'hôtel Clarendon, demain soir, vers huit heures ?

Le lieutenant de Bertrand, Claude Gosselin, raccroche le téléphone. Que lui veut donc Maurice Bellemare ? Gosselin est à Québec pour l'annonce de la candidature de Bertrand. Le lendemain, après la conférence de presse tenue au restaurant Chez Marino, Gosselin se rend à son rendez-vous.

Bellemare est en compagnie d'Étienne Simard, le chauffeur de Johnson. On cause de la campagne qui s'amorce. Officiellement, Bellemare doit rester neutre car il préside le caucus, mais il a fixé son choix sur Johnson. Il se méfie de Bertrand en qui il voit un petit homme plutôt sournois. Le député de Champlain sert du gin à ses invités, mais lui-même se contente de sa pipe, son médecin lui interdisant l'alcool.

— Pourquoi m'as-tu fait venir ici ? demande Gosselin, soupçonneux.

— On va avoir de la visite tantôt... réplique Bellemare pour le faire patienter.

À vingt-deux heures et demie, Johnson fait son entrée, accompagné de Mario Beaulieu. La conversation reprend. Soudain, Johnson se tourne vers Gosselin :

— Claude, tu ne sais pas à quel point tu me fais du mal dans les Cantons de l'Est.

— C'est certain que tu ne pourras pas les prendre... ils sont tous pour Bertrand !

— Pourquoi tu n'embarques pas avec moi, Claude ?

— Tu veux savoir pourquoi ? enchaîne Gosselin. D'abord, tu n'es pas ponctuel. Quand tu te couches, moi je me lève et quand je me couche, toi tu te lèves... On est comme le soleil et la lune ! Tu te rappelles le barrage de Sayersville ? Je te connais... tu vas en faire encore, des choses comme ça...

— Voyons donc, Claude, ça se fait couramment en politique !

Le ton s'anime. Le député de Compton a compris que Bellemare l'a attiré dans un piège.

— J'ai déjà dit publiquement que j'appuyais Bertrand et, aujourd'hui, je changerais de bord ? grogne Gosselin. Je me vendrais ? Tu perds ton temps et que le diable t'emporte !

Avant de claquer la porte, le bouillant député jette à la figure de Johnson, décontenancé par ses éclats :

— Fais ta campagne comme bon te semble, et moi je ferai la mienne[58] !

Le travail de persuasion du député de Bagot porte fruit cependant dans la région de Québec. À part Armand Maltais, député de Québec-Est et responsable de l'organisation pro-Bertrand à Québec et dans le Bas-du-Fleuve, trois députés de la région vont passer dans le camp johnsonien : Maurice Cloutier (Québec-Centre), Francis Boudreau (Saint-Sauveur) et Fernand Lizotte (L'Islet). Un quatrième, J.-Antoine Raymond, député de Témiscouata, se rend lui aussi aux arguments de Johnson et tourne casaque, vingt-quatre heures après avoir donné publiquement son soutien à Bertrand[59] !

Le 21 août, Paul Dozois, ex-ministre des Affaires municipales sous Duplessis et Barrette, amorce une réaction en chaîne favorable à Bertrand en publiant la lettre d'appui qu'il lui a fait parvenir. Le différend entre Johnson et Dozois remonte aux débuts politiques du second dans l'Union nationale. Autodidacte, Dozois est un ancien marchand de tabac qui a réussi en affaires avant d'accéder aux conseil exécutif de la ville de Montréal.

En 1952, Duplessis l'avait remarqué lors de la présentation du projet de loi de Montréal, Dozois ayant dû remplacer au pied levé l'avocat de la ville, Me Claude Choquette, qui avait commis l'erreur de répondre à une question de Duplessis : « Je crois que le premier ministre ne comprend pas... » Impertinence que Duplessis n'aurait su tolérer à l'époque ! Le nom de Dozois était attaché à un projet de rénovation urbaine dans l'est de Montréal — le plan Dozois — que Duplessis voulait mettre en chantier malgré l'opposition du maire Drapeau[60].

Aux élections de 1956, Duplessis offrit à l'ancien marchand de tabac de l'édifice Thémis, rue Saint-Jacques (haut lieu des avocats réservistes de la politique), l'occasion de réaliser son plan de rénovation des taudis du bas de la ville : il lui proposa le comté de Saint-Jacques. Aussitôt après son élection, Dozois reçut le portefeuille des Affaires municipales. Cette nomination ulcéra Johnson, député depuis 1946 et encore confiné, malgré ses états de service, à l'antichambre du cabinet.

Un jour, Dozois voulut vider la question et expliqua à Johnson :

— Écoute, Daniel, tu es député de Bagot, un comté rural. Tu sais comme moi que, depuis le départ d'Omer Côté, Montréal n'a plus de ministre. Je ne suis pas plus fin que toi, mais si Duplessis m'a nommé, c'est parce qu'il lui faut un ministre de la région de Montréal[61].

Le fossé creusé par cet incident entre les deux hommes s'approfondit encore plus au cours des tractations qui entourèrent les successions de Duplessis et de Sauvé. Ne prisant guère l'attitude arriviste de Johnson, Dozois avait fait obstacle à sa candidature.

Une question de pouvoir divise aussi les deux politiciens. Paul Dozois, c'est, après Johnson, l'homme fort de la région de Montréal. Si celui-ci devient chef, il devra partager son autorité avec lui. Si c'est Jean-Jacques Bertrand, par contre, Dozois conservera la totalité de son empire, car le député de Missisquoi vient le moins souvent possible à Montréal, lui préférant la capitale en véritable habitant d'une petite ville.

Comment stopper la boule de neige de Dozois ? L'expérience politique de Johnson lui vient en aide. Deux jours après le ralliement ostensible du député de Saint-Jacques à la cause de Bertrand, les membres du comité d'organisation du congrès, réunis à Drummondville (en territoire johnsonien), demandent aux députés de s'abstenir de se réclamer de l'un ou de l'autre candidat. Johnson assiste à l'assemblée que préside Maurice Bellemare[62].

Dans le clan Bertrand, on rugit contre ce bâillon. Le lendemain, à Québec, Armand Maltais annonce qu'il en appellera à la direction du congrès de la décision de Drummondville. Bertrand s'indigne également et soutient que les députés, comme les délégués, ont droit à leur opinion et sont libres d'appuyer le candidat de leur choix[63].

Le député de Bagot doit désamorcer la grenade qu'il a lancée dans la campagne, car elle risque de lui exploser dans les mains. Il reconnaît, quelques jours plus tard, que les conseillers législatifs et les députés possèdent le privilège de donner leur appui, en privé comme en public, à l'un ou l'autre des candidats.

— Cependant, finasse Johnson, l'exercice de ce droit relève de la prudence politique. Aussi ai-je demandé aux députés qui me font l'honneur de m'appuyer de s'abstenir d'interventions qui auraient l'air de faire pression sur les délégués[64].

Les deux jeunes loups de l'Union nationale, Johnson et Bertrand, ne sont pas les seuls à désirer le pouvoir. Le chef intérimaire, Antonio Talbot, est lui aussi subjugué par la pensée d'être couronné chef permanent. Quelle belle fin de carrière ! Malheureusement, à soixante ans, non seulement Talbot est un homme physiquement épuisé, mais il est compromis dans l'enquête Salvas. Il aurait l'appui de Martineau, mais l'influence du trésorier, pour importante qu'elle soit encore, pèse maintenant moins lourd dans la balance.

Durant, sa période de réflexion, Talbot confie à son ami Jean-Noël Tremblay, député conservateur fédéral de Roberval, comté voisin de celui de Chicoutimi : « Je n'ai ni la force ni le courage de me présenter[65]. » Talbot fait cependant l'objet de nombreuses pressions. Chez les gérontes du parti, on redoute autant Johnson que Bertrand. Au début de l'été, il finit par leur céder et convoque au Château Frontenac une quinzaine de députés qu'il estime acquis à sa candidature.

Talbot ouvre son jeu et demande aux députés présents de l'appuyer dans sa campagne. Chacun donne son accord en ne manquant pas de louer son travail comme chef parlementaire. Le député de Chicoutimi accepte les fleurs, puis annonce qu'il part refaire ses forces dans le Sud pendant un mois. En son absence, ses partisans devront organiser une grande fête qui marquera son retour. Une délégation ira l'accueillir à l'aéroport. De là, on se rendra au club Renaissance où Talbot annoncera officiellement sa candidature[66].

Claude Gosselin, dont on s'arrache le concours, assiste à la réunion. Il a écouté la discussion sans mot dire, mais il se lève finalement pour exprimer son désaccord :

— M. Talbot, j'ai de l'admiration pour vous, mais j'ai déjà promis à Bertrand de travailler pour lui s'il se présentait.

Un mois plus tard, au moment où Bertrand est sur le point de se lancer dans la course, Gosselin se trouve à son bureau du parlement. La première secrétaire de Johnson, Renée Beaulieu, lui dit :

— Ça fait pitié ! M. Talbot est à son bureau... personne ne l'a appelé durant ses vacances. Les députés de Québec qui devaient lancer sa candidature n'ont rien fait. Ils se sont tous rangés avec M. Johnson.

Le député de Compton se rend dans les quartiers du chef de l'opposition pour y trouver un Antonio Talbot effondré.

— Au moins toi, tu as été honnête, gémit Talbot. Les députés qui m'avaient promis leur concours n'ont rien fait... des gens pour qui je me suis arraché le cœur depuis deux ans. S'ils avaient été francs comme toi, je ne me serais pas leurré[67].

Il ne reste plus au chef intérimaire qu'à se trouver une porte de sortie élégante. Le 4 août, il demande à la presse « quelques jours de réflexion ». Une semaine plus tard, il révèle que sa décision ne dépend plus de lui, mais de son médecin. Le 15 août, deux jours après l'entrée en lice de Bertrand, il se retire du match en invoquant des raisons de santé. Appuiera-t-il le candidat de la réforme ? « Non, répond Talbot. Je garderai la plus stricte neutralité jusqu'au congrès[68]. »

Yves Gabias, député de Trois-Rivières, entend suivre les traces de son illustre prédécesseur, Maurice Duplessis. Protégé du trésorier Martineau, Gabias se prend ni plus ni moins pour le fils spirituel et l'héritier de la pensée du fondateur de l'Union nationale. C'est un homme qui croit aux symboles. Député de Trois-Rivières comme Duplessis, pourquoi ne serait-il pas, toujours comme Duplessis, le chef de son parti ?

Gabias est un petit homme aux cheveux noirs, qu'une prothèse oblige à marcher en boitillant. Il ne possède pas les qualités du fondateur de l'Union nationale. C'est un personnage équivoque dont l'abécédaire politique concilie les doctrines les plus opposées. Ainsi, il ne craint pas d'inviter le vieux chef fasciste Adrien Arcand à la même tribune que lui[69]. C'est à peu près le seul sel qu'il peut mettre dans une campagne qui déplace peu de militants. Ses appuis ont la fragilité d'une première glace, comme ceux que recueillent deux autres candidats, le maire Nadeau, de Sherbrooke, et « Buddy » Maher, pittoresque avocat de la vieille capitale.

Jules Biron, un militant unioniste de Trois-Rivières qui a le sens des remarques virulentes, dit de son concitoyen : « Gabias ne passera jamais dans le peuple, il fait peur aux enfants à la télévision ! » À l'intention de Bertrand, qui veut soumettre l'Union nationale au feu purificateur, il forge une formule qui aura beaucoup de succès durant la campagne : « Bertrand ? Il me fait penser à une fille qui a passé quinze ans dans un bordel et qui se scandalise quand elle voit un homme nu ! »

Quant à Johnson, l'homme dont il se méfie plus que tout n'est pas candidat. C'est Gérald Martineau qui veille toujours sur la caisse électorale. Le trésorier n'a jamais caché ni à Johnson ni à Bertrand qu'il les tient tous deux pour des moucherons de la politique. Il veut comme chef un homme de sa génération. Un Antonio Talbot, par exemple. Mais le brouillard d'incertitude et de faiblesse qui enveloppe la candidature de ce dernier l'incite à susciter celle d'Omer Côté. Ancien secrétaire provincial sous Duplessis, Côté

avait démissionné en 1956, après s'être brouillé avec son chef qui
le nomma juge des Sessions de la paix pour le district de Terrebonne.
C'est un grand tribun dont l'intégrité est à toute épreuve. Pour
Martineau, il est de la lignée des Duplessis et des Sauvé.

Le caissier a toujours éprouvé une sorte d'antipathie naturelle
pour le député de Bagot. Au début des années 50, Johnson commit
l'impair de demander à Alfred Hardy, directeur du Service des
achats, d'inscrire sur la liste des fournisseurs certains de ses partisans
spécialisés dans la vente de machines à écrire, fief par excellence de
Martineau ! Dès ce moment, celui-ci commença à se méfier de
Johnson.

Seconde erreur : après les élections de 1956, Johnson avait
proposé que l'Union nationale se dote d'un réseau provincial
d'hebdomadaires régionaux et locaux qui seraient regroupés en
coopérative tant pour les articles que pour la publicité nationale.
Comme procureur de l'Association des hebdos du Québec, Johnson
s'était rendu compte de l'importance grandissante du journal régional.
Deux hommes s'opposèrent à son idée. Gérald Martineau, d'abord,
qui répétait aux autres que Johnson cherchait à « se bâtir un empire », et l'organisateur Bégin qui, imprimeur et éditeur de journaux, voyait en Johnson un éventuel concurrent[70]. Le projet avorta.
Et Johnson se retrouva avec deux ennemis de plus !

Aussi, en entendant circuler dans le parti des rumeurs au sujet
de la candidature du juge Côté, le député de Bagot prend-il peur. Il
détecte vite la manœuvre du trésorier Martineau. Avec le support de
la caisse et son bon renom, Côté sera imbattable. Comment faire
échec à Martineau ? Au printemps, Johnson dit à son entourage :

— Il faudrait trouver une formule pour bloquer toute candidature de dernière minute.

Une nuit, à quatre heures du matin, le « père Pineault », qui se
creuse les méninges comme les autres pour exaucer les vœux de son
patron, se redresse tout d'un coup dans son lit et s'écrie : « Euréka ! » Il
suffit de faire accepter par le comité d'organisation du congrès
l'idée d'un appel nominal qui obligera les aspirants à annoncer leur
candidature au plus tard deux ou trois semaines avant le début du
congrès. Avec une telle procédure, aucun candidat ne risquera plus
de venir brouiller les cartes en se présentant la veille ou l'avant-
veille du congrès.

Un autre problème se pose cependant : comment faire accepter l'idée à Jean-Jacques Bertrand ? Si Johnson la lui soumet personnellement, il soupçonnera quelque croc-en-jambe. Il faut donc un tiers. Un éditorialiste de *La Presse* se charge de la besogne. Pineault l'a convaincu de la nécessité d'un appel nominal pour empêcher Martineau de s'emparer, encore une fois, de l'Union nationale. Bertrand lit l'éditorial et s'entend avec Johnson pour demander un appel nominal, quinze jours avant l'ouverture du congrès.

Le juge Côté ,restera sur son banc en dépit de l'intense cabale menée par « Les Amis de l'honorable Omer Côté » qui n'ont alors d'autre choix que d'agir au grand jour. Aux derniers tournants de la course, Gérald Martineau se ravise en manifestant un appui indirect à Bertrand, une fois que le désistement d'Antonio Talbot est confirmé.

Pauvre ou heureux Bertrand ! Le soutien du trésorier ne sera qu'un feu de paille. À côté de son gringalet de beau-frère, Maurice Giroux, qui rédige ses discours et les envoie aux journaux, Jean-Jacques Bertrand fait figure de conservateur au double plan du nationalisme et de la démocratisation du parti.

Un jour, pressé par la tombée, Maurice Giroux remet à la Presse canadienne le texte d'un discours que Bertrand n'a pas encore prononcé. Or, l'article contient une attaque virulente contre la caisse électorale occulte, attaque que le député de Missisquoi atténuera cependant en parlant à ses partisans. Le trésorier Martineau se sent néanmoins visé par Bertrand. Il coupe la ligne qui le relie à Me Jacques Marquis, le lieutenant québécois du candidat[71].

— Je ne peux plus rejoindre Martineau, se plaindra Me Marquis, par la suite.

L'organisation Bertrand veut tirer la chose au clair et use d'un stratagème courant dans ce genre de situation. Un émissaire se rend chez Martineau avec une somme de 10 000 dollars en poche et lui demande innocemment :

— À qui faut-il remettre cet argent ? À Bertrand ou à Johnson ?

— Surtout pas à Bertrand ! s'écrie le trésorier en mettant le messager du clan Bertrand à la porte.

L'éminence grise de l'Union nationale finit par rallier le camp johnsonien. Deux jours avant l'ouverture des assises, la presse fait état d'une éventuelle alliance entre Johnson et le trésorier Johnson sait maintenant à quoi s'en tenir. Il déclare en conférence de presse :

— M. Martineau m'a donné sa parole qu'il ne se mêlerait pas de l'actuelle campagne et qu'il servirait ensuite fidèlement le futur chef de l'Union nationale. Quand M. Martineau donne sa parole, il la respecte[72].

Pourquoi Johnson s'interdirait-il, dès lors, de manifester sa complaisance envers l'omnipotent trésorier ? Que s'est-il donc passé pour que l'homme qui, en début de course, faisait circuler sous le manteau certaines photographies de nature à le discréditer se range maintenant sous sa bannière ?

En montant en épingle le passé nébuleux de l'Union nationale pour mieux prouver la nécessité ou l'urgence de sa réforme, Jean-Jacques Bertrand a provoqué un effet boomerang. Les patriciens du parti se sont vite émus d'une campagne qui sapait le moral des troupes, donnait des armes aux libéraux et traînait dans la boue, fût-ce indirectement, le nom du fondateur de l'Union nationale.

Les sœurs de Maurice Duplessis, particulièrement Étiennette Bureau liée au trésorier Martineau par une commune admiration envers le grand homme, s'imaginèrent que Bertrand « salissait » le parti pour mieux promouvoir sa personne. Leur confiance en lui fondit alors comme neige au soleil. Si Bertrand s'emparait de la direction de l'Union nationale, il allait certainement provoquer une scission. Aussi leur empressement à convaincre Martineau de se ranger sous le parapluie moins sacrilège de Johnson ne connut plus de bornes. Elles chuchotèrent à l'oreille du caissier : « Bertrand salit aujourd'hui l'Union nationale, demain il salira Duplessis[73]. »

La victoire des « enfants de chienne »

— Pas bon pour pas bon, moi j'appuie Johnson ! Celui-là, au moins, il a le sens de l'organisation électorale !

La boutade désobligeante de « Gerry » Martineau fait le tour des délégués, scellant avant l'heure l'issue du second congrès au leadership de l'Union nationale. Le vote de la vieille garde et des duplessistes ira à Daniel Johnson. Le sphinx a parlé.

Samedi soir. Le premier congrès politique à l'américaine tenu au Québec tire à sa fin dans l'atmosphère fiévreuse qui précède toujours l'annonce des résultats. La chaleur étouffante d'un été tardif aide à tempérer les ardeurs des partisans surexcités par trois jours de festivités marquées d'abondantes libations. Un silence dramatique tombe soudain sur les milliers de personnes affichant les couleurs des deux principaux candidats et massées dans les gradins du Colisée de Québec ; le président du congrès s'avance sur l'immense estrade qui domine le parquet du grand centre sportif.

Sa voix métallique résonne dans la gigantesque serre chaude qu'est devenu le Colisée :

— Jean-Jacques Bertrand... 912 voix, Daniel Johnson... 1006 voix !

Le quatrième chef de l'Union nationale sera donc Johnson ! Duplessis, Sauvé, Barrette, Johnson... l'histoire ne pouvait pas passer à côté de la race. La lignée était tracée ! Jean-Jacques Bertrand rate la direction par 94 voix. Johnson, comme Jean Lesage, ne perd jamais. C'est un as du poker politique.

Les résultats du scrutin divisent l'assistance en deux. L'Union nationale de Daniel Johnson se pâme de joie et de délire. Celle de Jean-Jacques Bertrand paraît navrée, inerte et comme étrangère aux simagrées des gagnants et aux rites à présent grotesques d'une victoire qui lui a échappé de justesse, au dernier virage de la course.

Sur l'estrade où se bousculent maintenant le nouveau chef, les candidats battus et l'armée des principaux organisateurs, on congratule son voisin, on s'empoigne, on s'embrasse. On suit à la lettre la règle du cirque politique. Paul Dozois se tient entre Jean-Jacques Bertrand et Daniel Johnson. Le tintamarre des johnsonistes embrase la foule. Dozois se penche vers Bertrand :

— Qu'est-ce que tu fais ? Contestes-tu le scrutin ?

— Non. Je me rallie, répond le candidat malchanceux.

Paul Dozois se tourne alors vers Johnson pour lui faire part du ralliement de Bertrand[74]. La satisfaction se lit sur le visage moite du chef qui cherche Bertrand des yeux. Le député de Missisquoi respectera donc le pacte de collaboration réciproque passé entre les deux hommes, quelques minutes avant le dévoilement du résultat, dans l'un des couloirs perdus du Colisée[75].

Le député de Bagot a gagné ses lauriers de justesse sans doute, mais dès le premier tour — fait exceptionnel dans l'histoire des congrès politiques. Bien sûr, des cinq autres candidats, deux se sont retirés avant le vote et les deux derniers, le maire Nadeau et l'avocat

Maher, n'ont récolté que des miettes. Un deuxième tour paraisssait donc improbable. Johnson le craignait néanmoins plus que tout.

Son ami Réginald Tormey lui demande plus tard, dans la soirée :

— Que serait-il arrivé s'il y avait eu un second tour ?

— J'aurais été battu, laisse tomber Johnson.

La lutte était tellement serrée, et l'issue tellement hasardeuse pour le candidat Johnson, que son groupe de fanatiques passa les deux premières journées du congrès à imaginer toutes les combinaisons possibles pour renverser la tendance pro-Bertrand dont la force était visible à l'œil nu. Samedi après-midi, au Colisée, c'est tout à coup l'apothéose johnsonienne. Que s'est-il donc passé entre l'ouverture et la clôture du congrès ? Comment l'astucieux renard de Saint-Pie-de-Bagot s'y est-il pris pour dévorer sa poule ?

On ne peut d'abord négliger le poids du trésorier Martineau. Ses jeux d'influence et ses coups de téléphone stratégiques aux mantes religieuses du patronage contribuent à inverser une partie du courant de sympathie pro-Bertrand et à alimenter le clan Johnson en fonds et en « travailleurs d'élection » aux poings gros comme des masses. Le moraliste de Sweetsburg qui avait osé dénoncer caisse électorale et corruption politique n'a qu'à bien se tenir ! Toute la question est de savoir s'il saura retenir des délégués tentés durant trois longues et chaudes journées par des appâts multiples jaillissant comme des bunny girls de la caisse du théoricien du patronage.

En éminence grise qui se respecte, Gérald Martineau demeure à l'écart du congrès. Il agit depuis sa résidence du lac Beauport où il s'est enfermé en compagnie, notamment, de Jean-Noël Tremblay, député fédéral de Roberval, qui a d'ailleurs offert à Johnson le vote des délégués de sa région[76].

Le petit caissier bourru oblige Yves Gabias, le candidat à qui les astres ont prédit qu'il sera un second Duplessis, à revenir sur le plancher des vaches. Depuis ses débuts en politique, Gabias se soumet aux quatre volontés du trésorier. Aussi obéit-il quand son mentor lui demande de s'éclipser et de recommander à ses délégués de voter pour Johnson.

Le trésorier mobilise également son fils qu'il envoie au Colisée cabaler en faveur du député de Bagot. Ceux qui, avant d'avoir vu le fils à l'œuvre auprès des délégués, s'interrogeaient sur le choix du père, sont dès lors éclairés. C'est un signal. Aucun des vieux trucs du métier n'est négligé. Comme celui de faire appel à la «reconnaissance du ventre» auprès des jeunes partisans unionistes. Comment refuser décemment son appui «au meilleur homme» — en l'occurrence Daniel Johnson — après avoir obtenu du parti bourses d'étude, emplois d'été, petits contrats divers, etc.[77].

Les étudiants? Ce sont de bons petits gars naïfs et rêveurs — donc des suffrages assurés au réformiste Bertrand. Regroupés au sein de la Jeunesse de l'Union nationale, les étudiants du Québec ont droit à 25 délégués. Leur désignation relève du remuant. Antonio Flamand, président des étudiants unionistes de l'Université de Sherbrooke. Flamand étudie le droit dans cette ville, mais il est originaire de Saint-Honoré de Chicoutimi. C'est un «beluet» débrouillard, un protégé du député de son comté, Antonio Talbot, qui lui a confié l'organisation du vote étudiant.

Ami et confrère de classe de Maurice Giroux, beau-frère de Bertrand, à quel candidat sinon à ce dernier Flamand apportera-t-il le vote de la jeunesse? À moins, bien sûr, de rappeler au jeune «Tonio» où se trouve son devoir d'État! Martineau prend le téléphone et lui enjoint de soutenir la candidature de Johnson plutôt que celle de Bertrand. Premier boursier des «Amis de Maurice Duplessis», grâce justement aux bons soins du trésorier, Flamand se montre docile. D'ailleurs, il tient Martineau pour un grand nationaliste, voire un indépendantiste comme lui. Aussi, bourre-t-il les rangs du groupe étudiant de délégués pro-Johnson[78].

Au demeurant, Flamand ne demande qu'à suivre le drapeau du député de Bagot. Avant d'accepter la responsabilité dont voulait l'investir Talbot, il s'était rendu chez Johnson au Château pour lui proposer ses services. Celui-ci avait alors répondu avec un sourire un peu dédaigneux:

— J'ai déjà Fred Chevalier qui va travailler avec moi.

Chevalier est un étudiant en droit que Flamand considère ni plus ni moins comme une fripouille. De voir Johnson lui préférer Chevalier avait vivement mortifié l'apprenti politicien. Il avait donc accepté le poste de Talbot en se jurant bien que le bloc étudiant n'appuierait jamais un homme aussi mal secondé. Mais le téléphone de Martineau lui avait fait changer d'idée. En réalité, Johnson voulait bien du concours du jeune Flamand, pourvu que celui-ci ne fût pas public. Dans le langage codé propre à ce genre d'arrangement, Johnson lui recommandait d'accepter, comme le lui proposait Antonio Talbot, de voir à l'organisation du vote étudiant. Il serait en quelque sorte sa cinquième colonne parmi la jeunesse universitaire. Johnson expliqua à Flamand qu'il lui serait plus facile de lui amener le vote des étudiants s'il ne lui était pas publiquement associé. Mais, en provincial mal dégrossi, portant encore ses sabots de paroissien de Saint-Honoré-de-Chicoutimi, l'étudiant Flamand s'entêta à ne pas saisir l'ouverture de Johnson[79].

Aux mille manœuvres du grand argentier pour détourner des voix vers Johnson s'ajoute l'extrême habileté du candidat lui-même. Le député de Bagot n'a pas attendu le début du congrès pour s'assurer que le déroulement de celui-ci aussi bien que le scrutin lui-même favoriseront sa candidature. Dès la formation du comité directeur du congrès, il a vu à y placer des hommes sûrs comme Maurice Bellemare, Fernand Girard, ex-organisateur général sous Duplessis, Fernand Lafontaine, Raymond Johnston, député de Pontiac, et Paul Gros d'Aillon, le relationniste attitré du congrès.

Le rôle principal de Christian Viens, organisateur de Johnson pour la région de Québec, consiste à faire élire des délégués johnsoniens dans toutes les associations de comté de son secteur. Avant l'assemblée, il prépare le terrain avec l'aide de Fernand Girard et de Jacques Pineault. Devenu, avec l'expérience, un adepte du doute méthodique, ce dernier soupçonne Viens d'être un espion de Bertrand, simplement parce que leurs épouses sont cousines ! Cette petite zone d'ombre n'empêche cependant pas les deux hommes de bien s'occuper des intérêts du patron[80] !

Dans les huit comtés anglophones du West Island de Montréal, où l'Union nationale ne possède à peu près ni militants ni structures, l'organisation Johnson veille à noyauter les délégations. Quel n'est pas l'effarement des éclaireurs du clan Bertrand en apercevant la physionomie bizarre des délégués du West Island ! Ceux-ci n'ont rien de l'Anglo-Saxon blond et élancé, mais tout de l'Italien ou du Canadien français noiraud et trapu de l'est de Montréal.

Le clan Johnson pousse très loin sa roublardise dans le choix des délégués, allant jusqu'à tenter, par exemple, de se ménager des sympathies au sein de la délégation de Missisquoi. Il faut dire que l'organisation Bertrand en fait autant du côté de la délégation de Bagot !

Durant le congrès, un partisan de Bertrand souffle à l'oreille du juge Maurice Archambault, confrère de classe de Johnson, mais si proche également de Bertrand qu'il se cantonne dans la plus stricte neutralité :

— Six des 20 délégués de Bagot ont changé d'allégeance et voteront pour Bertrand !

— Ne rêvez pas ! coupe le juge en conseillant au naïf de s'occuper des indécis des autres délégations[81].

Au-delà de toutes les astuces de son organisation pour modifier le choix des délégués et des pressions, judicieuses ou non, du trésorier Martineau, Johnson doit sa victoire à lui-même et à son charisme. Son charme irlandais, son côté petit peuple et la constance de ses entreprises de conquête finissent par vaincre la résistance de militants indécis ou acquis à Bertrand. Johnson les met un à un dans sa poche. Sa mémoire prodigieuse emporte également l'adhésion de plusieurs et fait autant, sinon plus de dégâts à l'intérieur de la citadelle ennemie que son énergie phénoménale. En apportant à Jean-Jacques Bertrand le soutien de la délégation de Deux-Montagnes, la veuve du premier ministre Paul Sauvé n'a pas apprécié à sa juste valeur le pouvoir de séduction de Johnson et les ressources de sa mémoire.

Avant le congrès, 500 délégués de la région de Montréal assistent à un meeting au Faisan bleu. Johnson s'y fait du capital politique, notamment auprès de la délégation de Deux-Montagnes dont il réussit à dissoudre partiellement l'hostilité. Un certain Lefebvre, qui dirige la délégation, le défie :

— Quand on sera à Québec, si vous vous souvenez de mon nom, je voterai pour vous et vous amènerai ma délégation !

Johnson confie à André Lagarde, qui l'accompagne :

— Quand je le verrai à Québec, dis-moi seulement la *bean*...

Quelques jours plus tard, dans un couloir du Château Frontenac, Lagarde aperçoit le délégué Lefebvre. Il glisse à l'oreille de son patron :

— C'est la *bean* !

Johnson n'hésite pas un instant. Il s'avance avec assurance vers le délégué et lui serre la main en lui disant :

— Comment allez-vous, M. Lefebvre[82] ?

Pour gagner, le député de Bagot doit aussi compter sur les ravages de sa machine. La première journée du congrès (le jeudi), les organisateurs johnsoniens ont beau se répéter : « Si nous ne passons pas, c'est un miracle », au soir du même jour, le motto est moins rassurant : « Faut plus lâcher... on va passer ou on va en crever[83] ! » Un sentiment pro-Bertrand domine chez les délégués qui ont commencé à arriver. Dans l'organisation Johnson, on estime la proportion d'indécis à 20 pour 100. On va donc s'occuper d'eux. Vendredi matin, branle-bas chez les stratèges. Ce sera quitte ou double !

Les délégués prennent leurs repas au Palais de l'Agriculture. L'organisation Johnson envoie des dizaines de cabaleurs circuler dans leurs rangs en répétant inlassablement, des centaines et des centaines de fois : « Johnson rentre, c'est évident. »

Vendredi, la chasse aux indécis s'accentue. Les armes dont usent les travailleurs des deux camps répondent de moins en moins aux canons de la démocratie politique. Les coups que l'on se porte dans les coulisses ou en public ne relèvent plus de l'escarmouche. Bertrand voit ses fils de téléphone arrachés et Johnson, certains de ses kiosques publicitaires fracassés.

— Tu m'as promis, au début, que ça serait propre ! fulmine Johnson devant Régent Desjardins à qui il est allé manifester sa colère.

— Ce n'est pas moi. Si tu ne veux pas me croire, si tu n'as pas confiance en moi, on n'a plus rien à se dire ! rétorque Desjardins en invitant Johnson à quitter les lieux[84].

Les griffes sont sorties entre Daniel et Jean-Jacques ! Au journaliste qui demande au premier ce qu'il pense du second, le député de Bagot laisse tomber avec ce ton paternaliste qu'affectionnait Duplessis pour parler de quelqu'un d'un peu benêt : « C'est un poète. » Du côté des pro-Bertrand, on dit de Johnson : « Demandons-nous si le peuple, aujourd'hui, le porterait au pouvoir ? Lisez les journaux, faites votre enquête. La réponse sera non[85]. »

Les organisateurs de Bertrand disent encore aux journalistes : « Il y a sans doute une majorité de gens honnêtes chez M. Johnson, mais aussi la lie du parti. Bertrand, ça c'est honnête ! Regardez le gang qui est avec Johnson, c'est ce qu'il y a de plus grouillant et de moins recommandable[86]... »

Certains éléments de l'organisation johnsonienne font en effet frémir les bonnes âmes. Comme ces anciens policiers provinciaux

aux allures de maffiosi que le nouveau régime Lesage s'est empressé
de congédier. Certains font les corridors du Château Frontenac pour
vanter les mérites de Daniel en exhibant des liasses de billets de
banque ! Deux ex-officiers congédiés, Ubald Legault et Hilaire
Beauregard, se pavanent aussi parmi les organisateurs du député de
Bagot[87].

Daniel Johnson est-il au courant que trois bandits notoires
mêlés à un sordide assassinat commis à Montréal sont venus chanter
ses louanges ? Probablement pas. Toutes sortes d'éléments parviennent à se glisser dans une organisation qui a l'importance de la
sienne. « À l'heure du renouveau, de la purification politique, écrira
Jean-V. Dufresne, il n'est pas bon que son nom soit brandi haut sur
une pancarte par le diable lui-même[88]. »

Qui veut la fin prend les moyens. Johnson aura le pouvoir, peu
importe le prix à payer. Son organisation ne joue plus à la politique,
mais au poker. C'est le tout pour le tout. Toutefois, il a beau mettre
toutes les chances de son côté, le ciel n'est pas plus clair après deux
jours de manœuvres. Johnson demande à Me Jean-Paul Cardinal :

— Écris donc ma majorité au tableau.

L'avocat grassouillet prend une craie et trace le chiffre 58. Le
futur chef de l'Union nationale remarque avec un sourire un peu
triste :

— Donc, tu crois que nous allons perdre.

— Non ! Nous allons gagner ! assure Cardinal d'un ton qui ne
souffre pas de réplique.

La batterie n'a pas encore craché tout son feu. La nuit des
longs couteaux et des longues cuisses nues n'a pas encore eu lieu.
Sexe et politique — c'est peut-être la combinaison gagnante ? Un
organisateur johnsonien avertit le journaliste Pierre Laporte : « Notre
machine va se mettre en marche ce soir (vendredi). Vous allez voir
ce que vous allez voir[89] ! » En politique comme ailleurs, on ne fait
pas d'omelette sans casser d'œufs.

Vendredi soir, veille du vote, le congrès de l'Union nationale
prend l'aspect d'une immense kermesse. Chacun des deux clans
principaux a réservé deux étages complets au Château. Dans les
corridors, des tables garnies des alcools les plus divers s'alignent
les unes à la suite des autres. Des « belles de nuit » racolent ouvertement les délégués qui ne sauraient, sans le secours de la chair,

arriver au bon choix[90]... Cette nuit-là (y a-t-il eu une nuit?), comités, restaurants, hôtels et motels sont aussi animés qu'en plein jour. Des maquereaux notoires se promènent parmi les délégués en disant : « Je travaille pour Daniel... » C'est une nuit humide et tropicale que la nuit de ce vendredi-là. Les fenêtres des petits hôtels voisins du Château Frontenac sont grandes ouvertes. Il arrive parfois au journaliste fouineur ou au couche-tard d'entendre une fille susurrer à son délégué assouvi : « Il est beau, Daniel... C'est le plus beau. Tu devrais voter pour lui... »

Dans le grand hall du Château, ce soir-là également, juchés l'un et l'autre sur les épaules de militants déchaînés, Johnson et Bertrand échangent une étreinte fraternelle. La dernière avant le round du lendemain. Une forte odeur d'alcool flotte dans le lobby victorien de l'hôtel qui a l'air, depuis deux jours, d'un champ de bataille. Épuisé par une vilaine grippe qui lui défonce le crâne, Daniel Johnson trouve la force de rire en pressant Bertrand contre lui, comme aux plus beaux jours... Scène équivoque qui inspire à un journaliste plus lettré que les autres ces mots que Racine prête à Néron au moment où il va embrasser son frère Britannicus : « J'embrasse mon rival, mais c'est pour l'étouffer[91]. »

Cette nuit-là, les organisateurs des deux clans comblent les moindres caprices des délégués. On se rendra même jusqu'aux arguments sonnants ! À quatre heures du matin, le journaliste Guy Lamarche, de *La Presse,* suppute les chances du candidat Bertrand en compagnie de deux de ses organisateurs, Jean Bruneau et François Zalloni. Bruneau lui jure qu'un dernier pointage confère une avance au député de Missisquoi.

Quelques instants plus tard, Lamarche croise un personnage bien connu de l'organisation Johnson, l'ex-policier Gaston Archambault que le régime Lesage a mis en chômage. C'est un homme débonnaire qui cause facilement aux gens de la presse. Lamarche lui dit :

— C'est serré !

— Daniel n'est pas encore arrivé en ville, O.K., rétorque Archambault en ouvrant son veston et en exhibant une épaisse liasse de billets de banque.

En effet, Daniel Johnson n'est pas encore « arrivé en ville », mais cela ne saurait plus tarder maintenant, alors que s'éveillent la

vieille capitale et ces centaines de partisans qui ont quand même
réussi à voler quelques heures de sommeil.

Les délégués trouvent à leur porte un exemplaire du *Devoir*.
La manchette est on ne peut plus partisane : « L'UN a le choix :
nettoyage avec Bertrand ou scission avec l'élection de Johnson[92] ».
Durant la campagne, le journal de Filion n'a pas caché son parti pris
en faveur de Bertrand. Quoi de plus normal, alors, qu'il lui donne,
le matin du vote, un autre coup de main ! Pourvu que ce ne soit pas
un coup de Jarnac...

Les bonnes intentions du *Devoir* vont effectivement « couler »
Jean-Jacques Bertrand. Il y a peut-être des « éléments corrompus et
corrupteurs, des politiciens véreux et des ex-agents de la police
provinciale dans l'entourage de Daniel Johnson », comme l'écrit
Marcel Thivierge dans l'article accompagnant le titre à double
tranchant, mais on y trouve aussi des gens pleins d'idées et d'astuce.
À l'aube, une main mystérieuse a apposé sur le journal un petit
collant qui claironne : « *Le Devoir* avec Bertrand, le peuple avec
Johnson. »

Aux petites heures de la nuit, une fois connue la manchette du
Devoir, Jacques Pineault ne perd pas le nord. La bourde du journal
doit profiter à Johnson. On rafle tous les exemplaires possibles dans
la ville de Québec, on en fait même venir de Montréal en catastrophe.
On prépare le collant et une armée de camelots improvisés, qui ont
dépassé depuis fort longtemps l'âge de la puberté, fait le tour des
hôtels de la capitale[93].

Durant toute la journée, les cabaleurs sèment à tout vent l'idée
que Bertrand, l'homme du *Devoir*, est aussi l'homme des rouges,
car, n'est-ce pas, ce journal appuie Jean Lesage. Et puis, murmure-
t-on aux délégués troublés, Jean-Jacques Bertrand n'est-il pas un
ancien libéral qui a « viré bleu » ? Si Lesage appuie Bertrand, c'est
qu'il a peur de Johnson. Il faut donc voter Johnson !

Le clan Johnson mène une seconde opération, parallèle à la
première, pour contrecarrer l'influence que pourrait avoir l'article
et raffermir les volontés, le cas échéant. Au lever du jour, on arrache
Johnson à son sommeil. On installe dans sa suite plusieurs téléphones
dont s'emparent des piliers de l'organisation comme André Lagarde,
Germain Caron, Jean-Paul Cardinal, Mario Beaulieu et Fernand
Lafontaine. À chaque délégué rejoint, on répète l'équation « *Le*

Devoir-Lesage-Bertrand », puis on passe l'appareil au patron qui ajoute sa griffe personnelle, laquelle fait toujours des miracles[94].

Ce matin-là, dans le lobby du Château, la manchette du *Devoir* fait les frais de la conversation. L'inquiétude gagne le clan Bertrand. Et si le « coup du *Devoir* » allait faire fondre la faible majorité qu'on croyait encore détenir durant la nuit ?

Voyant le juge Archambault traverser le grand hall avec son épouse, la mère de Jean-Jacques Bertrand lui demande avec insistance :

— Dites-moi, Maurice, pensez-vous que Jean-Jacques sera élu ?

— Ses chances étaient meilleures avant l'article du *Devoir*, hasarde le juge pour qui il ne fait pas de doute que les attaques du journal risquent de déplaire aux indécis.

L'avant-veille, comme un taureau dans l'arène, Gérard Filion a commencé sa charge contre le matador Johnson. Le journaliste a aiguisé ses plus grosses cornes avant de foncer, tête baissée, sur sa cible préférée par l'entremise d'un éditorial au titre évocateur : « Le retour aux origines. »

> *Le Devoir* n'aime pas M. Daniel Johnson pour des raisons très précises : il incarne au sein de l'Union nationale ce qu'il y a de plus détestable et de plus méprisable dans le duplessisme. Il a cultivé tous les défauts, tous les vices de son ancien maître, sans en avoir les qualités. Pour notre plaisir égoïste de journaliste, nous souhaiterions l'élection de M. Daniel Johnson comme chef de l'Union nationale. Il est une cible de choix pour les caricaturistes, pour les éditorialistes, pour les courriéristes parlementaires. En présence d'une tête pareille, on se sent inspiré, les formules viennent spontanément au bout de la plume. Mais la province paierait la note d'une telle gourmandise.
>
> Les journalistes savoureraient leur petit hors-d'œuvre quotidien de Daniel Johnson et se pourlècheraient les babines. La province pâtirait. C'est pourquoi nous résisterons volontiers à une telle goinfrerie, nous sommes même prêts à jeûner et à faire pénitence pour que la province échappe à la calamité qui a nom Daniel Johnson[95].

L'attitude du *Devoir* n'énerve pas le député de Bagot. Il répond avec un visage de marbre au journaliste qui lui demande ses commentaires au sujet de l'éditorial de Filion :

— C'est ça qui va me faire gagner[96]...

Daniel Johnson compte sur la puissance de sa machine qui atteint son rendement maximum durant la matinée de samedi. Depuis deux jours, un macaron du groupe Johnson promettait : « C'est Daniel partout ». Cela est en train de se confirmer, alors que des milliers de partisans et de délégués commencent à converger vers le Colisée de Québec où se jouera l'acte final. La guerre des slogans et des pancartes, jusque-là de force égale, semble tourner à l'avantage du clan johnsonien.

Aux abords du Colisée ou dans les gradins, pour un « D'aplomb avec Jean-Jacques », on voit se lever 10 « Johnson élu, Lesage battu » ou 10 « Avec Daniel, on gagne ». Comme si tous les arbres de la forêt unioniste étaient en train de se changer en Iroquois johnsoniens, n'attendant que le signal de leur chef pour scalper tous ceux qui arborent cocardes, macarons et pancartes de la réforme.

Que les gradins soient aux mains des partisans de Johnson, rien ne paraît plus évident aux observateurs. Un train de 22 wagons, idée du « vieux matou » Pineault, est parti de Saint-Hyacinthe, le matin. Il s'est rempli peu à peu jusqu'à Québec où il a déversé sur le terrain du Colisée quelque 5000 partisans bruyants. Leur rôle : faire partie d'une immense claque qui, se sont promis les organisateurs de Johnson, éclipsera les ovations célèbres qui accueillaient jadis chaque but de Jean Béliveau. On compte également beaucoup sur les gosiers de centaines de partisans italiens. « Ils sont tellement habitués à crier *Viva il Duce !* ou *Viva il Papa !* » répétait-on à Mario Beaulieu, lié à la communauté italienne de Montréal, pour le convaincre d'en mobiliser un fort contingent pour Québec.

Mario Beaulieu fait venir aussi de Montréal un orchestre de 10 musiciens italiens dirigés par Noël Talarico. Musicien plein d'allant et capable de vous retourner une salle en deux coups de trompette, Talarico s'applique, durant tout l'après-midi, à soutenir l'entrain des partisans de Johnson avec le refrain mille fois répété de la chanson *Quelle heure est-il* !

Les deux camps rivalisent d'imagination pour enlever le congrès. L'organisation Bertrand réussit à obtenir un permis municipal exclusif qui permet à ses partisans de parader dans les grandes artères menant au Colisée. Plusieurs fanfares signalent le passage de Bertrand et son arrivée au congrès.

Si la rue est à Bertrand, le Colisée est à Johnson ! L'effet escompté par les pro-Bertrand est d'ailleurs un demi-échec car la majorité des délégués et partisans a déjà envahi l'immense amphithéâtre au moment où les majorettes de la purification défilent dans les rues de Québec. À l'intérieur du Colisée, c'est une autre paire de manches. Les johnsonistes ont placé leurs batteries musicales à des endroits stratégiques. Un second chef d'orchestre, aux vêtements trempés de sueur, s'est ajouté à Noël Talarico.

C'est Jacques Pineault, aussi à l'aise dans la direction musicale que dans l'organisation. Il orchestre le tintamarre produit par le groupe de Talarico et par deux autres fanfares retenues par l'organisation. Parfois à l'unisson, parfois en canon, les fanfares se font entendre aux moments propices, obéissant aux signaux du « chef d'orchestre » Pineault qui s'acquitte de ses fonctions avec art et moult bruit. Les johnsonistes disposent aussi de l'orgue du Colisée. Quand Johnson se lève, s'asseoit ou marche, l'orgue lâche bruyamment l'air comprimé dans ses vastes poumons. Quand c'est Bertrand, l'organiste en profite pour aller fumer !

L'effet est encore plus sensationnel quand celui qui sera dans un instant couronné chef de l'Union nationale s'approche de la tribune. L'heure de son discours est arrivée. Avant lui, Bertrand a lu un discours pas assez radical au gré de ses organisateurs, mais qu'il a refusé de modifier. Il sait maintenant que tout est perdu, que la victoire lui a échappé au cours de la nuit précédente ou au petit matin. Au beau milieu de son discours, il change de monture. Il met de côté les idées de renouveau prêchées tout au long de sa campagne, se contentant en guise de péroraison de marteler : « Liberté, liberté, liberté » !

Daniel Johnson devine lui aussi que le vent a changé de direction à l'aube. Quand il se lève et que les trois fanfares éclatent en même temps au signal de Jacques Pineault, la confiance qui lui a fait défaut durant les deux premières journées du congrès coule en lui comme une boisson chaude et enivrante.

Son discours ne véhicule aucun message politique d'importance. C'est un discours de politicien. Astucieux mais assommant — une interminable nomenclature des vivants ou des morts à qui il rend hommage ou exprime sa reconnaissance. Durant vingt minutes, Johnson remercie ni plus ni moins les délégués de l'avoir déjà élu. « Un discours de fou, lance l'un de ses organisateurs. Mais il y a un paquet de votes là-dedans ! »

Après le congrès, Johnson avouera candidement qu'il a prononcé le discours le plus insignifiant de sa carrière[97]. En un sens, l'ovation délirante de dix-sept minutes bien comptées qui accueille son pitoyable laïus constitue le chef-d'œuvre du congrès. Son point tournant. C'est comme si la province entière avait envahi les gradins du Colisée de Québec pour réclamer à grands cris Daniel Johnson !

C'est le grand test. Johnson montre aux militants de l'Union nationale quel superchef il fera s'ils l'élisent. Que pourra faire Lesage face à un as de l'organisation comme lui ? Le député de Bagot accueille l'hystérie qu'il a lui-même provoquée avec le calme de celui qui a enfin maîtrisé une situation d'abord hostile.

Il paraît détendu au milieu de l'immense estrade que surplombe un fleurdelisé géant. Son visage d'homme légèrement replet paraît de cire, puis s'épanouit tout à coup en un large sourire qui accompagne les saluts qu'il adresse à la foule de ses partisans debout dans les gradins. Le suspense est extrême, le bruit assourdissant et la chaleur intense...

Des rangées occupées par les johnsonistes déferlent en vagues successives, soutenues par la cacophonie du « père Pineault », applaudissements et cris, tandis que l'autre moitié des 15 000 unionistes reste assise en invoquant la bonne sainte Anne pour que cet orage de sons et de couleurs passe au plus vite. Des partisans agitent pancartes et banderoles en épongeant la sueur qui coule à grosses gouttes sur leur front.

Deux partis s'affrontent en un seul. Le regard du futur chef revient périodiquement vers la loge où se tiennent sa femme et ses enfants, tout aussi ébahis que les autres par cette clameur interminable qui fait gémir l'amphithéâtre. Depuis trois jours, c'est à peine s'il a pu leur dire quelques mots... Son fils aîné, Daniel, a seize ans. Il a vécu intensément cette course à la direction. Il est assez vieux maintenant pour en déchiffrer le rituel. Au cours de la campagne, il a parfois accompagné son père. Il a appris des choses que jamais il n'avait soupçonnées. Qu'on pouvait, par exemple, se déchirer entre membres d'un même parti. Il a vu des bleus qui se battaient contre des bleus. C'était nouveau : Daniel fils avait toujours pensé qu'il fallait appartenir à des partis différents, être rouge ou bleu, pour se chicaner ainsi. Il a vu des bleus qui ne se parlaient plus. Il a entendu son père dire parfois à l'un de ses organisateurs : « C'est un bleu, oui, mais il est contre nous[98]. »

Plus tôt, Jean-Jacques Bertrand s'est offert lui aussi une ovation. Mais elle n'a duré que deux minutes... L'efficacité paraît avoir été monopolisée par le camp Johnson. Johnson contre Bertrand, pot de fer contre pot de terre ? Comme un alpiniste qui se hisse péniblement à la force des poignets au sommet de la paroi, Daniel Johnson sortira victorieux de l'urne unioniste quelques heures plus tard, après que les 1986 délégués habilités à voter seront passés par l'isoloir.

Donné perdant par la presse et la bourgeoisie bien pensante de son parti, le député de Bagot a fait la preuve que, pour arracher la direction de l'Union nationale, les vœux pieux et les bonnes intentions ne suffisent pas. Il faut disposer d'abord d'une bonne organisation. Des idées politiques claires demeurent encore secondaires pour ce parti qui en est à peine à l'a b c de la démocratisation. Il suffisait de comprendre cela. En politicien pragmatique, Johnson a saisi que l'enjeu réel du congrès est le pouvoir, non un programme. Il s'est fait élire sans programme précis. L'élaboration et la réalisation d'un programme, c'est, pour lui, l'étape qui suivra l'élection de leader. Il n'a pas, comme le missionnaire Bertrand, mis la charrue devant les bœufs.

Élu démocratiquement, Daniel Johnson ? Dans le camp Bertrand, on en doute tellement qu'aussitôt le résultat connu les partisans commencent à quitter le Colisée, insensibles au cri de ralliement de leur nouveau chef. Et bientôt, il ne reste plus pour applaudir le leader de l'Union nationale que les partisans réunis par son organisation à coups d'artifices divers et d'imagination. Bertrand a eu beau s'exclamer au cours de sa dernière intervention : « Non pas la scission, mais la fusion ! » ses fidèles font la sourde oreille et reprennent le chemin de leurs comtés[99].

Que l'amertume ait gagné le cœur des pro-Bertrand à l'instant de la défaite, Clément Vincent, l'organisateur de Nicolet et ami de Johnson, le mesure lui-même. Il n'est pas délégué, aussi assiste-t-il à la « foire » du haut des gradins et non sur le parquet du congrès réservé aux votants où sa femme Yvette se trouve, car elle fait partie de la délégation de Nicolet. Elle est même la seule johnsoniste de la délégation !

Comme tous les partisans de Johnson, Vincent jubile lors de la proclamation des résultats. Il regarde sa femme sur la patinoire. Elle fait une drôle de tête ! Soumise à la pression des autres délégués, elle a fini par changer de camp. Elle a voté pour Bertrand. Quand Vincent rejoint la délégation, sa femme lui dit :

— Ils ont réussi à me faire changer d'idée à la dernière minute !

Les autres délégués sont encore plus désemparés que son épouse. « L'Union nationale, c'est fini ! » gémit l'un d'eux. « Johnson, c'est pas le bon homme ! » pleure l'autre. Clément Vincent s'applique à les rassurer :

— Johnson est le nouveau chef. C'est un nouveau départ. Je le connais, M. Johnson. Il nous réserve des surprises[100] !

Les organisateurs du député de Missisquoi se retrouvent au onzième étage du Château Frontenac où ils passent la nuit à analyser les causes de la défaite, à vérifier et à contre-vérifier tous les bruits de fraude, de vol ou de bulletins truqués. Tout cela n'ira pas très loin. Toute défaite électorale exige une décantation.

Au congrès de Sherbrooke, en 1933, on avait, de la même façon, accusé Duplessis de s'être emparé de la direction du parti (à ce moment-là, le Parti conservateur) grâce à de faux bulletins imprimés clandestinement au *Devoir* ! Accusation habituelle, donc.

Cette même nuit au Château, les johnsonistes célèbrent leur triomphe jusqu'aux petites heures. Le candidat vaincu refuse catégoriquement d'assister à la fête, songeant plutôt à mettre immédiatement le cap sur Sweetsburg. Bertrand digère mal la défaite. Le ver de la discorde est dans le fruit.

La lutte était inégale. Deux camps s'affrontaient : celui de l'expérience et celui du dilettantisme. L'organisation Bertrand était jeune et idéaliste ; celle de Johnson, composée de professionnels de la politique. Après la défaite, l'un de ces experts lance avec cynisme aux organisateurs de Bertrand :

— Des enfants de chœur ne peuvent gagner ce genre de congrès. Il faut des « enfants de chienne » pour gagner et c'est Johnson qui les avait !

L'Union nationale de Daniel Johnson part du mauvais pied. Le climat est à la scission malgré les démentis officiels («De la bouillie pour les chats», affirme Johnson, le lendemain du congrès). L'avenir? Des querelles internes lourdes de conséquences pour l'unité d'un parti déjà épuisé par trois luttes consécutives pour la succession et identifié à la lie politique par les «révolutionnaires tranquilles».

Dès sa naissance, la «nouvelle Union nationale» présente tous les atavismes de l'ancien régime. Le congrès poursuivait deux buts: trouver un leader capable d'affronter Lesage et mettre le parti à l'heure de la démocratie. Pourtant, il a suffi au nouveau chef, pour être élu démocratiquement, «d'enterrer la démocratie dans le bruit des fanfares, de distraire les délégués, de convaincre gentiment les autres[101]».

La politique n'est pas du cinéma. Le bon n'a pas triomphé du méchant. Masochiste et suicidaire, l'Union nationale? Au point de se laisser attraper par le lasso du vilain «Danny Boy»? On peut en douter. Le militant de la base a vu plus clair que la presse ou que les notables du parti. Il a reconnu d'instinct le chef et le premier ministre en Daniel Johnson. Il l'a préféré à Bertrand qui bénéficiait pourtant d'une réputation politique au-dessus de tout soupçon.

Notes — Chapitre 6

1. *Le Devoir*, le 24 février 1961.
2. André Laurendeau, *Le Magazine Maclean*, vol. 1 n° 1, mars 1961.
3. *Ibid.*
4. *Le Devoir*, le 13 janvier 1961.
5. Fernand Lafontaine.
6. *Ibid.*
7. Armand Russell.
8. *Ibid.*
9. André Lagarde.
10. Me Jean-Paul Cardinal.
11. Christian Viens.
12. *Ibid.*
13. Mario Beaulieu.
14. Le juge Réginald Tormey.
15. Jacques Pineault.
16. *Ibid.*
17. Me Jean Bruneau.
18. *Ibid.*
19. Régent Desjardins.
20. Me Jean Bruneau.
21. Régent Desjardins.
22. *Ibid.*
23. Jean-François Bertrand, cité par Cardinal, Lemieux et Sauvageau, *op. cit.*, p. 124.
24. Me Jean Bruneau.
25. Claude Gosselin.
26. *Ibid.*
27. *Ibid.*
28. *Le Devoir*, le 31 juillet 1961.
29. Pierre de Bellefeuille, « Daniel Johnson veut-il dépasser le duplessisme ? » *Le Magazine Maclean*, vol. 1, n° 10, décembre 1961.
30. Cité par Jacques Guay : *Le Magazine Maclean*, vol. 6, n° 10, octobre 1966.
31. *Le Devoir*, le 16 septembre 1961.
32. *Le Devoir*, le 14 août 1961.
33. *Ibid.*
34. *La Presse*, le 17 juillet.
35. Grafftey Heward, *Maclean's Magazine*, vol. 8, n° 11, novembre 1968.
36. « Pour un Renouveau », programme de Jean-Jacques Bertrand à la direction de l'Union nationale, le 21 septembre 1961.

37. *Le Devoir*, le 8 septembre 1961.

38. *La Presse*, le 17 juillet 1961 ; et *Le Devoir*, le 8 septembre 1961.

39. *Le Devoir*, le 8 septembre 1961.

40. *La Presse*, le 21 juillet 1961.

41. *La Presse*, le 10 juillet 1961.

42. *Le Devoir*, le 8 septembre 1961.

43. *Le Devoir*, le 18 septembre 1961.

44. « Pour un Renouveau », *op. cit.*, et *Le Devoir*, le 19 septembre 1961.

45. Charles Pelletier.

46. *Ibid.*

47. Clément Vincent.

48. Le juge Réginald Tormey.

49. Me Jean-Paul Cardinal.

50. Jacques Pineault.

51. *Le Devoir*, le 24 août 1961.

52. *Le Devoir*, le 5 septembre 1961.

53. *Le Devoir*, le 2 août 1961.

54. *Le Devoir*, les 15 et 17 août 1961.

55. *Le Devoir*, les 1er et 5 septembre 1961.

56. Maurice Giroux.

57. *Le Devoir*, les 2 et 20 septembre 1961.

58. Claude Gosselin.

59. *Le Devoir*, le 24 août 1961.

60. Paul Dozois.

61. *Ibid.*

62. *Le Devoir*, le 24 août 1961.

63. *Le Devoir*, le 25 août 1961.

64. *Le Devoir*, le 1er septembre 1961.

65. Jean-Noël Tremblay.

66. Claude Gosselin.

67. *Ibid.*

68. *Le Devoir*, le 16 août 1961.

69. *Le Devoir*, le 1er août 1968.

70. Le juge Maurice Johnson.

71. Me Jean Bruneau.

72. *Le Devoir*, le 20 septembre 1961.

73. Le juge Maurice Johnson.

74. Paul Dozois.

75. Paul Gros d'Aillon, *op. cit.*, p. 13.

76. Jean-Noël Tremblay.

77. Jacques Pineault et Régent Desjardins.

78. Antonio Flamand.

79. *Ibid.*

80. Christian Viens.

81. Le juge Maurice Archambault.

82. André Lagarde.

83. *La Presse*, le 25 septembre 1961.

84. Régent Desjardins.

85. *Le Devoir*, le 23 septembre 1961.

86. *Ibid.*

87. *Le Devoir* et *La Presse* du 23 septembre 1961.

88. Jean-V. Dufresne, *op. cit.*

89. *Le Devoir*, le 23 septembre 1961.

90. Armand Nadeau, cité par Cardinal, Lemieux et Sauvageau, *op. cit.*, p. 48 ; Guy Lamarche et *La Presse*, le 25 septembre 1961.

91. *La Presse*, le 22 septembre 1961.

92. *Le Devoir*, le 23 septembre 1961.

93. Roger Ouellet, Jacques Pineault et Paul Levert.

94. Fernand Lafontaine.

95. *Le Devoir*, le 22 septembre 1961.

96. *Le Devoir*, le 23 septembre 1961.

97. Jean-V. Dufresne, *op. cit.*

98. Daniel Johnson fils.

99. *Le Devoir*, le 25 septembre 1961.

100. Clément Vincent.

101. Jean-V. Dufresne, *op. cit.*

CHAPITRE 7

Le référendum de l'électricité

Daniel Johnson est sorti du congrès, ceint d'une couronne qu'il convoitait depuis ses premiers pas en politique, voici maintenant quinze ans. À quarante-six ans, il est enfin le chef. Mais quel chef ! Partout, on le honnit. Rarement nouveau leader politique aura fait aussi rapidement l'unanimité contre lui. Milieux politiques, universitaires et journalistiques lui sont hostiles. On dirait une conjuration.

Si l'avenir du politicien paraît difficile, celui du batailleur irlandais s'annonce prometteur. Les libéraux sont ravis de l'élection de Johnson, contrairement au potinage de ses organisateurs pendant le congrès. René Lévesque le premier, qui confie aux femmes libérales, entre deux cigarettes : tout ça, c'est bon pour les libéraux !

Simpliste, l'analyse libérale se ramène à ceci : rassurant pour le peuple, Jean-Jacques Bertrand aurait été dangereux pour le parti de Lesage. Johnson constitue, par contre, une cible parfaite. Il n'a pas bonne presse et l'équipe Bertrand combattra, de l'intérieur, ce spadassin, à l'instar d'une cinquième colonne. Si des élections s'imposent à brève échéance, le chef élu n'aura pas le temps de replâtrer son parti[1].

Le sociologue Jean-Charles Falardeau pontifie : « L'Union nationale, née dans l'équivoque, continue dans la tartuferie... elle disparaîtra à brève échéance. » L'historien Michel Brunet enchaîne : « Les dirigeants de l'Union nationale ressemblent à des cavaliers sans monture. L'Union nationale se cherche toujours un avenir. » Et le politicologue Léon Dion conclut : « M. Johnson ne survivra pas à la défaite qui attend l'Union nationale aux prochaines élections, tandis que M. Bertrand aurait pu regrouper les forces neuves et régénérées que l'électorat aurait édifiées pour lui[2]... »

Le sentiment de Johnson envers les journalistes ne va pas jusqu'à la haine, contrairement à Duplessis qui était réfractaire à toute critique. Mais, depuis dix ans, ses rapports avec la presse vont de mal en pis. Son image est terrible. Johnson se méfie des journalistes. Durant le congrès, il a été choqué et blessé par le parti pris général des médias (et particulièrement par celui du *Devoir*) pour son adversaire Bertrand.

La victoire du député de Bagot au congrès aurait été plus éclatante si la presse n'avait pas été envoûtée par les idées réformistes de Bertrand. Dans le climat de renouveau de la Révolution tranquille, il n'est pas bon pour un politicien de louvoyer sans cesse, de jouer de la démagogie comme de la guitare et de reporter à plus tard explications ou définitions de son programme. La presse voulait Bertrand parce qu'il représentait, plus que Johnson, la promesse d'une opposition éclairée, susceptible de faire échec à un retour du duplessisme.

À la fin du congrès, incapable de se taire plus longtemps, le nouveau chef a enguirlandé les journalistes et leur a demandé de mettre dans leur travail « 5 pour 100 d'objectivité et ce sera un progrès ». En conférence de presse, il s'emporte :

— Critiquez, mais vérifiez vos faits auparavant !

Trois jours après le congrès, la presse ne s'amendant pas, le chef de l'Union nationale la convoque de nouveau. Il veut également faire un tour d'horizon avant son départ pour New York où il prendra avec Reine, son épouse, « son bain intellectuel annuel » : trois jours de théâtre et d'opéra, du matin au soir.

Johnson en veut surtout au rédacteur en chef de *La Presse*, Gérard Pelletier, qui a émis, en éditorial, l'hypothèse que son élection pourrait conduire son parti à la scission. Selon Johnson, ce sont là des ragots, tout comme les informations publiées par ce journal durant le congrès :

— Je m'aperçois que mon appel de samedi soir dernier à l'honnêteté des journaux a été un fiasco[3].

Le chef de l'Union nationale, tout décrié qu'il soit, a mérité son repos new-yorkais. Au retour l'attendent des dossiers épineux comme le transfert de la caisse, toujours détenue par Gérald Martineau, et l'amorce de la démocratisation du parti souhaitée par les militants unionistes. Il y a aussi le clan Bertrand au-devant duquel il faudra bien jeter un pont.

* * *

Le transfert de la caisse électorale se fait en douceur. Gérald Martineau « accroche ses patins ». Il s'en est écoulé des années, depuis ce jour où Duplessis lui lança, en tâtant avec contentement les beaux billets — 5000 dollars en tout — qu'il lui avait remis :

— Colle-toi le long de moi, mon p'tit gars, et tu n'auras plus jamais de misère de ta vie !

Durant les années 30, 5000 dollars, c'était non seulement un joli magot, mais aussi toutes les économies de Martineau, modeste commis qui réparait des machines à écrire dans la basse-ville de Québec. Il avait travaillé d'arrache-pied pour ramasser cette somme. Il n'était pas riche et devait se déplacer à bicyclette. Mais ce Duplessis sans le sou, dont l'étoile politique grandissait, avait toute sa confiance[4].

Ainsi naquit entre les deux hommes une union qui ne prit fin qu'en septembre 1959 — quand Martineau jeta un fleurdelisé sur le cercueil de celui dont il avait été le « chien fidèle » durant près de trente ans. Même aux heures les plus noires, l'attachement de Martineau ne se démentit jamais.

Après la défaite de 1939, Duplessis était au pilori. On lui reprochait d'avoir précipité les élections et de boire beaucoup trop. Martineau le soutint envers et contre tous. Il le convainquit même de mettre un terme à ses beuveries. Après le retour au pouvoir, en 1944, Duplessis lui confia la caisse du parti et le nomma conseiller législatif. Et comme Martineau vendait maintenant de l'équipement de bureau au gouvernement, il s'enrichit rapidement[5].

Avec une rogne toute proverbiale, le trésorier s'acquitta de son mandat jusqu'à la mort de son chef. On le craignait. Les envieux et les jaloux étaient légion. Et ceux qui demandaient sa tête à Duplessis, encore plus nombreux. Sans succès d'ailleurs, car l'amitié du chef envers son trésorier avait la solidité du roc. Si Sauvé avait vécu, Martineau lui aurait remis la caisse, comme celui-ci l'en avait prié. À Barrette, mégalomane et grand dépensier, pas question ! Depuis l'élection de Johnson, le caissier bourru sait que son règne est terminé. Le 2 octobre — sept jours après le congrès — , il remet les fonds du parti au nouveau chef.

Trois semaines plus tard, Daniel Johnson révèle à la presse que Gérald Martineau lui a demandé, après son élection, « d'être relevé de ses fonctions ». Le nouveau chef n'a pas refusé, bien sûr. Johnson réussit là où Barrette a échoué. La gestion de la caisse relèvera dorénavant du comité des finances, créé lors du congrès et dirigé par son ami Réginald Tormey. De 1961 à 1966, ce sera toutefois Marcel Desjardins, trésorier du *Montréal-Matin,* qui en aura la responsabilité plus immédiate.

Durant quinze ans, les libéraux ont répandu quantité de sornettes sur l'importance de la caisse de l'Union nationale. Cinq, dix ou cinquante millions ? On tirait au sort, tous les chiffres étaient possibles. On attribuait aussi à la fameuse caisse de Martineau un pouvoir maléfique qui permettait d'expliquer la chaîne des défaites libérales.

En abandonnant son poste, le trésorier remet à Johnson près de 7 millions de dollars, somme importante mais moins fabuleuse que ne le voulaient les fantasmes libéraux. Avant les élections de 1960, le coffre-fort de Martineau contenait 11 millions, soit la caisse régulière évaluée à 7 millions et les 4 millions qu'il avait récoltés en vue du scrutin. Gestionnaire avisé, Martineau évitait de toucher à la caisse régulière (placée en fiducie dans des institutions financières de la vieille capitale) quand venait le temps des élections. En accord avec Johnson, il conserve néanmoins quelques milliers de dollars pour assurer la défense des personnalités de l'Union nationale impliquées dans l'enquête Salvas[6].

Contrairement aux allégations périodiques de la presse, la caisse ne se trouvait ni en Suisse ni aux États-Unis. Jamais Martineau ni Duplessis n'auraient sorti du Québec l'argent des Québécois ! C'étaient des financiers rattachés au Parti libéral qui avaient créé le mythe de la « caisse suisse ». Au cours d'un voyage d'affaires en Suisse, ils avaient rencontré le trésorier qui y séjournait pour s'occuper de ses intérêts personnels très importants. Ils en déduisirent que Martineau avait placé les fonds de l'UN en Suisse et s'empressèrent, à leur retour, d'alimenter les on-dit[7].

Le nouveau chef de l'Union nationale doit également régler la question du quotidien du parti, le *Montréal-Matin*. Depuis Duplessis, les actions appartiennent au chef de l'UN. Elles sont émises au porteur. Duplessis conservait les titres dans un petit coffre-fort, placé dans son bureau. Une fois premier ministre, Sauvé demande à Roger Ouellet, secrétaire particulier de Duplessis, où se trouvent les actions.

— Elles sont dans la voûte du bureau du premier ministre, répond Ouellet.

Sauvé réfléchit quelques secondes puis lui dit de les y laisser.

— Je réglerai cette question plus tard, ajoute-t-il.

Le désarroi du parti et les querelles de clan consécutifs à la mort de Sauvé incitent le prudent Roger Ouellet à mettre les actions en lieu sûr, c'est-à-dire chez lui. En février 1960, le nouveau chef Barrette convoque à son bureau des avocats du parti et les ministres Bourque et Antoine Rivard. On demande encore une fois à Roger Ouellet où se trouvent les actions :

— Elles sont chez moi, répond-il tout naturellement.

Un frisson parcourt l'assistance... Très dangereux ! Barrette lui dit alors :

— Roger, voudriez-vous les remettre dans la voûte de mon bureau.

Ce qui sera fait. Après sa défaite, Barrette emporte chez lui la sacoche noire contenant les actions du journal, de peur qu'elles ne tombent entre les mains de Martineau. Il les conservera d'abord à Joliette avant de les déposer en fiducie, après entente avec Charles Bourassa, directeur du *Montréal-Matin*. En dépit des pressions et des menaces du trésorier, les deux hommes gardent les titres jusqu'à l'élection de Johnson. Aussi ce dernier ne rencontre-t-il aucune résistance de la part de Barrette, soucieux de lui rendre la fameuse sacoche noire[8].

Au début de 1962, Johnson consolide sa mainmise sur le quotidien avec l'accession, au conseil d'administration, de son homme de confiance, Réginald Tormey. De son côté, Régent Desjardins, qui n'est pas un homme à broyer du noir longtemps, est rentré en grâce auprès du nouveau chef. Il devient membre du comité de construction du nouvel édifice du *Montréal-Matin*, avant d'accéder à sa direction, en mai 1963[9].

Au congrès, on a surtout passé le temps à se trouver un nouveau chef. Mais on a aussi adopté, en bonne et due forme, un programme axé sur la démocratisation. Durant sa campagne, Johnson s'est bien gardé de se compromettre à ce sujet, laissant à son rival Bertrand le soin de se faire le héraut de la réforme. Maintenant qu'il est le chef, tout lui est permis. Piger dans les idées de Bertrand, si cela s'avère nécessaire pour l'unité du parti, ou se contenter d'appliquer dans la mesure du possible le programme voté au congrès.

Adopté silencieusement et à main levée par quelque 2000 délégués visiblement non initiés à la procédure des assemblées délibérantes, ce programme ne pousse pas la démocratisation aussi loin que les libéraux l'ont fait. Il contient, néanmoins, l'embryon d'un parti véritablement démocratique. Pour une formation aussi informelle et grégaire que l'Union nationale, c'est une révolution.

Daniel Johnson se trouve dans la même situation que le leader d'un nouveau parti. Tout est à bâtir. En entrant au club Renaissance, après son élection, il ne trouve que des classeurs vides. Aucune documentation. Pas même la moindre liste de militants, si ce n'est celle des abonnés du *Temps,* hebdomadaire unioniste publié à Québec depuis 1940. Où est donc passée la « machine infernale » tant redoutée des libéraux ? Ce n'était tout compte fait qu'un seul homme : Jos-D. Bégin[10].

Le congrès a procuré au député de Bagot les éléments d'une nouvelle structure. En haut de la pyramide se tiendra dorénavant le chef du parti entouré de trois comités, composés chacun de trois à cinq membres, tous nommés par lui. Auparavant, la haute direction du parti s'incarnait dans trois hommes : Duplessis, Martineau et Bégin. La tête pourra regrouper maintenant jusqu'à 15 personnes. Le comité politique assistera Johnson dans la préparation et l'orientation de l'action politique. Le comité parlementaire facilitera son travail durant les sessions de l'Assemblée, tandis que le comité des finances, formé aussitôt après le congrès, gérera tous les biens du parti.

Au deuxième échelon, on trouvera un secrétariat général permanent avec un bureau à Québec et l'autre à Montréal. Son rôle : organisation et propagande. Le secrétariat assumera également la liaison entre la direction du parti et la base de la pyramide, soit les militants regroupés dans 95 associations de comté[11].

C'est au chef qu'il appartient de nommer tous les cadres du parti. Aussi, en leader avisé, Johnson consolide-t-il son emprise en confiant les postes clés à des hommes sûrs et neufs. À « ses créatures », chuchotent les anciens ou les partisans de Bertrand négligés par le nouveau chef. Au secrétariat de Québec, Johnson désigne Fernand Girard et Christian Viens à qui il a dit après le congrès : « Prends des vacances. Repose-toi bien, car tu t'en viens au secrétariat de Québec. »

À Montréal, André Lagarde prend l'organisation en main, tandis que Paul Gros d'Aillon, journaliste de Montmagny, se voit confier la direction de l'information. Fin juillet 1962, Johnson révèle à la presse que le « nouveau cerveau » de son parti (le secrétariat) occupera à Québec deux étages complets du club Renaissance et comprendra un conseil de recherche qui verra à tenir bien informés les membres de l'Union nationale. La structuration du parti est complétée à tous les échelons. « Nous sommes le parti le plus démocratique de toute l'histoire du Québec », crâne un Johnson, aussi fier qu'Artaban[12].

Que Johnson ait terminé son travail de quincaillier aussi rapidement ne peut mieux tomber, car, déjà, des rumeurs d'élections précipitées sont parvenues à ses oreilles. René Lévesque fait des pieds et des mains pour convaincre le cabinet de se ranger derrière la grande idée qu'il caresse depuis quelques mois : la nationalisation des sociétés privées d'électricité.

Et le programme ? Il ne suffit pas à un parti qui se veut moderne de se doter de belles structures et d'organigrammes impressionnants. Il lui faut aussi une philosophie de base capable d'éclairer et de guider son action politique. Question complexe, car le parti de Maurice Duplessis n'a jamais pris le temps de se donner une véritable pensée politique. Au congrès, les délégués ont néanmoins approuvé une série d'articles qui constituent, pour Johnson, une base de départ pour articuler l'idéologie de la nouvelle Union nationale.

Dans le domaine social, le cahier des résolutions propose l'instauration, le plus tôt possible, d'un régime complet d'assurance-santé (les libéraux en sont encore à l'assurance-hospitalisation) et d'une caisse de retraite provinciale permettant au travailleur de ne pas perdre son droit à la pension quand il change d'emploi. Une idée chère à Daniel Johnson a été entérinée par le congrès : la création d'une banque industrielle pour favoriser la mise en valeur des richesses naturelles du Québec.

En matière constitutionnelle, les délégués ont réaffirmé le principe de l'autonomie provinciale, mais écarté une résolution d'Antonio Flamand visant à reconnaître le droit du Québec à l'autodétermination. Le parti s'opposera farouchement à toute atteinte à la juridiction exclusive des provinces sur l'éducation et luttera pour la récupération des droits fiscaux. Afin de favoriser l'autonomie fiscale des provinces, l'Union nationale souhaite aussi une réforme de la Banque du Canada et de la Cour suprême[13].

Formation de droite, l'Union nationale veille à toujours associer l'individu et l'entreprise privée à ses réformes, à contenir le plus possible le rôle de l'État en le maintenant à un niveau supplétif. L'assurance-santé complète ? Oui, mais à la condition que ce soit en collaboration avec le secteur privé des assurances. La réforme de l'éducation ? On est prêt à s'engager dans cette voie, pourvu que l'école demeure confessionnelle et que la gratuité scolaire complète ne soit pas instituée. Le développement économique ? Bien sûr, mais encore faut-il surtout miser sur « l'entreprise libre, dynamique et consciente de ses responsabilités », et non sur l'État.

La pensée politique de Daniel Johnson s'apparente beaucoup au corpus idéologique issu du congrès de septembre. Le nouveau chef se considère comme un homme de droite. Il est un conservateur de tradition populiste conscient des besoins des groupes défavorisés de la société — ouvriers, colons et cultivateurs —, mais qui répugne à les satisfaire par le recours à des méthodes étatiques ordinairement associées à la gauche.

Daniel Johnson prend les commandes de l'Union nationale dans un Québec où la polarisation gauche-droite, socialisme-capitalisme, bourgeois-travailleur, rural-urbain et même fédéraliste-indépendantiste devient de plus en plus marquée. Le climat d'effervescence politique encourage un tel clivage des forces.

Les idées du chef unioniste le classent nettement parmi les « contre-révolutionnaires tranquilles », par opposition à l'idéologie dominante véhiculée par le Parti libéral et par la presse. En novembre, à Trois-Rivières, Johnson s'efforce de faire ressortir les contradictions du gouvernement en matière économique :

— Pendant que Lesage se traîne aux genoux des capitalistes

italiens, belges et français, René Lévesque donne des claques sur la gueule à tout ce que nous avons d'hommes d'affaires au Québec[14].

Johnson a entrepris une grande tournée du Québec pour consolider sa position et prendre contact avec les militants. Au cours de cette tournée, le chef unioniste expose sa pensée sur les grands thèmes politiques de l'heure. Dans le domaine économique, Johnson défend toujours, comme Duplessis le faisait, l'entreprise privée. Le véritable rôle de l'État consiste à réprimer les abus et à protéger les libertés des individus et des entreprises.

Après avoir énoncé devant la Chambre de commerce de Montréal la grande charte des droits respectifs des particuliers et de l'État et soutenu qu'au Québec « l'entreprise libre est attaquée avec une violence toute particulière », Johnson avoue au rédacteur en chef du magazine *Maclean,* Pierre de Bellefeuille :

— Je veux créer un climat favorable aux investissement privés. Je m'oppose donc à une planification à l'échelle provinciale qui conduirait tout droit au séparatisme. Il faut collaborer avec le fédéral qui contrôle d'importants rouages économiques.

Johnson dit aussi à de Bellefeuille : « J'ai un *new look* pour l'autonomie provinciale. » Au lieu d'augmenter les redevances des entreprises exploitant les ressources naturelles (« Vous allez tuer notre entreprise avant qu'elle ne naisse ! » disent, avec raison, les capitalistes), il faut plutôt accorder aux provinces la totalité des impôts versés par ces sociétés. Donc : priorité aux provinces en matière d'impôts sur les profits des entreprises œuvrant dans le secteur des ressources naturelles[15].

Pour Johnson, jamais la « propagande socialiste » n'a si bien réussi ses attaques contre la libre entreprise et la liberté individuelle. À Sherbrooke, le chef de l'Union nationale s'enflamme :

— Ce n'est pas dans notre parti que vous trouverez des antiautonomistes, des gauchistes, des communistes Tous ces gens-là vont tout naturellement au Parti libéral[16].

Quelques jours plus tard, à Buckingham, le démagogue se fait moins simpliste et plus habile :

— Comme M. Castro qui avait affirmé qu'il voulait gouverner à la frontière du socialisme et du communisme, M. Lesage nous annonce qu'il gouvernera aux frontières du libéralisme et du socialisme. On sait avec quelle facilité Castro a franchi la frontière[17]...

Johnson admet la nécessité de l'assurance-santé, mais avec réticence. « L'idéal, c'est que le citoyen ait les moyens de tout payer lui-même. L'État ne devrait jouer qu'un rôle supplétif. » En éducation, s'il favorise la gratuité scolaire aux niveaux primaire et secondaire, il s'y oppose catégoriquement pour l'universitaire, « car on risquerait d'aliéner la liberté des diplômés ». Comme « notre régime scolaire est fondé sur la religion », dit encore Johnson, il faut rejeter un ministère de l'Éducation qui nous conduirait aux écoles neutres et étatiques[18].

Après avoir affirmé à Montréal qu'il tremblait à l'idée de voir un jour un « neutre » diriger l'éducation, Johnson se fait le prophète de malheurs encore plus grands devant ses partisans d'Alma :

— Poussés par la haine et la méchanceté, les libéraux ont d'abord attaqué nos écoles, puis ils se sont tournés vers les hôpitaux. Si nous n'y prenons garde, il probable que, prochainement, ils cracheront leur venin sur les collèges classiques[19].

En cet « automne séparatisant » où l'idée de l'indépendance occupe dans les débats politiques et à la une des journaux une place de plus en plus importante, Daniel Johnson se montre disposé à collaborer avec Ottawa, mais pas à n'importe quel prix. À la fin du congrès, les journalistes lui ont demandé :

— Que pensez-vous du séparatisme ?

— En parodiant le premier ministre King, je dirai : pas nécessairement le séparatisme, mais le séparatisme si nécessaire. Je considère le séparatisme comme un moyen et non une fin. Or la fin que visent les séparatistes, c'est la fin que l'Union nationale veut atteindre. Cette fin, c'est l'épanouissement de la collectivité canadienne-française[20].

Au lendemain du congrès, son ami de longue date, le journaliste Jean-Louis Laporte, le convainc d'accepter une entrevue pour l'émission *Télé-Métro*. Johnson est rarement à l'heure, mais, pour une fois, il fait exception. Avant la générale, les deux hommes se promènent un peu, boulevard de Maisonneuve, en se remémorant des souvenirs communs.

— Maintenant, confie Johnson à son ami, je vais pouvoir, envers et contre tous, réaliser mes rêves de jeunesse. Le Québec sera un État égal aux autres provinces lorsque je serai premier ministre. Ottawa et les provinces devront comprendre que le Canada doit être biculturel et biethnique, que notre pays est formé de deux nations.

— S'ils ne veulent pas dialoguer ni comprendre, coupe Laporte, que vas-tu faire ? Proclamer l'indépendance ?

— Toi, tu ne changeras jamais ! s'esclaffe le chef unioniste. L'indépendance ! C'est un bien grand mot. Je peux me tromper, mais je ne crois pas qu'ils nous poussent à cet extrême[21].

À l'instar de la classe politique du début des années 60, Daniel Johnson est un partisan sincère et convaincu de la bonne entente. Néanmoins, à l'extérieur du mouvement indépendantiste organisé qui sonne le ralliement des Québécois autour de son projet de séparation, des voix discordantes commencent à s'élever. En novembre, le ministre des Ressources naturelles, René Lévesque, soutient : « Le Canada anglais a plus besoin de nous que nous de lui. » Et l'économiste Jacques Parizeau, technocrate attaché au gouvernement Lesage, s'interroge : « L'idée du séparatisme n'est pas forcément absurde dans l'ordre économique, mais les obstacles seraient nombreux et redoutables[22]. »

Les doutes n'assaillent pas seulement les provinciaux, mais également des fédéraux. En octobre, le député conservateur de Roberval aux Communes, Jean-Noël Tremblay, déclenche une vive polémique qui place Daniel Johnson dans une position délicate. Tout député fédéral qu'il soit, Jean-Noël Tremblay est un militant unioniste très actif. C'est un conseiller de l'ex-trésorier Martineau qui, en dépit de sa démission, a conservé une certaine influence au sein du parti.

Au congrès de la Société Saint-Jean-Baptiste de Québec, Jean-Noël Tremblay se demande avec insolence s'il faudra subir encore longtemps la Confédération. Plutôt que de s'obstiner à vouloir toujours marier le feu à l'eau, dit-il, ne serait-il pas plus simple, plus normal et plus naturel de travailler à affranchir le Québec en faisant naître les conditions de sa souveraineté politique ? Si Tremblay hésite à prononcer le mot « séparatisme » qui lui semble trop agressif, il se dit cependant convaincu qu'on se familiarisera peu à peu avec le terme et sa réalité[23].

Les réactions sont vives. Qu'un député québécois, qui a sa banquette dans la vénérable Chambre basse fédérale, se permette d'exprimer des opinions à saveur séparatiste, le paradoxe est aussi impressionnant que l'effronterie ! « Jean-Noël Tremblay, député séparatiste au sein d'un parti loyaliste » titre *Le Devoir* qui ajoute d'un ton inquisiteur : « Il y aurait à Ottawa plus de séparatistes qu'on ne le pense. »

Johnson va-t-il rabrouer Tremblay, comme la presse l'invite à le faire ? Pas du tout. Non seulement approuve-t-il ses propos, mais il informe les journalistes que son parti aura à se prononcer bientôt sur la résolution que vient d'adopter la Société Saint-Jean-Baptiste de Québec à propos de l'autodétermination[24].

Même Gérald Martineau fini par enfourcher le pur-sang du séparatisme pour se justifier face aux accusations de patronage portées contre lui par la commission Salvas. L'ancien trésorier a comparu le 24 octobre devant les commissaires. La veille, il a fait parvenir aux membres de la presse une déclaration où il se dit prêt à endosser les conclusions de Jean-Noël Tremblay, si cela peut servir l'avancement des Québécois.

Martineau paie-t-il son écot au courant de l'heure ? Il subit, bien sûr, l'influence du député Tremblay, mais ses convictions nationalistes sont depuis longtemps profondément ancrées. Quand Duplessis lui a confié le patronage du parti, son premier geste « a été de voir à ce que les achats soient faits dans notre province, auprès de compagnies québécoises et au meilleur compte possible[25] ». Il a pratiqué une politique d'« achat chez nous », alors que le gouvernement libéral antérieur « engraissait » les compagnies anglophones. Qui plus est, l'ancien trésorier a entretenu des rapports avec certains éléments indépendantistes dès la première heure, même s'il n'approuvait pas l'idée de la séparation. En 1959, il exprimait, en ces termes, sa position au leader d'une nouvelle formation indépendantiste : « On est d'accord avec ce que vous voulez, mais ce que vous faites, ça va tourner au cassage de gueules. Nous, on préfère tasser la clôture tranquillement[26]. »

En cet automne de 1961, les Québécois, repliés sur leurs frontières depuis tant de générations, accèdent à la scène internationale. La France reçoit le premier ministre du Québec « en chef d'État », à l'occasion de l'inauguration de la première Délégation générale du Québec, installée au 19 de la rue Barbet-de-Jouy, à Paris. Jean Lesage réalise le projet, caressé puis abandonné par Duplessis, en 1959, d'une Maison du Québec à Paris.

À vrai dire, c'est le général de Gaulle qui a donné une nouvelle impulsion au projet, à son retour de Québec, en juin 1960. Il a dit à son ministre de la Culture, l'écrivain André Malraux :

— Il y a un énorme potentiel français au Québec. Veuillez vous en occuper.

Après la victoire des libéraux, le nouveau ministres des Affaires culturelles, Georges-Émile Lapalme, se rend à Paris pour établir des contacts avec le gouvernement français. Lesage lui a demandé de sonder le terrain en vue de l'établissement éventuel d'une délégation québécoise en France. Malraux répète à Lapalme les propos du président français.

— Que faut-il faire, alors ? s'enquiert le ministre québécois.

— Établir une Maison du Québec à Paris ! répond Malraux[27].

La concordance de vues entre Français et Québécois ne saurait être plus exemplaire. Reniant avec opportunisme la part qui revient à Duplessis dans ces retrouvailles franco-québécoises, le chef de l'Union nationale y cherche plutôt des munitions électorales. Peut-être y a-t-il là matière à scandale politique ? Comme elle serait vive, l'indignation de ce peuple simple si on lui montrait ses ministres en « habits à queue » sablant le champagne à ses frais dans le faste et la somptuosité du décor parisien[28] !

En politicien de l'ancien régime, sourd aux bons coups de l'adversaire et surtout incapable de les reconnaître comme tels, Johnson refuse la trêve de Dieu. À Lesage qui l'invite à se joindre à la délégation québécoise, il répond par un « *niet* ». Pas question que Daniel Johnson aille en France cautionner ses extravagances parisiennes ! D'abord ravi de la délicatesse libérale, Antonio Talbot, pour qui la France est un second pays, obéit à regret à la consigne du nouveau chef. Jean-Jacques Bertrand et Maurice Bellemare doivent, eux aussi, défaire leurs valises[29].

Le mauvais perdant

Tout bien considéré, l'avocat de Sweetsburg n'est pas aussi malheureux qu'on pourrait le croire de sa défaite au congrès, d'autant plus qu'il ne pensait pas l'emporter. Il se contenterait bien d'une « victoire morale » — il a reçu l'appui de la moitié du parti — s'il ne se trouvait pas, dans son entourage, des gens pour le pousser, au gré des circonstances, à contester l'autorité du nouveau chef et à lui mener la vie dure.

Johnson élu, les portes du Colisée se sont refermées sur un parti divisé en deux clans hostiles. Certes, le perdant a accepté le vainqueur. En sortant du congrès, Bertrand a, en effet, carrément affirmé qu'il ne favorisait par une scission du parti. Après un entretien avec Johnson, il déclare à la presse :

— Je crois que M. Johnson a certes droit à une petite lune de miel dans ses nouvelles fonctions[30].

Les deux hommes allaient enterrer la hache de guerre, afin de laisser aux esprits le temps de se calmer. Avant de faire ou de dire quoi que ce soit, tous deux prendraient aussi un repos bien mérité.

Les animateurs du groupe Bertrand, quant à eux, se réfugient dans l'amertume ou la dissidence. Le comté de Missisquoi se tient à l'écart de la vie du parti. De grandes célébrations se déroulent à Saint-Hyacinthe pour souligner l'élection du nouveau chef. Bertrand ne s'y montre pas, pas plus que les membres de son clan. Deux militants de Missisquoi, seulement, osent se mêler aux johnsonistes. « Vous imaginez-vous que nous allons féliciter M. Johnson de nous avoir volé l'élection ? » s'est exclamé un organisateur de Bertrand au lendemain du congrès[31]. En se retirant sous leur tente, les pro-Bertrand tiennent parole.

Durant les semaines qui suivent, le nouveau chef a fort à faire pour pacifier les esprits. La tension croît entre les deux clans. Certains ne se regardent plus, ou presque, à commencer par les deux chefs qui, si on les laissait seuls, pourraient se prendre aux cheveux tant leur méfiance mutuelle s'est accrue depuis le congrès. Johnson et Bertrand ne se parlent plus qu'à travers un comité de médiateurs qui se réunit au Club Canadien, à Montréal.

On se rencontre à quatre : Régent Desjardins et Bertrand d'un côté, Réginald Tormey et Johnson, de l'autre. Desjardins et Tormey s'acharnent à ramener l'harmonie entre les deux hommes. Tâche difficile, car Bertrand croit encore dur comme fer qu'il s'est fait voler l'élection. Il exige des réformes et demande à Johnson des gages pour l'avenir[32].

À l'extérieur, il commente :

— Ce sont les idées et les principes qui comptent et qui dominent les hommes. J'espère que le chef choisi par le congrès verra à les faire rayonner.

Les « durs » de son entourage lancent des rumeurs. Bertrand

quittera-t-il l'Union nationale ? Ne concluera-t-il pas plutôt une alliance avec le maire de Montréal, Jean Drapeau, qu'on dit attiré par la politique provinciale ? Du vent...

— Avant de décider quoi que ce soit, rassure Bertrand, je veux connaître la réaction de tous ceux, très nombreux, qui m'ont appuyé partout dans la province.

Quant au maire Drapeau, il est beaucoup trop occupé par la construction de son métro pour prêter l'oreille aux bruits qui courent. Il entend se consacrer exclusivement à l'administration municipale, vient de fonder son parti et caresse de grands projets pour l'avenir — notamment la tenue d'une exposition universelle dans « sa » ville. En 1967, peut-être ?

S'il y a des négociations, elles sont le fait de l'entourage des deux hommes. Drapeau et Bertrand s'apprécient mutuellement, ne serait-ce que pour leur commune volonté d'épurer les mœurs politiques, le premier à Montréal, le second à Québec. Mais il y a plus. Ils ont étudié le droit ensemble à l'Université de Montréal et ils se voient de temps à autre pour parler politique. Néanmoins, ni l'un ni l'autre ne songent à lancer un nouveau parti provincial[33].

En novembre, la position de Johnson parait moins précaire qu'au lendemain du congrès. Sa patiente habileté lui a permis de mettre le temps à profit pour éloigner le spectre d'une scission. Johnson n'est pas le genre de chef à régler les problèmes par le limogeage de ceux qui en sont la source. On peut compter sur lui pour temporiser, il fera tout ce qu'il peut pour ramener Bertrand à ses côtés.

Le 12 novembre, quand Johnson inaugure à Trois-Rivières une tournée provinciale, de nombreux députés et dignitaires du parti se déplacent pour y assister. Tous sont là, sauf celui que la presse attend : Jean-Jacques Bertrand. Il s'est emmuré chez lui. Depuis quelque temps d'ailleurs, il ne répond plus aux signaux. Il se tait. Il rumine

Quinze jours plus tard, revirement spectaculaire. Pour la première fois depuis le congrès, Bertrand se tient aux côtés de son chef sur la même tribune. Daniel Johnson s'est arrêté à Sherbrooke, dans le cadre de son périple transquébécois. Bertrand a quitté sa retraite de Sweetsburg pour venir l'épauler.

— M. Johnson est le chef qu'il faut à l'opposition, commence

Bertrand de ce ton solennel qui lui réussit si bien, avant de recourir tout à coup à un langage plus familier, plus fraternel :

— Daniel possède les qualités requises de dynamisme, de dévouement, de patriotisme...

« Daniel », qui a passé une partie de l'après-midi en compagnie de son directeur spirituel au Grand Séminaire de Saint-Hyacinthe, Mgr Georges Cabana, archevêque de Sherbrooke, accueille avec sérénité et bienveillance le retour de l'enfant prodigue[34].

Une dizaine de jours avant le ralliement de Bertrand, un autre grand dissident est revenu au bercail. Armand Maltais, député de Québec-Est et nationaliste intransigeant, l'un des principaux lieutenants du député de Missisquoi durant la campagne à la direction, a donné l'accolade à son chef lors d'un meeting public dans la vieille capitale.

La presse l'avait associé, lui aussi à la fondation éventuelle d'un nouveau parti, mais de tendance indépendantiste. L'association Maltais-Bertrand ne pouvait que faire long feu par suite des convictions fortement nationalistes du premier. Durant la campagne, quand son ami Antonio Flamand, qui est encore plus radical, dénonçait le conservatisme constitutionnel de Bertrand, le député Maltais affirmait, en homme sûr de lui :

— C'est vrai qu'il n'est pas tellement nationaliste, mais je te garantis qu'il va passer par là[35] !

En janvier 1962, les journaux associent Bertrand et Maltais à la formation imminente d'un parti indépendantiste. Dans le cas de Bertrand, fédéraliste convaincu, c'est là pure chimère. La presse tient absolument à sa scission et alimente tous les bruits, même ceux qui n'ont aucun sens. Bertrand, le premier, intervient à l'Assemblée législative pour mettre fin aux rumeurs. Ceux qui comptent sur lui pour mettre au monde un nouveau parti peuvent en faire leur deuil.

— Il n'est nullement question pour moi de devenir chef d'un parti séparatiste, affirme-t-il avec force. Il est de mon devoir de demeurer au sein de mon parti et d'y travailler.

Le député de Missisquoi se tourne alors vers Johnson qui le regarde droit dans les yeux, au milieu du silence amusé des parlementaires :

— J'ai accepté et je continue d'accepter de l'appuyer dans la tâche que lui a confié le congrès de l'Union nationale.

Bertrand reprend son siège ; aussitôt, Johnson s'approche de son lieutenant et le félicite avec chaleur. Six députés unionistes en font autant[36].

Cinq jours plus tard, c'est au tour de Maltais de jurer fidélité à son chef La veille encore, les journaux l'associaient à la formation « d'un front uni chez les séparatistes », en vue de la mise sur pied d'un parti indépendantiste. Les noms de Jean-Noël Tremblay et de Marcel Chaput, président du Rassemblement pour l'indépendance nationale, sont étalés avec celui du député de Québec-Est. Maltais nie catégoriquement tout projet de parti, mais ne cache pas ses sentiments indépendantistes :

— Je ne m'étonne pas de la poussée du séparatisme qui est un cri d'alarme et d'angoisse. C'est une idée naturelle, normale, respectable et utile[37].

Que cachent toutes ces adhésions ? Johnson et Bertrand ont-ils trouvé un *modus vivendi* qui permettra d'éviter l'éclatement du parti ? L'équilibre demeure fragile. Il tient à deux engagements de Johnson envers le clan Bertrand. La médiation a été utile. Elle a permis à Bertrand de soumettre ses conditions à Johnson : le chef doit mieux s'entourer, nettoyer une fois pour toutes le parti des éléments indésirables qui l'infestent et, enfin, réaliser sans tergiverser la démocratisation.

Il y a, dans l'entourage de Johnson, des hommes qui font peur aux réformistes du groupe Bertrand. « Nous refuserons de travailler avec des gens comme Ubald Legault et Gaston Archambault, ex-officiers de la police provinciale », lancent des organisateurs de Bertrand aux vainqueurs, le soir de l'élection de Johnson. Éclat qui incite celui-ci à répliquer du tac au tac : « Ce n'est pas Ubald Legault et Gaston Archambault qui mènent le parti, mais les 95 associations de comté et le chef[38] ! »

Bertrand n'aime pas non plus voir graviter dans l'orbite du nouveau chef des hommes comme le criminaliste Maurice S. Hébert, lié par sa profession même au monde interlope. On regarde aussi de travers certains avocats associés à tort ou à raison à « la *gang* de Johnson », comme Me Jean-Marie Bériault, organisateur unioniste condamné à deux ans de prison pour fabrication de preuves lors des élections générales du 22 juin 1960.

En 1961, des bruits incroyables avaient couru à propos du

club que possède, à Montréal, l'Union nationale. Avant Johnson, Barrette s'était opposé à ce qu'on lui donnât le nom de club Renaissance comme son pendant de la vieille capitale. Pour sa part, alors qu'il était le chef intérimaire de l'UN, Antonio Talbot avait délégué, à Montréal, un enquêteur afin de vérifier le bien-fondé de certains commérages qui permettaient de croire qu'aux plaisirs de la politique on y joignait ceux des sens.

Le « député-enquêteur » s'était installé au bar du club, un samedi soir. Après avoir réglé avec ses voisins tous les problèmes de l'Union nationale, il avait vu l'un de ceux-ci lui demander à brûle-pourpoint :

— Es-tu aux femmes, toi ?

— Oui... j'aime bien ça, avait innocemment répondu le député.

— On est bien organisé ici, de ce côté-là.

— Ah oui ! Qu'est-ce que tu veux dire ?

— Si ça t'intéresse, viens avec moi.

Comme un policier qui flaire la bonne piste, l'envoyé de Talbot avait suivi l'homme jusqu'au troisième étage où une porte dissimulée donnait accès à l'édifice voisin — un lupanar de grand luxe où une vingtaine de prostituées étaient à la disposition de ces messieurs. Choqué par le rapport plus que convaincant de son émissaire, le chef intérimaire avait mis le holà à ce dévergondage !

Ce genre de « commerce » a disparu depuis belle lurette lorsque Johnson prend la direction du parti. Mais le groupe Bertrand n'en continue pas moins de croire que des choses peu catholiques se déroulent dans les cercles unionistes de Montréal.

En juin 1962, le nouveau chef fait taire une partie des ragots en dotant le club unioniste de Montréal d'une charte comparable à celle du club Renaissance de Québec. Il règle aussi la querelle du nom. À Montréal comme à Québec, on parlera désormais du club Renaissance. Située dans un immeuble vieillot de la rue Sherbrooke, la bâtisse a nécessité des investissements de 350 000 dollars pour l'achat et la rénovation. Ce sont deux intimes de Johnson, le notaire Mario Beaulieu et Régent Desjardins, qui ont supervisé l'entreprise.

Les exigences de Bertrand ne s'arrêtent pas là. Il en a même contre les collaborateurs principaux de Johnson — contre les hommes qui forment son *brain trust*. Il demande à Johnson d'éloigner André

Lagarde, Jean-Paul Cardinal et Jacques Pineault qu'il tient non seulement responsables de la défaite, mais qu'il perçoit aussi comme les instigateurs des manigances politiques les plus imprévisibles.

Les deux premiers députés à avoir appuyé Johnson au début de la campagne au leadership déplaisent également aux parlementaires du clan Bertrand qui acceptent mal de les voir toujours aux côtés du chef. Armand Russell, député de Shefford, dit à Johnson :

— Oubliez-moi pour quelque temps. Allez chercher les autres députés.

Fernand Lafontaine, perçu par les partisans de Bertrand comme l'éminence grise du député de Bagot, lui facilite également les choses :

— Il y en a un paquet de l'autre bord qui ne m'aiment pas. Je m'éclipse pour un temps, sinon ça va vous nuire. Allez faire la paix et je reviendrai plus tard.

— Non, non, proteste Johnson. Il n'en est pas question. On peut s'arranger quand même[39].

Il se rallie finalement au point de vue Lafontaine et désigne plutôt André Lagarde au poste d'organisateur en chef pour la région de Montréal. Mais celui qui pâtira le plus des exigences du candidat vaincu, c'est Jacques Pineault. Bertrand ne peut pas le souffrir et demande sa tête. Après la lutte pour la direction de l'UN pendant laquelle Pineault a brûlé une bonne partie de ses économies (Johnson ne s'intéresse pas à l'argent ; il n'a jamais un sou sur lui, mais ce sont souvent ceux qui l'entourent qui paient la note !), le nouveau chef envoie son adjoint se reposer à ses frais à Acapulco. Avant son départ, il lui dit :

— Allez-y et, en revenant, j'aurai quelque chose pour vous au secrétariat.

À son retour, Pineault va voir son chef qui a l'air tout penaud :

— J'ai à choisir entre le bien du parti et la reconnaissance que je vous porte. Que me conseillez-vous ?

— Écoutez Bertrand si c'est le seul moyen d'avoir un tant soit peu d'harmonie.

Pineault se retrouve le bec à l'eau. Il est à peu près sans le sou. Johnson le sait. Aussi contourne-t-il le problème en le faisant entrer au *Temps* comme vendeur de publicité. De plus, de temps à autre, il glisse discrètement un billet de 100 dollars dans la poche du « père Pineault[40] ».

Johnson fait tout pour donner satisfaction au clan Bertrand. Mais ce n'est jamais assez ni assez vite. Il faudrait, pour « nettoyer » le parti, plus de fermeté et de célérité ! C'est là l'avis de Claude Gosselin qui, après l'élection de Johnson, est allé voir celui-ci :

— Vous êtes le nouveau chef. Si vous avez besoin de moi, faites-moi signe

Aussi déçu que les autres, Gosselin retrouve ses terres à bois de Compton. Johnson ne semble pas pressé de lui donner signe de vie. Au début de 1962, toutefois, il le convoque : il a besoin d'un bon organisateur pour l'Abitibi. Gosselin accepte la mission. Sur place, il commence à se méfier des gens qui l'entourent. Incapable de collaborer avec ces hommes de Johnson aux méthodes et aux allures plus ou moins louches, il revient à Montréal et dit à son chef :

— Je suis entré en politique avec les mains propres. Vous êtes entouré de poux. Débarrassez-vous donc de ces gens-là[41] !

Élu grâce à l'appui des duplessistes, Johnson ne peut les renvoyer tous du jour au lendemain, uniquement pour donner des garanties au groupe Bertrand. En agissant ainsi, il risquerait de créer plus de problèmes qu'il n'en résoudrait. Mais il connaît très bien la mentalité réaliste de certains de ceux qui l'ont aidé à enlever la succession. Il ne peut aller trop vite ni se couper de ses principaux appuis. Il doit ménager la chèvre et le chou, plaire à l'un en s'efforçant de ne pas trop déplaire à l'autre. Ne pas froisser ceux qui, malgré leurs méthodes électorales peu pointilleuses, se sont dévoués corps et âme pour le conduire à la victoire.

Pourtant, en ce qui concerne la démocratisation du parti, Johnson est parfaitement d'accord avec les idées réformistes mises de l'avant par Bertrand. Tous les deux appartiennent à la même génération et le premier, autant que le second, croit à une adaptation nécessaire du parti aux exigences nouvelles Pour Johnson, tout se résume à une question de temps, de dosage. Depuis son élection, il s'emploie à convaincre les réticents qu'il a adopté les idées de renouveau prêchées par son ex-adversaire — ce qui lui est d'autant plus facile qu'il n'a jamais clairement défini son programme durant la campagne. Son défi consiste à prouver à Bertrand qu'il peut aller

aussi loin que Paul Sauvé et que ses idées de réforme ne sont pas
que du duplessisme modernisé. L'unité du parti est à ce prix. Il faut
du temps pour bâtir un programme. Les libéraux le lui laisseront-
ils?

Une élection perdue d'avance

Il y a de l'électricité dans l'air, au début de 1962. Les indices
ne trompent pas : ce sera une année électorale. Le malaise persistant
qui paralyse l'équipe libérale devra être soumis tôt ou tard au
tribunal de l'opinion publique. Un homme se trouve au cœur d'un
sourd débat qui agite les militants libéraux. Cet homme, c'est René
Lévesque. Le débat tient tout entier dans une alternative : faut-il
nationaliser l'hydro-électricité ou s'en tenir au modèle duplessiste
de collaboration entre l'État et l'entreprise privée?

La troisième session de la vingt-sixième Législature s'ouvre
le 9 janvier avec, comme toile de fond, la polémique sur les sociétés
privées d'électricité. Le discours du Trône ne contient aucun projet
de loi à ce sujet, pourtant les députés ne tarderont guère à s'emparer
de la question. La session précédente avait été celle de l'éducation,
avec la mise en route de la commission d'enquête Parent. Celle qui
commence se veut d'abord économique avec la création de la Société générale de financement. Un « outil de progrès économique »,
soutient Lesage. Un projet de loi « décevant, imprécis et aventu-
reux », réplique Johnson. Si, en bon chef de l'opposition, il se montre
très critique sur les modalités, Johnson approuve cependant le
principe de la loi[42].

Autre pièce de résistance de la session : la création d'une régie
des hôpitaux, qui sera finalement adoptée après des heures de
discussions orageuses. Pour l'opposition, il s'agit, après l'assurance-hospitalisation, d'un pas de plus vers la socialisation de la
médecine. « Gare à l'étatisation ! » crie Johnson en ameutant aussi
bien la direction des institutions hospitalières que les médecins.

Toutefois, le chef de l'Union nationale parle dans le vide
puisque, comme le lui rappelle Lesage, ce sont les hôpitaux et les
médecins qui réclament une telle loi, afin de réglementer un domaine
trop accessible « aux exploiteurs de la misère humaine ». Que le
Québec ait tourné la page de la passivité étatique en matière sociale
n'intimide pas Johnson. Au risque de paraître à contre-courant, il

s'érigera toujours en défenseur des libertés individuelles et en ennemi irréductible de l'ingérence gouvernementale, fidèle en cela au credo politique de Duplessis[43].

Le programme de la session comporte aussi nombre de mesures agricoles : augmentation des pouvoirs de l'Office des marchés agricoles, prêts à long terme aux agriculteurs et fusion des ministères de l'Agriculture et de la Colonisation. Après l'intégration des ministères de la Chasse et des Pêcheries, le gouvernement Lesage s'attaque à un vaste programme de construction d'autoroutes entre les principales villes du Québec.

Le débat sur la nationalisation de l'électricité s'engage moins de dix jours après l'ouverture de la session et c'est le député de Laurier qui allume la mèche. L'équipe de jeunes technocrates réunis autour de Michel Bélanger a presque terminé ses travaux. Lévesque possède donc son Livre bleu. Il a des armes et des chiffres. Aussi saute-t-il sur l'occasion pour lâcher le mot de nationalisation, un jour où le chef de l'opposition lui tend involontairement la perche en s'attaquant, une fois de plus, à la volonté d'étatisation des libéraux.

— Au lieu de produire de l'électricité pour la vendre à des compagnies privées, réplique Lévesque, l'Union nationale aurait dû nationaliser ces compagnies ! Une telle politique aurait permis de baisser les taux ou du moins d'empêcher les hausses de taux. Le rôle supplétif de l'État consiste, pour l'Union nationale, à mettre les capitaux de l'État à la disposition des monopoles privés[44].

Un mois plus tard, Lévesque récidive, mais à mots couverts cette fois, devant les membres de l'industrie de l'électricité afin de les préparer à ce qui les attend. Les compagnies s'émeuvent de sa croisade et les présidents des « Trois Grands », la Shawinigan Water and Power, la Quebec Power et la Southern Canada Power, le dénoncent. L'opinion publique s'empare de la question : la presse, les Sociétés Saint-Jean-Baptiste et les syndicats appuient le ministre. Même Jean-Jacques Bertrand en profite pour mettre un peu de distance entre lui et son chef. Il confie aux étudiants de l'Université de Montréal qu'il serait favorable à la nationalisation si le bien commun était lésé.

Daniel Johnson ne prend pas la mouche. Il s'intéresse plutôt aux dissensions qui grugent « l'équipe du tonnerre ». Durant deux mois, le silence enveloppe soudain la question. Lévesque a mis fin à ses attaques. Dans la marmite libérale, l'ébullition est forte. Des ministres sont choqués de l'attitude de Lévesque qui les place en quelque sorte devant le fait accompli. Et la responsabilité ministérielle, alors ?

La colère gagne aussi le premier ministre. En l'absence de Lévesque, il promet à ceux de ses collègues qui sont hostiles a la nationalisation de mettre un terme à la campagne de la « diva libérale ». Un soir, au Château Frontenac, Lesage et Lévesque échangent des mot aigres-doux[45]. Le feu est aux poudres. Johnson n'a plus qu'à attiser la flamme, mais il doit se dépêcher car, bientôt, un vent va se lever qui chassera les obstacles à une entente au niveau ministériel. Entre-temps, il s'applique à isoler Lévesque de son chef ou, du moins, du reste du cabinet. « Ça va mal... » répète-t-il plus de 15 fois au cours d'une envolée oratoire destinée plus particulièrement au ministre des Richesses naturelles.

— Ça va mal au Conseil des ministre où s'affrontent les idéologies les plus contradictoires. Les uns tirent à droite, les autres à gauche, tous tirent de travers.

— Ça va mal partout ? coupe Lévesque, l'œil ironique[46].

Un mois plus tard, le chef de l'opposition croit tenir le ministre. Lévesque a repris son bâton de pèlerin de la nationalisation. La veille, à Trois-Rivières, il s'est même permis de citer son chef pour appuyer sa thèse. Lévesque n'étant pas en Chambre, Johnson en profite pour appâter Lesage. Il lui rappelle les paroles de son ministre et lui demande :

— Est-ce aussi l'avis du premier ministre ?

— Ce sont les journalistes qui ont parlé d'étatisation, rétorque Lesage, pas le député de Laurier. Je lui ai parlé au téléphone à ce sujet et il m'a affirmé qu'il avait parlé d'intégration et non pas de nationalisation[47]...

Quelques jours plus tard, en l'absence cette fois de Jean Lesage, Johnson tente d'amener le ministre Lévesque à préciser sa politique en matière d'électricité. On est le 29 juin et la session risque d'être ajournée au début de juillet sans que le cabinet soit parvenu à démêler son écheveau dans un sens ou dans l'autre.

— Je n'ai pas l'intention d'alimenter le débat que le député de Bagot désire engager ce soir, commente Lévesque.

— Il est temps que le gouvernement fasse connaître sa politique. Existe-t-il ou non une politique ? Sera-t-elle annoncée plus tard ? demande Johnson en reprenant son siège.

Ramassé sur lui-même, sourd aux requêtes de Johnson, Lévesque ne bouge pas. Le député de Bagot se lève de nouveau et dit, après un temps de silence calculé :

— L'histoire enregistrera que le député de Laurier est demeuré assis... Pour une fois au moins, le ministre a respecté la solidarité ministérielle. J'espère que, demain, il ne sera pas contredit par le premier ministre[48].

Johnson n'obtient pas de réponse. Ni l'opinion publique. Le 7 juillet, le premier ministre ajourne la session au 6 novembre. Tout ce qu'on sait, c'est que des élections précipitées pourraient bien être déclenchées avant l'automne. Encore là, rien n'est certain. Néanmoins, Johnson, qui sent venir une élection à mille lieues, demande à son équipe de se tenir sur le qui-vive et de se préparer pour l'automne.

Le chef de l'Union nationale a passé avec succès le test de leader de l'opposition en Chambre. Pour une fois, la presse est unanime à le reconnaître : il y a un « nouveau style Johnson » dont la note dominante paraît être la conciliation et la diplomatie. Moins démagogique aussi, ce nouveau Johnson, fruit de l'influence de son publiciste, Paul Gros d'Aillon, qui s'astreint à lui démontrer, au fil de longues conversations, qu'il doit renoncer aux vieilles antinomies héritées de l'époque duplessiste[49]. Le bagarreur irlandais et le cabochard doivent savoir s'éclipser devant l'homme d'État. Pour les conseillers de Johnson, la session de 1962 constitue le point de départ d'un long travail de persuasion pour amener leur chef à se défaire de ses tics et de ses habitudes contractés sous l'ancien régime. Lesage et les libéraux sous-estiment la métamorphose qui est en train de s'opérer chez le nouveau chef, de même que son habileté et sa force politique.

Dès son premier grand discours comme chef de l'opposition, le 16 janvier, Johnson s'impose. Sa critique des erreurs et des failles de l'administration libérale est aussi implacable que méthodique : hausse générale des impôts et taxes nouvelles contrairement aux promesses de Lesage, augmentation de l'endettement provincial, inquiétude de larges couches de la population face aux visées gouvernementales en matière d'éducation, problèmes ruraux laissés pour compte et qu'accentuera encore plus la refonte d'une carte électorale avantageant les régions urbaines, tendance de plus en plus marquée à idolâtrer l'État, même si « la source de la richesse et de la grandeur de la nation est le travail et l'initiative du peuple, non l'État », essor enfin du « bon » patronage[50].

Les rédacteurs en chef de *La Presse* et du *Devoir* s'accordent pour encenser Daniel Johnson, ce politicien un peu canaille. C'est nouveau. Gérard Pelletier ne cherche pas à dissimuler son contentement :

> Ce fut un discours généralement pondéré, bien pensé où la critique mordante et les suggestions concrètes faisaient excellent voisinage. Je n'approuve sûrement pas tout ce que le député de Bagot a dit, mais j'aimerais quand même souligner le plaisir que j'ai eu à parcourir au complet ce texte qui semble révéler un autre M. Johnson, un M. Johnson auquel on n'était malheureusement pas trop habitué[51].

Pour sa part, André Laurendeau met en relief le dynamisme et l'habileté de Johnson :

> Ce sont des qualités dont nous n'avons jamais cru que M. Johnson était dépourvu. Il abonde en formules frappantes, touche à cent thèmes différents, rejoint plusieurs catégories d'électeurs, utilise à fond l'art de se faire beaucoup d'amis[52].

Au cours de la session, le « nouveau Johnson » travaille également à élargir son assise électorale. Non seulement continue-t-il à s'appuyer sur les petits et les déshérités, mais il amorce un flirt avec le mouvement séparatiste. Flirt qui, tout timide qu'il soit, n'en est pas moins réel. À Ottawa, la session a aussi repris au début de l'année et le premier ministre Diefenbaker, dont le règne semble sur le point de se terminer abruptement, n'a pas répondu aux demandes du Québec relatives à l'adoption d'un drapeau et d'un hymne national distinctifs. À Laurendeau, qui plaide en faveur de la création d'une commission royale d'enquête sur le bilinguisme, Diefenbaker décoche un *No* catégorique et glacial.

La presse nord-américaine commence à faire écho à la montée

indépendantiste. Que veulent donc ces *French Canadians*, jusqu'ici
si dociles ? Début février, Jean Lesage se rend à New York rassurer
les banquiers américains qui financent sa Révolution tranquille. « Nous ne sommes ni socialistes ni séparatistes », leur dit-il[53].

Pendant que le chef de l'Union nationale multiplie les prises
de position volontairement ambiguës sur la question de l'indépendance, son rival, Jean-Jacques Bertrand, en profite pour se démar-
quer encore un peu plus de lui. Il proclame sans ambages sa foi dans
la Confédération. Après la nationalisation, voici, entre les deux
hommes, une nouvelle pomme de discorde. La trêve reste précaire.
On le mesure aussi aux sièges qu'ils occupent à l'Assemblée.
Contrairement aux deux sessions précédentes, Johnson et Bertrand
ne sont pas voisins. Le chef s'est entouré d'Antonio Talbot et d'Yves
Prévost. Bertrand occupe la banquette à gauche de Talbot, symbole
qui exprime de façon flagrante l'éloignement idéologique des deux
protagonistes.

Jean Lesage a beaucoup travaillé depuis deux ans. C'est un
lion fatigué que les glapissements subtils du renard de Bagot mettent
en rogne. Johnson s'amuse à faire fâcher le premier ministre. Il
inaugure le rituel « des colères du vendredi ». Au début, Lesage
toise de haut l'avocat de Saint-Pie-de-Bagot, tant son assurance est
grande. Détenteur du prix d'éloquence française en Amérique et
médaillé de l'écrivain Paul Claudel, au temps où ce dernier était
ambassadeur à Washington, il manie mieux les mots que son adversaire dont, généralement, il transforme sans peine les critiques
en bouillie pour les chats.

Mais le chef libéral a une faille que ne tarde pas à découvrir
l'astucieux Johnson : il est soupe au lait. Devant une question inattendue ou piégée, on le sent perdre sa maîtrise à l'émotion qui gêne
soudain son débit ou au curieux tremblement léger de ses joues.
Johnson prend plaisir à le faire sortir de ses gonds, à appliquer
contre le premier ministre la « politique de l'infarctus ». Lesage en
vient à le redouter. Ses conseillers ont beau le mettre en garde,
l'engager à tempérer son ardeur combative, il tombe infailliblement
dans le panneau. Le lion rugit et le renard rigole, avec la Chambre !

Le scénario est toujours le même. Un vendredi où la Chambre
discute d'un projet de loi visant à accroître de 40 millions de dollars
les sommes mises à la disposition du crédit agricole, Johnson annonce

candidement, en exhibant la photocopie d'un document :

— Je crois posséder des renseignements inconnus du ministre de l'Agriculture. De 1954 à 1960, les prêts de conversion consentis aux cultivateurs s'élèvent à 4 740 356 dollars...

Lesage bondit de son fauteuil :

— Comment se fait-il que ce document soit entre les mains du chef de l'opposition ? Ce document appartient au bureau du premier ministre. Si le chef de l'opposition a de tels documents, il doit les retourner à mon bureau.

— Je le ferai avec plaisir, mais le ministre de l'Agriculture aurait pu se renseigner à l'Office du crédit agricole qui possède ce même document.

— Quand j'ai pris possession du bureau du premier ministre, enchaîne un Lesage qui vire à l'écarlate, les classeurs étaient vides... Je demande encore une fois au chef de l'opposition de me retourner les documents en sa possession, qui n'auraient jamais dû être transférés...

— Pour éviter une colère prolongée du premier ministre, ruse Johnson, je lui dirai que le document m'a été remis par l'ancien ministre de l'Agriculture...

Applaudissements bruyants de l'opposition et mine déconfite de Lesage qui traite Johnson d'irresponsable :

— Je laisse la Chambre juger de cette conduite...

— C'est votre petite colère hebdomadaire ?

— Cela m'est conseillé par mon médecin.

— Je vérifierai mes documents, conclut Johnson moqueur, et je m'empresserai de les retourner s'il y a lieu, afin de ne pas hypothéquer la santé du premier ministre[54].

Un événement politique imprévu vient troubler ces petits jeux du chat et de la souris. Le 18 juin, aux élections fédérales, la tornade Réal Caouette s'empare de 26 sièges. Cinq cent mille Québécois ont appuyé « les terribles simplificateurs » créditistes, renversant tous les pronostics. Jamais, au Québec, un tiers parti n'a connu une montée aussi foudroyante ! Caouette bouscule les traditions électorales en plus de malmener les « requins de la finance » et la théorie politique.

Cette « jacquerie » effraie réformateurs et intellectuels québécois. Avec sa poignée de phalangistes montés de l'arrière-pays et des campagnes, Caouette détient la balance du pouvoir. Il peut disposer à son gré de la vie du gouvernement minoritaire de John Diefenbaker. Celui-ci, d'ailleurs, n'en mène plus large après le vote. Il se retrouve avec 116 députés contre 100 pour les libéraux. Au Québec, c'est un désastre : des 50 conservateurs québécois élus en 1958 grâce à l'action conjointe de Duplessis et de Johnson il n'en reste plus que 15.

Même s'il l'avait voulu, Daniel Johnson aurait difficilement pu fournir à ses collègues fédéraux un appui aussi actif qu'en 1958. En 1962, l'Union nationale n'est plus au pouvoir. Elle est faible et divisée. La lune de miel entre Johnson et Diefenbaker s'est rompue contre la muraille d'incompréhension séparant « les deux peuples fondateurs ». À Ottawa, son frère Maurice n'avait pas tardé à se rendre compte du rôle de second plan réservé par Diefenbaker aux 50 envoyés du Québec. Le Lion des Prairies s'était habilement servi de l'Union nationale pour prendre le pouvoir, mais, dès son arrivée à Ottawa, il avait demandé à la députation québécoise de mettre une sourdine à ses revendications nationalistes.

Battu par le libéral Bernard Pilon, le 18 juin, Maurice Johnson revient à la pratique du droit. Un autre émissaire unioniste à Ottawa, le pointilleux Jean-Noël Tremblay, subit une humiliante défaite aux mains du créditiste C.-A. Gauthier, qui récolte deux fois plus de voix que lui.

Tremblay commente : « La victoire du Crédit social est une révolte contre l'ordre établi et l'amorce d'une lutte des classes au Québec. » « C'est la déconfiture des élites traditionnelles », écrit Laurendeau, cependant que le directeur du *Devoir,* Gérard Filion, simplifie encore plus que Caouette la réalité politique : « Décidément, Québec n'est pas une province comme les autres ; elle est un peu plus bête[55]. »

À Québec, la basse-ville créditiste triomphe, alors que la haute-ville, libérale et conservatrice, arrive mal à s'expliquer l'ampleur de cette percée. Les intellectuels et les universitaires ajustent leurs lunettes. On se rassure : « Ce n'est pas sérieux... » souhaitent les uns. « À force de faire rire d'eux, les créditistes vont disparaître », prédisent les autres. « Le Crédit social, une monumentale duperie, une utopie ! » entend-on encore. Bref, le réveil des réformateurs qui, depuis 1960, occupent le haut du pavé est brutal. Ils voient déjà leur révolution tomber sous les coups de boutoir des Bérets blancs[56].

Daniel Johnson est plus inquiet que les autres. Qui sont ces électeurs créditistes ? Des libéraux ou des unionistes ? La nouvelle carte électorale ne ment pas : les créditistes viennent tous des comtés ruraux et semi-urbains. Donc, ne s'agirait-il pas d'unionistes qui auraient troqué, au fédéral, le parti de Diefenbaker contre celui de Réal Caouette ? Que cache le vote caouettiste, sinon un transfert d'allégeance politique au détriment des « vieux partis » comme l'Union nationale ou le Parti libéral ? Et s'il prenait à Réal Caouette la fantaisie d'ordonner à ses troupes d'investir à la première occasion l'arène provinciale ? Quel serait l'avenir de l'Union nationale dans une situation pluripartite ? Ce sont là autant de sujets de méditation pour Daniel Johnson, en ce juillet où gonfle la rumeur d'une élection provinciale anticipée.

Rien ne va plus chez les libéraux. René Lévesque joue sa tête avec la nationalisation du secteur privé de l'électricité. Le torchon brûle entre lui et Lesage. Chez les unionistes, Jean-Jacques Bertrand file, lui aussi, un mauvais coton. Les lenteurs de son chef le mettent à la torture. Ce Johnson de malheur n'arrête pas de temporiser ! Le malaise stimule l'imagination des fouineurs de la presse qui « fondent » un nouveau parti. Qui en seraient les initiateurs ? Nuls autre que Lévesque, Bertrand et l'éternel maire de Montréal, Jean Drapeau, très en demande !

C'est un été de cancans suivis de démentis. « Rien n'indique que M. Lévesque ait décidé de fonder un autre parti », dit Lesage. L'intéressé trouve ces rumeurs si fantaisistes qu'il hausse les épaules : « Drapeau ne m'a jamais parlé de fonder un parti avec lui... et moi non plus, si ma mémoire ne me trompe pas. » Quant au rhétoricien de Sweetsburg, il nie tout, deux jours avant le déclenchement des élections : « Ce n'est qu'une rumeur... » Johnson fait l'étonné : « Je n'ai aucune raison de croire que M. Bertrand songe à créer un nouveau parti. » Et le maire Drapeau ? Toujours pris par son exposition universelle et son métro, il n'a même pas « le temps d'étudier la question[57] ».

Fin août, Jean Lesage se retourne. Il en a assez. Il impose à ses ministres une retraite fermée de deux jours au Lac-à-l'Épaule, hôtellerie nordique située dans le parc des Laurentides, près de la vieille capitale. C'est donc au pays de la truite et du chevreuil que l'on va revoir toute l'orientation du parti et prendre enfin une décision à propos de la nationalisation. Dominé par les ministres conservateurs, le cabinet craint tout autant les idées « socialisantes » de Lévesque que les visées laïques de Paul Gérin-Lajoie en matière d'éducation.

Le premier jour est consacré aux libations — il faut bien se défouler un peu avant de s'attaquer au projet du ministre des Richesses naturelles. Dans les couloirs ou dans les chambres, on complote par noyaux, favorables ou non à la nationalisation. Pour Lévesque, l'atmosphère est presque intenable. On l'épie du coin de l'œil tout en essayant de retrouver, avec l'aide de Bacchus, le climat fraternel de l'après-22-juin-1960. En vain. L'affrontement a lieu le matin de la seconde journée[58].

Mais Lévesque a mis à profit le temps mort de la canicule : il a convaincu Georges-Émile Lapalme du bien-fondé de sa thèse. Le procureur général a changé de camp après qu'un ami avocat lui a fait savoir que l'étatisation était loin d'épouvanter les banquiers de Boston.

En dépit de sa réticence toute officielle, Jean Lesage a étudié, enquêté et sondé, lui aussi, l'opinion publique. Soumis aux pressions hostiles de son conseiller financier George Marler, le premier ministre avait voulu en avoir le cœur net. Il a consulté les milieux financiers anglophones de Montréal et ceux des États-Unis. Douglas Chapman, président de la maison Ames de la rue Saint-Jacques, est revenu de New York avec une bonne nouvelle : la Metropolitan Life et la Prudential investiraient chacune 100 millions de dollars dans les obligations que l'Hydro-Québec émettrait en vue de la nationalisation. L'opinion publique paraît, elle aussi, sympathique au projet. Une majorité modeste, mais majorité tout de même, appuiera la mesure, apprend le conseiller Claude Ducharme à son chef, à la suite d'un sondage secret. Lesage n'a donc plus qu'à obtenir un consensus parmi ses ministres[59].

La ronde des discussions commence. Chacun des ministres vide son sac. C'est au tour de Lévesque. Le geste nerveux et le débit haché, le ministre récite une fois de plus un boniment qu'il sait par cœur, en fumant cigarette sur cigarette. George Marler résume froidement les arguments contre la nationalisation. Lesage écoute les tenants des deux options. Sans crier gare, il lance à Lapalme :

— Georges, tu as la parole ! Es-tu toujours en faveur de la

thèse de René ? Si oui, que dirais-tu d'une élection immédiate sur ce sujet, si tout le monde est d'accord ?

Le premier ministre laisse le procureur exprimer son avis durant quelques minutes, puis lui coupe la parole :

— Georges, si nous déclenchons une élection et si Daniel Johnson se déclare lui aussi en faveur de la nationalisation, de quoi aurons-nous l'air ?

L'objection est de taille. Si, en effet, le rusé Johnson se mettait à dire : « D'accord pour la nationalisation ! Mais parlons d'autres choses, rendez-nous des comptes ! » Pour Lapalme, le chef de l'Union nationale est trop duplessiste pour se rallier à des thèses contraires à ses idées. Il va plutôt s'entêter à dire non. Au pire, il opposera un « noui » électoralement néfaste. Il restera dans le vague :

— Daniel Johnson ne peut pas, psychologiquement, accepter de dire *Me too* ! Il ne peut pas accepter une idée de l'adversaire. Paul Sauvé pouvait le faire, mais pour des hommes comme Duplessis et Johnson, c'est impensable, affirme-t-il[60].

Lesage est rassuré et l'ensemble des ministres aussi. Lévesque respire. Marler paraît décontenancé — il lui faudra passer quelques jours dans sa résidence secondaire de Métis Beach, aux portes de la Gaspésie, avant de pouvoir digérer sa défaite. Le chef libéral sort son calepin et fixe la date du scrutin au 14 novembre.

« C'est une lutte entre le peuple et le trust de l'électricité ! » s'exclame Lesage, le 19 septembre. Il demande aux Québécois un mandat précis pour unifier le réseau d'électricité par la nationalisation des 11 sociétés privées : Shawinigan Water and Power, Quebec Power, Southern Canada Power, St. Maurice Power Corporation, Gatineau Power, Lower St. Lawrence Power, Saquenay Electric, Northern Quebec Power, Électrique de Mont-Laurier, Électrique de Ferme-Neuve et la Compagnie Électrique de LaSarre. Le coût 600 millions de dollars. « Ce n'est pas trop pour être enfin *maître chez nous* », tranche un Lesage regaillardi par un séjour de quarante-huit heures à l'hôpital[61].

Lesage joue-t-il le tout pour le tout ? Non. Il possède de très bonnes cartes dans son jeu. En face de lui, il y a un parti divisé, aux structures à peine rodées et dont le programme est encore à l'état d'ébauche. Jusqu'à preuve du contraire, le peuple québécois se délecte des fruits de la Révolution tranquille. Certes, les taxes ont

augmenté quelque peu, mais il faut également mettre dans la balance les réalisations du régime. Le bilan de la Révolution tranquille
est en effet impressionnant : assurance-hospitalisation, gratuité
scolaire, allocations scolaires, nouvelle loi électorale, création de la
Société générale de financement et de quatre ministères (Famille et
Bien-Être social, Richesses naturelles, Affaires culturelles et Affaires fédérales-provinciales), commission d'enquête sur l'éducation,
lutte contre le patronage, Maison du Québec à Paris, contrôle des
finances publiques.

En deux ans, le Québec a sauté du Moyen Âge à la Renaissance. Les Québécois seraient-ils à ce point ingrats pour mordre la
main libérale qui les nourrit si bien depuis 1960 ?

Trois jours avant l'annonce des élections, Daniel Johnson fait
avec Lesage une partie de golf de 18 trous au club de Laval-sur-le-
Lac. Le premier ministre sort de l'hôpital Notre-Dame et son médecin lui a donné le feu vert pour la campagne. C'est au cours de
cette partie de golf très amicale (en dehors du « salon de la race »,
il n'y a plus ni lion ni renard, mais deux amis) que Lesage confirme
les craintes de Johnson sur l'imminence d'une élection.

Le chef de l'Union nationale pressentait dès le début de l'été
que la querelle entre Lévesque et le cabinet se réglerait aux urnes.
En août, il a prié ses proches collaborateurs de décaler leurs vacances
afin de préparer en vitesse les grandes lignes d'un programme
électoral ; il a aussi demandé à ses organisateurs d'accélérer l'application, à l'échelle de la province, de la formule prévoyant six
militants par bureau de scrutin : deux hommes, deux femmes et deux
jeunes. Six personnes dans chacun des 30 000 polls du Québec, cela
signifie, pour Johnson, une armée de 180 000 travailleurs électoraux[62] !

Le *Lac-à-l'Épaule* des libéraux enlève ses derniers doutes au
chef de l'Union nationale : le Québec ira aux urnes à brève
échéance. Johnson convoque ses parlementaires en caucus à Matane,
au pays des crevettes et de la morue. Quand on est dans l'opposition, on ne peut pas se payer la truite. L'austérité des unionistes·
n'est cependant pas totale. Grâce à Gérald Martineau qui a remis à
Johnson une caisse bien rondelette, les candidats pourront disposer
de tout l'argent nécessaire.

Les élections ne sont pas encore engagées que Bertrand donne déjà du fil à retordre au chef unioniste. Roger Ouellet, passé au service de celui-ci, a convoqué tous les députés par télégramme. Un seul n'a pas daigné accuser réception : Bertrand. Il boude toujours dans son coin et hésite à se porter candidat. Les beaux raisonnements de Paul Dozois et de Régent Desjardins n'y font rien. Bertrand est au bord de la retraite politique. Après l'annonce des élections, Jean Bruneau, qui aspire à la candidature dans Chambly contre Pierre Laporte, se rend chez Bertrand à Cowansville. On est la veille du caucus de Matane. Gabrielle Giroux pense comme Bruneau : son Jean-Jacques ne doit pas fausser compagnie à son chef, malgré leurs différends.

Bertrand se fait prier, puis cède comme toujours. À vingt-trois heures, il saute dans sa voiture avec Bruneau. Destination le Château Frontenac où l'attend Daniel Johnson. Le député de Missisquoi veut connaître sa position au sujet de la nationalisation.

Bertrand conduit comme un fou, passe à 60 milles à l'heure à travers Cowansville, se fait arrêter par la police, attrape une contravention, puis file à toute vitesse vers la capitale provinciale. À une heure, les deux hommes prennent un verre avec Johnson. On cause de tout et de rien, puis Bruneau, se sentant de trop, se retire.

Au petit matin, Bertrand revient dans la chambre où dort son compagnon, le tire de son sommeil et lui dit d'une voix pâteuse :

— J'embarque ! Je serai candidat !

Bertrand et son chef ne sont pas sur la même longueur d'onde au sujet de la nationalisation. Le premier l'accepte, le second, non. Mais Johnson lui a fait part du compromis qu'il soumettra au caucus de Matane. Bertrand peut s'en accommoder. Après un petit déjeuner avec Bruneau, le député de Missisquoi part pour Matane avec Johnson — sans brosse à dents ni rasoir[63] !

À l'auberge Belle Plage, en bordure d'une mer déjà glaciale en cette fin de septembre, les thèses de Bertrand et de Johnson s'affrontent. Soutenu par Dozois et Claude Gosselin, Bertrand résume sa pensée : il faut dire oui à la nationalisation et forcer ainsi les libéraux à répondre de leur administration. Approuver l'étatisation, c'est jouer un bon tour à Lesage et le priver d'une partie de ses arguments, en plus de soutenir une mesure qui correspond aux intérêts nationaux des Québécois. Lesage doit craindre un oui unioniste, fait remarquer Bertrand.

Johnson propose le compromis suivant : le parti sera officiellement hostile à la nationalisation, mais proposera un référendum sur la question après son retour au pouvoir. Cependant, les députés seront libres d'approuver ou non la politique libérale. Le caucus est si divisé que le chef n'ose pas exiger la solidarité partisane ! Les anciens, les anglophones comme William Cottingham ou Allyster Sommerville, et les hommes d'affaires sont farouchement contre le projet de Lévesque. Certains, qui s'étaient rangés derrière Bertrand au congrès, se retrouvent avec Johnson et inversement. Armand Russell donne raison à Bertrand. Selon lui, la nationalisation est l'aboutissement logique de la politique suivie par Duplessis[64].

La position de Johnson est intenable. C'est un homme coincé. Comment se sortir, sans trop d'écorchures, du dilemme terrible dans lequel l'habile Lesage l'a enfermé ? Il sait qu'une partie de ses proches redoutent les retombées électorales d'un refus de la nationalisation. Mais de là à donner raison au chef libéral, il y a une marge. Au début du caucus, le député Armand Maltais lui a remis un mot du jeune Flamand, l'incitant à se ranger du côté du oui : « Il est inutile, dit la lettre, de s'interroger sur le bien-fondé de la nationalisation. C'est un symbole de la libération des Québécois. Si l'Union nationale s'oppose à la nationalisation, elle aura l'air de s'opposer à la libération du peuple québécois[65]. »

Trop de raisons poussent néanmoins Johnson à combattre la politique libérale, au risque de paraître réactionnaire. Il y a d'abord son antiétatisme irréductible. Il adhère sans restriction à la formule d'une société mixte. D'autre part, le coût exorbitant de la nationalisation le scandalise. Six cents millions de dollars ! C'est trop cher pour « des vieux poteaux » ! Mieux vaut investir ces sommes énormes ailleurs que dans l'électricité, déjà fortement contrôlée par l'État via Hydro-Québec. Le chef de l'Union nationale est convaincu de la stérilité de la nationalisation comme moyen de développer l'économie québécoise.

Pourquoi ne pas imiter plutôt Hydro-Ontario qui a eu la sagesse d'attendre que les compagnies privées tombent une à une comme des pommes trop mûres pour les exproprier à rabais ? Il existe d'ailleurs un précédent d'envergure, au Québec même. Qu'est-ce, en effet, qu'Hydro-Québec ? C'est l'ancienne Montreal Light, Heat and Power nationalisée au bon moment et à peu de frais par le gouvernement du Québec, en 1944. Pourquoi cette course soudaine vers la nationalisation totale ? N'est-ce pas pour enrichir des financiers reliés aux libéraux, comme le conseiller législatif Jules Brillant, grand souscripteur à la caisse libérale et propriétaire de la Compagnie de Pouvoir du Bas-Saint-Laurent ? Ou encore Peter Thompson, à la fois trésorier du Parti libéral et actionnaire important de la Shawinigan Water and Power et de la Northern Quebec Power[66] ?

Pour le chef de l'Union nationale, il n'est pas nécessaire de nationaliser puisque l'Hydro contrôle déjà l'énergie électrique. Elle en est maître, car c'est elle qui détermine, par l'intermédiaire de la Régie des services des publics, les tarifs et les sources d'approvisionnement. En 1962, l'Hydro produit déjà plus de 33 pour 100 de l'énergie électrique en plus de desservir toute la région de Montréal. Elle dispose d'un potentiel qui lui permettrait, en huit ans seulement et sans expropriation inutile et coûteuse, de produire environ 75 pour 100 de l'électricité québécoise.

Johnson se sait prisonnier de la stratégie libérale. La nationalisation n'est rien d'autre qu'un « gadget électoral », une attrape politique mise au point par les libéraux pour plébisciter leur chef sans avoir à rendre compte de leur administration. Pour Lesage, c'est le prétexte rêvé pour refaire l'unité de ses troupes et augmenter sa majorité en Chambre. Que peut faire Johnson devant une mesure aussi populaire que le rapatriement des leviers de décision gérant une richesse qui appartient aux Québecois ?

Que pourrait-il opposer au sonore et robuste « maître chez nous » de Lesage, à sa « clé du royaume », aux symboles, à cet aspect « du pain et des jeux » de la nationalisation ? Comment dire à l'électorat que le Parti libéral lui sert un jus d'orange en sachant qu'il y a au fond du verre de l'huile de ricin ? Comment convaincre les Québécois de voter contre Lesage sans avoir, en même temps, le sentiment de voter contre la nationalisation ? Contre leurs intérêts nationaux ?

Daniel Johnson n'est pas le seul à déceler l'imposture libérale. S'il appuie la nationalisation, André Laurendeau s'interroge, par contre, sur la nécessité d'un scrutin général :

On pourrait discuter à perte de vue l'opportunité d'une élection générale brusquée. À notre avis, par exemple, le gouvernement aurait

pu étatiser l'industrie hydro-électrique sans consultation populaire ; son programme y conduisait, il possédait l'autorité morale
nécessaire[67].

Les arguments que l'agressif Pierre Trudeau a servi quelques
jours plus tôt en sa présence à René Lévesque ont ébranlé Laurendeau.
Ils s'étaient réunis, ce soir-là, chez le président de la CSN, Jean
Marchand, en compagnie du rédacteur en chef de *La Presse*, Gérard
Pelletier. Cette bande de « révolutionnaires tranquilles » se retrou-
vait ainsi périodiquement pour faire le point sur les grandes politiques
du régime Lesage.

La discussion s'engagea tout naturellement sur le thème des
élections. Trudeau écoutait distraitement Lévesque, puis prenait un
malin plaisir à réfuter méthodiquement chacun de ses arguments.
Cela tournait à la persécution. La nationalisation ? Un rejeton coû-
teux et bâtard du nationalisme québécois traditionnel ! Trudeau
pensait (comme Johnson) que toute l'entreprise n'était que de la
poudre aux yeux pour mieux camoufler les erreurs du gouvernement.
On engloutirait des sommes énormes dans une politique dont l'impact
réel sur le développement économique se révélerait plutôt dérisoire,
pour ne pas dire nul. Bref, c'était la politique du cirque romain ! Tel
César, Lesage conserverait la faveur d'un peuple gavé de jeux et de
symboles !

Plus son adversaire ergotait, plus Lévesque se gonflait de
colère. Quand il en eut entendu suffisamment, il se cabra, mais Jean
Marchand s'interposa entre les deux hommes[68].

Daniel Johnson possède une autre excellente raison pour re-
pousser la nationalisation. Il a une peur bleue des créditistes de Réal
Caouette, tentés par l'aventure de la politique provinciale. C'est un
parti qui a le vent en poupe. Il a fait des ravages au fédéral et rien
n'interdit de penser qu'il pourrait effectuer une trouée au Québec.
Caouette est un enragé de la libre entreprise et dénonce sans relâche
l'étatisation des compagnies d'électricité. Au caucus, Johnson répète
à ceux qui, comme Bertrand, le pressent d'approuver la mesure libérale :

— Oui, mais les créditistes seront contre et ils vont nous
doubler !

Le chef de l'Union nationale sait, en outre, que certaines

compagnies hostiles à l'étatisation n'attendent qu'un oui de sa part pour se tourner vers Caouette. Au moment même où se déroule le caucus de Matane, à Québec des dirigeants créditistes se concertent sur cette question, réunis chez le Dr Guy Marcoux, député créditiste fédéral de Montmorency[69].

Leur chef lui-même n'est pas très chaud à l'idée de créer une aile créditiste provinciale. En effet, Caouette veut se battre à Ottawa où se trouvent les outils nécessaires à la réalisation de ses fantasmagories monétaires. Mais plusieurs de ses lieutenants, dont le Dr Marcoux, se voient déjà à Québec. Caouette n'aura pas trop de sa forte poigne pour venir à bout des récalcitrants. Johnson vient à sa rescousse lorsqu'il annonce, à l'assemblée d'Amqui qui suit le caucus de Matane, que son parti mènera la bataille du non. Les créditistes perdent leur cheval de bataille : le saut au provincial, ce sera pour 1966.

Un autre inconvénient majeur attend Johnson s'il opte pour la nationalisation : il perdra automatiquement le soutien financier des compagnies d'électricité. En 1936, Duplessis avait accepté 60 000 dollars de la Shawinigan Water and Power et renoncé à sa politique d'expropriation. Ainsi en sera-t-il de Johnson qui, en disant non, enrichit sa caisse. Durant la compagne, les libéraux vont insinuer partout que Johnson a été acheté par les sociétés. La vérité est plus nuancée. Il est vrai que l'Union nationale a reçu de l'argent du « trust de l'électricité », mais le Parti libéral également. Malgré leur offensive avant tout publicitaire, certaines parmi les plus importantes sociétés désirent être nationalisées. Prévoyantes, elles contribuent aux deux caisses, selon la tradition[70]. En 1965, Johnson avouera à Jean Loiselle, l'homme qui va le débarrasser du vilain « Danny Boy » :

— Vous étiez pour la nationalisation ? Vous avez eu raison. La politique, c'est l'art du possible. Les compagnies d'électricité finançaient notre campagne. Si je disais oui à la nationalisation, les compagnies menaçaient de financer les créditistes[71].

Encore une fois, l'ombrageux Bertrand voit triompher la thèse de son rival. La campagne unioniste débute à peine et, déjà, un nouveau désaccord déchire ses deux principaux meneurs. Néanmoins, le député de Missisquoi sera de la bataille tout en se réservant le droit d'exprimer ouvertement ses sympathies envers la nationalisation. On verra aux urnes l'effet de cette politique à double tranchant !

Aux 5000 partisans réunis à Amqui, le 23 septembre, Johnson promet de nationaliser l'électricité... mais après un référendum consécutif au scrutin. Le chef de l'Union nationale a beau lancer : « Ne mêlons pas les choses. Élections d'abord ! Référendum ensuite ! » la foule ne mord pas. Son entourage devine déjà les petites misères d'une campagne à l'enseigne d'une formule aussi alambiquée. Il s'engage, en réalité, à nationaliser deux entreprises, la Northern Quebec Power et la Compagnie de Pouvoir du Bas-Saint-Laurent, qui le souhaitent presque ouvertement, et à soumettre le cas des neuf autres à un référendum.

La presse accueille le compromis avec scepticisme. Pour Gérard Filion, Johnson pèche par électoralisme. Il veut courir deux lièvres à la fois. Il étatisera les deux société désireuses de l'être et épargnera les autres. Un cultivateur de mes amis, ajoute-t-il, décrivait naguère ce procédé en un langage plus cru : « C'est une gueule faite pour téter deux vaches en même temps[72]. »

Johnson a une seule porte de sortie. Il lui faut à tout prix attirer les libéraux sur son terrain, les forcer à justifier leur administration des deux dernières années, en reléguant au second plan la question de l'électricité. Mais le pourra-t-il, face à la « locomotive » Lévesque Lévesquequi parcourt déjà les quatre coins du Québec avec son tableau noir et ses bouts de craie qu'il tire machinalement de la poche d'un veston invariablement fripé ? Comment avoir le dessus sur « l'Apollon » Jean Lesage qui porte, sous son bras gauche, la première partie du rapport Salvas et, sous le droit, un projet aussi « éminemment sympathique » que la nationalisation ?

Et puis, il y a toujours cette étiquette de « sombre vilain » dont ni Johnson ni ses candidats ne pourront se débarrasser de tout le marathon. Le choix de ces derniers met d'ailleurs le chef sur des charbons ardents. Il doit trancher, sans paraître trop dictatorial, de nombreux conflits qui découlent des exigences du groupe Bertrand. Tantôt il cède au député de Missisquoi, tantôt à son entourage. Ainsi, il n'hésite pas à confier à André Lagarde l'organisation des 55 circonscriptions de la région montréalaise, même si Bertrand lui a demandé à maintes reprises de l'écarter. En revanche, il demeure intraitable face à Jos-D. Bégin qui brûle du désir de revenir au combat, en dépit du rapport Salvas.

— Je veux me présenter pour venger mon honneur ! plaide avec force le député de Dorchester.

Johnson sait que le vieux renard est parfaitement capable de se faire réélire malgré tous les qu'en-dira-t-on. Pour gagner une élection, il faut avant tout des candidats capables de remporter la majorité des voix. Bégin remplit cette condition.

— Tu as du plomb dans l'aile, réplique cependant le chef de l'Union nationale. Même si tu étais élu, tu nuirais au parti[73].

La défaveur de Bégin n'est pas étrangère à l'attitude de Bertrand. Pour lui, l'ancien organisateur sent tellement mauvais qu'il risque de couler le parti avec lui. Le jour où *Le Devoir* révèle le départ de Bégin, un député associé au clan Bertrand s'exclame :

— C'est un bon débarras. Il nous a fait perdre les dernières élections en donnant ce fameux chèque à Honoré Pelletier[74].

C'est entendu, Bégin ne sera pas candidat, mais il ne se retirera pas complètement. Johnson lui demande de mettre son expérience et son efficacité au service de Christian Viens, responsable de l'organisation pour la région de Québec. Durant la campagne, Viens ne se gêne pas pour lui demander son avis sur tel ou tel candidat. Infailliblement, Bégin lui répond sans hésiter : « Celui-là, surveille-le ! Lui, c'est un bon, il va se faire élire haut la main ! » Dans Dorchester, le candidat élu sera « l'homme » de Bégin.

Daniel Johnson a commencé de bonne heure sa chasse aux candidats. Sa méthode est simple. Après les assemblées, il demande aux militants, tout en leur serrant la main : « Dites-moi, M. Théberge, connaissez-vous un bon candidat dans votre région ? » Peu à peu, la liste de Johnson s'allonge. Le chef unioniste consulte souvent un as de l'organisation, qui s'est mis lui-même sur une voie de garage après le congrès à la direction, le député Fernand Lafontaine.

Lafontaine est un homme complexe et taciturne qui a le don d'échauffer la bile de son chef. Avant le déclenchement du scrutin, le député de Labelle lui dit au téléphone :

— Il y a au moins 10 comtés où on n'a aucune chance de gagner si on ne change pas de candidats.

— Pourquoi dites-vous ça ? coupe Johnson.

Lafontaine lui cite le nom d'un comté où le candidat est un pro-Bertrand :

— À la convention, il disait que vous étiez un bandit et le

voici maintenant votre candidat. Ça fait drôle !

Johnson connaît autant que Lafontaine l'état d'esprit de certains de ses candidats. Il sait qu'un bon nombre marchent à reculons avec des airs de condamnés à l'échafaud. D'autres expriment ouvertement leur scepticisme. Certains contestent son leadership et préfèrent ne pas le voir dans leur comté durant la campagne.

— Comment de tels candidats vont-ils se faire élire ? demande Lafontaine.

— Es-tu capable de te faire élire, toi, le grand ? grogne un Johnson piqué au point de passer au tutoiement.

— Oui, mon chef ! Le 15 novembre, c'est ma fête. Vous m'appellerez pour me féliciter de mon élection et me souhaiter bonne fête !

— O.K. ! Fais-toi élire et moi j'en ferai élire 10 autres[75] !

Autre obstacle de taille entre le pouvoir et l'Union nationale : un programme improvisé durant l'été à partir des résolutions du congrès de septembre 1961. Quel mot d'ordre, quel slogan tapageur faut-il opposer au « maître chez nous » des libéraux ? Formule conquérante qu'un entrepreneur enrichi par l'Union nationale a inspirée à Lesage, le jour du lancement de la campagne, en lui soufflant au visage son haleine fortement alcoolisée et à l'oreille : « Il est à peu près temps d'être maître chez nous[76] ! »

Incapable de rivaliser avec les libéraux au plan du nationalisme qui semble avoir changé de camp, le chef de l'Union nationale va au moins préserver l'acquis. Au caucus de Matane, on a mis au point un « plan d'action pour une jeune nation » qui s'adresse à la clientèle traditionnelle du parti, les gagne-petit et les éclopés de la société. Trois lignes de force : salaire horaire minimum fixé à un dollar, abattement à la base pour les petits salariés — 1000 dollars pour les célibataires et 2000 dollars pour les couples — et système complet d'assurance-santé.

La formule coiffant le manifeste unioniste, « une politique de bon sens », manque de *punch* et ne fait pas le poids devant la rondeur du « maître chez nous » libéral. Elle s'inspire néanmoins de ce souci de justice sociale qui a toujours imprégné la démarche politique de Daniel Johnson et qui se ramène au postulat suivant : il faut donner plus à ceux qui ont moins, et moins à ceux qui ont plus. En matière d'aide sociale, la noblesse de cet égalitarisme cache

cependant l'odieux des *mean tests*. Ainsi, l'assurance-santé proposée par l'Union nationale, outre le fait qu'elle exclut l'étatisme
conformément à la doctrine du parti, sera réservée à «ceux qui en
ont le plus besoin». Pour avoir droit à des soins gratuits, les pauvres
devront donc faire la preuve de leur indigence — ce qui ne va pas
sans être perçu comme une atteinte à la dignité personnelle.

En éducation, on maintiendra la confessionnalité des écoles
tout en accordant aux neutres la liberté d'établir des institutions
subventionnées par le gouvernement. L'Union nationale se battra
pour maintenir intégralement la souveraineté du Québec dans les
domaines de l'éducation et de la culture, éliminera les frais de
scolarité dans les écoles publiques et étendra le régime des prêts-
bourses.

Aux agriculteurs, on propose l'assurance-récolte et un ministère
de l'Établissement rural «pour s'occuper des colons abandonnés
par le gouvernement libéral». L'Union nationale stimulera aussi
l'émancipation économique du Québec au moyen, principalement,
d'une banque industrielle et d'un ministère de l'Aménagement régional. Le parti ose même évoquer la planification économique,
mais précise qu'elle «sera réalisée démocratiquement et non par
l'État seul».

Au chapitre de l'administration publique et de l'autonomie du
Québec, le programme unioniste sort ses griffes. Johnson veut mettre
de l'ordre dans les finances de l'État et déraciner à tout jamais le
patronage. Sous un gouvernement dirigé par lui, le Comité des
comptes publics siégera en permanence durant les sessions et on
instituera un comité bipartite pour surveiller les achats gouvernementaux. Quant aux employés de l'État, ils pourront se syndiquer.

L'Union nationale est la première formation politique québécoise à prôner la «souveraineté politique du Québec». Comment
y parvenir? Par la récupération totale des droits successoraux et des
impôts directs. «L'État du Québec» convoquera aussi des états
généraux de la nation en vue de la révision constitutionnelle et
assurera le rayonnement de la culture et de la langue françaises[77].

La presse est unanime: plusieurs bonnes idées dans ce manifeste, mais également beaucoup de points vagues et de contradictions! Johnson indique un but à atteindre, mais reste muet sur les
moyens à prendre. Mais comment pourrait-il en être autrement? Il

faut du temps pour élaborer et préciser les solutions aux besoins détectés dans la population. Or, ce temps, Daniel Johnson ne l'a pas eu. On retrouve néanmoins dans son plan d'action, pourtant schématique, certaines propositions qui vont alimenter les discussions politiques durant une bonne partie de la décennie.

Son programme est à cheval entre les valeurs de l'ancien régime (intégrisme religieux ou antiétatisme passionné) et celles de la Révolution tranquille : planification économique, rationalisation de l'administration publique, syndicalisation accrue, souverainisme politique. Et Johnson, qui avait tenu à dire à son futur publiciste Gros d'Aillon, au moment du congrès : « Je veux que nous soyons à droite », précise maintenant à la presse que son parti ne sera ni de droite ni de gauche[78].

C'est à l'enseigne de la démagogie la plus pure que Daniel Johnson va mener sa première campagne électorale comme chef de l'Union nationale. Le politicien duplessiste donne toute sa mesure dans un sport qu'il affectionne encore : la chasse aux sorcières. Chef contesté d'un parti désuni, privé du soutien d'un programme répondant véritablement aux attentes d'une population encore sous le charme des « révolutionnaires tranquilles », coincé royalement par la nationalisation, Johnson mène une campagne chaotique. Il donne l'impression d'un homme aux abois qui tire à boulets rouges sur tout ce qui s'agite un tant soit peu : intellectuels, professeurs aux cheveux longs, « veaux de la télévision », laïcisants et socialisants de tout acabit.

Le 12 octobre, à Sainte-Anne-de-Beaupré, une idée lumineuse traverse l'esprit du chef de l'Union nationale : ce n'est pas l'électricité que les libéraux visent, mais plutôt l'éducation.

— La première chose qui sera nationalisée, clame Johnson à ses partisans massé près du célèbre sanctuaire, ce n'est pas l'électricité. C'est l'éducation qui sera laïcisée par René Lévesque et le mouvement de l'école neutre !

À trois reprises, Johnson accuse Lesage d'avoir tué la motion présentée par son ancien collègue Yves Prévost et dont l'article 10 affirme que la neutralité religieuse de l'école publique doit être tenue pour inadmissible au Québec.

— Jean Lesage n'a plus le contrôle de son cabinet ! enchaîne le chef unioniste en stigmatisant les radicaux partisans de l'étatisation, les faux docteurs du socialisme et les admirateurs des philosophies nées derrière le rideau de fer[79].

Une pareille tirade vaut à Daniel Johnson un abondant courrier ! Il doit essuyer toute une algarade. Le Mouvement laïque de langue française, qui prône la déconfessionnalisation des écoles, se sent visé et réagit le premier. Son président, le Dr Mackay, révèle que Johnson scandalise ses propres militants. Notre secrétariat, affirme-t-il, a été inondé d'appels d'unionistes en désaccord avec leur chef[80].

André Laurendeau n'en revient pas, lui qui avait cru que ses nouvelles responsabilités de leader de l'Union nationale feraient perdre à Johnson ses tics de politicien de l'ancien régime.

> C'est vraiment le retour aux origines. L'Union nationale redevient, comme sous Duplessis, un fabricant d'épouvantails. Daniel Johnson en met trop ! Il prend messieurs Lesage et Lévesque pour des fous. Car, en effet, seul un fou, un vrai fou, un pauvre malade, pourrait songer à laïciser l'école publique au Québec[81].

La veille, Laurendeau s'était emporté finement contre le quotidien unioniste *Montréal-Matin*. Il avait intitulé sa chronique « Daniel (*Hitler*) Johnson » et écrit :

> Qu'est-ce que la démagogie ? D'après *Larousse,* c'est une « politique qui flatte la multitude ». Je dirais plus simplement : c'est mentir, sachant qu'on ment, pour exploiter des sentiments populaires. Le titre que vous venez de lire : « Daniel (*Hitler*) Johnson », c'est de la basse démagogie. L'Union nationale est un parti de droite... mais elle n'est quand même pas un parti hitlérien. Pas plus que René Lévesque n'est communiste ou communisant. Or ça, on le dit. On l'écrit durant la campagne actuelle. Le titre, en première page du *Montréal-Matin* d'hier, c'était précisément : « René (*Castro*) Lévesque »[82].

Advienne que pourra, le filon est trop riche pour qu'on l'abandonne ! Quelques jours plus tard, à Hauterive cette fois, le chef de l'Union nationale se couvre encore du manteau de la religion : « René Lévesque, dit-il, est le faux aumônier de la *patente* au Dr Mackay. » Sa leçon n'ayant pas porté, Laurendeau revient sur le sujet : « M. Johnson s'est inventé un cauchemar qu'il tente de propager à la province. » Un seul homme arrive à dépasser les performances démagogiques de Johnson. C'est Hertel Larocque, un crypto-créditiste qui dirige un tiers parti, l'Action provinciale. À Marieville, il dit de Lévesque : « C'est l'homme le plus maudit de la province de Québec. C'est Lucifer. Lesage le hait et souhaiterait qu'il ne soit jamais né[83]. »

Un autre homme trépigne d'indignation. C'est Jean-Jacques Bertrand. « Coup de théâtre chez les étudiants de l'Université de Montréal, titre *La Presse* du 17 octobre. Jean-Jacques Bertrand déplore la démagogie de son chef. » Émoi chez les partisans unionistes. Quel croc-en-jambe au chef ! En pleine campagne électorale ! Pourtant, Bertrand a été plus habile que ça : il a mis Johnson et Lesage dans le même panier. À un étudiant qui le priait de commenter l'utilisation que faisait son chef de la religion, il a répondu :

— Je dis qu'il se fait des déclarations teintées de démagogie dans les deux camps.

— Vous admettez donc que M. Johnson est un démagogue ? reprend l'étudiant, impulsif.

Bertrand élève la voix et réplique en détachant chaque syllabe :

— Comme M. Lesage, qui ne cesse de répéter par toute la province que l'Union nationale est un parti de traîtres et de lâches parce que nous n'adoptons pas l'étatisation dans notre programme[84].

Au début de la campagne, Bertrand est parti du pied gauche à cause de son appui à la nationalisation. Ses prises de position subséquentes au sujet des caisses électorales cachées ou de la pureté démocratique ont ajouté à l'épaisseur de la glace qui existe déjà entre lui et son chef. Bertrand passe son temps à faire l'éloge de Paul Sauvé, à associer son nom à la réforme et à la lutte contre le favoritisme. Un jour, à Bedford, il met son parti en garde (et son chef par ricochet) : « Ou bien les partis accepteront de se réformer ou bien ils tomberont. »

Bertrand prend bien garde de toujours associer les libéraux aux unionistes et Lesage à Johnson quand il pose au redresseur de torts. Personne n'est dupe. Sa cible est le chef qui, parfois, s'emporte et lâche à ses collaborateurs : « Bertrand, je mets ça dehors[85] ! » Sa colère tombe vite, car Johnson connaît très bien les

risques d'une pareille opération. Ce n'est pas non plus dans sa
nature de trancher le cou des importuns ; il cherche plutôt, avec une
patience d'ange, quel est leur talon d'Achille, afin de les faire plier.

L'organisateur Marc Faribault, un vieil ami de Johnson, sert
de tampon entre celui-ci et le député de Missisquoi. Avec Lagarde
et Jean-Paul Cardinal, c'est l'un des grands maîtres de la campagne.
Son rôle consiste à planifier la tournée du chef à travers la province.
C'est lui qui dit aux organisations locales : Johnson ira ou n'ira pas
chez vous. S'il peut agir comme trait d'union, c'est à cause de sa
neutralité durant la « guerre de succession ». Avant le congrès, il a
dit à Johnson :

— Tu te présentes et Bertrand aussi. Comme je fais partie de
l'organisation centrale, je préfère demeurer neutre. Après le congrès,
il y aura des plaies à panser. Mon rôle sera très important alors[86].

À l'époque où il était l'attaché de presse de l'ancien maire de
Montréal, Adhémar Raynaud, Faribault avait reçu un, un jour, un
jeune étudiant en droit de l'Université de Montréal, désireux d'obtenir une exemption de la taxe d'amusement pour le bal annuel de
sa faculté. Il s'agissait de Daniel Johnson. Ils devinrent amis dès ce
jour-là. En 1945, Faribault déménagea rue Terrebonne, à Notre-
Dame-de-Grâce. Au 6061, de l'autre côté de la rue, habitait le jeune
avocat Daniel Johnson. Faribault était devenu entre-temps l'organisateur de Duplessis pour la région de Montréal.

Les deux hommes se lièrent d'amitié avec un avocat
« rouge » de leurs voisins, Me Paul Renault, neveu de Louis Saint-
Laurent. S'ils devinrent tous trois des inséparables, ce fut avant tout
grâce à leurs épouses qui avaient étudié ensemble au couvent Villa
Maria. Ce que femme veut, Dieu le veut... Tous les dimanches
matin après la messe de onze heures, le trio prenait un verre chez
l'un ou chez l'autre. On parvenait toujours à trouver des solutions
à tous les problèmes mondiaux et québécois, même si Renault ne
jurait que par son oncle Saint-Laurent.

En 1945, Johnson rêvait déjà de politique active et répétait à
Faribault :

— Un jour, je serai premier ministre de la Province !

Homme modéré, discret et familier depuis longtemps avec
tous les traquenards de la vie politique, Faribault ramenait son ami
sur terre :

— Tu es fou ! D'abord, ton père a de la difficulté à parler français et tu as un nom anglais. Jamais les gens ne voteront pour toi !

Johnson objectait invariablement, sûr de lui, en lui tapotant amicalement l'épaule :

— Fais-moi confiance... laisse-moi faire[87].

Faribault est un fin diplomate : Johnson comme Bertrand l'apprécient pour cela. En 1948, durant la campagne électorale, il s'était trouvé un jour, dans l'eau bouillante à l'occasion d'une grande assemblée publique à laquelle devaient participer deux « monstres » politiques de l'époque : Duplessis et Camillien Houde : les deux idoles des Québécois. Et jaloux l'un de l'autre ! Faribault devait donc éviter à son chef Duplessis de pâtir de la popularité de Houde qui se trouvait dans son château fort de Montréal.

Que faire ? Astucieux, l'organisateur s'arrangea pour faire entrer les deux hommes ensemble dans la salle, au son du tambour ! Ainsi, aucun journaliste ne put écrire ou dire le lendemain que la popularité de « Camillien » avait écrasé celle du premier ministre du Québec[88].

Depuis le début de la campagne, chaque fois que Johnson fait une déclaration qui irrite Bertrand, celui-ci dit à Faribault :

— Ton maudit Johnson a encore fait une déclaration stupide que je n'aime pas !

L'organisateur s'empresse alors de communiquer à Johnson la réaction de son rival. Le chef de l'Union nationale atténue ensuite ses propos[89].

Johnson n'a cependant pas besoin de la médiation de Faribault pour connaître l'humeur de son rival à la suite de sa bourde de Sainte-Anne-de-Beaupré. Il a lu les journaux comme tout le monde ! À Baie-Comeau, il commente sobrement l'attaque de Bertrand : « La démagogie... ? C'est une question d'appréciation. » Le lendemain, à Sept-Îles, quand Johnson prononce le nom de Duplessis, on le hue copieusement.

— Mon ami, combien êtes-vous payé par René Lévesque ? demande-t-il à l'un de ses contradicteurs.

Les libéraux redoublent de zèle pour aviver la discorde. À Saint-Félicien, Lévesque dénonce le « Tartufe qui se promène dans la province » en évoquant la démagogie de Johnson. À Montmagny,

Lapalme traite le chef de l'Union nationale « d'homme le plus discrédité de son parti ». Un chef, dit-il, qui a mis de côté le seul
homme droit et honnête de son entourage. Menaçant, le procureur
général conclut avec prémonition :

— Je prendrai des mesures contre lui s'il continue à faire une
campagne religieuse !

À Matane, Lesage sert à Johnson une médecine qui lui est
familière. Il s'amuse à fouetter l'ardeur de Bertrand contre son chef,
tout comme Johnson se plaît, depuis 1960, à gonfler le différend qui
l'oppose à Lévesque. « Bertrand serait plus à l'aise chez nous que
dans l'Union nationale. » À Hull, il met celui-ci en garde : « Johnson
vous rejettera comme Duplessis s'est débarrassé du Dr Philippe
Hamel en 1936 ! » Le 3 novembre, quand éclate la ténébreuse affaire
des faux certificats d'électeurs, dirigée contre André Lagarde, Lesage
lance un défi à Bertrand :

— Je vous laisse jusqu'au 7 novembre, à six heures du soir,
pour quitter l'Union nationale ou périr de honte avec votre chef !

Touché par la sollicitude du chef libéral, Bertrand répond à son
ultimatum le jour dit, tout en souffletant au passage son propre
chef :

— Je reste dans l'Union nationale, M. Lesage. Je fais de la
politique, Je ne joue pas comme vous semblez le croire, (...) mais
je n'ai pas à porter la responsabilité de tous les actes posés par tous
les membres de mon parti. Ce que je cherche, c'est de poursuivre la
politique de Paul Sauvé, de reprendre le fameux « désormais » là où
vous avez échoué[90].

Fin octobre, la tension ne monte pas seulement entre Johnson
et son premier lieutenant ou entre unionistes et libéraux. Le climat
international est extrêmement grave. Le spectre d'une troisième
guerre mondiale relègue en arrière-plan les dissensions unionistes
et même la campagne électorale. Le 23, Kennedy ordonne un blocus
contre Cuba : les USA ont découvert, au large des côtes de la Floride, des bases nucléaires soviétiques ! Un convoi russe file même
vers Cuba. Castro accuse le président américain de piraterie internationale. L'affrontement se produira-t-il ? Les Québécois oublient
un moment qu'ils doivent élire un nouveau gouvernement. Le 26,
tout le monde reprend son souffle : Moscou a rappelé ses cargos.

Les truands et le procureur

La menace d'un conflit russo-américain écartée, les querelles électorales reprennent de plus belle. Il manquait à la campagne son côté série noire. Quand l'un des deux chefs s'appelle « Danny Boy », il est inévitable que les truands se mêlent un jour ou l'autre de la bagarre ! Début novembre, l'électricité cède le devant de la scène aux péripéties étourdissantes d'une machination électorale qui va tenir l'opinion en haleine jusqu'à la votation, le 14.

En fin d'après-midi, le vendredi 2 novembre, la sonnerie du téléphone arrache à un sommeil bien mérité le procureur général, Lapalme. La campagne a été harassante, mais il a pu voler quelques heures de repos, chez lui à Outremont, avant de repartir pour Brossard où il doit porter la bonne parole libérale, à vingt heures.

Une voix qui lui paraît sortir d'outre-tombe lui dit mystérieusement :

— Ce soir, vers huit heures, nous allons prendre au piège les auteurs du plus formidable complot qu'on ait pu imaginer pour voler une élection !

Le style de justicier dont aime à s'affubler Me Guy Desjardins, procureur en chef de la Couronne à Montréal, tape sur les nerfs de Lapalme. Ce soir-là encore plus que de coutume. Desjardins poursuit sur le ton de la confidence :

— À la gare Windsor, dans une case louée, il y a tout un stock de certificats d'électeurs. Un individu doit s'y rendre à huit heures pour retirer le paquet et le remettre à l'organisation de l'Union nationale !

— Comment avez-vous su tout cela ? fait Lapalme, sidéré par les révélations de son interlocuteur.

— Par un informateur sérieux dont j'ai fait vérifier les dires. Avec la police, je me suis rendu à la gare et j'ai fait ouvrir la case en question : les certificats y sont bien[91].

Lapalme réalise brusquement l'importance de la « bombe » que son collaborateur vient de lui mettre dans les mains et lui ordonne de le tenir au courant des développements de l'affaire durant la soirée.

L'assemblée de Brossard est particulièrement mouvementée et interminable. Lapalme paraît préoccupé. Son visage est encore plus fermé que d'habitude. En pleine envolée oratoire, entre deux messages dont l'un confirme « que tout se déroule comme prévu », et sans autres preuves que les renseignements de son procureur en chef, il prend soudain un ton dramatique pour prédire à ses partisans :

— On est en train de procéder au vol de l'élection avec la complicité d'anciens bandits de la police provinciale[92] !

Après l'assemblée, Lapalme stationne sa limousine devant l'édifice de la Sûreté du Québec, au 360 rue McGill. Son compagnon, Me Riel, va chercher Desjardins. Le procureur en chef a des nouvelles fraîches, Dans la soirée, Omer Fontaine, un récidiviste dans la trentaine, s'est présenté à la consigne de la gare pour prendre livraison du colis.

— À l'instant où je vous parle, ajoute Me Desjardins, Fontaine est ici, à la Sûreté, et la police l'interroge.,

Le procureur en chef a gardé la crème pour le dessert : l'organisateur en chef de l'Union nationale pour la région de Montréal, André Lagarde, est impliqué dans le scandale, de même que l'ancien détective Gaston Archambault, notoirement lié à l'Union nationale. Le sac de voyage retrouvé dans la case 5-T-7 de la consigne automatique de la gare contenait environ 4000 faux certificats adressés par les soins de Lagarde aux candidats unionistes dans Saint-Jacques et dans Sainte-Marie, Paul Dozois et Edgar Charbonneau.

Le député d'Outremont est abasourdi par ce qu'on lui apprend. L'ampleur de la conspiration le laisse à la fois surpris et sceptique. Lagarde est un homme important ; il doit donc s'agir de quelque chose de « gros » pour que son nom soit mêlé à l'affaire. Muets d'étonnement, Me Riel et les épouses des deux hommes écoutent, les yeux fixés sur le visage émacié de l' « Elliott Ness » québécois.

— Monsieur Desjardins, conclut Lapalme, vous allez me tenir au courant de ce qui va se passer, peu importe l'heure. D'autre part, cette affaire est tellement importante qu'il appartiendra au seul procureur général d'en parler au cours d'une conférence de presse[93].

Le lendemain matin, vers onze heures, un appel téléphonique apprend à Lapalme que le scandale a éclaté. Toute la ville en parle ! Les grands quotidiens en font leur manchette avec une photo d'une demi-page de « l'incorruptible » Desjardins. Pendant que le procureur en chef triomphe, Lapalme est cramoisi. Il a été dupé par un collaborateur assoiffé de publicité. Il le semonce vertement au téléphone et Desjardins confesse :

— Cette nuit, après avoir eu la déposition de Fontaine, je me suis souvenu que j'avais une vieille connaissance au *Star*. Je l'ai appelé, il est venu et c'est ainsi que, sans vous réveiller, j'ai décidé de lâcher le paquet[94].

Drôle de procureur général, ce Georges-Émile Lapalme. Et imprudent ! Les gens de la presse le bombardent d'appels téléphoniques et il ne sait trop quoi leur dire. Il n'a pas étudié le dossier. Tout ce qu'il en sait lui vient du procureur en chef. Pire : son attitude est d'autant plus troublante qu'il est tout de même le ministre de la Justice. La veille, à Brossard, il a annoncé « en primeur » qu'un crime allait se commettre et qu'il disposait des informations lui permettant de prouver ses dires. Le devoir du ministre de la Justice est de prévenir le crime et lui, Georges-Émile Lapalme, en a d'abord parlé en public, en sachant que ses adversaires politiques en seraient éclaboussés.

Ce matin-là, André Lagarde se lève très tôt selon son habitude. Il ne sait pas encore qu'il est un criminel. Âgé de trente-sept ans, Lagarde est un homme trapu et solide, un gros travailleur qui possède une imprimerie doublée d'un service de publicité. Ses affaires vont bien et il a hésité avant de se mêler de politique. C'est le charme personnel de Daniel Johnson qui l'a fait céder. Lagarde éprouve pour lui l'admiration que Gérald Martineau ressentait pour Duplessis. En s'attachant à Johnson, il a épousé ses querelles politiques.

À huit heures, après avoir pris son petit déjeuner, l'organisateur se prépare à partir pour son bureau quand le téléphone brise le silence matinal. Gaston Archambault est au bout du fil :

— André, as-tu écouté les nouvelles à la radio ?

— Non, que se passe-t-il ?

— On aurait saisi de faux certificats d'électeurs à la gare Windsor et la police nous recherche.

— Qui « nous » ?

— Toi et moi !

— Quoi ! C'est une blague[95] !

Lagarde a beau avoir la peau dure, ce qu'il vient d'entendre l'angoisse. Il saute sur le téléphone pour vérifier l'information diffusée par CKAC. Ce n'est pas une blague. C'est officiel ! *La Presse* rapporte la saisie des faux certificats en première page. Un mandat d'arrestation a été émis contre lui. Il est devenu un hors-la-loi ! Il rejoint Daniel Johnson chez lui, à Notre-Dame-de-Grâce.

— Je viens d'entendre la nouvelle, lui dit celui-ci, la voix blanchie par l'émotion. La radio annonce que tu vas être arrêté.

— Mais c'est impossible, proteste Lagarde. Je suis totalement étranger à toute cette affaire... on ne peut arrêter un innocent !

— Avec Lapalme comme procureur général, on peut s'attendre à tout. Descends chez moi, nous allons étudier les mesures à prendre[96].

Rue Oxford (les Johnson ont quitté la rue Terrebonne en 1953), tout le monde est bouleversé. Le « coup » a démoralisé Johnson. Ses espoirs sont réduits à néant !

Les deux fils de Johnson serrent la main de Lagarde. Comme leur père, ils sont indignés et désemparés. À seize et dix-sept ans, Pierre-Marc et Daniel fils sont maintenant en mesure de saisir pleinement la portée politique de la machination. Johnson demande en jouant nerveusement avec ses doigts :

— Qu'est-ce que c'est que cette affaire ?

— Je ne sais rien de plus que ce que *La Presse* en dit. Je ne connais pas cet Omer Fontaine... je ne suis pour rien dans tout ça !

— Tu n'as pas besoin de me le dire, coupe Johnson d'une voix rendue tremblante par une colère rentrée. J'ai pleine confiance en toi.

— Même innocent, je ne vois qu'une solution pour sauver l'honneur du parti. Je vais démissionner comme organisateur de l'Union nationale.

— Le pouvoir, nous le voulons, mais pas à n'importe quel prix ! objecte vivement Johnson.

Il a retrouvé ses esprits, il allume une cigarette. Sa voix se durcit :

— Tu es innocent et nous allons le prouver. Quant à ta démission, il n'en est pas question ! S'abstenir, c'est admettre. Nous n'admettons pas ! Admettre une injustice, c'est la commettre[97] !

Le chef de l'Union nationale conseille à Lagarde de se présenter sans tarder au palais de justice. Il faut aller au-devant des coups.

À onze heures, l'organisateur se trouve dans l'antichambre du juge T.-Adélard Fontaine, en compagnie de son avocat, Me Marc Lacoste. Une heure plus tard, Guy Desjardins et son adjoint, Me Bruno Pateras, s'amènent, l'air radieux.

Comparution. Omer Fontaine, le présumé complice de Lagarde, est là. L'organisateur le dévisage intensément. Cet homme lui est totalement inconnu. Il a beau scruter sa mémoire, Fontaine ne lui dit rien ! Le procureur en chef n'y va pas par quatre chemins : André Lagarde est un dangereux criminel, il faut l'incarcérer immédiatement, sans cautionnement ! réclame-t-il d'un ton vindicatif. Me Lacoste soumet au juge Fontaine qu'il s'agit d'une « infâme machination », d'une conspiration cousue de fil blanc. Le juge tranche : enquête le 9 novembre. Lagarde retrouve sa liberté, moyennant un cautionnement de 1500 dollars.

Au stade Delorimier où loge l'organisation centrale du parti pour la périphérie de Montréal, la confusion est grande. On se passe les journaux, on commente, on pleure, on rage. Le bijoutier Edgar Charbonneau, l'un des deux députés à qui étaient destinés les faux certificats, paraît désemparé ; c'est un homme simple, égaré en politique, et la situation le dépasse. Le téléphone ne dérougit pas : on appelle des quatre coins de la province pour en savoir plus long. Des candidats au moral abattu veulent se retirer de la lutte. À la fin de la journée, André Lagarde mesure déjà les retombées de la machination sur ses propres troupes : il sent le mur du doute et de la méfiance se dresser autour de lui.

Daniel Johnson passe la journée au téléphone à remonter le moral des militants ébranlés. Fernand Lafontaine devine à sa voix l'inquiétude qui le ronge. Dans une semaine, Johnson affrontera Jean Lesage dans un débat télévisé. Les derniers arrangement ont justement été conclus le matin à Radio-Canada. Lafontaine le rassure :

— Ne t'en fais pas. La population est préparée à ça. Les gens savaient que les rouges allaient sortir un scandale ! Va à ton débat[98] !

Le dimanche matin, dans la suite de Johnson au Château Frontenac, l'organisation de Québec s'interroge sur l'assemblée monstre qui doit avoir lieu, l'après-midi, au Colisée. Le chef doit-il ou non aborder l'affaire des faux certificats ?

— Toute l'affaire est *sub judice*, explique Johnson. Si j'en parle, avec Lapalme comme procureur général je me demande quelles seront les conséquences.

Lesage ne s'embarrasse pas de telles vétilles ! La veille, il a déclaré à Chicoutimi : « Les faux certificats d'électeurs, ce sont les derniers efforts désespérés de la machine infernale de l'Union nationale ! » Le *sub judice* ne gêne pas non plus le ministre des Richesses naturelles qui rive son clou à Johnson : « L'état-major de l'Union nationale, dit-il, est essentiellement un *racket* organisé[99]. »

L'après-midi, 10 000 partisans s'entassent dans le Colisée. Johnson accuse : « C'est une machination dégoûtante montée par Guy Desjardins à la demande du procureur général Lapalme et qui retombera sur le nez des libéraux. » Il attaque durement Lapalme : « Procureur général est un titre trop noble pour un tel homme. » Il est encore plus amer à l'endroit des journaux qu'il accuse de complicité :

— Renversons les rôles. Supposons que, sur les paquets de certificats saisis à la gare Windsor, on ait pu lire, par exemple, l'adresse suivante : Montréal-Outremont, M. Georges-Émile Lapalme, comité central du Parti libéral, a/s M. Gérard Brady, pour remettre à M. Philippe Beaubien... Y aurait-il eu un seul journaliste pour croire à une fumisterie pareille ? On aurait dit : c'est une saleté de l'Union nationale !

Et le chef de conclure sa tirade :

— Vous avez les journaux, M. Lesage, moi j'ai le peuple[100] !

Le lundi matin, André Lagarde se présente devant le juge Édouard Archambault pour son enquête. Il est entouré d'une batterie d'avocats. À Me Lacoste se sont joints Jean-Paul Cardinal, Dollard Dansereau et Maurice Fauteux. Ils réclament un procès expéditif afin de permettre à l'accusé de laver son honneur avant le 14 novembre. Guy Desjardins s'oppose. Sa preuve n'est pas complète. La Couronne ne pourra pas procéder avant vendredi, le 9.

— Cet homme est coupable ou il ne l'est pas, intervient le juge Archambault. S'il ne l'est pas comme il le prétend, il a droit d'avoir son procès le plus vite possible.

— Qu'y a-t-il de si crucial dans son cas ? coupe d'un ton cassant le substitut du procureur général.

— On l'accuse partout : sur les *hustings*, dans les journaux.

— La Cour ne voudrait-elle qu'une partie de la preuve ?

— Vous avez porté des accusations extrêmement graves et vous n'étiez pas prêt ?

C'est alors que Me Desjardins et le substitut en chef Bruno Pateras quittent la salle d'audience en claquant les portes. Le juge Archambault fixe le début du procès au mercredi. André Lagarde est heureux ! Il voit déjà la manchette des journaux : « André Lagarde acquitté — L'affaire des faux certificats est une machination[101] ! »

L'homme de confiance de Johnson est naïf comme un enfant. Il s'apprête à découvrir la vision kafkaïenne de la justice. Le mardi, veille de l'ouverture du procès, Lapalme entre en action. Le député d'Outremont admet d'abord candidement qu'il n'a pas encore vu le dossier de la Couronne et que lorsqu'il a pris connaissance de l'affaire, elle était en marche depuis vingt-quatre heures.

Le même jour, à Leclercville, dans le comté de Lotbinière, Lapalme rugit contre son honorable collaborateur à la Justice, le juge Archambault :

— Si le juge Archambault veut faire de la politique, clame-t-il, qu'il descende dans l'arène publique !

Le procureur général accuse aussi Johnson d'avoir dicté au juge sa conduite. La colère de Lapalme n'a qu'un but : préparer l'opinion publique à trouver normal un retard dans les procédures. Le lendemain matin, en effet, un bref de *certiorari* signé par le juge Ignace Deslauriers, de la Cour supérieure, empêche le juge Archambault de procéder, pour cause de « partialité[102] ».

L'affaire des faux certificats devient l'affaire des juges et des politiciens. Les caricaturistes n'ont plus assez de crayons ! La province se paie une pinte de bon sang ! Le juge Archambault se vide le cœur. Il accuse Lapalme « de jeter du discrédit sur la justice ». Finalement, le procureur en chef Desjardins obtient ce qu'il recherchait : le juge Deslauriers renvoie toute l'affaire après les élections. L'écheveau politico-judiciaire, où les truands vrais ou faux voisinent les procureurs et les politiciens, ne sera pas démêlé à temps.

L'avant-veille du débat télévisé qui doit avoir lieu le dimanche, Lesage décerne une dernière médaille au vilain « Danny Boy », devenu fraudeur d'élections, en insinuant à Kamouraska : « Les policiers de la vieille police provinciale congédiés après 1960 (allusion à Gaston Archambault) sont le trait d'union entre la pègre et le chef de l'Union nationale. Vous en avez la preuve tous les jours. Vous n'avez qu'à lire les journaux[103]. »

Daniel Johnson n'est pas au bout de ses peines. Au début d'octobre, quand il a mis Jean Lesage au défi de se mesurer à lui à la télévision, le chef unioniste a causé des sueurs froides à son entourage : il avait négligé de soumettre à ses stratèges cette idée de son relationniste Marcel-A. Gagnon. Un premier groupe, dont Paul Gros d'Aillon fait partie, imagine difficilement Johnson sortant victorieux d'un débat avec un Lesage qui a tous les atouts dans sa manche. La publication de la première tranche du rapport Salvas, en août, a fait des ravages dans l'opinion. Le juge Salvas a condamné sévèrement tous ceux (dont Daniel Johnson) qui avaient profité de la vente du réseau de gaz naturel à l'entreprise privée et suggéré l'adoption d'une loi qui préviendrait de « tels abus[104] ».

Mais il est trop tard pour reculer. Lesage relève aussitôt le défi et Radio-Canada s'empresse de trouver du temps d'antenne. Les thèmes du débat seront la nationalisation, le gaz naturel, les programmes et l'administration libérale. Ce sera, à n'en pas douter, Daniel dans la fosse aux lions ! Certains conseillers, André Lagarde par exemple, croient au contraire à l'utilité du débat. Pour eux, la perspective d'une défaite électorale ne doit pas être écartée. Aussi faut-il semer aujourd'hui pour récolter demain, profiter au maximum du débat pour faire connaître aux deux millions de Québécois collés à leur petit écran le Daniel Johnson « francophone » — en 1962, son nom anglais fait encore obstacle. De plus, l'affrontement permettra de vider, une fois pour toute, la question du gaz naturel et de l'enquête Salvas.

On doit aussi compter sur les talents d'improvisateur de Johnson et sur son tempérament de bagarreur irlandais. Le chef unioniste veut d'ailleurs un face à face ouvert, sans règles ni cadres rigides, où il aura facilement raison de Lesage. Il lui suffira, comme au « salon de la race », de le piquer par-ci, par-là, de le faire rôtir à petit feu devant l'œil de la caméra jusqu'à ce que le chef libéral explose. Le tour sera joué. Johnson donne donc à ses trois négociateurs, Paul Gros d'Aillon, Jean-Paul Cardinal et Marcel-A. Gagnon, le mandat de faire accepter par Radio-Canada et les libéraux une formule qui n'aura rien de la camisole de force[105].

Les règles du jeu finalement acceptées par les deux parties sont, au contraire, très strictes. Le chef de l'Union nationale doit donc se préparer à fond pour pallier à cet inconvénient. Mais c'est mal connaître Johnson que de croire qu'il va s'y résoudre ! Il souffre d'un excès de confiance en lui qui va le perdre. Deux jours avant le débat, il sillonne encore la province. Le vendredi, il passe par Shawinigan. Le lendemain, il assiste au mariage de son frère Jacques, puis traverse les comtés de Verchères et de Chambly pour aboutir à Sorel où il se rend visiter l'abbé Alfred Lalîme, son ancien professeur de prédication au Grand Séminaire.

Celui-ci a laissé le Grand Séminaire de Saint-Hyacinthe pour la cure de Marie-Auxiliatrice de Tracy, où il se passionne pour les majorettes. En arrivant à Tracy, sa première préoccupation a été de doter sa paroisse d'un corps de majorettes et d'un chœur de chantres. Petit homme débordant de vie et à l'esprit pétillant, il adore chanter et il réserve à son ancien élève une petite surprise.

Le curé Lalîme a hésité un peu avant d'ouvrir les portes de son presbytère à un politicien en campagne. Mais Fabien Danis, marguillier et organisateur bleu de la paroisse, a insisté. L'ancien professeur de théologie a fini par dire, en se fichant des cancans que ses ouailles rouges ne manqueraient pas de colporter à son sujet :

— Il a été mon élève au Grand Séminaire. Qu'il vienne, même si je ne fais pas de politique !

En entrant au presbytère, Daniel Johnson est accueilli par un petit couplet composé à son intention par l'abbé Lalîme, sur l'air de « Maître Corbeau » :

Dans ce fameux débat demain télévisé...
Le sage est celui qui saura se maîtriser !
Le sage pourrait bien être Daniel Johnson
Et M. Jean Lesage en resterait aphone !

Johnson se détend avec son ami et ses majorettes transformées en serveuses. Il saisit aussi le « message » de son ancien professeur qui lui rappelle son penchant pour la facilité. Avant de le quitter, le curé Lalîme le semonce doucement :

— Si vous savez vous reposer, vous allez l'emporter[106].

Johnson désobéit à l'abbé Lalîme. Il n'écoute même pas les conseils de son entourage. Le dimanche après-midi, il doit parler à un grand ralliement à Saint-Hyacinthe, à peine quelques heures avant le débat. C'est le bouquet pour ses conseillers ! Quand Marc

Faribault apprend que son chef veut participer à l'assemblée, il le gronde :

— Écoute, Daniel, tu as une assemblée l'après-midi et le débat le soir. C'est trop ! Annule l'assemblée et repose-toi.

— Non, non, je suis capable de faire les deux. Aucun problème ! réplique Johnson[107].

Il fait la même réponse à Jean-Paul Cardinal. Pour sa part, Christian Viens se mord les pouces. Samedi, Johnson se rend soudainement compte que tout cela n'a ni rime ni raison. Il demande à Viens d'avertir Maurice Rousseau, candidat unioniste dans Saint-Hyacinthe, qu'il ne pourra pas être au rendez vous.

— C'est ça ! bougonne Rousseau à l'autre bout du fil. Tu étais avec Bertrand au congrès... Tu veux me faire battre, c'est toi qui empêches Daniel de venir !

Un autre « père Pineault » ! pense Viens. Lui aussi le prend pour un « gars de Bertrand » à cause du lien de parenté. L'organisateur a beau lui faire valoir l'importance du débat pour les résultats du scrutin et invoquer la fatigue du chef, rien n'y fait. Rousseau est un ami intime de Johnson :

— Donne-moi le numéro de Daniel. Je vais lui parler, exige-t-il.

Viens commet une faute. Il obtempère. Rousseau rejoint Johnson et le fait changer d'idée.

— C'est correct. Je vais y aller, Maurice, promet celui-ci qui ne sait pas dire non à un ami[108].

Placé devant l'inévitable, son entourage lui conseille au moins de limiter son intervention à quelques minutes, de ne pas fatiguer sa voix. Johnson fait fi de ces recommandations : il se lance dans une violente charge contre le régime Lesage, s'époumone, transpire tellement qu'il doit, de temps à autre, essuyer son visage où perlent de grosses gouttes de sueur.

Durant l'assemblée, Marc Faribault s'inquiète pour une autre raison. On lui a transmis plusieurs messages téléphoniques anonymes qui portent tous un même message : Johnson ne pourra pas se rendre au débat, car des fiers-à-bras embusqués sur la route qui relie Saint-Hyacinthe à Montréal vont bloquer sa voiture ! Des farceurs probablement, mais Faribault ne prend aucun risque. Il modifie le parcours prévu — la route 9 — et fait appel à l'ancien « gorille » de

Camillien Houde, Léo Pelland. Ce dernier suivra dans une autre voiture celle du chef. Faribault ne touche pas un mot de l'incident à Johnson pour ne pas l'énerver. Il est déjà assez tendu comme cela[109].

Jean-Paul Cardinal accompagne le chef. L'itinéraire prévu par Faribault allonge le trajet. La circulation intense du dimanche exaspère Johnson, déjà épuisé par ses activités de la journée. Il essaie tant bien que mal d'assimiler les topos de sept minutes sur chacun des quatre thèmes de la rencontre. C'est Charles Pelletier qui les a rédigés. Les textes étaient fin prêts quatre jours avant le débat, mais Johnson n'a pas trouvé le temps de les parcourir. Avant d'entrer en studio, il avale en vitesse deux sandwichs aux tomates et du café. Lesage est déjà là, bronzé, souriant, reposé. Il a l'air d'arriver de vacances.

À vingt heures et demie, deux millions de Québécois sont devant leur petit écran. Le Québec est paralysé. À Rimouski, le chansonnier Gilles Vigneault devait donner un spectacle. On a dû rembourser les deux cents billets vendus. À Québec, la partie de hockey entre les As et Rochester a dû être avancée. On a même installé des téléviseurs dans les salles publiques, les aéroports et les tavernes qui en étaient encore dépourvus.

Il y a déjà eu des débats de chefs au Québec, mais en plein air. En août 1875, le premier ministre conservateur Charles-Eugène Boucher de Boucherville s'était mesuré au chef libéral Gustave-Henri Joly devant une foule de 6000 personnes réunies à Sainte-Croix-de-Lotbinière. Mais il s'agit du premier face à face télévisé. Ce sont les Américains qui ont lancé la mode, en 1960, lors de l'affrontement Kennedy-Nixon. Les libéraux ont retenu une chose : Kennedy n'a dû sa fragile victoire qu'à sa maîtrise devant les caméras.

Le tirage au sort favorise Lesage qui aborde le premier le thème de la nationalisation. « L'Ontario a nationalisé l'électricité en 1906, rappelle-t-il. Nous sommes donc en retard de cinquante ans. La nationalisation est la clé de la libération économique des Québécois : elle leur donnera enfin la maîtrise de leur développement industriel. » Jusqu'ici, Lesage était demeuré silencieux sur le coût de l'étatisation, laissant Lévesque et Johnson croiser le fer à ce sujet. Il affirme qu'il ne dépassera pas 600 millions de dollars :

— Je suis prêt à me battre pour ce chiffre calculé par les experts du ministère des Richesses naturelles[110].

Les sept minutes sont épuisées. Lesage a marqué ses premiers points. Il respire le Sud, la bonne santé, l'assurance. Lesage est un bel homme et, ce soir, il crève l'écran. Il s'en est consciencieusement tenu aux notes préparées par ses conseillers. Contrairement à son habitude, il ne tonne pas. Sa voix est mielleuse musicale. Son conseiller en communication, Maurice Leroux, a fait des miracles. premier ministre, Lesage ne peut se permettre de faire un four. Leroux s'est rendu aux États-Unis pour visionner le débat de 1960 et s'entretenir avec les conseillers du président Kennedy. Durant la fin de semaine qui a précédé l'émission, ses conseillers ont enfermé le premier ministre dans une chambre de l'hôtel Windsor où, entre les séances sous la lampe solaire, ils l'ont préparé mentalement à faire face à Johnson[111].

Daniel Johnson s'approche du lutrin, une pile de notes dans les mains. Il les dépose, se croise les bras et commence d'une voix traînante et légèrement enrouée :

— Nous venons d'entendre l'un des bons discours à l'occasion d'un référendum qui sera tenu avant le 30 juin prochain...

Johnson fait une pause, consulte ses notes, enlève et remet ses lunettes. Visiblement, il ne sait pas quoi en faire. Il rappelle ses principales critiques : la nationalisation sert de paravent au gouvernement pour masquer sa mauvaise administration et ses promesses violées. Si la libération économique du Québec passe par l'étatisation, elle aura lieu, c'est vrai, mais il est injuste et antidémocratique d'imposer à la population de choisir en même temps la nationalisation et un gouvernement qui ne devrait pas l'être. Le chef unioniste conteste les chiffres de Lesage :

— On dit 600 millions dollars. D'autres experts parlent de 850 millions, peut-être même d'un milliard. Il faut donc regarder d'abord les chiffres avant de nationaliser[112].

C'est Johnson qui aborde le premier le thème piégé du gaz naturel :

— Voici un sujet explosif. Il s'est propagé toutes sortes d'accusations. Je suis très heureux d'avoir à faire la lumière...

Il se défend vigoureusement d'avoir fait un cadeau à des capitalistes américains en vendant avec ses collègues le réseau de gaz naturel à l'entreprise privée. C'était une bonne affaire pour le gouvernement Duplessis, car le gaz était devenu un éléphant blanc pour la province. Johnson élève subitement la voix et retire ses lunettes :

— Je n'ai pas, je n'ai jamais eu 150 unités de gaz naturel. C'est une erreur du juge Salvas, tellement pressé de salir un député de l'Union nationale — j'étais à ce moment-là député — qu'il n'a pas pris la peine de vérifier les livres. j'avais moins d'actions que ça, moins que beaucoup d'autres, moins qu'Antoine Geoffrion, moins que George Marler, mais un peu plus que Paul Gérin-Lajoie... Je me les suis procurées dans le cours normal des opérations à la Bourse.

L'isolement du politicien est parfois terrible. Johnson le sait mieux que tout autre. Cette histoire qui s'éternise depuis 1958 le blesse cruellement. Il ne peut pas se défendre. Philosophe, il dit parfois à son ami Tormey : « C'est mieux d'être accusé de quelque chose qui est vrai, de reconnaître ses erreurs et de se faire pardonner que de se faire accuser de quelque chose qui n'est pas vrai... » C'est ce qu'il fait ce soir : il demande aux milliers de Québécois qui le regardent de lui pardonner sa faute. Mais il est tellement épuisé et nerveux qu'il le fait maladroitement.

En tout cas, il ne doit pas espérer de pardon de Lesage. Celui-ci a vu l'ouverture. Il attaque :

— J'ai été accusateur de 1958 à 1960 parce que des députés et ministres de l'Union nationale chargés d'un bien public l'ont vendu à une corporation et ont acheté en même temps des actions de cette entreprise. Ils se sont donc vendus à eux-mêmes et à leur profit.

Les paroles de Lesage font perdre contenance à Johnson. On l'entend bougonner et la caméra le montre jouant avec ses lunettes. Le modérateur, Raymond Charette, le rappelle à l'ordre.

— Comment peut-on douter de l'honnêteté du juge Salvas ? enchaîne un Lesage angélique. Or, qu'est-ce que disent les commissaires, et je me fie à eux ? Ils disent bien que M. Daniel Johnson a acheté 150 unités, soit la valeur de 21 000 dollars, à 140 dollars l'unité... chez Forget...

— C'est faux...

— Monsieur Johnson, intervient Raymond Charette, je m'excuse, monsieur Lesage, monsieur Johnson, vous avez accepté de vous conformer à la procédure, les échanges...

— Et non pas de laisser répéter des faussetés. J'ai donné ma parole. Et c'est faux...

— Monsieur Johnson, je vous rappelle à l'ordre, s'il vous plaît.

La tactique du chef libéral a réussi. Ses conseillers lui avaient dit : « Adressez-vous aux électeurs et non à Johnson. Surtout, ne vous fâchez pas ! » Tout le monde redoutait une colère de Lesage et c'est le contraire qui se produit. C'est le renard qui rugit et le lion qui glapit ! D'abord surpris, Lesage se dit : « Ça y est, il culbute... » Il sait qu'il vient de gagner le match[113].

Il serre encore un peu plus la corde autour du cou de sa victime :

— Je me fie au rapport Salvas et le chef de l'Union nationale a déjà dit qu'il se fiait à l'impartialité du rapport. M. Johnson a acheté 100 unités chez Forget et 50 chez René-T. Leclerc. Et d'ailleurs, à la page 98 du rapport, les commissaires disent que le profit fait par les acheteurs sur chaque unité a été de 35 dollars. Donc, 150 unités à 35 dollars — un profit de 5250 dollars pour le chef de l'opposition.

Lesage domine l'arène. On entend en sourdine les protestations de Johnson. L'un des journalistes invités, Jean-V. Dufresne, lui demande alors :

— Est-il normal qu'un ministre en exercice puisse acheter des actions dans une entreprise ?

— Vous ne voulez pas insinuer que j'étais ministre à ce moment-là, rétorque sèchement le chef unioniste de plus en plus hors de lui. Je ne l'étais pas ! Je n'ai pas acheté 150 unités. Le juge n'a pas vérifié. Je vous en donne ma parole !

Tout en se défendant, Johnson gesticule avec ses lunettes qu'il promène de son nez à ses poches. Sa colère l'empêche de décider entre l'improvisation et la lecture des topos où se trouvent les réponses qu'il cherche et qu'il n'a pas eu le temps d'assimiler.

Le troisième thème, le programme de chacun des partis, chasse la tempête durant quelques minutes. Pendant que Lesage expose méthodiquement, avec un sourire qui semble rivé à ses lèvres, les grandes lignes de son programme, le chef de l'Union nationale tente de reprendre son sang-froid. Mais les sept minutes dont dispose Lesage ne sont pas assez longues. Quand vient son tour, Johnson se lève trop brusquement de son siège. Il marmonne et s'empare bruyamment de ses papiers. L'air exacerbé, il lance :

— Est-ce que je n'ai que sept minutes pour relever les erreurs et les faussetés ?

Peu à peu, il retrouve tout de même son calme. Il écoute maintenant son adversaire tracer un tableau des grandes politiques administratives de son gouvernement : resserrement des finances publiques, contrôle plus sévère des dépenses, création d'un Conseil de la trésorerie, politique d'emprunts plus moderne, nécessitée par les nouveaux besoins en éducation, santé et voirie.

— Il ne faut plus avoir peur d'emprunter, dit Lesage. C'est avec de l'argent qu'on fait de l'argent !

Johnson réplique en dressant la liste des emprunts, déficits et taxes nouvelles. Il stigmatise la détérioration de la situation financière du Québec :

— Dix-neuf nouvelles taxes qui sont allées chercher dans la poche des contribuables 211 millions de dollars — c'est une politique inhumaine !

Deux hommes, deux langages, deux philosophies différentes. Comme mot de la fin, Lesage rappelle le « grand déblocage » consécutif au scrutin de 1960 et affirme :

— Il faut que ça continue. Nous ne pouvons arrêter maintenant !

Le sort a, pour une fois, favorisé le chef unioniste. Il lui appartient de dire les derniers mots avant que ne s'éteignent les projecteurs de la télévision. Il plaide :

— Je vous demande de remplacer la politique de grandeur par une politique humaine et remplie de bon sens.

En quittant Radio-Canada pour se rendre au Reine Elizabeth où sont réunis quelques sympathisants, Johnson demande à Jean-Paul Cardinal qui a assisté au débat en studio en compagnie de Paul Gros d'Aillon :

— Cela a été si mal que ça ?

— Non, ç'a été pire ! grommelle Cardinal en avalant de travers un sourire à peine esquissé[114].

Dans la voiture, un silence d'enterrement règne. Le chef et ses conseillers savent que si jamais leur parti avait une chance de vaincre, elle vient de s'envoler. Le « père Pineault » attend son patron de pied ferme. Il l'accompagne aux urinoirs.

— Vous venez de perdre 100 000 votes, lui dit-il d'une voix

bourrue et encore plus rauque qu'à l'accoutumée. Les élections sont perdues !

Daniel Johnson, tout chef de parti qu'il soit, baisse humblement la tête et ne répond pas. Après la tuile des faux certificats, son échec devant Lesage donne un coup fatal à son image politique, déjà passablement négative[115].

Les militants sont souvent aveugles. Le lendemain, Johnson reçoit pas moins de 200 télégrammes de félicitations des organisateurs locaux ou courtisans du parti. De tous les journalistes seuls ceux du *Montréal-Matin* ont vu une défaite cuisante pour le chef libéral. Une supermanchette étalée sur toute la première page proclame : JOHNSON TRIOMPHE DE LESAGE.

Tous n'ont pas une taie sur l'œil. Marc Faribault est profondément déçu par la piètre performance de son chef et ami. La lecture des télégrammes adulateurs fait exploser cet homme paisible :

— Les gens sont hypocrites ! Tu as été pourri. Tu as fait un fiasco. Ils veulent avoir des *jobs,* ces hypocrites !

Mario Beaulieu, le jeune notaire au faciès d'Italien, n'en revient pas d'une telle impolitesse envers le chef. C'est un novice en politique. Pour ses débuts, il a décidé de se mesurer à nul autre que Lévesque. Il s'en tirera avec une « victoire morale » : 11 000 voix contre 16 000 pour la « locomotive » de la Révolution tranquille.

— Tu as raison, fait cependant le patron en grimaçant un sourire pincé à l'adresse de Faribault[116].

Le soir du 14 novembre, les invités de Daniel Johnson sont réunis dans sa maison de campagne de Saint-Pie-de-Bagot, où l'ambiance est un peu celle d'une veillée funèbre. Les premiers résultats indiquent déjà la tendance du vote. Lesage va le reprendre, son bâton de premier ministre. Johnson a accepté sa défaite depuis au moins une semaine. Certains membres de son entourage font néanmoins grise mine. Ils sont tous là, ou à peu près : André Lagarde, Jean-Paul Cardinal, Christian Viens, Jacques Pineault, Étienne Simard, Paul Gros d'Aillon et les autres.

André Lagarde a été l'un des premiers à arriver sur les lieux. L'accueil de Johnson ne laisse aucun doute sur ses sentiments :

— Tu as fait du bon travail. Quels que soient maintenant les résultats, nous aurons la satisfaction du devoir accompli[117].

Deux heures avant la fermeture des bureaux de scrutin, Johnson et son fils aîné ont arpenté les rues de Saint-Pie, saluant l'un, amorçant une conversation avec l'autre. Chez l'organisateur Marion, un ami de la famille, on a discuté des résultats en des termes qui ont donné à Daniel fils l'impression que son père prévoyait une défaite.

Les réflexions de Johnson étaient empreintes de fatalité :

— On peut perdre comme on peut gagner, laissa-t-il tomber devant son ami Marion. Si on perd, ce n'est pas grave. On recommencera dès le lendemain[118].

Vers vingt-deux heures, la victoire de Lesage se confirme. Il aura bientôt 63 sièges et 57 pour 100 des voix — depuis 1936, jamais un parti vainqueur n'a recueilli une fraction aussi importante du vote. En 1956, l'Union nationale avait récolté 52 pour 100 des votes et en 1960, 47. Elle perd encore 5 points. En fin de soirée, son résultat définitif s'établit à 42 pour 100 des voix et 31 sièges. Onze de moins qu'en 1960. La dégringolade amorcée en 1956 se poursuit. Pour Daniel Johnson, il n'y a pas là matière à réjouissance. « L'équipe du tonnerre » est parvenue à faire tourner la « clé du royaume ». « Nous sommes maintenant maîtres chez nous ! » proclame Lesage à la télévision.

L'Union nationale paraît écrasée. Devant ses partisans de Saint-Pie, Johnson explique stoïquement qu'on lui a laissé « moins d'un an depuis le congrès à la direction pour réorganiser le parti le plus éprouvé depuis la Confédération ». Tout n'est pas perdu : le parti compte en effet 40 000 membres. Aux fêtes, on sera près 100 000. À ses collaborateurs groupés autour de lui, il confie, en fin de soirée :

— Nous avons fait notre possible. J'ai promis au début de la campagne que j'irais chercher 10 nouveaux sièges. C'est fait. Il est malheureux que les anciens députés n'aient pas été réélus. On relève nos manches et on se remet au travail[119] !

Le mot d'ordre, ce soir, leur dit-il avec l'aplomb d'un véritable chef politique, c'est « ne lâchons pas ! » D'ailleurs, durant toute la soirée, Daniel Johnson est resté imperturbable, donnant un coup de fil à chacun de ses candidats battus ou élus. La défaite le bouleverse moins qu'en juin 1960. L'Union nationale constitue quand même le tiers de la députation. Ses vedettes ont toutes été réélues, à commencer par le schismatique mais indispensable Jean-Jacques Bertrand ; il y a aussi Paul Dozois, Maurice Bellemare, Antonio Talbot, Fernand Lafontaine et Claude Gosselin.

Parmi les 10 nouveaux députés, il y a quelques jeunes qui promettent, comme Gabriel Loubier, l'avocat folichon de Bellechasse, l'instituteur François Gagnon (Gaspé-Nord), le comptable Jean-Paul Cloutier (Montmagny), le Beauceron Paul Allard, aussi drôle que son voisin de Bellechasse, et, enfin, le spécialiste en éducation, Albert Gervais, qui a conservé à l'Union nationale le comté de Montmorency, détenu pendant quatorze ans par Yves Prévost. La débâcle n'est donc pas totale : ce sang neuf va régénérer un parti que les urnes ont également délesté d'une série de vieux routiers fatigués.

En dépit de graves accidents de parcours, l'Union nationale a maintenu et même accru ses appuis dans les comtés à faible revenu. Le thème de la nationalisation a peu impressionné les gagne-petit du Québec et de l'est de Montréal, plus attirés par les promesses de Johnson concernant le salaire minimum fixé à un dollar, la réduction des impôts et l'assurance-santé gratuite.

Le nouveau découpage électoral montre une polarisation du Québec. À l'ouest, suivant une ligne droite reliant Trois-Rivières et Sherbrooke, le Québec industrialisé, aux revenus élevés et à l'agriculture prospère, a donné un appui massif aux libéraux. À l'est, les suffrages des circonscriptions et des classes défavorisées (Compton, Wolfe, Frontenac, Beauce, Dorchester, Bellechasse, Montmagny, Témiscouata, etc.) se sont reportés tout aussi massivement sur l'Union nationale. Le caractère social du vote est encore plus évident sur l'île de Montréal où les trois comtés remportés par l'opposition — Saint-Jacques, Sainte-Marie et Sainte-Anne — sont habités par les économiquement faibles.

Le lendemain matin, comme promis, Johnson téléphone au député Lafontaine pour lui souhaiter bonne fête !

— Puis ? fait Lafontaine, narquois, Je vous avait dit qu'il fallait des candidats capables de se faire élire !

Le député de Labelle se sent d'humeur, en ce matin de défaite, à piquer son chef. Il ajoute :

— Je vous félicite ! Vous avez fait élire vos 10 députés !

— Je sais, je sais, mais je n'étais pas capable de faire mieux, marmonne Johnson comme un enfant pris en défaut.

Notes — Chapitre 7

1. Georges-Émile Lapalme, *Mémoires. Le Paradis du pouvoir*, *op. cit.*, p. 162.

2. Cité par Pierre de Bellefeuille : « Daniel Johnson veut-il dépasser le duplessisme ? », *op. cit.*, p. 37

3. *La Presse* et *Le Devoir* du 27 septembre 1961.

4. Antonio Flamand.

5. Robert Rumilly, *Maurice Duplessis et son temps*, tome I, *op. cit.*, p. 577.

6. Roger Ouellet.

7. Selon Roger Ouellet, qui fut secrétaire particulier de Duplessis de 1954 à 1959, et Jos-D. Bégin (voir Cardinal, Lemieux et Sauvageau, *op. cit.*, p. 181), la caisse n'a jamais franchi les frontières du Québec. Mais, selon Mario Beaulieu, chef de cabinet de Johnson, elle était déposée en Suisse (voir Conrad Black, *op. cit.*, p. 600).

8. Roger Ouellet; et Antonio Barrette, *op. cit.*, p. 337-341.

9. Joseph Bourdon, *Montréal-Matin, son histoire, ses histoires*, Montréal, Éditions La Presse, 1978, p. 180 et 185.

10. Paul Gros d'Aillon, *op. cit.*, p. 19.

11. *La Presse*, le 25 septembre 1961.

12. *Le Devoir*, le 20 juillet 1961.

13. *Le Devoir*, le 25 septembre 1961.

14. *Le Devoir*, le 13 novembre 1961.

15. Pierre de Bellefeuille, *op. cit.*, p. 17.

16. Cité par Jacques Guay, « Johnson par lui-même », *Magazine Maclean*, vol. 6, n° 10, octobre 1966.

17. *Ibid.*

18. Pierre de Bellefeuille, *op. cit.*, p. 18.

19. Cité par Jacques Guay, *op. cit.*

20. *La Presse*, le 25 septembre 1961.

21. Jean-Louis Laporte, *op. cit.*, p. 91-93.

22. *Le Devoir*, les 18 et 24 novembre 1961.

23. Jean-Noël Tremblay, *La Confédération ! Combien de temps encore faudra-t-il la subir ?*, Brochure publiée par les Éditions Alerte, Saint-Hyacinthe, 1961.

24. *Le Devoir*, le 20 octobre 1961.

25. *Le Devoir*, le 25 octobre 1961.

26. Antonio Flamand.

27. Georges-Émile Lapalme, *op. cit.*, p. 47.

28. *Le Devoir*, le 19 septembre 1961.

29. Georges-Émile Lapalme, *op. cit.*, p. 111.

30. *La Presse*, le 27 septembre 1961.

31. *Le Devoir*, le 26 septembre 1961.
32. Régent Desjardins.
33. Jean Drapeau.
34. *Le Devoir*, le 2 décembre 1961.
35. Antonio Flamand.
36. *Le Devoir*, le 19 janvier 1962.
37. *Le Devoir*, le 24 janvier 1962.
38. *Le Devoir*, le 26 septembre 1961.
39. Armand Russell et Fernand Lafontaine.
40. Jacques Pineault.
41. Claude Gosselin.
42. *Le Devoir*, le 27 juin 1962.
43. *Le Devoir*, le 13 juin 1962.
44. *Le Devoir*, le 18 janvier 1962.
45. Jean Provencher, *op. cit.*, p. 184.
46. *Le Devoir*, le 9 mai 1962.
47. *Le Devoir*, le 7 juin 1962.
48. *Le Devoir*, le 29 juin 1962.
49. Paul Gros d'Aillon, *op. cit.*, p. 30-31.
50. *La Presse*, le 17 janvier 1962.
51. *La Presse*, le 18 janvier 1962.
52. *Le Devoir*, le 18 janvier 1962.
53. *Le Devoir*, le 12 février 1962.
54. *Le Devoir*, le 3 février 1962.
55. *Le Devoir*, le 20 juin 1962.
56. Gérard Bergeron, *op. cit.*, p. 227-233.
57. *La Presse*, le 19 juillet et le 12 septembre 1962.
58. Jean Provencher, *op. cit.*, p. 187.
59. Peter Desbarats, *op. cit.*, p. 52 et 64-67.
60. Georges-Émile Lapalme, *op. cit.*, p. 174-175.
61. *Le Devoir*, le 20 septembre 1962.
62. Paul Gros d'Aillon, *op. cit.*, p. 32-33.
63. Me Jean Bruneau.
64. Armand Russell.
65. Antonio Flamand.
66. Ce sont là, selon le juge Maurice Johnson, le genre de considérations invoquées par son frère. C'est d'ailleurs l'argent de la nationalisation qui permit à Peter Thompson de créer le *holding* Power Corporation dont Paul Desmarais, son associé, allait devenir président. C'est aussi l'argent de la nationalisation qui permit notamment aux enfants de Jules Brillant d'investir dans les entreprises de presse. Plus tard, Daniel Johnson avoua à son frère : « J'ai bien fait de ne pas appuyer

la nationalisation, car c'était un *racket* pour permettre à Thompson de lancer Power Corporation. »

67. *Le Devoir*, le 20 septembre 1962.
68. Peter Desbarats, *op. cit.*, p. 26-27.
69. Fernand Lafontaine.
70. Cardinal, Lemieux et Sauvageau, *op. cit.*, p. 28 et 186.
71. Jean Loiselle.
72. *Le Devoir*, le 25 septembre 1962.
73. Le juge Maurice Johnson.
74. *Le Devoir*, le 29 septembre 1962.
75. Fernand Lafontaine.
76. Peter Desbarats, *op. cit.*, p. 46.
77. Programme de l'Union nationale intitulé un « Plan d'action pour une jeune nation » et publié dans *Le Devoir* du 27 octobre 1962.
78. *Le Devoir*, le 25 octobre 1962.
79. *Le Devoir*, le 12 octobre 1962.
80. *Le Devoir*, le 13 octobre 1962.
81. *Ibid.*
82. *Le Devoir*, le 11 octobre 1962.
83. *Le Devoir*, les 13, 17 et 18 octobre 1962.
84. *Le Devoir*, le 17 octobre 1962.
85. Jacques Pineault.
86. Marc Faribault.
87. *Ibid.*
88. Robert Rumilly, *op. cit.*, tome II, p. 229.
89. Marc Faribault.
90. *Le Devoir*, les 22 et 27 octobre, les 5 et 8 novembre 1962.
91. Cette conversation est reproduite par Georges-Émile Lapalme dans ses *Mémoires, op. cit.*, p. 187-188.
92. Par un curieux hasard, l'auteur, alors jeune reporter au quotidien *La Presse*, était le seul journaliste sur les lieux. En l'assignant, son chef de service lui avait dit qu'il se produirait quelque chose d'important à cette assemblée ! D'où tenait-il ses renseignements ? Vingt ans plus tard, on peut le supposer facilement. *La Presse* plaça son article à la une, coiffé du titre : « Lapalme l'avait prédit ». Voir *La Presse* du 3 novembre 1962.
93. Georges-Émile Lapalme, *op. cit.*, p. 189-191.
94. *Ibid.*, p. 192.
95. André Lagarde a raconté sa version des faits dans un livre qu'il a publié après avoir été reconnu innocent par les tribunaux en 1963. Le titre en est : *Le Scandale des faux certificats. La clé du casier 5-T-7*, Publication Le Sieur ltée, Laval-des-Rapides, 1964, p. 1-2.
96. André Lagarde, *op. cit.*, p. 4.

97. *Ibid.*, p. 10.
98. Fernand Lafontaine.
99. *Le Devoir*, le 5 novembre 1962.
100. *Ibid.*
101. André Lagarde, *op. cit.*, p. 25-28 ; et *Le Devoir*, le 6 novembre 1962.
102. *Le Devoir*, les 7 et 8 novembre 1962.
103. *Le Devoir*, le 10 novembre 1962.
104. *Le Devoir*, le 2 août 1962.
105. Paul Gros d'Aillon, *op. cit.*, p. 46.
106. Mgr Alfred Lalîme.
107. Marc Faribault.
108. Christian Viens.
109. Marc Faribault.
110. Les citations du débat sont tirées de la bande de l'émission télévisée diffusée par la Société Radio-Canada le 11 novembre 1962.
111. Pierre O'Neil et Jacques Benjamin, *Les Mandarins du pouvoir*, Montréal, Québec/Amérique, 1978, p. 39-40.
112. Le coût de l'exploitation se chiffrera finalement à 604 millions de dollars.
113. Jean Lesage, cité par Cardinal, Lemieux et Sauvageau, *op. cit.*, p. 50.
114. Me Jean-Paul Cardinal.
115. Jacques Pineault.
116. Marc Faribault.
117. André Lagarde, *op. cit.*, p. 39.
118. Daniel Johnson fils.
119. Paul Petit.

CHAPITRE 8

Le scandale des faux certificats

Paradoxalement, ce n'est pas le chef vaincu, mais plutôt Jean-Jacques Bertrand qui tient le loup par les oreilles au lendemain de la défaite. Ses élans vertueux l'ont poussé, durant la campagne, à dénoncer son chef. Il s'est même rangé dans le camp libéral en appuyant, sans équivoque, la nationalisation. Le ressentiment grandit contre lui. Pour plusieurs militants, il est le principal responsable de la défaite. Il a sacrifié les intérêts électoraux de l'Union nationale à sa mission de réformateur.

En août 1961 Bertrand s'était écrié, d'un ton biblique : « J'ambitionne, pour ma part, de lever dans toute la province des troupes d'élite qui considéreront la politique comme une chose sacrée. Je demanderai à mes supporteurs d'oublier le pouvoir et de penser au peuple dont ils sont issus[1] ! » Bertrand amorçait sa campagne au leadership et, à l'époque, une telle tirade procura de délicieux frissons à ceux qui l'appuyaient et une occasion d'ironiser au clan Johnson. Aujourd'hui, il s'en trouve de plus en plus, même parmi ses partisans à la direction, pour l'accuser : « À l'entendre, il n'y a que lui de propre, d'honnête et d'intelligent dans l'Union nationale[2] ! »

Si les chemins de la politique, comme ceux de l'enfer, sont souvent pavés de bonnes intentions pour les uns, ils sont le lieu de pénibles épreuves pour les autres. En voyant Jean Lesage hâter les élections, Johnson avait compris que le chef libéral tablait sur son manque de préparation pour le mettre hors de combat pendant encore quatre ans. Comment lui en vouloir ? Lesage ne faisait que suivre à la lettre l'une des recommandations de Machiavel : quand ton ennemi est à terre, ne le laisse pas se relever — écrase-le !

La machination des faux certificats a aussi montré que les libéraux pouvaient dépasser en cynisme les enseignements du maître. Qu'a-t-on voulu prouver à l'électorat, sinon que tout ce que la presse racontait depuis deux ans sur Daniel Johnson et l'Union nationale ne relevait pas du « salissage » partisan ? Johnson est bel et bien l'abject « Danny Boy » popularisé par Normand Hudon. Et l'Union nationale, un ramassis de bandits.

S'il y a des « bandits » dans un camp, il y a sûrement des faussaires de la démocratie dans l'autre. Un sondage électoral réalisé le 27 octobre dans le comté-pilote de Saint-Jean, donc une semaine avant l'explosion de la bombe des faux certificats, a montré à l'organisation Unioniste l'impact qu'a eu l'incident sur le vote. Le 27 octobre, en effet, le candidat de l'Union nationale, Paul Beaulieu, obtenait 52 pour 100 des voix et son adversaire libéral, Philidor Ouimet, 24. Les indécis étaient évalués à 22 pour 100. L'ancien ministre Beaulieu jouissait donc d'une confortable avance, quelques jours avant le scrutin. Le 14 novembre, pourtant, le libéral s'emparait du comté par une majorité de 889 voix[3].

En plus de ruiner le moral des troupes, l'affaire des faux a paralysé la machine de l'Union nationale durant la dernière semaine de la campagne, son organisateur en chef pour la moitié de la province étant occupé à se défendre devant les tribunaux. Quant à Bertrand, il en a éprouvé un dégoût encore plus grand pour l'entourage de Johnson. Sa première réaction fut pour le moins malhabile. Alors que Johnson accusait Lapalme d'être de connivence avec les faussaires, Bertrand le louangeait pour son rôle dans le renouveau du Parti libéral. Un tel manque de sens politique n'a pas aidé la cause unioniste.

Johnson n'est pas sans faute, lui non plus. Son débat raté a mis en quelque sorte le point final au travail de sape commencé avec la dissidence de Bertrand et les faux certificats. On lui reproche aussi son erreur de stratégie au sujet de l'étatisation de l'électricité. Pour plusieurs militants, l'astuce trouvée par Johnson pour ne pas se mouiller sur cette question, le compromis du référendum, lui a fait perdre toute crédibilité.

Trop de précautions nuit parfois. En courant deux lièvres à la fois et en laissant, soi-disant au nom de la démocratie, le peuple trancher la question, le chef de l'Union nationale a projeté, durant le débat, l'image d'un homme incapable de prendre des décisions. Face à un enjeu aussi capital, il fallait dire oui ou non. Et le dire clairement. Cette attitude mi-figue mi-raisin menait tout droit à la défaite.

Durant les jours qui suivent le scrutin, la grogne déchire le parti. Le *post-mortem* aura lieu le 14 décembre. Pas avant, car, d'ici là, Daniel Johnson se rend en France, pour la première fois de sa vie, à quarante-huit ans. Son publiciste Gros d'Aillon, qui a planifié durant l'été le premier voyage français d'un chef de l'Union nationale, l'accompagnera. André Lagarde aussi. Les reins cassés par les « faux », l'organisateur a besoin d'aller respirer un air moins vicié.

Au retour, une mission périlleuse attend le pauvre homme. La conduite du procureur général et de ses adjoints, dans cette histoire qui présente tous les aspects d'une imposture pour usurper le pouvoir, a fortement ébranlé la foi de Lagarde envers la justice des libéraux. Il ne doit compter que sur lui-même pour établir la vérité. Aussi a-t-il tout simplement décidé de jouer au limier, peu importe les risques.

Le chef lui a conseillé la prudence.

— Tu ne sais pas à quelle sorte de gens tu t'attaques. S'ils se voient traqués, ils n'hésiteront devant aucun moyen pour t'abattre. Ramasse tous les indices possibles, mais ne les provoque pas.

Toute cuirasse a son défaut. Les nerfs de Lagarde ont fini par craquer, Il est prêt à tout pour démontrer à la face du monde qu'il est victime d'une sale affaire. Son chef veut lui faire comprendre qu'en politique les loups se dévorent rarement entre eux. Quinze ans de vie politique lui ont enseigné qu'il vaut parfois mieux ne pas réveiller le chat qui dort.

— Je pars pour l'Europe dans quelques jours, ajoute Johnson. Je t'emmène avec moi[4].

Le 23 novembre, le chef unioniste s'envole de Dorval. Son objectif premier, laisse-t-il entendre aux journalistes, sera l'étude des mécanismes de la planification telle que les Français l'appliquent.

— Je vais aussi en France pour apprendre l'art de gagner une
élection! badine Johnson devant des reporters surpris d'entendre
l'ennemi juré de l'étatisme s'approprier un mot comme celui de
planification — mot qu'il a utilisé durant la campagne électorale,
mais par pur opportunisme, bien sûr!

En France, tout marche comme sur des roulettes. Grâce aux
bons contacts de Paul Gros d'Aillon, les portes de l'Assemblée
nationale française, de l'hôtel de ville de Paris, du ministère du Plan
français s'ouvrent comme par magie devant le député de Bagot. Dès
cette première prise de contact avec le pays de ses ancêtres francophones, Johnson noue des liens précieux pour l'avenir. Il visite
aussi les permanences des partis politiques français et a plusieurs
entretiens avec la presse. Au correspondant parisien du *Montreal Star,*
il déclare : « J'ai établi des contacts que mon parti entend conserver.
Nous avons besoin de planificateurs au Québec[5]. »

L'esprit de Daniel Johnson s'ouvre à tout ce qu'il voit et entend.
Il retrouve ses racines gauloises. Ses deux compagnons, Paul Gros
d'Aillon et André Lagarde, s'entretiennent avec un ministre gaulliste
qui jouera par la suite un rôle important dans les rapports franco-
québécois : Alexandre Sanguinetti[6]. C'est l'homme à poigne de
l'UDR, le parti gaulliste. Le modéré Johnson a préféré ne pas rencontrer Sanguinetti dont les opinions politiques extrêmes le laissent
sceptique[7]. Néanmoins, le pont est jeté entre le gouvernement gaulliste
et un futur gouvernement unioniste.

Avant de rentrer, les trois hommes séjournent quelques jours
à Rome où sont réunis, à l'occasion du concile, plusieurs prélats du
Québec. Entre ses conversations avec les évêques, Johnson déambule
en touriste dans les rues de Rome. Il lance une pièce de 25 cents
dans la célèbre fontaine de Trevi en s'exclamant : « Le pouvoir ! » À
l'étranger comme au Québec, Daniel Johnson garde à l'esprit la visée
fondamentale de toute sa vie de politicien.

Pendant que le chef unioniste s'initie ainsi aux charmes de la
vie parisienne ou romaine, l'orgueilleux député de Missisquoi gonfle
ses poumons. Les conservateurs fédéraux se cherchent un chef de
file québécois. Le nouvel organisateur du parti pour le Québec, le
sénateur Jacques Flynn, caresse un grand rêve : ressusciter le Parti
conservateur d'avant Duplessis. Vu d'Ottawa, l'avenir de l'UN paraît
insignifiant. Duplessis avait raison quand il disait : « L'Union

nationale mourra avec moi. » La discorde Bertrand-Johnson est en train de tuer le parti. Il faut donc, selon le sénateur Flynn, reformer au plus vite l'aile provinciale du Parti conservateur fédéral[8].

Quel chef idéal ferait Bertrand ! À Ottawa, le nom de Johnson est maintenant tabou. Entre lui et Dief, les ponts sont coupés — la Nouvelle-Zélande est loin ! Depuis qu'il est chef, Johnson n'a pas épuré les rangs de son parti et, durant les élections, il s'est laissé aller aux pires excès démagogiques. Les *Canadians* vomiraient sûrement un politicien aussi duplessiste. L'honnêteté intellectuelle de Bertrand et son excellente réputation politique le désignent d'emblée pour être l'intermédiaire et le paravent francophones. C'est vrai qu'il n'a pas l'étoffe d'un vrai leader, l'ambition, le goût des manœuvres et des coulisses ou des palabres de congrès, mais cette faiblesse n'est pas irrémédiable[9].

Le 21 novembre, la Presse canadienne diffuse une nouvelle étonnante : Jean-Jacques Bertrand a accepté de rallier le cabinet du premier ministre Diefenbaker. À titre de ministre associé de l'Agriculture, il aura la responsabilité des questions agricoles pour tout l'Est du Canada. On précise même que le député de Missisquoi briguera les suffrages dans la circonscription de Stanstead, lors des prochaines élections fédérales qui sont imminentes. Le lendemain, Douglas Fisher, le bouillant député néo-démocrate qui repousse et aime à la fois le Québec, interroge le chef tory. Pour toute réponse, il reçoit un sourire tremblotant du parkinsonien Diefenbaker. De son côté, Bertrand nie la rumeur[10].

L'avocat de Sweetsburg s'est ravisé après être venu à un cheveu de faire le saut au fédéral. Après les élections, il part pour Fort Lauderdale, station balnéaire de la Floride envahie, l'hiver, par les *white birds* du nord de l'Amérique, avec son ami et confident Jean Bruneau. Bertrand adore la mer, mais à peine a-t-il défait ses valises qu'il quitte Bruneau sans rien lui dire, rappelé au Québec par un appel mystérieux. Les conservateurs fédéraux lui font miroiter le poste de lieutenant québécois du Lion des Prairies et un ministère.

Réflexion faite, Bertrand imite son ami Jean Drapeau qui a rejeté lui aussi pareille invitation. Il est trop tard. L'étoile politique de John Diefenbaker est à son déclin, après seulement quatre années de pouvoir. Ses chances de réélection sont trop minces pour que Bertrand joue avec lui son va-tout. Il va plutôt placer son chef au pied du mur sur la question du renouveau national. Ses déboires électoraux auront peut-être enfin indiqué à Johnson l'inefficacité politique de ses épouvantails duplessistes.

Le 7 décembre, à une semaine du caucus, Bertrand tire dans le dos du chef absent. Le Hamlet de la scène provinciale, comme l'ont baptisé les journalistes, abat son jeu. Ce sera le renouveau ou sa démission ! « Johnson a un an pour répondre à mon ultimatum », dit-il à Richard Daignault, de *La Presse,* qu'il a fait venir chez lui à Cowansville.

— Un an est la dernière limite, précise le député en accompagnant ses paroles d'un geste qui en dit long sur son impatience. Il est clair que si rien ne semble vouloir bouger dans le parti, il faudra agir beaucoup plus tôt, peut-être au bout de cinq ou six mois.

Obnubilé par sa répulsion envers certains membres de la « clique » qui entoure le chef, Bertrand affirme à Daignault :

— L'élément primordial du renouveau de notre parti, c'est une équipe d'hommes neufs. S'il nous faut des hommes en dehors des rangs du parti, je crois que nous devrions aller les chercher.

Autant Bertrand est timide en public, autant il devient volubile et n'économise pas ses gestes en privé. Il dit à Daignault, en l'observant de ce regard direct et sincère, si caractéristique de sa personnalité :

— Le renouveau tient à quatre conditions : des hommes nouveaux qui ne regardent pas en arrière, de la franchise et de l'honnêteté intellectuelle, une recherche sérieuse sur les grands problèmes de l'heure et la participation active du public dans notre parti[11].

Bertrand sème le vent, il récolte la tempête. La veille du caucus, le quotidien *La Presse* titre : « On en veut à Bertrand. » La presse, en général, a fait grand état de sa mise en demeure. « C'est un coup bas ! » ont dit aux reporters certains députés incapables de contenir plus longtemps leur impatience. Bertrand, le Lévesque de l'Union nationale ? On commence à le chuchoter dans le parti en remarquant cependant : « Qu'il lutte pour ses idées avec le parti, pas contre. Même René Lévesque n'a jamais fait ça[12] ! »

« Qu'il se range ou qu'il parte ! » s'exclament certains. Et des vieux routiers de renchérir : « Bertrand, c'est un pur qui accuse tout le monde sans rien prouver et au moment où ça va mal dans le parti. » Comme Lévesque, il paraît prêt à compromettre l'avenir de sa formation pour imposer ses idées. Il veut le renouveau, dit-on, mais lequel ? Il ne l'a jamais précisé. Bertrand, c'est un pékinois qui jappe, mais ne mord pas et plusieurs aimeraient bien qu'il se taise. C'est aussi un éternel boudeur qui se sent persécuté. Un jour, en plein Comité des bills privés, l'un de ses collègues l'ayant traité de « petit Napoléon manqué », Bertrand alla se plaindre auprès de son ennemi Johnson[13]...

À Paris, la sonnerie du téléphone tire le chef de l'Union nationale de son sommeil. Il est trois heures du matin. Mario Cardinal, reporter au *Devoir,* lui demande de commenter la sortie de son lieutenant. Les sautes d'humeur de Bertrand n'étonnent plus Johnson. Il le craint de moins en moins. Cardinal lui apprend les termes de l'ultimatum. Conciliant, Johnson lui dit :

— D'ici un an, M. Jean-Jacques Bertrand aura obtenu pleine satisfaction. Tout sera guéri d'ici un an[14].

En descendant d'avion la veille du caucus, le chef de l'Union nationale se montre encore plus amène envers le mouton noir du parti :

— Je ne blâmerai pas le gouvernement fédéral de tenter de retenir ses services, mais j'aimerais le garder avec moi dans l'arène provinciale[15].

Le ton de Johnson est presque condescendant. Il a l'âme en paix car, paradoxalement, les résultats des élections ont consolidé son emprise sur le caucus. Certains députés vaincus étaient des pro-Bertrand, alors que les 10 nouveaux lui sont acquis. Johnson contrôle le caucus à dix contre un. Bertrand a perdu un appui capital : celui de l'ex-député Armand Maltais, battu contre toute attente dans Québec-Est et qui lui a lancé, au lendemain du scrutin : « Si on a perdu, c'est à cause de toi[16] ! » Bertrand ne dispose plus que du soutien de quelques inconditionnels comme Claude Gosselin et Paul Dozois. Ce dernier, d'ailleurs, reste près de Bertrand, mais il joue aussi au médiateur entre lui et Johnson.

À l'ouverture du caucus au club Renaissance de Québec, le terrain est plus brûlant pour le contestataire Bertrand que pour le chef vaincu aux urnes. Bertrand est arrivé à la réunion une quinzaine de minutes avant Johnson. Il a tout de suite senti que la soupe est chaude. Au rez-de-chaussée, dans le hall du club, il y a la foule

des jours J : photographes et journalistes supputent avec les organisateurs l'issue de l'affrontement Johnson-Bertrand.

Le chef prend la parole le premier. Il a l'air parfaitement
serein. Il analyse d'abord les grandes causes de la défaite, met
l'accent sur les problèmes d'organisation à résoudre et fait appel à
l'unité et à la bonne volonté de tous :

— Je me battrai seul, s'il le faut. Ce n'est pas le temps de
lâcher[17] !

Le débat s'engage et tourne vite à la polémique entre pro-
Johnson et pro-Bertrand. La vapeur monte dans la salle. L'Union
nationale va-t-elle éclater ? Le caucus dure depuis à peine trente
minutes que déjà, au rez-de-chaussée, un organisateur se promène
parmi les journalistes en disant : Bertrand va quitter le parti. C'est
une question de minutes[18]...

En haut, la tension est à son comble. Le député de Missisquoi
a demandé la parole. Il explique d'un ton implacable ce qui le
sépare de Johnson : personnalité, style, conception de la politique.
Bertrand parle d'une voix forte et éloquente ; quand il est ému, il
bute parfois sur une syllabe qu'il reprend en élevant légèrement le
ton. Il exige que la direction du parti soit collégiale. Dans son esprit
(et dans celui de Paul Dozois), le parti devrait être dirigé par un
triumvirat composé de Johnson, de lui-même et de Dozois[19].

Bertrand dénonce ensuite vertement une résolution mijotée
par certains députés et dont l'objectif est de le censurer. On l'a
averti, avant le caucus, que des partisans de Johnson, imbus de la
philosophie du « chef unique et absolu », allaient soumettre à l'approbation des députés une motion voulant « que personne ne soit
autorisé à parler au nom du parti sans que le texte ait été, au
préalable, soumis à l'attention du chef[20] ».

— Je ne peux continuer à militer dans un parti qui m'impose
de telles conditions, lance soudainement Bertrand. Je remets donc
ma démission !

Députés et candidats défaits restent bouche bée. On s'attendait à du brasse-camarades en règle et à des prises de bec acerbes
entre le chef et son rival ; on s'attendait à tout, mais pas à ce que
Bertrand jette sa démission sur la table. Pourtant, Johnson ne paraît
pas du tout surpris. Il retire ses lunettes et dit, feignant l'étonnement :

— Y a-t-il quelqu'un ici qui veut imposer le silence à mon
lieutenant ?

Dans la salle tendue, des voix font : « Non... non... » Johnson regarde Bertrand :

— Votre décision est-elle irrévocable ?

— Oui, elle est irrévocable ! répond l'enfant terrible avant de se rasseoir[21].

L'intervention du chef déclenche un feu roulant de supplices politiques sur l'air de « Jean-Jacques, ne nous fais pas cela ! » Les harangues des députés Arthur Leclerc, Maurice Tellier, Maurice Bellemare, François Gagnon émeuvent le député de Missisquoi. Mais c'est surtout la magistrale envolée (« Si vous partez, c'est la fin de l'Union nationale... ») de Gabriel Loubier, nouveau député de Bellechasse, qui le fait chavirer. Celui-ci lui demande également de se ranger, une fois pour toutes, sous la bannière du chef élu par le congrès[22].

Homme sensible et droit comme une épée malgré ses improvisations souvent maladroites, Jean-Jacques Bertrand revient sur sa décision :

— Je ne maintiens pas ma démission, dit-il sous les applaudissements nourris du caucus.

Daniel Johnson tressaille intérieurement. La grenade Bertrand est désamorcée. En bas, la détente s'installe aussi. On entend maintenant les rires bruyants des organisateurs. Un informateur attitré est descendu du deuxième en se frottant les mains. Le mot circule de bouche à oreille, à la barbe des quelques journalistes restés sur place et qui se perdent en conjectures sur la signification de tous ces signaux.

Le manœuvrier hors pair nommé Daniel Johnson vient tout simplement de rouler son lieutenant et celui-ci n'y a vu que du feu. Avant le caucus, Johnson a en effet appris que Bertrand se présenterait avec sa lettre de démission en poche. Ses proches lui avaient mis en tête que le caucus le tiendrait responsable de la défaite électorale et que le chef exigerait son départ à la suite de son ultimatum. Aussi Bertrand voulait-il aller au-devant des coups en démissionnant. Fidèle à la maxime de Louis XI — celui qui ne sait pas dissimuler ne sait pas régner —, Johnson simule la surprise, fait retirer la motion de censure envisagée par certains députés et ne commet surtout pas l'erreur de museler Bertrand. Il le laisse se vider le cœur[23].

Le député de Bagot a toujours mille lieues d'avance sur son rival qu'il ne peut limoger sans se priver, du même coup, de l'appui d'une partie importante de la population et de la base même de l'Union nationale. Johnson se tient à la charnière du passé et de l'avenir, du conservatisme et du libéralisme. Il est au centre des chassés-croisés entre les gérontes du parti, qui aspirent à un retour aux origines, et les jeunes regroupés avec les réformateurs autour de Bertrand.

Les anciens forment encore une importante majorité au sein de l'appareil du parti. Ils militent en faveur d'une politique de droite. Pour se tenir en équilibre, Johnson ménage la chèvre et le chou. Le temps constitue l'un des instruments de sa politique. Aussi longtemps que le rapport des forces ne favorisera pas le renouveau, on peut être sûr que Johnson écoutera les anciens tout en faisant, de temps à autre, quelques concessions au clan Bertrand. Pendant le dîner qui suit le caucus, les deux protagonistes de ce mariage de raison qui dure depuis près de quinze ans font la paix, une fois de plus. Johnson consultera plus fréquemment Bertrand qui s'engage, en retour, à modérer désormais ses propos. Accord combien fragile — l'avenir le prouvera.

Une enquête de « l'inspecteur » Lagarde

Au début de 1963, Johnson n'a plus une minute à accorder à son ténébreux vis-à-vis. La machination des faux certificats rebondit. Le 24 janvier débute l'enquête préliminaire d'André Lagarde. L'organisateur en chef de l'Union nationale est au centre d'une toile d'araignée. Pour lui comme pour Johnson, toute la question est de savoir qui l'a tissée.

Jean-Guy Moreau, un jeune homme de vingt-trois ans d'allure fragile — le type même du nerveux —, a pris place sur le banc des témoins. L'accusé Lagarde est estomaqué ! Avant le début de l'enquête, un avocat libéral de ses amis l'a averti que le procureur en chef Desjardins allait faire comparaître un témoin-surprise qui l'accablerait.

L'organisateur se sent envahi par un sentiment d'indignation mêlé d'inquiétude. L'homme à qui la Couronne s'apprête à faire commettre un faux témoignage est un coupeur de papier professionnel qu'il a dû remercier de ses services, le 29 novembre dernier, parce qu'il buvait trop. Que vient-il faire dans cette galère ? Lagarde ne tarde pas à le savoir.

Me Desjardins paraît aussi acharné qu'en novembre. Par sa bouche parle la justice libérale.

— Trois ou quatre jours avant le 2 novembre 1962, suggère le procureur en chef à son témoin à charge, avez-vous eu plus particulièrement l'occasion de rencontrer votre patron, André Lagarde ?

— Oui, un après-midi, trois ou quatre jours avant le 2 novembre, répond le jeune homme d'un ton hésitant, en fuyant le regard de Lagarde qui cherche le sien, depuis le box des accusés.

— Où l'avez-vous vu, cet après-midi-là ? enchaîne Me Desjardins.

— M. Lagarde est venu me trouver. Il m'a dit qu'il entrait une *job* dans le courant de la journée, que je l'aurais à couper. Il ne savait pas au juste qu'est-ce que c'était, la *job*. Il a dit : « Tu sais comment la couper. Tu prends le centre, tu coupes la *job* et tu paquettes la *job*[24] ! »

Voilà donc où le substitut du procureur général veut en venir ! Prouver que les faux certificats ont été coupés à son atelier. Lagarde commence à y voir clair. Il dévisage Me Desjardins et le policier chargé de l'enquête, l'inspecteur Houle. Ces deux personnages lui font soudain horreur. Leur mandat est d'établir la vérité et, pourtant, ils n'hésitent pas à faire se parjurer un jeune homme que son émotivité rend vulnérable. C'est pousser fort loin l'utilisation de la justice.

Une seule explication : Desjardins et Houle tentent de couvrir quelqu'un de haut placé ou encore de masquer leur empressement à lâcher leur « bombe » du 2 novembre (date à laquelle le scandale des faux certificats a éclaté). Moreau a signé sa déclaration devant Me Desjardins, le 16 décembre — un mois et demi plus tard. Le 2 novembre, le procureur en chef ne détenait donc pas de preuves suffisantes pour porter ses accusations puisqu'il a senti le besoin d'en forger une de toutes pièces avant l'enquête préliminaire ? Jusqu'où ces gens sont-ils prêts à aller ? se demande Lagarde en écoutant la suite[25].

Le faux témoignage de Moreau apaise l'organisateur. C'est cousu de fil blanc. Le juge doit bien s'en rendre compte ! Me Desjardins vient en tout cas de lui indiquer inconsciemment une

première piste. Pour sa part, Omer Fontaine, son présumé complice
arrêté à la gare Windsor le soir du 2 novembre, déclare au juge
Marc-André Blain qu'il n'a jamais vu Lagarde de sa vie, qu'il ne le
connaît pas ! Ce coup de théâtre allume une seconde lueur d'espoir
chez l'organisateur.

Le 29 janvier, le juge Blain rend son jugement :

— Absence totale de preuves !

Dans le box des accusés, André Lagarde saute de joie. Lapalme
s'est mis le doigt dans l'œil. Le juge Blain écarte carrément l'accusation de conspiration en vue de commettre une fraude, portée par
la Couronne contre Lagarde et Fontaine : il ne peut y avoir entente
entre les deux puisqu'ils ne se connaissent pas. Aucune preuve ne
relie Lagarde à la conspiration.

Le juge rejette aussi comme « très faible » le témoignage imprécis du jeune Moreau. Celui-ci s'est révélé incapable d'affirmer
de façon positive qu'il s'agissait réellement de certificats d'électeurs.
Est-ce un témoignage de vengeance pour avoir perdu sa position ? se
demande le juge en précisant que Moreau se trouvait seul à
l'imprimerie, donc sans témoin, au moment de couper les feuilles.
Ce témoignage, conclut le magistrat, entraînerait nécessairement un
verdict d'acquittement pour le prévenu[26].

André Lagarde n'est pas l'homme le plus heureux du monde,
même si les tribunaux l'ont acquitté. En novembre, la presse avait
fait tout un tapage avec son arrestation. Elle relègue dans ses pages
intérieures la nouvelle de son acquittement. Pire : l'information
diffusée laisse planer des doutes sur son innocence : s'il est libéré,
c'est faute de preuves ! On n'a pas réussi à prouver sa culpabilité,
voilà tout ! Lagarde se rend bien compte qu'il reste suspect aux yeux
de beaucoup de monde. Seule l'arrestation des vrais coupables
pourra blanchir sa réputation. Il n'aura pas de repos tant qu'il ne les
aura pas débusqués. Avant de se mettre en chasse, il écrit à Daniel
Johnson pour lui offrir sa démission :

> Je vous prie d'accepter, M. Johnson, à partir de cette date, ma dé-
> mission de mon poste de directeur général adjoint du parti, afin que
> je puisse consacrer mon temps à mener une enquête qui, je l'espère,
> me permettra de découvrir les auteurs de ce complot. Nos ennemis
> emploieront tous les moyens possibles pour se justifier et il se peut

que je sois, à cause de mon enquête, victime d'autres machinations. Je ne voudrais pas que le parti en subisse les conséquences et je désire faire cette enquête à titre personnel. Dès que j'aurai atteint mon but, je communiquerai avec vous et vous jugerez comment je peux le mieux servir le parti[27].

Le chef de l'Union nationale accepte avec regret le geste de Lagarde. Il informe la presse qu'il a accordé un congé à son organisateur pour lui permettre de « démasquer les auteurs et les inspirateurs d'une machination sans précédent dans l'histoire politique du Québec ». Signalant le caractère pour le moins insolite d'une situation où un simple citoyen doit lui-même rechercher des preuves que le procureur général aurait dû exiger avant d'autoriser des arrestations, Johnson avertit Lapalme qu'il aura, un jour ou l'autre, à répondre de son rôle dans cette affaire.

Le chef unioniste pose, dès ce jour-là, trois questions. Pourquoi M. Lapalme, qui a la responsabilité de la police et des poursuites judiciaires, a-t-il autorisé des procédures qui ont empêché les accusés d'être jugés avant les élections ? Qui avait intérêt à ce que la lumière ne se fasse pas avant la tenue du scrutin ? Qui a profité des effets d'une machination de nature à causer des préjudices incalculables à l'Union nationale et à ses dirigeants[28] ?

Libéré de toute activité partisane, le « limier » Lagarde entreprend son enquête. Si le jeune Moreau s'est parjuré, c'est qu'on l'a fait chanter ou qu'on l'a menacé. C'est une malheureuse victime, un pilier de taverne qui perd continuellement son emploi. Lagarde finit par le joindre, grâce au travailleur social qui en a la responsabilité.

— Qu'est-ce qui t'a pris de faire ça ? demande Lagarde en braquant ses yeux sur le jeune homme.

Jean-Guy Moreau paraît envahi par la peur. Il a l'air terrifié de l'enfant qui a fait un mauvais coup. Il fait pitié à voir.

— Je n'ai rien contre vous, dit Moreau en sanglotant. Mais je ne peux pas faire autrement. Je ne peux pas parler. Ma vie est en danger. J'ai peur ! Je ne dors plus...

Lagarde tente de le réconforter. Il doit lui dire la vérité.

— Je ne peux pas... je suis coincé. Si je dis la vérité, je monte au pénitencier pour parjure.

Lagarde parlemente, lui promet son aide et sa protection. Il parvient à lui arracher une confession que Moreau répétera, le lendemain, au club Renaissance devant trois témoins : Me Jean Bruneau, Mario Beaulieu et Me Michel Latraverse[29].

« Le 15 décembre, raconte Moreau, quelqu'un me demande au téléphone si je désire de l'ouvrage dans une imprimerie. Je suis chômeur : j'accepte sans me faire prier. Le gars me dit de me rendre au Café Chela qui se trouve à côté de chez moi. »

À peine Moreau a-t-il franchi la porte de l'établissement qu'un gars costaud s'avance vers lui :

— Mon nom à moi, c'est Jean-Paul Boisjoly. Veux-tu une « Mol » ?

Les deux hommes s'assoient et Boisjoly lui dit, après quelques secondes de silence :

— L'Union nationale vient de t'organiser... Ton boss est l'organisateur en chef de l'Union nationale. Il t'a mis à la porte, non ? Rends-lui donc son change ?

Moreau proteste. S'il a perdu sa *job,* c'est un peu de sa faute... Boisjoly se pince le nez entre le pouce et l'index, puis reprend :

— Écoute, moi je suis le bras droit de Lapalme. J'ai de grosses connections dans le Parti libéral. Aimerais-tu entrer dans la police provinciale ? Jean-Paul Grégoire, l'avocat, tu le connais peut-être pas, mais c'est un gros bonnet du Parti libéral. C'est mon grand *chum*...

Boisjoly s'arrête de parler, puis reprend, entre deux gorgées de bière :

— Tout ce que tu auras à dire, c'est que, pendant que tu travaillais à Barclay Press, Lagarde t'a demandé de couper des faux certificats... On ira voir le substitut du procureur général, Me Guy Desjardins. Tu n'auras qu'à lui faire une déclaration et après tu seras correct avec le Parti libéral.

Boisjoly est gérant du cabaret — un établissement miteux du nord-est de la ville. Moreau va parfois y prendre une bière ou deux, mais c'est la première fois qu'il a l'occasion de parler au patron. Il vient surtout de comprendre que celui-ci veut l'entraîner dans une combine.

— Je suis prêt à faire n'importe quoi pour avoir une *job,* mais pas ça !

Alors s'approche de la table un autre type, une véritable armoire à glace à l'allure plutôt inquiétante. C'est Marcel Sauvé, un ami de Boisjoly. Celui-ci présente le nouveau venu au gringalet Moreau et disparaît.

— Écoute, petit, commence le musclé. Je suis le fier-à-bras du Parti libéral. Je suis un bon gars, mais je ne ris pas. Tu connais notre patente maintenant. Ou tu marches ou... le fleuve ! Et le fleuve, le 15 décembre, c'est pas chaud !

Moreau est effrayé. Sauvé n'a pas l'air de plaisanter. Le lendemain, le dimanche 16 décembre, Boisjoly conduit Moreau chez Me Desjardins où il inculpe son ancien patron. Moreau a soif ! Il revient au café. Boisjoly lui remet 40 dollars et lui dit, un peu plus tard :

— J'ai parlé à Jean-Paul Grégoire. Ta déclaration est parfaite[30].

« L'inspecteur » André Lagarde vient de lever de gros lièvres. Ce Jean-Paul Grégoire est son *alter ego* du Parti libéral. Me Grégoire, conseiller de la Reine de surcroît, est en effet l'organisateur en chef des libéraux pour la région de Montréal. Lagarde a aussi appris par Moreau qu'il est en relation avec Boisjoly. Il sait que c'est l'avocat qui a arrangé la rencontre entre Me Desjardins et Moreau. Et, enfin, que le procureur général Lapalme est un grand ami de Me Grégoire qui est son fondé de pouvoir à Montréal ! L'affaire se corse !

Le 16 février, *Le Devoir* publie une manchette fracassante : « Rebondissement de l'affaire des faux certificats — Un témoin est prêt à récuser son témoignage impliquant un homme politique. » La veille, Lagarde a convaincu Moreau de tout raconter au journaliste Mario Cardinal et au rédacteur en chef André Laurendeau. Dans son éditorial, ce dernier résume les faits, rend justice à André Lagarde dont le nom et la réputation ont été gravement entachés par les accusations invraisemblables du procureur général, et s'interroge :

S'il s'agit d'un coup monté contre M. Lagarde — et jusqu'à preuve du contraire, nous le croirons —, qui a monté le coup ? Ceci paraît relever d'une immoralité politique que nous avons dénoncée sous Duplessis. (...) Pour gagner des élections, on est prêt à ruiner des réputations et à accepter les plus louches des collaborateurs ; à la suite de quoi on passe l'éponge et on tente de tout oublier. Quand on s'approche si peu que ce soit de cette affaire, on a l'impression que les égouts de Montréal s'entrouvrent. Il en parvient de singulières odeurs[31].

Après la révélation du *Devoir* (le quotidien *La Presse* a reçu les mêmes aveux de Jean-Guy Moreau, mais la direction de l'information a donné l'ordre de ne pas les publier), les événements vont se précipiter. Le 18 février, Moreau se présente devant le juge Blain pour confesser qu'il a fait un faux témoignage contre son ancien patron. Ce jour-là également, Lagarde dépose une plainte d'incitation au parjure contre Boisjoly et Sauvé. C'est son avocat, Me Claude Danis, qui lui a conseillé cette procédure pour forcer la reprise de l'enquête. Le 22, le juge Blain fait arrêter Boisjoly et Sauvé. Un nouveau procès va s'ouvrir.

La veille, à l'Assemblée législative, Daniel Johnson a suscité un débat sur les faux certificats : « Quel rôle a joué M. Lapalme dans cette affaire ? » a-t-il demandé, une fois de plus. À Québec, d'ailleurs, toutes sortes de bruits circulent. Le premier ministre n'a pas encore ouvert la bouche à ce sujet, mais sa gêne augmente. Lapalme se cache. *Le Devoir* écrit : « On surprend des groupes s'entretenant à voix basse de ce pire scandale électoral depuis la Confédération. On parle du procureur général, on parle de réunions mystérieuses[32]... »

Entre-temps, l'enquêteur Lagarde a réussi à dénicher l'endroit où on imprime les billets de loterie illégaux dont Marcel Sauvé fait le commerce. Il s'agit de l'imprimerie Jolivet, de Terrebonne. Il y a de bonnes chances pour que les faux certificats aient été « fricotés » dans cet atelier. Le 20 février, le juge Blain fait comparaître l'imprimeur Marcel Jolivet qui confesse, en effet, avoir reçu 200 dollars de Sauvé pour imprimer les étiquettes des colis déposés à la gare Windsor et 4000 faux certificats ! Le filet se resserre non plus sur Lagarde, mais sur les vrais coupables.

Même Omer Fontaine, récidiviste malin de trente ans qui ne compte plus ses démêlés avec la justice, finit par avouer à Lagarde, après maints détours, que Marcel Sauvé lui a demandé d'aller chercher le colis à la gare Windsor, moyennant 200 dollars. Il devait dire : « Je suis envoyé par Gaston Archambault pour prendre le paquet de la case 5-T-7. » Mais Fontaine a peur lui aussi de Sauvé et refuse de signer un aveu à l'avocat de Lagarde. Si on le protégeait, peut-être dirait-il la vérité... L'organisateur demande à Mario Cardinal de jouer au dur à cuire, le temps d'amener Fontaine à se confesser par écrit ! Au jour dit, Cardinal — alias « Cola » ! — se présente au bureau de Lagarde en roulant des hanches et en mâchouillant un bout de cigare. Fontaine regarde « Cola ». Il est rassuré. Le 1er mars, il se présente devant le juge Blain pour vider son sac[33].

Un point demeure encore obscur. Qui a transmis à Me Desjardins et à l'inspecteur Houle le « tuyau » qui les a mis sur la piste ? Le 7 novembre, à Leclercville, Lapalme a déclaré que la police avait appris par un « indicateur » qu'une fraude électorale se tramait. Il se pourrait bien, se dit Lagarde, que cet informateur soit celui-là même qui a manigancé cette sordide affaire.

Ce ne peut être Omer Fontaine — un repris de justice, condamné déjà huit fois. Aucune crédibilité. Si Me Desjardins a risqué sa carrière en faisant éclater le scandale avant le scrutin, c'est parce qu'il était sûr de son informateur. Il faut donc que ce soit l'un de ses supérieurs dont l'autorité le couvrirait si jamais l'affaire tournait mal. Qui ? Lesage ? Lapalme ? Douteux. Ce genre de traquenards se machine rarement à ce niveau. De déduction en déduction, Lagarde et Me Danis en arrivent à la conclusion que l'indicateur ne peut être que Jean-Paul Grégoire. Celui-ci fait partie du bureau du procureur général et il est de notoriété publique que Lapalme, peu attiré par les affaires courantes de son ministère, lui a délégué tous ses pouvoirs pour le district de Montréal.

Les deux « limiers » poursuivent leur réflexion : le rôle joué par Me Grégoire expliquerait aussi l'apparition dans le dossier du jeune Jean-Guy Moreau. Organisateur en chef du Parti libéral, celui-ci aurait difficilement pu se présenter au tribunal pour dénoncer Lagarde son homologue de l'Union nationale. Son geste aurait pué la partisanerie politique. Il s'est donc trouvé un témoin, Jean-Guy Moreau, pour aller en cour à sa place. Mais comment le prouver ?

Du côté gouvernemental, les choses commencent à bouger. Lapalme n'a plus le choix. Le 26 février, veille de l'ouverture de la nouvelle enquête du juge Blain, le procureur général annonce publiquement : « Mon département et moi-même sommes à la disposition de M. Lagarde. » L'imprimeur se méfie des ouvertures d'un homme qui s'est montré, jusqu'ici, si peu pressé de tirer toute cette affaire au clair. Son avocat lui conseille plutôt de tester la bonne foi du substitut en chef. Lagarde apprend donc à Me Desjardins les résultats de son enquête. Il évoque les rôles joués par Moreau, Fontaine, Jolivet et même celui qu'il prête à Me Grégoire. Fermé comme un livre, Desjardins se montre peu loquace. Il prend des notes. Il révèle cependant à Lagarde qu'il a attendu une consigne du procureur général avant de procéder dans cette affaire[34].

Le juge Blain ouvre son enquête. Jean-Guy Moreau vient se confesser : il a bel et bien menti à l'enquête préliminaire de son ancien patron. L'inspecteur Houle refuse tout d'abord d'indiquer au magistrat le nom du supérieur qui lui a transmis la première information quant à l'entreposage des faux à la gare Windsor. Il avoue finalement : c'est Me Desjardins. Deux jours plus tard, le procureur en chef comparaît à son tour. L'intuition d'André Lagarde était bonne : la personne qui a fourni le « tuyau » à Me Desjardins était Jean-Paul Grégoire ! Admission capitale pour Lagarde car, durant la campagne électorale de novembre, Grégoire s'occupait personnellement, outre ses fonctions habituelles, de faire élire Guy Gagnon dans le comté de Saint-Jacques, circonscription à laquelle était destinée une partie des faux certificats.

Le chat va-t-il enfin sortir du sac ? L'avocat admet qu'il a organisé l'entrevue entre Jean-Guy Moreau et Me Desjardins. Il avoue également qu'il était l'informateur de Lapalme. Mais, dit-il, je n'ai fait que lui transmettre un renseignement que m'avait donné Jean-Paul Boisjoly.

Pour Lagarde, son *alter ego* libéral vient tout simplement de laisser entendre à mots couverts que les véritables instigateurs du coup sont Boisjoly et Sauvé. Le juge Blain tente de prendre Me Grégoire en défaut. Il lui fait remarquer qu'à sa comparution Boisjoly a nié toute participation, de près ou de loin, à l'affaire des faux certificats.

— Et c'est lui qui vous a mis sur la piste ? interroge le juge.

— Il ne m'a pas dit que c'était lui qui avait fait ça, il m'a mis sur la piste, réplique l'avocat.

— Il ne vous a jamais dit que c'était lui qui avait patenté ça ?

— Je ne crois pas qu'il m'a dit ça, ajoute Me Grégoire[35].

L'organisateur libéral « ne croit pas » que Boisjoly lui ait avoué être l'instigateur de la combine. Réponse vague, concluent Lagarde et Me Danis. Venant d'un avocat chevronné comme Me Grégoire, elle prend un sens très précis. Le 7 mars, le juge termine son enquête. Il porte une série d'accusations contre Marcel Jolivet, Omer Fontaine, Jean-Guy Moreau, Jean-Paul Boisjoly et Marcel Sauvé. Les trois premiers plaideront coupables par la suite et seront condamnés à diverses peines de prison. Boisjoly et Sauvé nient leur culpabilité. Ils devront subir leur procès sous l'accusation d'avoir machiné l'affaire. La Couronne les considère donc comme les « cerveaux » de l'intrigue. André Lagarde est accablé : les « gros », les vrais coupables pourront dormir en paix. Ce sont les exécutants qui vont écoper.

Faut-il en rester là ? Oublier toute l'affaire ? Mettre un terme à la guérilla judiciaire ? Ce serait admettre que la justice n'est qu'un vain mot. Lagarde pousse plus loin ses recherches. Il a su que deux policiers sous les ordres de l'inspecteur Houle en ont beaucoup à dire sur la façon irrégulière dont celui-ci a mené l'enquête. Lagarde les convainc de s'expliquer devant le juge Blain, le 18 mars. Après avoir écouté les témoignages du sergent Champagne et du caporal Desnoyers, le magistrat décide de reprendre son enquête dès le lendemain. Les deux policiers devront revenir devant lui. L'inspecteur Houle également. Lagarde se frotte les mains : l'enquête repart ! Elle n'ira pas loin.

Le bureau du procureur général en a assez des initiatives de l'imprimeur. Le 19 mars, la justice est mise en échec par la politique. La pièce va changer de scène. Les faux quittent le prétoire pour le « salon de la race ». Me Desjardins se présente devant le juge Blain pour l'informer que les deux policiers ne pourront pas témoigner. Le substitut en chef se tourne alors vers Lagarde et lui demande :

— Qu'est-ce que vous cherchez dans cette affaire ?

— Si ça peut vous intéresser, réplique vivement l'avocat Danis, je crois que M. Lagarde cherche à prouver qu'il est innocent !

— Je suis prêt à lui remettre une lettre attestant son innocence si ça peut vous satisfaire, dit sèchement Me Desjardins[36].

Pourquoi pas ? se dit Lagarde. C'est un peu de baume sur une plaie encore vive. La Couronne reconnaîtra ainsi publiquement qu'elle s'est royalement fourvoyée et que le ministre responsable, Georges-Émile Lapalme, a commis une grave erreur en autorisant des arrestations sans preuves suffisantes. Le 20 mars, gros titre dans *Le Devoir* : « Les faux : la Couronne exonère officiellement André Lagarde. » La lettre du procureur Desjardins précise :

Vu les faits révélés lors de la pré-enquête devant le juge et au cours de l'enquête policière, il n'est que juste qu'il soit dit que j'ai aujourd'hui la certitude morale que M. André Lagarde n'a rien eu à faire dans ce qu'il est maintenant convenu d'appeler l'affaire des faux certificats. Les témoignages recueillis et les déclarations obtenues indiquent que certains individus auraient induit la police en erreur en tentant d'impliquer André Lagarde et atteindre ainsi l'Union nationale dont il était l'organisateur en chef[37].

L'aveu du procureur général blanchit le « Sherlock Holmes » unioniste. Mais il ne résout rien. Qui a « induit la police en erreur » ? La clé de l'énigme se trouve là. À qui Boisjoly et Sauvé, les exécutants de toute évidence, obéissaient-ils ? De guerre lasse, Lagarde tente une dernière démarche auprès du premier ministre lui-même. « Tout le monde, lui écrit-il, se pose naturellement la question : par qui, quand, comment et au profit de qui certains individus ont-ils induit la police en erreur ? » Lagarde prie Lesage de faire la lumière afin « de découvrir quelles sont les personnes qui, en haut lieu, ont trempé dans cette conspiration contre moi[38] ».

Le premier ministre est trop pris par la préparation de son budget pour se mêler de cette histoire. Et puis, il part pour le Sud. Un dernier subterfuge de Me Danis oblige le juge Blain à tenir dans son bureau une nouvelle audience qui avorte vite par suite du refus de témoigner du procureur en chef Desjardins. Côté Cour, il n'y a plus d'espoir. Toutes les avenues paraissent bloquées, toutes les portes cadenassées.

Durant les semaines et les mois qui suivent, Daniel Johnson harcèle Lapalme, l'accusant tantôt d'être intervenu auprès des juges, tantôt d'avoir été aveuglé par la partisanerie politique, tantôt de « cacher » des personnes. « Même si Boisjoly et Sauvé sont condamnés, affirme le chef de l'Union nationale, je ne serai pas satisfait car il y a d'autres personnes... »

Le « salon de la race » s'enflamme bientôt. Un jour, le belliqueux Maurice Bellemare crie à la dictature. Prié par le président de la Chambre de retirer une accusation si peu parlementaire, le député de Champlain se tourne vers Lesage et lui lance : « Dictateur ! » Bellemare se retrouve en congé forcé pour sept jours[39].

Les faux certificats ont des suites politiques inattendues. Le 29 avril, Lapalme annonce son intention de démissionner comme procureur général pour se consacrer exclusivement à son second ministère, les Affaires culturelles. La presse commente : « Nul ne s'étonnera que M. Lesage veuille personnellement voir ce qui se passe au bureau du procureur général pour qu'une bourde de cette envergure ait pu être commise. » Le 30 mai, Lesage promet d'arrêter tout suspect, peu importe ses couleurs politiques. Le même jour, Johnson accuse Me Jean-Paul Grégoire de s'être parjuré ou presque devant le juge Blain. Le 1er juin, Lesage avoue pour la première fois qu'il s'est entretenu avec Me Grégoire le 2 novembre 1962, au moment de l'éclatement de la bombe. Le 19 juillet, Lapalme annonce au cabinet qu'il désire se retirer de la politique. Le 8 août, il démissionne, mais comme procureur général seulement. C'est René Hamel qui le remplace. Quant à Me Desjardins, on le mute discrètement ailleurs. Et l'affaire s'endort jusqu'en 1964.

Le fin fond de cette célèbre affaire ne sera jamais véritablement éclairci. En février 1964, André Lagarde la relance en publiant son livre. Il veut dépasser l'expérience terrible qu'il a vécue malgré lui, en prônant l'idée d'un protecteur du citoyen pour le Québec, selon le modèle des pays scandinaves. En avril 1964, Daniel Johnson se rend d'ailleurs en Suède avec André Lagarde et Paul Gros d'Aillon afin de se renseigner sur le fonctionnement de l'ombudsman suédois. On peut donc dire que l'institution ultérieure d'un protecteur du citoyen québécois découle de l'affaire des faux certificats.

Tout au long des années 1964 et 1965, le chef de l'Union nationale réclame sans succès une enquête publique et royale. Le 3 juillet 1964, au cours d'un échange verbal avec Johnson à la Chambre, Jean Lesage finit par admettre que, dans la soirée du 2 novembre 1962, Me Desjardins lui a téléphoné à Alma pour le mettre au courant de ses informations. Le premier ministre a alors autorisé le substitut en chef à faire arrêter Lagarde et Archambault. Aveu capital qui signifie que le premier ministre Lesage est aussi responsable que le procureur général et ses adjoints du tort grave causé à André Lagarde et à l'Union nationale. En d'autres mots, le chef libéral a couvert de son autorité une opération pour le moins douteuse et qui allait détruire totalement la crédibilité de ses adversaires politiques.

Quant au procès de Jean-Paul Boisjoly et de Marcel Sauvé, il ne peut s'ouvrir qu'après la démission de Lapalme comme ministre des Affaires culturelles, le 3 septembre 1964, mais diverses mesures dilatoires empêchent le tribunal de commencer véritablement son travail avant le 8 février 1965 — soit deux ans et demi après le début de la machination. Dans l'intervalle, un nouvel « incorruptible » célèbre, Claude Wagner, prend en charge le ministère de la Justice. Lui et Johnson se heurtent rapidement. Le 10 février 1966, le procès des deux présumés instigateurs des faux n'a toujours pas abouti. À Johnson, qui réclame pour la nième fois une enquête royale, Wagner rétorque, du ton autoritaire qui le définit : « Des preuves ou silence ! »

C'est effectivement le silence qui enveloppe le scandale jusqu'à la victoire de l'Union nationale, en juin 1966. Johnson au pouvoir, on pourrait croire que l'opinion publique connaîtra enfin les dessous de la conspiration. Il n'en est rien. En dépit des exhortations de son caucus, Johnson ne rouvre pas l'enquête. Nullement intéressé à reprendre à zéro un scénario où il a à la fois tant appris sur la justice et tant souffert, André Lagarde recommande à son chef de laisser mourir l'affaire.

Cette recommandation concorde avec les vues de Johnson. Victorieux, celui-ci refuse de se chauffer du même bois que les libéraux qui, en arrivant au pouvoir en 1960, s'empressèrent de remettre le sort du parti défait entre les mains des juges. Victime du « salissage politique » issu des audiences et des conclusions de l'enquête Salvas, Daniel Johnson ne veut pas traiter les vaincus de 1966 aussi mesquinement que l'avaient été ceux de 1960. Le procès de Sauvé et de Boisjoly se termina par un verdict de culpabilité et les deux « intermédiaires » se retrouvèrent en prison.

Notes — Chapitre 8

1. Jean-V. Dufresne : « Jean-Jacques Bertrand est-il un mythe ? », *op. cit.*, p. 47.
2. *La Presse*, le 15 décembre 1962.
3. Les résultats complets du sondage, réalisé par Gérard Desautels, du Centre de psychologie et d'orientation, sont publiés dans le livre d'André Lagarde, *op. cit.*, p. 41-45.
4. André Lagarde, *op. cit.*, p. 46.
5. *Montreal Star*, le 11 décembre 1962.
6. Paul Gros d'Aillon, *op. cit.*, p. 54.
7. André Lagarde.
8. Jean-Marc Poliquin, « Jean-Jacques Bertrand peut-il redorer le blason conservateur ? » *Magazine Maclean*, vol. 3, n° 1, janvier 1963.
9. *Ibid.*
10. *Le Devoir*, les 21 et 22 novembre 1962.
11. *La Presse*, le 7 décembre 1962.
12. *La Presse*, le 15 décembre 1962.
13. Jean-V. Dufresne, *op. cit.*, p. 22-25.
14. *Le Devoir*, le 10 décembre 1962.
15. *Le Devoir*, le 13 décembre 1962.
16. Paul Petit.
17. Cardinal, Lemieux et Sauvageau, *op. cit.*, p. 51.
18. *Le Devoir*, le 15 décembre 1962.
19. Me Jean-Paul Cardinal.
20. *Le Devoir*, le 17 décembre 1962.
21. Jean-V. Dufresne, *op. cit.*, p. 24; et *Le Devoir*, le 17 décembre 1962.
22. Paul Gros d'Aillon, *op. cit.*, p. 56; et *Le Devoir*, le 17 décembre 1962.
23. *Ibid.*
24. Le témoignage de Jean-Guy Moreau est tiré des notes sténographiques de la Cour telles que citées par André Lagarde, *op. cit.*, p. 49.
25. *Ibid.*, p. 48.
26. Le jugement entier du juge Marc-André Blain est cité en annexe du livre d'André Lagarde, *op. cit.*, p. 157-160.
27. André Lagarde, *op. cit.*, p. 53-54.
28. *Le Devoir*, le 23 février 1963.
29. André Lagarde, *op. cit.*, p. 58 et 63.
30. *Ibid.*, p. 59-62; et *Le Devoir*, le 1er mars 1963.
31. *Le Devoir*, le 19 février 1963.
32. *Le Devoir*, le 22 février 1963.
33. André Lagarde, *op. cit.*, p. 78-82.
34. *Ibid.*, p. 102; et *Le Devoir*, le 27 février 1963.

35. *Ibid.*, p. 110-116; et *Le Devoir*, le 8 mars 1963.
36. *Ibid.*, p. 129.
37. *Le Devoir*, le 20 mars 1963.
38. *Le Devoir*, le 5 avril 1963.
39. *Le Devoir*, les 30 avril, 4 mai et 24 mai 1963.

CHAPITRE 9

Un nationaliste en redéfinition

L'explosion du nationalisme canadien-français marque les années 1963-1964. Tout bouge en même temps sur ce front. Aiguillonnés par le contenu émotif du « maître chez nous » de novembre 1962 et par les « travaux d'Hercule » de la Révolution tranquille, les hommes politiques haussent le ton dans leurs revendications. Au faîte de sa puissance, Jean Lesage porte l'attaque à Ottawa. Il veut plus d'argent et plus de pouvoirs. Le chef libéral peut tonner comme l'Olympe, car il n'a plus en face de lui que le gouvernement moribond de John Diefenbaker.

Un peu plus tard, Jean Lesage maintient ses exigences devant le faible Lester B. Pearson, minoritaire lui aussi. Ottawa doit remettre au Québec 25 pour 100 de l'impôt sur le revenu des particuliers, 25 pour 100 de l'impôt des sociétés et 100 pour 100 des droits successoraux, sinon il s'expose aux pires représailles ! En avril, Lesage fait savoir à Pearson : « Vous avez un an pour répondre aux besoins du Québec. » Le premier ministre québécois a faim. Ses politiques sociales et éducatives font d'énormes trous dans les finances de la province.

Les années 1963 et 1964 se caractériseront donc par des affrontements graves entre le pouvoir central et Québec. Les coups de poing colériques de Lesage impressionnent Pearson qui cède de gros morceaux au chapitre des programmes conjoints et du régime universel de retraite. Le pendule du fédéralisme oscille pendant quelques mois du côté de la décentralisation. Dès 1965 cependant,

le vol circulaire de trois faucons québécois au-dessus de la capitale
fédérale assiégée (messires Trudeau, Marchand et Pelletier) indique
que la « normalisation » ne saurait tarder.

Pour Daniel Johnson, le chef libéral n'en demandera jamais
assez. La montée du sentiment indépendantiste l'engage dans une
surenchère pour récupérer ce nationalisme dont son parti a été,
durant de si longues années, le principal véhicule et qui paraît avoir
changé de camp à la faveur de la Révolution tranquille. L'agitation
de l'époque comme, aussi, ses simples réflexes de survie politique
entraînent irrésistiblement Johnson vers des avenues nouvelles et
plus radicales.

Époque d'inflation verbale, donc — comme tous les grands
moments de redéfinition et d'ajustement politiques. Époque du
terrorisme aussi. C'est nouveau au Québec. Le recours à la violence
étonne, puis inquiète. Le 2 avril, le Front de libération du Québec
jette sa première bombe sur l'édifice du Revenu fédéral, angle
Dorchester et Bleury, à Montréal. Simultanément, les terroristes
occupent la voie ferrée à Lemieux, à une centaine de kilomètres au
sud-ouest de Québec. Le train de Diefenbaker, qui traverse à ce
moment-là la province, est bloqué durant une heure à Sainte-Anne-
de-la-Pérade. Le FLQ menace de le faire sauter.

« *Is this Ireland ?* » grommelle le vieux chef tory en hochant
la tête. Non, ce n'est pas l'Irlande, mais — on le saura plus tard lors
de l'arrestation des premiers felquistes — certains terroristes
québécois ont puisé leur inspiration révolutionnaire dans les écrits
sur l'indépendance irlandaise. Sur les monuments publics apparaît
en lettres noires le sigle FLQ. Qui sont ces jeunes gens qui se
servent de la dynamite — comme d'autres ont recours aux harangues politiques ou aux bulletins de vote — pour faire avancer la
cause sacrée d'une patrie québécoise ? Ébahi comme beaucoup de
notables de la Grande-Allée, Jean Lesage s'interroge : « Qui a intérêt à détruire la réputation de notre province[1] ? »

Le 21 avril, quand une bombe explose dans un centre de
recrutement de l'armée canadienne, tuant sur le coup le gardien de
nuit William Victor O'Neil, le nouveau procureur en chef de la
Couronne à Montréal, Claude Wagner, dont le jugement est aussi
carré que les épaules, condamne les chefs indépendantistes
légaux : « Vous êtes maintenant devenus les complices de ces

meurtriers (les terroristes) et vous serez jugés comme tels.» Le Rassemblement pour l'indépendance nationale, parti qui rejette la violence, réplique au futur ministre Wagner : «C'est une véritable provocation !» Quelques jours plus tard, Daniel Johnson commente lui aussi : «Nous sommes contre l'usage des armes nucléaires pour résoudre les conflits internationaux et contre l'agitation terroriste pour résoudre les conflits à l'intérieur de notre pays. Il faut rendre la violence inutile en reconnaissant au peuple québécois tous ses droits de nation adulte[2].»

Début avril, le gouvernement Diefenbaker tomba. Ce ne sont pas les coups des felquistes qui le terrassent, mais plutôt sa propre turpitude et aussi l'ingérence américaine dans les affaires canadiennes.

Partisan d'une «politique véritablement canadienne conçue par les Canadiens pour les Canadiens», le gouvernement Diefenbaker n'a pas accédé à la demande des Américains qui voulaient entreposer des armes nucléaires dans le sous-sol canadien. Le Canada n'est pas un satellite, proteste le Lion des Prairies en fustigeant l'ingérence de Washington. Prix Nobel de la paix, le chef libéral Lester B. Pearson fait un clin d'œil à l'Oncle Sam. Durant la campagne électorale, il prend l'engagement formel d'accepter les armes nucléaires. Cela lui vaut une taloche de cet intellectuel intransigeant qu'est Pierre Trudeau, même si ce dernier le secondera bientôt dans ses efforts pour bloquer la poussé du Québec. «Pearson, clame-t-il en durcissant la voix, n'est qu'un défroqué de la paix qui achète des votes avec des principes trahis[3].» Les griffes du futur politicien pénètrent déjà profondément dans la chair de ses victimes.

Diefenbaker n'est pas le seul à dire non aux armes nucléaires. Le foudre d'éloquence du crédit social, Réal Caouette, menace de devenir «séparatiste» si Ottawa accepte les armes. Le débat sur les fusées américaines atteint même l'Assemblé législative. La menace créditiste tient Johnson en alerte. Caouette est contre les armements nucléaires? L'Union nationale doit l'être aussi. Mais le caucus du parti ne l'entend pas de cette oreille : c'est là une question de juridiction fédérale et le Québec n'a pas à s'en mêler. Johnson devra convoquer deux caucus avant de convaincre une majorité de députés. Le 28 mars, il dépose enfin une motion qui stipule : «Cette Chambre est d'avis qu'aucune arme nucléaire ne doit être entreposée sur le sol de l'État du Québec. » Lesage a donné son appui officiel à Pearson, il ne veut pas de débat. La motion Johnson mourra donc au feuilleton[4]. De toute façon, cela ne change rien à l'issue du match électoral : le soir du 8 avril, Pearson arrive au pouvoir sur la tête de l'une des fusées nucléaires américaines qui seront bientôt enfouies dans le sol québécois.

Avant de s'effondrer, Diefenbaker, l'homme du *One Nation, One Canada*, a adressé un *No* catégorique à André Laurendeau, rédacteur en chef du *Devoir*. Celui-ci venait de réclamer, pour une deuxième année consécutive, une enquête royale sur la « crise canadienne », enquête qui aurait porté essentiellement sur le bilinguisme et le biculturalisme. En janvier 1962, Dief avait repoussé l'enquête, mais accordé aux *French Canadians* des chèques bilingues. « Des miettes ! C'est trop peu, trop tard ! » s'était exclamé Laurendeau, indigné par l'incompréhension du chef conservateur.

En janvier 1963, le journaliste renouvelle sa demande. Dief répète son *No* et menace les libéraux, favorables à la tenue de l'enquête, d'un appel aux urnes si on l'embête trop sur cette question et sur celle du budget. L'opposition, qui compte les jours, ne demande pas mieux que de renverser le gouvernement, le 6 février.

Pearson élu, le Canada aura ses ogives nucléaires et Laurendeau sa commission d'enquête. Il en sera le coprésident avec Davidson Dunton, ex-président de l'Université Carleton d'Ottawa. Une longue mais révélatrice traversée du Canada attend les deux apôtres de la bonne entente.

Pour une nouvelle constitution

De 1946 à 1959, Daniel Johnson a été l'un des témoins privilégiés de la lutte épique de Duplessis contre les empiétements du fédéral dans le champ des pouvoirs provinciaux. Cela lui a permis d'acquérir une connaissance profonde des problèmes constitutionnels. Contrairement à son chef, il en est venu peu à peu à penser que le brandon de la discorde canado-québécoise se trouve d'abord dans le texte, caduc et plein de zones grises, de la Constitution de 1867. Duplessis ne remettait jamais la Constitution en cause, mais réclamait plutôt des fédéraux son respect intégral. Pour le fondateur de l'Union nationale, tout le mal venait du viol systématique du texte de 1867 par des gouvernements fédéraux centralisateurs et impies.

Le quatrième chef de l'Union nationale ne prend pas le contre-pied de cette conception ; cependant, il gravit un autre échelon. À partir de janvier 1963, Johnson soutient qu'il faut rédiger une nouvelle constitution afin de consacrer le principe fondamental de l'égalité des deux nations souveraines qui forment le Canada. Cette date constitue une étape importante de l'évolution constitutionnelle de Johnson. Il a trouvé deux idées clés — une nouvelle constitution et la reconnaissance de deux nations égales — qui seront le noyau de sa stratégie constitutionnelle des années à venir.

Le 17 janvier, Johnson lance dans l'enceinte de l'Assemblée législative un ultimatum pour le moins provocant :

— Il ne reste que deux options possibles, dit-il, entre lesquelles il faudra choisir avant 1967 : ou bien nous serons maîtres de nos destinées dans le Québec et partenaires égaux dans la direction des affaires du pays, ou bien ce sera la séparation complète[5].

À l'occasion de ce discours, le chef unioniste met au point, pour ses interventions politiques majeures, une méthode rédactionnelle qu'il observera jusqu'à sa mort. Il s'entoure d'abord de quelques conseillers avec qui il jette sur papier ses principales idées. Ensuite, le journaliste Charles Pelletier, demeuré à son service après la démission de Barrette, rédige les grandes lignes d'un projet de discours. Nouvelle réunion du comité *ad hoc* qui épluche le texte de Pelletier et y met la dernière main. À cette époque, les autres conseillers sont Jean-Noël Tremblay, le professeur de littérature à la langue pointue qui dispose de tout son temps depuis que les créditistes en ont fait une bouchée aux élections fédérales de 1962, Paul Gros d'Aillon, le « maudit Français » à la langue aussi bien pendue que Tremblay, Fernand Girard, organisateur en chef pour la région de Québec, et Jean Blanchet, fonctionnaire du parti[6].

Le camp libéral s'interroge lui aussi sur son option constitutionnelle. Les nouvelles idées émises par Johnson poussent Jean Lesage à préciser les siennes, au cours d'un débat entre les deux chefs politiques. Le premier ministre reprend, en d'autres mots, la position défendue avant lui par Duplessis. La division nationale ne découle pas de la Constitution de 1867, mais plutôt de « sa mise en pratique ». Si Lesage s'entend avec Johnson pour affirmer que « c'est l'heure de la dernière chance pour la Confédération », il refuse cependant de revendiquer comme lui une nouvelle constitution. Il estime qu'il s'agit là d'une démarche inutile. Pour que s'évanouisse le cauchemar du séparatisme québécois, il suffit de revenir, comme l'exigeait Duplessis, à l'esprit du pacte confédératif de 1867, c'est-à-dire au respect des juridictions provinciales et à un nouveau partage de la fiscalité. Il faut également, et cela va de soi, reconnaître la dualité linguistique du pays[7].

Le « nouveau nationalisme » de Johnson s'écarte donc radicalement de l'analyse libérale. Johnson émaille aussi sa thèse d'un vocabulaire neuf qui fera rapidement sa fortune politique. « L'Union nationale, commence-t-il à professer, est un parti libre pour un Québec libre. » Il n'y va pas par quatre chemins.

> Ce n'est pas une enquête sur le bilinguisme qu'il nous faut avant 1967, mais une assemblée constituante ; pas une constitution rapiécée, mais une constitution nouvelle. Sans quoi, il n'y aura pas d'autre issue que l'indépendance du Québec. Cessons une fois pour toutes de rêver d'une impossible unité. C'est l'union qu'il faut désormais chercher, l'union dans la liberté, l'harmonie dans le respect des souverainetés nationales, l'alliance de deux communautés ayant des titres égaux à l'autodétermination. Voilà ce que l'État du Québec devrait sans tarder faire savoir à Ottawa. Il est urgent d'amorcer la convocation d'une assemblée constituante d'où sortira le Canada de demain : un Canada où deux nations vraiment souveraines pourront exercer librement tous les pouvoirs nécessaires à la réalisation de leurs destins respectifs et établir ensemble, sur un pied de parfaite égalité, les conditions de leur cœxistence[8].

La ligne johnsonienne paraît nette : elle s'oriente du côté de l'égalité. L'idée de l'indépendance est agitée comme un spectre afin d'accélérer les négociations. C'est le gourdin, ou la grenade, que le Québec doit tenir durant l'élaboration d'une nouvelle constitution canadienne mieux adaptée aux réalités nouvelles.

L'entreprise ne doit pas s'éterniser. Il faut faire très vite si on veut éviter le fractionnement du pays. Aussi la nouvelle alliance devra-t-elle voir le jour avant 1967, année du centenaire de la Confédération. C'est un délai symbolique. Comment y arrivera-t-on ? Par quels mécanismes ? Il faut convoquer une assemblée constituante qui groupera politiciens et corps intermédiaires :

syndicats, chambres de commerce, sociétés nationales et culturelles, etc.

Dorénavant, la bible de Daniel Johnson sera un rapport que Duplessis avait relégué aux oubliettes, celui de la commission Tremblay sur les problèmes constitutionnels. Pour lui, ce document fait figure de véritable prélude aux états généraux du Canada français. Sans pour autant le prendre à son compte, le chef unioniste se rapproche donc, dès 1963, de « l'idéal de l'indépendance » prôné jusqu'alors par les mouvements indépendantistes comme l'Alliance laurentienne, le Rassemblement pour l'indépendance nationale et le Parti républicain de Marcel Chaput. L'Union nationale est le premier parti traditionnel à mettre dans sa besace ce mot explosif et à lui conférer du même coup, ne serait-ce que par la négative, une légitimité politique embryonnaire.

Que le chef du premier parti québécois à risquer un flirt aussi ambigu soit l' « Irlandais » Daniel Johnson paraît étonnant. Cela le devient encore plus si l'on sait que son nationalisme est loin de remonter très haut. Avant d'éclater au début des années 60, il est demeuré longtemps à l'état latent, car, avant d'être canadien-français, Johnson a d'abord été irlandais. Le jeune Daniel se sentait en effet beaucoup plus proche de ses origines paternelles que de ses racines maternelles. Son père, Francis Johnson, éprouvait une admiration sans bornes pour le leader indépendantiste irlandais, Eamon de Valera, qu'il tenait pour un dieu (de Valera avait même fait de la prison pour la cause irlandaise). Il transmit à son fils son culte pour le libérateur de l'Irlande. En outre, Francis ressemblait, paraît-il, à de Valera et rien ne lui faisait plus plaisir que de se l'entendre dire. Il se sentait solidaire des Irlandais du Sud persécutés, comme les Canadiens français, par les Anglais[9].

L'analogie entre la situation québécoise et la situation irlandaise a-t-elle marqué l'évolution nationaliste de Daniel Johnson ? Sans doute, mais sûrement pas durant la première partie de sa vie. Au séminaire de Saint-Hyacinthe, par exemple, Johnson communiait difficilement aux courants du nationalisme canadien-français des années 30. Son héros était de Valera et non les Henri Bourassa ou les Lionel Groulx. Son sentiment irlandais dominait la conscience qu'il avait pourtant de son appartenance canadienne-française.

Paradoxalement, il trouvait le nationalisme de ses camarades

de classe trop extrémiste et irréaliste — attitude qui lui méritait
parfois le quolibet de « maudit Irlandais ». Sa double appartenance
culturelle communiquait une ambivalence certaine à son nationalisme. Comme Irlandais catholique, il s'opposait aux anglophones
protestants. Comme Canadien français, ce n'était pas la religion,
mais la langue qui en faisait un « ennemi » des « Anglais ».

« Ennemi » est d'ailleurs un bien grand mot, car, au séminaire
d'abord, puis à l'Université de Montréal, l'étudiant Johnson favorisait
la bonne entente avec le Canada anglais. À cette époque, le Mouvement des Jeunes-Canada, de tendance nationaliste, agitait déjà le
milieu étudiant. Le jeune Irlandais de Danville était loin d'adhérer
à ce courant d'idées auquel un étudiant comme Roger Duhamel,
future sommité du journalisme québécois, ne craignait pas de
s'associer. Venant à peine de retirer sa soutane, Johnson se passionnait d'ailleurs tout autant pour les questions sociales et pastorales
que pour les aspirations nationalistes de ses camarades de droit.
Quand il lui arrivait de se mêler du débat entre Canadiens français
et Canadiens anglais, il n'hésitait pas à se faire l'avocat du dialogue
et de la bonne entente.

Dans *Le Quartier latin* de décembre 1937, il s'en prenait
vivement à « l'anglophobie » de ses collègues étudiants :

> Messieurs les Anglophobes — ils sont peu nombreux heureusement
> —, au lieu de dépenser de la salive et des énergies à maugréer contre
> les Anglais, cherchez donc à les connaître et à imiter leur esprit de
> travail et de solidarité. Il faut aller aux Anglais, les rencontrer partout
> dans le monde des affaires et de la politique, pourquoi les
> bouder ? Préparons le terrain de la collaboration et de l'entente.
> Oh ! J'entends crier : « Encore un bon-ententiste, un lécheur de
> bottes... » Pardon. Bonne entente n'est pas synonyme d'à-plat-
> ventrisme comme ce le fut trop souvent dans le passé. Pour cela,
> nous n'avons qu'une chose à faire : devenir des compétences[10].

Jeune avocat, ce n'est pas à l'intérieur du Bloc populaire que
Johnson militait — comme tout nationaliste digne de ce nom se
devait de le faire à l'époque —, mais aux côtés de Maurice Duplessis,
nationaliste lui aussi, mais de façon beaucoup plus orthodoxe. Tout
au long de leurs années de luttes communes contre les empiétements

de l'ogre fédéral, son nationalisme prenait lentement de la maturité, comme un bon vin. Mais tant que sa pensée politique demeurait la réplique presque parfaite de celle de Duplessis, Daniel Johnson ne pouvait se défaire de l'orientation défensive et de survie mise de l'avant par son maître.

Tout traditionaliste qu'il fût, le député de Bagot adoptait néanmoins certaines attitudes qui donnaient à penser que sa prise de conscience du fait canadien-français s'était élargie avec les années et qu'il restait peu de chose du collégien irlandais des années 30 et 40. À la fin de la décennie 50, l'un de ses amis de Bagot, le maire Bernard Proulx, lui vendit une police d'assurance. Johnson lui dit alors :

— Je prends 20 000 dollars d'assurances de toi, mais si tu travaillais pour une compagnie canadienne-française, ce n'est pas 20 000 dollars que je prendrais, mais 200 000 dollars !

Bernard Proulx suivit le conseil du député et quitta son employeur américain pour une société québécoise. Du temps où John Diefenbaker régnait à Ottawa, celui-ci devait souvent communiquer avec le bureau de Johnson, à Saint-Pie. C'était toujours sa secrétaire francophone qui devait faire l'appel ou écrire la lettre parce que Johnson avait interdit à son personnel toute communication verbale ou écrite en anglais. Le recours à la langue de Shakespeare était son apanage[11].

La nouvelle flambée du sentiment national du peuple québécois, au début des années 60, agit sur le député de Bagot comme un véritable catalyseur. Après son élection à la direction de l'UN, il se lance dans une série de consultations, souvent à l'extérieur de son parti, pour donner un nouveau visage au nationalisme défensif qu'il a hérité de Duplessis. Il commence alors à s'entourer de personnages dont certains sont sympathiques à l'idée de l'indépendance, tels les Jean-Noël Tremblay, Antonio Flamand, Armand Maltais, Paul Gros d'Aillon et Marcel Masse, jeune professeur d'histoire nouvellement entré au parti.

Inutile de dire que les nouveaux favoris du chef irritent le clan Bertrand. Le cahier de doléances du député de Missisquoi, dont le nationalisme ne dépasse guère le stade de l'éloquence sincère, s'en trouve proportionnellement enrichi. Bertrand est, depuis toujours, carrément fédéraliste et ne s'en cache pas. Encore une fois, ce sont les médias qui ont fabriqué le mythe du Bertrand nationaliste.

Le rapprochement entre Johnson et le mouvement indépendantiste accroît la tension au sein du parti. Le chef doit faire preuve d'un doigté extraordinaire pour se maintenir en équilibre entre son aile ultranationaliste et l'aile plus modérée et plus fédéraliste constituée autour de Bertrand et de Paul Dozois. Dans les groupes de travail qui s'affairent à la rédaction du programme du parti, on retrouve toujours les deux tendances. Johnson évite ainsi une rupture coûteuse entre nationalistes et fédéralistes. Il prend également soin d'étudier, pour chaque question, les deux côtés de la médaille en écoutant les arguments de ses nationalistes, puis ceux de ses fédéralistes. Ensuite seulement, il prend position et ne se trouve donc jamais dépourvu devant les objections des premiers ou des seconds. Il a réponse à tout. Cette méthode habile comporte, en revanche, l'inconvénient de ralentir le processus décisionnel. Plus vif de tempérament et beaucoup moins réfléchi que son chef, Jean-Jacques Bertrand s'en irrite souvent[12].

À la fin de 1962, deux hommes vont s'empresser auprès de Johnson dans le but d'ouvrir son esprit à l'idée d'indépendance ; ce sont Jean-Noël Tremblay et le turbulent Antonio Flamand. Tremblay impressionne beaucoup le chef unioniste. Sa langue châtiée, qu'il parle à l'européenne, son aplomb et sa rage nationaliste en font rapidement l'un des familiers de Johnson qui cherche, à cette époque, à relever le calibre intellectuel de son parti par des apports extérieurs.

Jean-Noël Tremblay est un personnage hors du commun. C'est le fils d'un cultivateur de Charlevoix établi au Lac-Saint-Jean et sa mère est née à Chicoutimi. Les racines de l'ex-député de Roberval sont à la fois rurales et urbaines. D'ailleurs, il faudrait gratter longtemps avant de trouver le paysan chez cet homme émacié qui a tous les tics de l'intellectuel guindé. Il conserve cependant un petit côté provincial, ne serait-ce que dans la répulsion que lui inspire une grande métropole comme Montréal.

Tremblay a vu le jour dans une région où les enfants viennent au monde nationalistes. À dix-sept ans, il faisait déjà de la politique dans les rangs des « nationaux ». Il prononça son premier discours officiel en faveur du député unioniste de Roberval de 1944 à 1956, J.E. Antoine Marcotte. À l'Université Laval, il se fit vite remarquer par l'intransigeance de son nationalisme. En 1951, il polémiquait dans la revue *L'Action nationale* avec des « fédéralistes » comme Fernand Dumont, Guy Rocher et Claude Morin. Duplessiste inconditionnel, Tremblay attaquait d'une plume déjà vitriolique les disciples du père Lévesque qui osaient s'en prendre au grand homme[13].

En 1958, l'ardent nationaliste s'égare, pour les quatre prochaines années, en politique fédérale à titre de député conservateur de Roberval. Ce sont les phalanges créditistes de Caouette qui le « soulagent » de son mandat, lors des élections de 1962. Il était temps, car, quelques mois plus tôt — à l'automne de 1961 —, sa sortie iconoclaste contre la Confédération avait scandalisé son parti et son chef Diefenbaker. Le 29 janvier 1962, le député de Roberval s'affiche aussi aux côtés de Raymond Barbeau, fondateur de l'Alliance laurentienne, à l'occasion du cinquième anniversaire du mouvement indépendantiste. Il avoue : « Entre le Québec et la Confédération, je choisis le Québec, le Québec libre[14] ! »

Pareil langage n'est pas acceptable dans la bouche d'un député fédéral. Aussi le dissident doit-il comparaître devant ses juges, c'est-à-dire les Jeunes Conservateurs fédéraux, réunis à Montréal vers la fin de février. Va-t-on l'expulser ? Tremblay s'objecte : « Je demande à tous de m'accorder autant de latitude que m'en a accordée M. Diefenbaker. » L'argument autant que le personnage désarment les jeunes tories qui retirent leur motion de censure. La tâche de bouter, hors de l'arène fédérale, le « séparatisant » Jean-Noël Tremblay revient donc aux zélés caouettistes.

Privé de son siège de député, celui-ci retourne à ses premières amours : l'enseignement de la littérature française à l'École de pédagogie et d'orientation de l'Université Laval. En même temps, il se rapproche de Daniel Johnson avec l'intention de faire son « éducation nationaliste ». Jean-Noël Tremblay a compris que l'UN doit aller plus loin que les libéraux si elle veut récupérer le vote nationaliste. Un soir de 1963, à Québec, le professeur profite d'une longue conversation pour attirer Johnson sur le terrain brûlant de l'indépendance.

L'agitation indépendantiste est à son comble. Une explosion terroriste a été meurtrière. C'est Tremblay qui discourt. Johnson écoute. Il intervient généralement peu dans ce genre de conversation où son attitude donne parfois l'impression à son interlocuteur qu'il est seul à discuter de politique. Johnson a une dialectique déroutante : il va à gauche, puis à droite. Il a l'air de sautiller de façon désordonnée, mais, à l'une de ses questions, on comprend tout à coup où il veut aller.

L'ancien député est à la fois séduit et déconcerté par le cheminement de Johnson, car il aime avant tout la rationalité de l'esprit français. La démarche intellectuelle de Johnson est à l'opposé : il s'intéresse à des détails en apparence futiles, mais auxquels il greffe subitement une idée importante.

— Vous vissez vos crochets dans le mur, lui dit alors Jean-Noël Tremblay. Après, vous allez y accrocher vos idées. Vous vous faites une penderie.

Johnson éclate de rire. Ce qu'il admire chez Tremblay, c'est non seulement son génie de la langue, mais aussi l'organisation de sa pensée. Il réplique :

— Vous êtes un inventeur de formules !

Ce soir-là, Tremblay s'est promis de compromettre Johnson sur la question indépendantiste. Son but : obliger le chef unioniste à se situer clairement. Il sait que sa démarche ne sera pas vaine, car, contrairement à Bertrand par exemple, Johnson n'a jamais d'idées tout à fait arrêtées. Il n'est pas faible et il est disponible. Avec lui, on peut y aller carrément, le critiquer durement même, pourvu que le geste ne soit pas purement gratuit. Johnson témoigne d'une grande souplesse qui lui permet de savoir écouter autrui. Au cours de la conversation, il dit à son hôte :

— Ce serait peut-être important d'en parler publiquement de ce problème-là ?

— Abordez la question ! réplique Tremblay en esquissant un sourire à peine perceptible.

— Non, moi je ne peux pas. Je ne le ferai pas !

— Vous rendez-vous compte qu'à un moment ou à un autre les partis politiques d'Ottawa ou de Québec vont devoir considérer l'idée indépendantiste ou, à tout le moins, se situer par rapport à la conjoncture ?

Jean-Noël Tremblay doit prendre la parole au club Renaissance quelques jours plus tard. Après son échange avec Johnson, il modifie le thème de sa causerie. Il ne parlera pas d'éducation, mais d'indépendance ! Il intitule son exposé : « Les partis politiques à l'heure de l'indépendance. » Le chef de l'Union nationale en est tout simplement ravi.

— Vous avez compris mon message ! lui dit Johnson par la suite.

— Vous vouliez un messager. Maintenant, voilà ! La voie est pavée. Allez-y ! rétorque Tremblay[15].

À la même époque, l'ancien député prête sa plume incendiaire à l'hebdomadaire du parti, Le Temps, que dirige Paul Gros d'Aillon. Johnson a demandé à son publiciste de revitaliser le journal pour en faire un véritable organe de combat. En peu de temps, le tirage grimpe à 30 000 exemplaires. Les revenus publicitaires augmentent tout aussi rapidement grâce à l'efficacité de Christian Viens à qui Johnson a confié la gérance du journal. Ils atteignent annuellement 100 000 dollars, somme suffisante pour financer le secrétariat du parti à Québec[16].

L'arrivée de Tremblay au Temps n'est pas sans causer des maux de tête à Gros d'Aillon, car le guindé professeur n'écrit pas ses textes à l'encre, mais au vitriol. En janvier 1964, Le Temps stigmatise durement les commissaires francophones de la commission Laurendeau-Dunton, dans un article intitulé « Comment on fabrique un traître ». Le ton en est tel que Johnson doit s'en dissocier publiquement. Il en profite pour servir une semonce à son unique et virulent rédacteur : « Nous n'excerçons aucune censure contre Le Temps et ses collaborateurs jouissent de la plus grande liberté. Au lieu d'exercer une censure, nous préférons remplacer les journalistes, s'il y a lieu de le faire[17]. »

Quand Lapalme donne sa démission en septembre 1964, abandonnant à Lesage le dossier toujours aussi obscur des faux certificats, Tremblay écrit : « Sorti de la boue, il rentre dans la boue. Tel il était entré dans l'arène politique, distillant le fiel et crachant l'injure, tel en est sorti Georges-Diafoirus Lapalme qui restera, dans l'histoire du Québec, le portrait le plus achevé du politicien mesquin, haineux, envieux et jaloux, le frustré par excellence, l'homme qui aura tout raté[18]... »

Le professeur de littérature au langage apprêté n'est pas le seul à vouloir convertir Johnson à la cause de l'indépendance. Il y a aussi l'avocat Antonio Flamand, originaire également du « pays » du

Lac-Saint-Jean et tout aussi extrémiste que son compatriote
Tremblay. Flamand ne craint pas les conflits : il dit tout ce qu'il a
sur le cœur, même si cela doit nuire à ses rapports avec autrui. Il est
direct comme tout « beluet » du Lac-Saint-Jean. Aux élections de
1962, il a prêté son concours dans la circonscription de Québec-Est
à son ami Armand Maltais, aussi indépendantiste que lui.

Après le congrès de 1961, la carrière politique du jeune
Flamand avait bien failli avorter parce que Johnson se posait des
questions sur sa loyauté. En tant que protégé d'Antonio Talbot, il se
trouvait indirectement lié à Gérald Martineau, bête noire du député
de Bagot, et à Jean-Jacques Bertrand, ami du député de Chicoutimi.

Antonio Flamand vouait une grande reconnaissance à Talbot
qui avait guidé ses premiers pas dans ce monde piégé de la politique.
À vingt-quatre ans, il avait pu, grâce à lui, rencontrer Duplessis. Un
jour, en effet, son protecteur lui avait annoncé :

— Tu viendras après la séance du Conseil des ministres.

L'étudiant en droit attendit, le cœur battant, que la porte
s'ouvrît. Il allait enfin parler à Duplessis. Quelle veine ! Duplessis
et son protecteur sortirent de la salle du Conseil en bavardant.
Antonio resta figé comme une momie. Talbot dut lui faire signe
d'avancer. De peur de passer pour un menteur, le jeune étudiant ne
souffla mot à personne de cette rencontre, pas même à son meilleur
ami Maurice Giroux. Duplessis, c'était un dieu ! Rares étaient ceux
qui pouvaient se vanter de lui avoir serré la main. Et lui, paysan
balourd du Lac-Saint-Jean, il avait pu le faire. Il avait même réussi
à bafouiller quelques mots[19].

Son amitié pour Talbot n'empêchait pas Antonio Flamand de
considérer Johnson comme l'homme de la situation et de vouloir
l'épauler. Mais il était perplexe au sujet des sentiments qui animaient
le nouveau chef à son endroit. Quand Johnson demanda à ses organisateurs de lui ménager une rencontre avec la jeunesse étudiante
du parti, on oublia d'inviter Flamand. Celui-ci était très désireux de
participer au meeting, car il voulait savoir, une fois pour toutes, à
quoi s'en tenir à propos de Johnson. Paul Chouinard, étudiant en
droit à l'Université de Montréal et frère du fantaisiste Jacques
Normand, lié d'amitié avec Johnson, lui avait dit avec son éternel
sourire ironique :

— J'ai entendu dire par Fred Chevalier que Johnson a dit que
ton chien était mort avec l'Union nationale !

Flamand se fit finalement inviter et, le jour de la réunion, il prit un siège dans la première rangée. Le début de la rencontre fut horrible pour Johnson. La majorité des étudiants était favorable aux idées réformistes de Bertrand et le nouveau chef n'eut pas trop de toute son habileté pour transformer leur hostilité en une euphorique bienveillance. Tout en caressant les poils de sa nouvelle barbe, Flamand laissa Johnson faire son numéro. Puis il demanda la parole :

— Je suis d'accord avec ce que vous dites, monsieur Johnson, mais il y a une chose qui me fatigue. Votre ami Fred Chevalier colporte partout que mon chien est mort avec l'Union nationale. Ça ne dérange pas mon chien, mais je crois que votre parti a beaucoup plus besoin de chiens enragés comme moi que de chiens morts !

Le visage de Johnson devint de bois. Aussitôt la séance levée, il ordonna au jeune étudiant d'un ton tranchant :

— Venez à mon bureau !

Quand ils furent seuls, Johnson éclata :

— Pourquoi as-tu dit ça devant les autres ?

— Je suis fait comme ça, monsieur Johnson. Quand j'ai quelque chose sur le cœur, il faut que ça sorte[20] !

Le chef gronda encore Flamand pendant quelques minutes et lui demanda sa confiance. Le passé était oublié ! L'étudiant sortit du bureau de Johnson réconcilié avec lui et prêt à le servir contre vents et marées.

*　*　*

La défaite électorale du 14 novembre 1962 incite Flamand à remettre en question l'option constitutionnelle du parti. Il est d'avis, comme Tremblay et Maltais, qu'il faut doubler les libéraux au plan du nationalisme même si, pour cela, l'Union nationale doit prendre la tête du mouvement indépendantiste encore en gestation. Il attend que Johnson revienne d'Europe pour lui en parler.

Le 12 janvier 1963, l'avocat barbu demande une rencontre avec le chef.

— Vous devriez me rappeler, répond celui-ci, car j'ai un programme très chargé.

— M. Johnson, réplique Flamand en forçant la voix, je ne vous rappellerai pas !

— Pourquoi ? fait Johnson surpris par le ton de son interlocuteur.

— Vous êtes comme tout le monde ! Moi aussi, j'ai un agenda très chargé !

— Qu'est-ce qui ne va pas ? dit Johnson avec une résignation mêlée de douceur. Il a compris à l'arrogance du jeune homme que celui-ci a besoin de parler.

— Les militants ne vous en veulent pas, lance nerveusement Flamand. Ils ne sont tout simplement pas intéressés ni à l'Union nationale actuelle ni à vous. Et moi, M. Johnson, j'ai un moyen pour relancer le parti !

— Venez à deux heures à mon bureau du parlement, conclut Johnson.

Antonio Flamand a mijoté un « coup d'éclat » qui, espère-t-il, va le faire définitivement rentrer en grâce auprès de Johnson. En arrivant au bureau de celui-ci, à quatorze heures précises, il déclare avec force gestes au secrétaire Roger Ouellet :

— Je veux que l'Union nationale devienne indépendantiste !

Ouellet paraît plus amusé par la nervosité de Flamand que par sa tirade. L'avocat est agité, il marche de long en large, c'est le type même du « paquet de nerfs ». Les mots se bousculent sans cesse dans sa bouche, ce qui l'empêche de donner à sa pensée concision ou précision.

— Johnson va vous écouter pendant vingt minutes, répond le discret Roger Ouellet. Mais après, ce sera fini.

Le secrétaire du chef connaît tout de ses habitudes de travail. Il l'a vu arriver à l'Union nationale en 1946. Depuis, il a eu le temps de l'observer. Son premier patron, Maurice Duplessis, s'est aussi chargé de le renseigner, au fil de ses confidences, sur la personnalité complexe de Johnson.

— Vous devriez aller souper avec lui, ce soir, ajoute Roger Ouellet. Rencontrez-le le dernier, cet après-midi. Laissez les autres passer d'abord. Ce soir, il va souper avec Fernand Girard, Paul Gros d'Aillon et d'autres aussi. Allez-y avec eux. Revenez voir Johnson vers cinq heures et demie.

Flamand suit le précieux conseil du secrétaire. Il appelle son ami Maltais à la rescousse et lui donne rendez-vous dans le bureau de Johnson, à dix-sept heures trente. Il se rend ensuite chez Charles Pelletier qui écoute son laïus sans broncher avant de conclure :

— C'est quelque chose que vous pouvez lui vendre.

Le rédacteur des discours du chef ne semble pas hostile à son idée. Flamand le quitte et, à l'heure dite, pénètre dans le bureau de Johnson.

— Écoute-moi bien ! lui lance ce dernier en le tutoyant.

Quand il est contrarié ou en colère, Johnson tutoie les gens qu'il a l'habitude de vouvoyer.

— Je t'ai donné rendez-vous à deux heures ! Je n'ai pas plus de trente minutes pour toi !

Là-dessus, il se tait et retire nerveusement ses lunettes.

— J'en ai pour plus longtemps, rétorque vivement Flamand. Car j'ai des choses très importantes à vous dire. Et Armand Maltais s'en vient !

Quand l'ancien député de Québec-Est entre dans la pièce, quelques instants plus tard, Johnson le prend aussi à partie :

— Toi aussi, tu es dans le coup ?

— Oui ! répond simplement Maltais.

Armand Maltais ressemble à un notaire. Il est plus grand que Johnson et Flamand, et porte une fine moustache. L'irritation du chef lui indique, tout comme à Flamand, qu'on l'a informé de la nature de la démarche.

— Ce n'est pas parce que je suis opposé à son idée, poursuit Johnson en toisant Maltais du regard.

Quand il veut exprimer son accord avec une idée, Johnson ne dit pas : « J'approuve... », mais procède par la négative : « Je ne suis pas nécessairement contre votre idée... »

— Mais tu sais comme moi qu'Antonio exagère parfois. Il fait le poète, reprend-il.

— Non, Daniel, je ne crois pas, réplique Maltais. Ce n'est pas mon opinion sur Antonio...

— Tout le monde est contre ça ! Mon entourage s'opposerait à ça !

— C'est parce qu'ils pensent tous que vous êtes contre l'idée, intervient Flamand. Ils diront comme vous...

— Si c'est ça, coupe Johnson, venez souper avec moi et les autres.

Une table est toujours retenue pour le chef de l'opposition et ses invités au très chic club de la Garnison, à côté de la Porte Saint-Louis. Au moment de s'asseoir, Johnson dit à Flamand :

— Assoyez-vous à côté de moi, Antonio.

— Non, fait Flamand. Comme je suis le chef de l'opposition ce soir, je prendrai le siège en face de vous !

Avant de quitter son bureau du parlement, Johnson avait soufflé à Flamand :

— On parlera de ton idée après le souper. Je t'interdis d'aborder ce sujet devant les autres.

Aussi l'avocat barbu s'arrange-t-il pour piquer la curiosité du groupe en déclarant à haute voix qu'il va contester le chef et que c'est pour ça qu'il met entre eux deux la largeur de la table. Il laisse le siège offert à Armand Maltais. À peine assis, il prend la parole et, sans laisser à son chef le temps de dire ouf, il explique aux autres qu'à quatorze ans il était déjà indépendantiste.

— Dans ma famille, dit-il, on était très nationaliste et je me rappelle que papa répétait souvent que le Québec devrait un jour ou l'autre se séparer du Canada.

Dans ce club très *canadian* où le loyalisme britannique imprègne encore murs et mobilier, l'avocat hérétique poursuit, attentivement écouté par tout le groupe, son plaidoyer en faveur de l'indépendance du Québec.

— Vous savez, Antonio, objecte Johnson, en politique, ce qui est très important, ce n'est pas seulement ce que vous croyez ou pensez, mais ce que la population croit ou pense. Il faut que les gens croient à ce que vous dites. Et là-dessus, ils ne nous croiront pas...

— Daniel, coupe vivement Armand Maltais, tu vas leur offrir la liberté et ils ne te croiront pas ? Si tu es convaincu de cela, que la population ne marchera pas, je me demande ce que tu fais à la tête du parti !

Le débat est lancé ! Encore une fois, Johnson ne se montre pas totalement hostile à la thèse de Flamand. Il ne l'approuve pas, non plus. Il interroge, laisse voir son scepticisme, mais ne condamne pas. À tour de rôle, chacun donne son opinion. Flamand exulte quand, ô surprise, l'organisateur Fernand Girard, dont les pieds sont bien ancrés dans la réalité, manifeste, comme les autres, une sympathie non déguisée envers l'indépendance. Chacun sait maintenant que Johnson est ouvert à l'idée. On affiche ses couleurs. Après le dîner, Johnson dit à Flamand, en aparté :

— Antonio, vous aviez raison. Il fallait discuter de cette question.

Par la suite, les rapports entre l'avocat indépendantiste et son chef se maintiennent au beau fixe. Finie la méfiance ! L'initiative de Flamand lui confère le statut de *persona grata* auprès de Johnson. Mais aux yeux de l'entourage de Bertrand, naturellement rebuté par un « séparatiste » tel que lui, il passe pour le chouchou du chef[21].

Si la pensée de Johnson évolue beaucoup grâce au bouillonnement nationaliste de l'époque et aux pressions de ses collaborateurs, il n'en devient pas pour autant le héraut de l'indépendance. D'une prise de position à l'autre, il emprunte une trajectoire radicale, certes, mais qui reste compatible avec le cadre fédéral.

Peu à peu, son vocabulaire se transforme. Le mot province s'efface progressivement devant l'expression « État du Québec ». Le réaménagement de la Confédération, il le voit selon la ligne maîtresse d'un Canada à deux et non plus à 10. C'est surtout vers mars 1962 que sa critique constitutionnelle se systématise. Daniel Johnson n'a pris les commandes de l'Union nationale que depuis six mois à peine.

Le 14 mars, il affirme aux étudiants unionistes de l'Université Laval : « Certains disent que la Confédération fut un marché de dupes ; pour ma part, j'y verrais plutôt l'un de ces marchés de maquignons dont l'apparente équité repose sur un fond mouvant de restrictions mentales. Ou bien nous réussirons à créer une véritable confédération... ou bien il faudra songer à autre chose. » Le 6 mai, Johnson précise, dans le comté de l'intransigeant Maltais : « Nous savons que nous pourrions nous débrouiller seuls, si nécessaire... » Deux jours plus tard, il devient comminatoire : « Si la Confédération fait de nous d'éternels mendiants, il est temps qu'on la modifie ou qu'on en sorte[22] ! »

Son premier lieutenant, Jean-Jacques Bertrand, embouche lui aussi la trompette d'une nouvelle entente, mais s'affiche clairement comme un fédéraliste. Contrairement à son chef, il ne brandit pas le bâton d'une éventuelle séparation. Il plaide pour la bonne entente et la collaboration ouverte avec le Canada anglais. Pour lui, comme pour son allié Paul Dozois, il faut faire d'abord tous les efforts pour rester dans la Confédération. Une indépendance mal préparée serait un désastre certain, un véritable suicide, soutient Dozois. L'Union nationale tient un double langage. Les modérés prennent le contrepied d'un chef soumis aux influences de conseillers séparatistes et dont le discours se teinte de jour en jour de radicalisme, mais aussi d'ambivalence[23].

En avril 1963, Johnson et Bertrand tiennent l'un et l'autre des propos discordants à l'Assemblée législative. Au cours d'un débat sur la Confédération, Johnson se montre d'une violence extrême et tire sur le fédéral à boulets rouges. Applaudi par les libéraux, son éternel rival prêche le langage de la conciliation et proclame solennellement sa foi dans la Confédération et en l'avenir du Canada. L'un des ministres qui ménage le moins ses acclamations à Bertrand se nomme René Lévesque. Ses relations avec Johnson sont toujours aussi empreintes d'agressivité.

Fin avril, dans le cadre du discours sur le budget, le chef de l'Union nationale pousse jusqu'à leur limite les revendications fiscales du Québec. Ce n'est pas 25 pour 100 des impôts sur le revenu des particuliers et des sociétés qui doit revenir au Québec, comme le réclame Lesage, mais bien 100 pour 100. Cette récupération totale de l'impôt par les provinces lui paraît conciliable avec le régime fédéral. Johnson lance dans la discussion sa fameuse formule « 100-100-100 » qu'il reprendra à la conférence fédérale-provinciale de 1966, une fois devenu chef du gouvernement[24].

Son flirt avec l'idée indépendantiste n'interdit pas à Johnson d'aller jeter sa sonde du côté du Canada anglais. En juillet, il prend de nouveau son bâton de pèlerin de la bonne entente et parcourt l'Ouest canadien. Il poursuit deux objectifs : se faire mieux connaître des chefs politiques à l'ouest de l'Ontario et tâter le pouls des *Westerners* sur la question constitutionnelle. Johnson se fait rassurant. Il a laissé ses excommunications à la maison. Les Canadiens ne doivent pas craindre la sécession du Québec, confie-t-il aux gens de Vancouver, car « la très grande majorité du peuple québécois désire résoudre ses problèmes sans aller jusque-là[25] ».

Dans l'Ouest, Johnson a fait un pas en arrière. De retour au Québec, il avance de deux pas. Jusqu'à sa mort, le chef de l'Union nationale recourra abondamment à cette stratégie du menuet, qui traduit sa préoccupation de ménager tant les ultras que les modérés de son parti afin d'éviter la rupture. Le 16 septembre, à Valleyfield, il met les fédéraux en garde : l'Union nationale deviendra un mouvement politique en faveur du séparatisme s'il n'y a pas refonte de la Constitution canadienne. En octobre, il recule et avance en même temps : « L'Union nationale n'écarte pas la solution de l'indépendance, même si ce n'est pas là la seule et la meilleure solution au problème constitutionnel[26]. »

En mars 1964, au club Fleur-de-lys de Québec, Johnson reprend la carotte. Il faut dialoguer avec le Canada anglais, dit-il. Ses conversations avec les gens de l'Ouest l'ont convaincu que le Canada est converti à l'idée d'une nouvelle constitution. « Je peux me tromper, mais c'est ma conviction et mon espoir que la compréhension et l'amitié seront plus fortes que la violence et les injures et que nous aurons notre constitution nouvelle pas plus tard qu'en 1967. » On croirait entendre Jean-Jacques Bertrand.

En avril, nouveau coup de trique : « L'Union nationale veut l'épanouissement du Québec, même au prix de la Confédération... » En août, il déclare aux étudiants de l'Université de Montréal : « Vous n'avez rien inventé au sujet du mouvement indépendantiste, mais j'ai l'impression que vous faites avancer la cause... Le jour où l'Union nationale deviendra séparatiste, moi, je ne pourrai plus reculer, contrairement à André Laurendeau qui, lui, a reculé. Est-ce que nous devons devenir indépendantistes ? Le temps nous le dira d'ici les prochaines élections. » À Thetford-Mines, Jean-Jacques Bertrand corrige son chef : « Je ne suis pas indépendantiste, car le Canada est mon pays. La solution indépendantiste est une solution extrême. En l'adoptant, nous abandonnerions un million de Canadiens français dans les autres provinces[27]. »

La négociation secrète du Club des volailles...

Menacé sur son flanc droit par un Réal Caouette tenté par l'arène provinciale après son recul aux élections fédérales de 1963, le chef de l'Union nationale observe aussi avec une inquiétude croissante la montée rapide du Rassemblement pour l'indépendance nationale. Et, pendant qu'il s'acharne à trouver une plate-forme constitutionnelle assez audacieuse pour lui restituer le vote nationaliste passé aux libéraux depuis 1960, il s'aperçoit qu'un nouveau leader à la rhétorique aussi puissante que contagieuse, Pierre Bourgault, est en train de conquérir la gauche séparatiste. Afin d'éviter une fragmentation du vote nationaliste qui favoriserait les libéraux, Johnson suscite, au printemps de 1964, une réunion secrète entre des émissaires des deux formations pour examiner l'hypothèse d'un rapprochement.

Le Rassemblement pour l'indépendance nationale, fondé en septembre 1960, a dépassé le stade du simple mouvement de contestation et d'éducation politique. En mars 1963, il est devenu un véritable parti politique au chant révolutionnaire : « Ah ! Ça ira... ça ira... » Au début de 1964, le RIN n'a pas encore réussi à s'implanter en zone rurale ni dans les petites villes. Il a cependant essaimé dans les grandes villes comme Montréal et Québec. Son assise électorale se compose des éléments radicaux de la nouvelle classe sociale issue de la Révolution tranquille : enseignants, cadres, syndiqués, travailleurs de la fonction publique.

Le RIN incarne un courant progressiste du « nouveau nationalisme » dont l'une des particularités est de se définir comme québécois et non plus comme canadien-français. Par son action souvent spectaculaire, ce nouveau parti contribue à enraciner dans l'inconscient collectif l'idée d'une identité québécoise. Les rinistes rejettent du revers de la main le nationalisme défensif traditionnel prôné par Duplessis et relie la nation à l'État québécois en voie de s'édifier.

Les promoteurs du RIN appartiennent à une classe de technocrates scolarisés qui ne désirent plus partager le pouvoir avec ce Canada anglophone qui opprime le peuple québécois depuis la Confédération, grâce au concours des rois nègres francophones. Pour se réaliser pleinement comme peuple distinct et éviter du même coup leur minorisation et l'assimilation culturelle latente, une seule solution politiquement efficace s'offre aux Québécois : l'indépendance totale. Le RIN s'inscrit dans le grand courant de libération nationale du début de la décennie 60[28].

Les négociations secrètes entre unionistes et rinistes se déroulent les 17 et 18 avril, à Saint-Adolphe-d'Howard, dans un chalet de chasse de l'Union nationale, semblable à un poulailler avec son immense pièce centrale bordée de couchettes — d'où le nom de code dérisoire du « Club des volailles » utilisé par la suite pour désigner la rencontre. L'initiateur principal du meeting est un homme de Johnson, un jeune biophysicien du nom de Marc Lavallée. Avec un collègue membre lui aussi du Conseil de recherche de l'Union nationale, le Dr Léon Tétreault, Lavallée sert de médiateur aux deux délégations.

Lavallée et Tétreault sont tous les deux des nouvelles recrues que Johnson initie à l'art politique, chaque samedi matin à son bureau montréalais du boulevard Dorchester. À cette époque, le député de Bagot s'amuse à inventer les scénarios les plus fantaisistes pour vaincre Lesage. Marc Lavallée est un petit rouquin qui gesticule beaucoup et aime rire. Parfois, un Johnson complice lui dit :

— Imagine que tu es Jean Lesage. Que ferais-tu dans cette situation...

Et Johnson de se lancer dans une offensive verbale complexe qui force Lavallée à répliquer :

— Je ferais d'abord une feinte d'un côté, puis après j'irais dans une autre direction...

— Non, non ! s'exclame Johnson. Lesage, c'est un homme qui boit. C'est un bœuf qui charge. Il est incapable de stratégie compliquée. Avec lui, tu dois utiliser la technique du taureau enragé ! Tu lui mets une guenille rouge devant les yeux et il fonce[29] !

Prendre des leçons de politique avec Johnson équivaut à passer des moments très agréables, rarement ennuyeux. Mais ce n'est pas suffisant pour le jeune biophysicien. Marc Lavallée goûte en même temps aux charmes encore plus subtils de l'agitation indépendantiste. Il possède en effet une double appartenance partisane puisqu'il siège aussi au comité exécutif du RIN — Un infiltré ? Non. Sa double allégeance est connue des deux groupes. C'est d'ailleurs ce double statut qui fera de Lavallée le trait d'union entre Daniel Johnson et Pierre Bourgault.

Le chef unioniste a recruté le jeune médecin en 1963, sur la recommandation de Régent Desjardins. Marc Lavallée rentrait d'Allemagne où il avait enseigné durant un an, après avoir obtenu son doctorat en biophysique en Californie. Même s'il appartient à une famille liée à la politique — son grand-père Joseph-Octave Lavallée était député conservateur fédéral de Bellechasse —, c'est en Californie qu'il a été contaminé par le virus : lors des élections américaines de 1960, l'organisation Kennedy recrutait des étudiants pour les menus travaux ; désireux de voir de près l'organisation et le déroulement d'une campagne présidentielle américaine, il s'était enrôlé dans les bataillons d'étudiants démocrates chargés de pendre pancartes et banderoles.

Au retour, il se plonge immédiatement dans l'action politique comme organisateur. Quand Johnson le charge de préparer avec Léon

Tétreault la rencontre de Saint-Adolphe-d'Howard, il dresse la liste des invités unionistes. Ce sont Régent Desjardins, Paul Gros d'Aillon, Charles Pelletier, Réginald Tormey et Jean Blanchet. Le RIN délègue Massue Belleau, journaliste au *Maclean*, André d'Allemagne, cofondateur du parti, Pierre Renaud, trésorier, l'avocat Pierre Verdy et le critique d'art Gilles Corbeil.

Les rinistes tiennent Bourgault, qui sera élu à la tête du parti au mois de mai suivant, à l'écart de la négociation. C'est André d'Allemagne qui a convaincu ses collègues : Johnson a fait savoir qu'il n'assisterait pas au meeting ; si le chef unioniste ne veut pas se mouiller, pourquoi en irait-il autrement du chef à demi couronné du RIN ? En apprenant, plus tard, que cette rencontre a eu lieu à son insu, Bourgault piquera une sainte colère.

Pour dégeler les deux délégations, Lavallée a prévu de nombreuses libations. Il faut faire tomber les préjugés qui existent de part et d'autre. Pour les unionistes, les gens du RIN sont sûrement de tristes et trop sérieux doctrinaires, incapables de s'amuser comme tout le monde ou de boire un bon coup comme de vrais Canadiens français. Et pour les rinistes, tout ce qui est acoquiné avec l'Union nationale a un petit air louche. S'ils se présentent à la réunion, c'est dans le but de sonder la sincérité du nouveau nationalisme de Johnson. Jusqu'où veut-il aller ? C'est une opération d'information qui peut, le cas échéant, déboucher sur une action électorale concertée (pas question de fusion !), non officielle et de nature à faciliter la victoire de quelques candidats indépendantistes en 1966[30].

Que recherche Daniel Johnson ? Une complémentarité électorale avec le RIN afin de ne pas diviser le vote nationaliste face aux libéraux. Son calcul est simple : son parti domine dans les comtés ruraux, mais est faible dans les grandes villes, à certaines exceptions près. De plus, le programme conservateur de l'Union nationale et son image personnelle négative lui ferment l'accès aux couches intellectuelles, aux étudiants et aux cadres — clientèle par excellence du Rassemblement pour l'indépendance nationale, qui demeure cependant cantonné dans les grands centres. Il faut donc se partager le territoire pour ne pas se nuire. Le RIN se répandra dans les grandes villes, alors que l'Union nationale se chargera des circonscriptions rurales et semi-urbaines. L'espoir de Johnson : coincer les libéraux dans une pince suffisamment forte pour les affaiblir dans les villes et permettre ainsi à son parti de se glisser au pouvoir[31].

C'est là un scénario exigeant, dont la réalisation est tributaire d'une collaboration électorale entre unionistes et rinistes. Mais il faut à des alliés éventuels un langage et des principes communs. Une perception de l'avenir québécois qui soit au moins voisine, sinon uniforme. Le but premier de la rencontre est de voir si les deux groupes peuvent réaliser une entente minimum sur certains des principes de base guidant leur action politique réciproque. André d'Allemagne, l'idéologue du RIN, parle le premier :

— L'indépendance est la seule solution acceptée par le RIN, affirme-t-il d'emblée. Le RIN réclame la totalité des pouvoirs politiques, c'est-à-dire un État indépendant. Il n'y a pour nous d'égalité réelle et possible que par l'indépendance qui permet tout ce que permettent les autres formules constitutionnelles. Mais aucune autre formule ne permet ce que permet l'indépendance.

— L'Union nationale, soutient de son côté Charles Pelletier, ne rejette pas a priori la solution de l'indépendance. Johnson a répété que l'indépendance pouvait être la seule solution, mais que c'était une solution de dernier recours.

Le conseiller de Johnson explique ensuite, avec toute la modération et le respect d'autrui qui le caractérisent, qu'un parti désirant prendre le pouvoir ne peut se lier à une formule aussi absolue que l'indépendance avant que la population décide qu'il n'y a vraiment plus aucune autre solution. Voilà pourquoi, dans un premier temps, l'Union nationale propose au Canada anglais de s'entendre sur une constitution nouvelle et binationale.

— Au cas où ce projet d'État binational ne réussirait pas, ajoute l'ancien journaliste, il faudrait faire l'indépendance[32].

Pour les rinistes, le projet d'État binational est irréalisable, entaché de contradictions internes et aussi inacceptable pour le Canada anglais que l'indépendance complète. Ce à quoi l'Union nationale répond que l'État binational n'est qu'une étape intermédiaire permettant le cheminement du parti vers un programme entièrement indépendantiste. Charles Pelletier reprend la parole.

— Aux prochaines élections, l'Union nationale sollicitera le mandat suivant : le pouvoir d'établir des pourparlers avec le Canada anglais en vue de constituer un État binational et, advenant un échec de cette confrontation, celui de réaliser l'indépendance.

— Mais pourquoi envisager l'indépendance comme une solution de dernier recours seulement ? interroge d'Allemagne.

— Pour éviter au petit peuple de prendre des risques énormes, réplique Pelletier.

— Des dangers plus grands que ceux que lui font courir actuellement la Confédération ?

— Un climat hostile aux investissements nuirait surtout aux gagne-petit.

— Par exemple, qu'est-ce qu'il adviendrait de l'assurance-chômage ? demande Réginald Tormey, resté silencieux jusqu'ici. Ce qu'il faut éviter, c'est la détérioration du climat économique.

— Il est important que l'indépendance soit faite par un parti rassurant, enchaîne Pelletier.

— En somme, dit à son tour Paul Gros d'Aillon, vous voulez l'indépendance immédiatement. L'Union nationale recherche l'indépendance, mais veut procéder par étapes en proposant d'abord l'État binational.

— Est-ce qu'il y a un espoir sérieux que le Canada anglais accepte ce binationalisme ? demande Massue Belleau.

— Non ! fait l'ancien journaliste du *Peuple* de Montmagny, Paul Gros d'Aillon.

— Ce qui les crispe, renchérit Pelletier, c'est qu'on veut imposer le Canada français au reste du pays[33].

Jean Blanchet, fonctionnaire attaché au Conseil de recherche de l'Union nationale, fait entendre le point de vue du politicien pragmatique :

— Pour faire l'indépendance, il faut le pouvoir. Pour 1964, est-ce que l'indépendance est un programme rentable ?

— Notre politique est orientée pour le rendre rentable, rétorque Belleau.

— À notre congrès d'il y a deux ans, rappelle Gros d'Aillon, même l'autodétermination a été mise en minorité. La solution binationale est une solution intermédiaire destinée à faire suivre le groupe derrière nous.

— Quel est le degré d'unanimité dans l'Union nationale autour de cette question ? s'enquiert d'Allemagne.

— Johnson est plus réformiste que le gros de ses troupes, dit

Pelletier. Il y a des résistances, même à l'intérieur d'un parti très bien discipliné. On cherche actuellement une formule réalisable.

— Tout l'élément jeune de l'Union nationale est indépendantiste, soutient Gros d'Aillon, comme si cela allait de soi.

— Il ne faut pas gratter longtemps un nationaliste pour y trouver un indépendantiste, ajoute en souriant son collègue Pelletier.

— Le mouvement est d'ailleurs irréversible, fait Gros d'Aillon.

— La question est de savoir si on peut se l'offrir, avoue de son côté l'avocat Tormey, homme aussi réaliste que Blanchet. On peut désirer une Cadillac sans pouvoir se l'offrir...

L'autre avocat présent à la réunion, le riniste Pierre Verdy, demeure sceptique quant à la sincérité des interlocuteurs unionistes. C'est trop beau !

— Votre chef zigzague. D'ailleurs, les journalistes le lui ont dit à la télévision. Le chef devrait donner le ton et les autres suivraient.

— Il est poussé par les indépendantistes du parti, mais il est aussi retenu par une autre fraction ; mais, en général, on peut dire qu'il dépasse son parti, lui explique calmement Pelletier.

— Johnson est celui qui a fait les déclarations les plus autonomistes parmi les hommes politiques, dit Me Tormey. Il est allé aussi loin que vous le préconisez !

— Il a demandé 100 pour 100 des impôts, renchérit Gros d'Aillon.

— Alors... si les Anglais disent carrément NON, ce sera la crise ? questionne d'Allemagne en ironisant à peine.

— Ce sera l'indépendance ! proclame Gros d'Aillon sans sourciller.

— Ce qui sera demandé par Johnson, révèle alors Charles Pelletier à ses vis-à-vis rinistes, ce sera l'égalité ou l'indépendance[34] !

L'homme qui rédige toutes les interventions importantes du chef de l'Union nationale vient de trouver le slogan qui résumera, dans un an à peine, toute la philosophie constitutionnelle du parti.

Il n'y aura plus de rencontre aussi officielle entre l'Union nationale et le RIN. Durant l'été, des divergences idéologiques scindent le RIN. À l'automne, la section riniste de la vieille capitale, réfractaire au militantisme grognard de Pierre Bourgault, forme le

Ralliement national. En 1962, Marcel Chaput avait lui aussi quitté le RIN, en réaction au « gauchisme » de Bourgault, et avait fondé le Parti républicain. Le mouvement indépendantiste se retrouve donc fractionné en trois partis.

La stratégie de Daniel Johnson s'en trouve modifiée. Bourgault l'inquiète moins. Le rapport de force favorise maintenant l'Union nationale. Johnson sent qu'il aura désormais plus de poids que Bourgault. Il ordonne donc à ses négociateurs d'abandonner les œufs rinistes dans leur incubateur de Saint-Adolphe-d'Howard.

Entre-temps, le chef de l'Union nationale n'a pu s'empêcher de se mêler de l'élection de Pierre Bourgault à la présidence du RIN, à la fin de mai. Il a délégué au congrès son homme de confiance Marc Lavallée avec une mission bien spéciale : faire élire Bourgault à tout prix ! Johnson a une dent contre le second candidat, l'avocat Guy Pouliot, de Québec. Quelque temps auparavant, il lui avait fait des avances et s'était fait traiter, pour seule réponse, de pourriture politique. Le chef de l'Union nationale n'aime pas que l'on piétine ainsi sa dignité. Le congrès riniste lui offre l'occasion de donner une leçon à ce malappris de Pouliot !

Bon cabaleur, Lavallée s'installe au congrès pour faire le nid du futur chef Bourgault. Johnson éprouve une confiance inébranlable dans le sens de l'organisation électorale qu'il a inculqué à son élève. Mais celui-ci constate vite que Bourgault possède un moyen infaillible de se faire élire : une éloquence dévastatrice. Avant la tenue du vote, chacun des deux candidats expose son programme. Le discours de Bourgault chavire les délégués. À chacune de ses paroles, l'excitation monte d'un cran dans la salle. Fortement impressionné, Marc Lavallée court au téléphone et dit à Johnson : « Bourgault n'a besoin de personne. Il est capable de se faire élire sans aide ! » Il devient tout à fait superflu de « cuisiner » les délégués, car Bourgault, véritable raz-de-marée, emporte l'adhésion dès qu'il ouvre la bouche[35].

À l'automne de 1963, Daniel Johnson trouve dans le comité parlementaire de la Constitution une autre tribune où poursuivre l'élaboration de sa thèse constitutionnelle. C'est Jean-Jacques Bertrand qui en a donné l'impulsion première lorsqu'il a fait inscrire au programme électoral de 1962 un article demandant la convocation des états généraux du Canada français. En février

1963, Johnson dit à ses conseillers : il faut pousser cette idée. Il révèle alors qu'il priera la législature de convoquer les états généraux dès la session en cours. « Pour ma part, dit-il, je n'ai plus le goût de me battre pour des miettes. Le temps des soporifiques est révolu[36]. »

Le 12 mars, Bertrand dépose une motion pour la formation d'un comité spécial de la Chambre qui étudiera « de quelle façon pourraient être formés et réunis les états généraux de la nation canadienne-française en vue de déterminer les objectifs à poursuivre dans la préparation d'une nouvelle constitution et les meilleurs moyens d'atteindre ces objectifs ». Pour le chef unioniste, la motion Bertrand constitue « la première étape, et une étape essentielle, vers l'adoption d'une constitution nouvelle pour le Canada ou, tout au moins, pour le Québec[37] ».

Les libéraux se méfient des états généraux. Pour Paul Gérin-Lajoie, ministre de la Jeunesse, l'expression évoque « ces assemblées que les anciens monarques convoquaient, mais dont ils ne tenaient aucun compte ». C'est une procédure beaucoup trop lente et dont les conclusions risquent de demeurer des vœux pieux. Politicien réaliste, Johnson manifeste son accord quand Gérin-Lajoie propose d'amender la motion Bertrand pour confier aux élus du peuple, plutôt qu'aux corps intermédiaires ou aux notables, la révision de la Constitution. Même s'il tient comme à la prunelle de ses yeux à la formule des états généraux, Jean-Jacques Bertrand finit lui aussi par changer d'avis. Le 22 mai, le Comité parlementaire de la Constitution voit le jour. Il siège pour la première fois en octobre et devient rapidement le banc d'essai des nouvelles formules constitutionnelles que les diverses chapelles nationalistes de la société québécoise enfantent à la douzaine en ces temps marqués par une interrogation fondamentale. C'est l'ère des slogans : fédéralisme coopératif, État binational, États associés, statut particulier, Québec d'abord, Indépendance... Le comité de la Constitution se révèle le laboratoire d'un peuple à la recherche de son identité.

Les travaux du comité ne servent pas qu'à nettoyer le terrain constitutionnnel, ils engendrent aussi des effets imprévus, comme celui de faire évoluer du vinaigre au miel les rapports entre Daniel Johnson et René Lévesque. Une volonté commune de ne pas s'adonner à la « politicaillerie » lie au départ les membres du comité dont la composition est paritaire. Ses deux secrétaires sont le sous-ministre libéral Claude Morin et Charles Pelletier. À l'exécutif siègent, du côté libéral, Georges-Émile Lapalme, René Lévesque et Paul Gérin-Lajoie et, du côté unioniste, Daniel Johnson et Jean-Jacques Bertrand.

Jusqu'à ce jour, Johnson percevait Lévesque comme un étatiste enragé, voire un socialiste doctrinaire totalement dépourvu de ce sens pratique qu'impose aux francophones l'Amérique capitaliste. Les travaux du comité rapprochent les deux hommes. Johnson propose et, comme par hasard, c'est le plus souvent René Lévesque qui l'appuie.

Une sorte de complicité constitutionnelle réunit bientôt les deux farouches ennemis d'hier. L'un et l'autre se regardent avec des yeux neufs. Par la suite, Johnson cessera d'agacer inutilement Lévesque en Chambre. En outre, le comité de la Constitution se révèle pour tous deux un lieu privilégié pour la réflexion. Leur option constitutionnelle évolue parallèlement aux recherches et aux délibérations du comité. Le chef de l'Union nationale découvre aussi que ces thèmes pénètrent de plus en plus profondément dans l'opinion. Constatation capitale pour un chef de parti qui, comme lui, cherche un cheval de bataille assez fougueux pour dépasser la monture clopinante des « révolutionnaires tranquilles[38] ».

Notes — Chapitre 9

1. *Le Devoir*, le 2 avril 1963.
2. *Le Devoir*, les 22, 24 et 30 avril 1963.
3. *Le Devoir*, le 27 mars 1963.
4. *Le Devoir*, le 29 mars 1963.
5. *Le Devoir*, le 18 janvier 1963.
6. Charles Pelletier.
7. *Le Devoir*, le 18 janvier 1963.
8. *Ibid.*
9. Le juge Maurice Johnson.
10. *Le Quartier latin*, le 17 décembre 1937.
11. Paul Petit.
12. Charles Pelletier.
13. Jean-Noël Tremblay.
14. *Le Devoir*, le 29 janvier 1962.
15. Jean-Noël Tremblay.
16. Paul Gros d'Aillon, *op. cit.*, p. 59 ; et Christian Viens.
17. *Le Devoir*, le 23 janvier 1964.
18. *Le Temps*, le 12 septembre 1964.
19. Antonio Flamand.
20. *Ibid.*
21. *Ibid.*
22. *Le Devoir*, les 15 mars, 6 et 9 mai 1962.
23. *Le Devoir*, les 22 mars 1962 et 5 mars 1963.
24. *Le Devoir*, les 24 et 26 avril 1963.
25. *Le Devoir*, le 12 août 1963.
26. *Le Devoir*, les 16 septembre et 4 octobre 1963.
27. *Le Devoir*, les 19 mars, 9 avril, 24 août et 13 octobre 1964.
28. Denis Monière, *op. cit.*, p. 333-335.
29. Marc Lavallée.
30. André d'Allemagne.
31. Marc Lavallée.
32. Extrait de la transcription des discussions de la rencontre de Saint-Adolphe-d'Howard, avril 1964.
33. *Ibid.*
34. *Ibid.*
35. Marc Lavallée.
36. *Le Devoir*, le 18 février 1963.
37. *Le Devoir*, les 13 et 14 mars 1963.
38. Charles Pelletier.

CHAPITRE 10

La tête sur le billot

Où va Daniel Johnson? Les militants du parti s'interrogent.
Même après trois années de leadership, sa personnalité reste impré-
cise. Que veut-il? Que cherche-t-il, au juste? Sa politique est encore trop souvent le fruit de l'improvisation ou de l'indécision.
Tantôt il va à droite, tantôt il fait un clin d'œil à la gauche. Il tâtonne
comme s'il était dans le noir. Il y a, bien sûr, ses liens récents avec
le mouvement indépendantiste, flirt qui attise le feu de la discorde
entre lui et le fédéraliste Jean-Jacques Bertrand. N'est-ce pas là du
pur opportunisme?

Johnson aimerait bien devenir le point d'attraction de tout ce
qui s'oppose au régime libéral, mais l'autorité et la crédibilité
nécessaires pour ce rôle de catalyseur lui font encore défaut.
Comment trouver cet aimant, cet appât sur lequel viendront s'ag-
glutiner comme des mouches les critiques, de plus en nombreux, du
régime? Daniel Johnson a-t-il seulement une pensée politique? Une
vue d'ensemble? Plusieurs militants déçus se demandent si, au congrès de 1961, ils n'ont pas élu le mauvais homme.

On attendait beaucoup du nouveau leader. Qu'il indiquât, par
exemple, à ses troupes, avec l'assurance d'un grand chef, comment
reprendre la route du pouvoir perdu. Ce faisant, on lui prêtait plus
d'adresse et de savoir-faire politique qu'il n'en a en réalité. Après
trois ans, on ne voit surtout que l'indécis, l'opportuniste qui fait
flèche de tout bois, le batailleur présomptueux mais sans but que les

coups d'un adversaire plus fort et mieux entraîné envoient trop souvent dans les câbles. La personnalité de Johnson reste complexe — il est difficile de le mettre en foyer. Ses stratégies en apparence subtiles se ramènent toujours à de l'électoralisme. Même son cheminement nationaliste est entaché de zones grises. Quand il montre le poing à la Confédération, il n'arrive pas à faire oublier l'autonomiste à l'ancienne mode. Il ne fait peur à personne. On possède une seule certitude à son sujet : il a la passion du pouvoir. Est-ce suffisant pour en soulager Jean Lesage ?

Non, visiblement, car, durant l'été 1964, Daniel Johnson a la tête sur le billot. L'unité du parti ne tient plus qu'à un fil, tout comme le sort de son chef. Les putschistes entrent en action. Les complots se nouent contre lui. Johnson devra, comme Duplessis en 1939, passer sous les fourches de la rébellion. Le mot se répand : Johnson doit arrêter de piétiner ou démissionner ! Plusieurs militants en sont venus à croire que le chef constitue le principal obstacle à leur élection. Son image est toujours aussi négative : il reste le « cow-boy » — un peu moins vilain peut-être. Mais, comme leader, il n'arrive pas à la cheville de Jean Lesage. « On ne prendra jamais le pouvoir avec Johnson ! » devient le mot d'ordre des factieux.

Pourtant, Johnson a modifié son attitude envers la presse. Il n'y a pas si longtemps encore, presque traumatisé par sa terrible image, il soufflait instinctivement à l'oreille de son secrétaire Paul Petit dès qu'il voyait un reporter : « Fais attention à ce que tu dis, voici un journaliste ! » Johnson, c'est maintenant le gars qui « colle » à la tribune de la presse. Il cause amicalement avec l'un, salue l'autre d'un large sourire. Tout le contraire d'un Lesage hautain, prétentieux et distant. Mais ni sa gentillesse ni sa politesse ne lui confèrent plus de sérieux aux yeux des journalistes. Il reste un personnage caricatural.

On l'aime bien « Danny Boy », de la même façon qu'on affectionne un camarade un peu benêt, éternel perdant, dont on a parfois envie de se payer la tête parce qu'on sait qu'il ne vous en tiendra pas rigueur. En 1962, des journalistes lui avaient envoyé un faux pistolet aux armoiries de « Danny Boy », histoire de s'amuser ; Paul Petit le brandit devant son patron qui s'exclama :

— Cache ça ! Tu n'as pas peur ?

— Non, mon père était policier !

Quand il vient faire un brin de causette avec les courriéristes parlementaires, Johnson dépose toujours à l'entrée son éternel chapeau de feutre noir — le «chapeau à Johnson», disent les reporters en se gaussant. Un jour, il y oublie son couvre-chef démodé. Un journaliste plus malin que les autres s'en empare et «passe le chapeau» parmi ses collègues avant d'envoyer un petit page le porter à Lesage avec la note suivante : «Voici la contribution financière des membres de la presse à la caisse électorale de l'Union nationale[1]. »

En trois ans, Johnson n'a pas davantage réussi à libérer son parti de ses fantasmes ni à lui trouver une âme. Face aux grandes législations du gouvernement Lesage, l'Union nationale continue de tourner en rond, hésitant entre le passé et l'avenir. Aux tiraillements entre les réformistes et les anciens se sont ajoutés ceux qui opposent fédéralistes et indépendantistes. Johnson et Bertrand ne se sont pas donné le baiser de la paix. La relance du parti en souffre.

Où va l'Union nationale ? La question se pose pour le parti comme pour le chef. Les espoirs de démocratisation qu'avait fait naître le congrès de 1961 sont, pour l'essentiel, restés lettre morte. Quant aux exigences de Bertrand, elles tardent à se réaliser. L'aile réformiste doit peiner dur pour faire avancer ses thèses relatives à une plus grande démocratisation du parti. Un certain déblocage s'est produit avec la mise sur pied des 95 associations de comté, mais, dans les faits, Johnson reste le seul maître après Dieu. L'organisation centrale du parti est sa chose personnelle. C'est lui qui en nomme les cadres et qui décide de son orientation idéologique. Entre les associations de comté et la direction du parti, il n'existe aucun lien unificateur, aucun canal permettant à la volonté des militants locaux de s'exprimer et de monter jusqu'au chef. Johnson a renvoyé aux calendes grecques l'idée d'une fédération à l'image de celle du Parti libéral. L'Union nationale demeure un parti d'organisateurs actifs en période électorale, mais introuvables dans l'intervalle. Il n'y a donc aucun souci d'éducation politique au sein du parti. Ce sont encore les intérêts privés, les bailleurs de fonds traditionnels, qui financent le parti, et non ses 150 000 membres dont la cotisation annuelle, fixée à un dollar, est dérisoire. Enfin, l'Union nationale n'a pas pénétré la classe populaire urbaine. Elle

demeure un parti agricole et rural : 24 des 31 sièges conquis en 1962
se trouvent en zones rurale et semi-rurale[2].

À la fin de l'hiver de 1964, le bouche à oreille des réformistes
réclamant un congrès général du parti prend de l'ampleur. Johnson
n'a plus d'excuse, dit-on. Il faut adopter une orientation politique
précise et tracer un programme concret en vue des élections de
1966. Il doit convoquer au plus vite les états généraux de l'UN,
avant de penser à ceux de la nation. En avril, le chef accède à la
demande des réformistes. Il faut imputer le retard, dit-il, au scrutin
de 1962. Le parti est maintenant prêt. La réunion générale aura lieu
à l'automne.

L'adoption du projet de loi controversé créant un ministère de
l'Éducation vient encore démontrer qu'il est urgent, pour Johnson,
de doter enfin l'UN d'une ligne politique susceptible de rallier tout
le monde. Au sujet du projet de loi 60, le chef du parti et son
principal lieutenant, Jean-Jacques Bertrand, ont des vues aussi
diamétralement opposées que sur la nationalisation de l'électricité.
Contrairement à 1962, cependant, les unionistes n'ont pas le monopole de la dissension interne. Soumis aux requêtes des évêques,
les libéraux ne savent pas trop, eux non plus, sur quel pied danser.

Le projet de loi 60 est le rejeton du rapport de la Commission
royale d'enquête sur l'éducation dont la première tranche, publiée
le 22 avril 1963, recommandait au gouvernement l'institution d'un
ministère de l'Éducation. Créée le 24 mars 1961, la commission
Parent avait reçu comme mandat d'étudier les moyens à prendre
pour rebâtir le système d'enseignement du Québec. Après sept mois
d'audiences publiques et la réception de 230 mémoires, les commissaires conclurent que le succès de la réforme scolaire reposait sur
l'existence d'un authentique ministère qui naîtrait de la fusion du
département de l'Instruction publique et du ministère de la Jeunesse.

Toucher à l'éducation, c'est aussi toucher à la religion. Toute
la question est de savoir si l'Église catholique acceptera de remettre
à l'État le monopole quasi exclusif qu'elle détient, depuis la Conquête, dans le domaine de l'éducation. C'est un débat passionnel qui
soulève la question de la confessionnalité de l'école publique.
Soumise à l'autorité de l'État, laïc par définition, l'école deviendra-
t-elle laïque elle aussi ou demeurera-t-elle confessionnelle ? Le
rapport Parent opte pour l'école confessionnelle, mais reconnaît aux

neutres le droit à leurs propres établissements. Pour les politiciens, voilà un thème qui peut rapporter des dividendes électoraux !

À l'exemple de la hiérarchie religieuse, Jean Lesage manifeste de fortes réticences devant l'idée d'un ministère de l'Éducation, même à la suite d'un avis favorable d'une commission enfantée par son gouvernement. Daniel Johnson adhère également aux réserves du premier ministre. Tous deux ressemblent maintenant aux représentants de cette vieille France catholique qui se hérissait devant les réformes de Jules Ferry visant à laïciser l'instruction publique, à la fin du XIXᵉ siècle.

Avant le dépôt de la première tranche du rapport Parent, des rumeurs annonçant l'éventuelle création d'un ministère de l'Éducation couraient déjà, ce qui incita Jean Lesage à s'exclamer avec autant d'emphase que d'imprudence : « Il n'est pas question et il ne sera jamais question, sous mon administration, de créer un ministère de l'Instruction publique[3] ! »

Mais peu à peu, le premier ministre évolue, tout comme l'opinion publique, les ministres et même l'épiscopat. La nécessité pratique d'un ministère finit par s'imposer à tous. D'ailleurs, comparativement aux démocraties occidentales, le Québec affiche en ce domaine un retard de vingt ans, voire de cinquante ans. Le 26 juin 1963, le gouvernement inscrit au feuilleton une loi instituant un ministère de l'Éducation. Comme c'est le début de l'été, Lesage a un peu hésité. Finalement, il choisit de battre le fer pendant qu'il est chaud et tente de faire adopter la loi « à la vapeur », par crainte de voir Johnson ameuter la population avec ses croque-mitaines sur la laïcisation des écoles. Calcul maladroit, car le chef de l'Union nationale réagit rapidement :

— C'est un coup de force contre la démocratie ! explose-t-il. L'Union nationale n'a pas peur des réformes ni des mots. Elle sait bien qu'en matière d'éducation le Québec doit adapter ses structures aux besoins de 1963. Mais pourquoi cette précipitation ? D'où vient l'impatience des promoteurs du projet ? Ont-ils peur des réactions du public, des éducateurs et des parents ? Ont-ils peur du dialogue ?

Le projet de loi 60 « constitue une grande tragédie pour nos enfants », observe, pour sa part, son ex-collègue Yves Prévost, poussé au combat par l'empressement de Lesage. Levée de boucliers du côté des collèges classiques : le gouvernement doit retarder la création du ministère. Radicales en matière constitutionnelle, mais socialement conservatrices, les Sociétés Saint-Jean-Baptiste exigent un délai de réflexion d'un an. De toute évidence, l'opinion n'est pas mûre[4].

Cédant aux pressions diverses — dont celle de l'épiscopat, Lesage bat en retraite. Le 8 juillet, il reporte l'étude de la loi à la session du printemps 1964. Les évêques ne rejettent pas le principe d'un ministère de l'Éducation, mais Mgr Maurice Roy, archevêque de Québec, et le cardinal Léger ont toutefois fait valoir au premier ministre qu'il serait peut-être plus indiqué de permettre à l'assemblée des évêques, prévue pour la fin août, d'étudier à fond le projet de loi.

Le 29 août, le président de l'assemblée épiscopale, Mgr Roy, fait parvenir à Lesage une lettre dans laquelle les évêques donnent leur accord à la loi, moyennant certains amendements qui garantiront la confessionnalité de l'école publique[5]. Pour informer la population de la portée du projet de loi 60 et désarmer les critiques, le futur ministre de l'Éducation, Paul Gérin-Lajoie, poursuit durant l'été une campagne d'éducation populaire « à la René Lévesque », tableau et craie en main.

« Je ne démords pas du principe, il y aura un ministère de l'Éducation », avait affirmé Lesage au moment de reporter la discussion sur la loi. Le 12 août, pendant que les évêques scrutent minutieusement chacun des articles du projet de loi 60, Gérin-Lajoie avertit son chef : « Un vrai ministère de l'Éducation ou je pars ! Je me refuserai à diriger un ministère fantoche ou un ministère en tutelle. » Les amendements souhaités par les évêques le rassurent. Il avoue, le 22 septembre : « La distance qui sépare le bill 60 des suggestions des évêques est minime[6]. »

La « bataille du bill 60 » est-elle gagnée ? Pas tout à fait. Comme le cabinet Lesage ou l'Union nationale, l'épiscopat paraît divisé sur la question. Mgr Cabana, archevêque de Sherbrooke et grand ami de Daniel Johnson, s'oppose farouchement au projet de loi. Il s'écrie, fin septembre :

— Le Québec fait face à l'athéisme. Il faut combattre les tendances actuelles de la sécularisation et de la déchristianisation, notamment dans le domaine de l'enseignement. Si on ne fait rien, l'homme sera dépourvu devant le pouvoir de l'État.

Johnson fait écho, le lendemain, à la mise en garde de son ancien directeur spirituel :

— La politique du gouvernement en matière d'éducation, c'est affamer pour mieux étatiser. Le nouvel évangile des libéraux : hors de l'État, point de salut[7] !

L'attitude conciliante de la majorité des évêques enlève en partie ses meilleures armes au chef de l'Union nationale. Comment peut-il s'ériger en dénonciateur d'une loi que l'épiscopat approuve ? Serait-il plus catholique que les évêques ? Johnson adopte envers la loi 60 la même philosophie antiétatiste qui avait guidé son action lors de la nationalisation de l'électricité et de l'instauration de l'assurance-maladie.

Au chapitre de l'interventionnisme, il n'est plus aussi intraitable qu'en 1960. Sa pensée a évolué. Mais il ne peut se faire à l'idée que l'enseignement tout entier tombe sous la coupe de l'État. Johnson ne dit pas non à la réforme scolaire, mais la création d'un ministère de l'Éducation lui semble une mesure bureaucratique déjà dépassée avant même d'être adoptée. « On commence à admettre, soutient-il, même dans les pays totalitaires, la nécessité d'un climat de liberté pour favoriser l'éducation et l'essor culturel[8]. »

En janvier 1964, le gouvernement revient avec une nouvelle rédaction du bill 60, acceptée par les évêques, mettant ainsi l'Union nationale devant le fait accompli. Comment rejeter une loi qui convient à l'Église ? En coinçant Johnson, Lesage donne du même coup des armes à Jean-Jacques Bertrand, favorable dès le début à ce projet. Le député de Missisquoi exige que l'Union nationale appuie le projet de loi en deuxième et en troisième lectures. Pour le réformiste Bertrand, il ne saurait y avoir de ligne de parti qui tienne devant une mesure aussi capitale pour l'avenir du Québec.

Johnson propose au caucus une stratégie fort différente qui est acceptée non sans mal à cause de Bertrand qui met du temps avant de changer ses batteries. L'Union nationale appuie le principe de la loi en seconde lecture, en discute âprement chacune des modalités et la rejette en troisième et dernière lecture[9]. La loi franchit d'emblée l'étape de l'Assemblée législative le 5 février, les libéraux étant fortement majoritaires. Elle reçoit la sanction royale le 19 mars et, en mai, Paul Gérin-Lajoie devient le premier ministre de l'Éducation au Québec. Il s'exclame, avec des accents à la Jean

Lesage : « Mon ministère sera l'instrument de base de la nouvelle
vocation du Québec. » Son sous-ministre Arthur Tremblay régnera
sur plus de 4500 fonctionnaires. Cet ancien élève du père Lévesque,
ennemi juré de Duplessis, a été l'un des animateurs de la commission Parent. Il sera le grand architecte de la réforme scolaire et,
aussi, l'une des têtes de Turc préférées du chef de l'Union nationale.

Le projet de loi 60 obtient l'aval du Conseil législatif, même
si la majorité en est unioniste. En effet, sept des 10 conseillers de
l'Union nationale se rallient aux libéraux. Gérald Martineau, l'ex-
trésorier bourru qui sent depuis un an sourdre en lui une colère
immodérée contre Johnson, viole la consigne du parti et écarte
irrespectueusement cette « canaillerie » laïcisante du projet de loi 60.
Martineau s'interdit de commettre « une infidélité à la mémoire de
Maurice Duplessis ». Toute sa vie, rappelle-t-il, le fondateur de
l'Union nationale a fait appel à l'union sacrée « contre les tentatives
de neutralité scolaire ». Le petit homme a observé avec un mépris
non feint le flottement, puis la conversion des évêques. Il dit à
Antonio Flamand :

— On disait que Duplessis contrôlait les évêques. Ils ont l'air
fin, « asteur ». Il est mort. Ils ne savent plus quoi faire[10].

L'ère des révolutions de palais

Le ressentiment de Gérald Martineau envers les évêques est
une bagatelle à côté de sa rage contre Johnson. Aux prises avec une
accusation de fraude portée contre lui à la suite de la publication du
rapport Salvas, l'ancien trésorier se sent abandonné par son chef à
qui il reproche la tiédeur de sa défense. Il se considère comme « le
martyr de Jean Lesage » et bout dans sa marmite en attendant le
moment de faire payer à Johnson ses demi-silences.

En instituant, en octobre 1960, une enquête publique sur
l'administration de l'Union nationale, les libéraux entendaient
d'abord extirper le chancre du patronage, revaloriser l'État et assainir
les mœurs politiques. L'enquête offrait aussi au gouvernement un
avantage électoral certain. Non seulement l'Union nationale sorti-
rait-elle noircie, et pour longtemps, de l'exercice, mais les commissaires allaient détruire les anciens réseaux de favoritisme politique
et faciliter aux libéraux affamés la tâche d'en créer de nouveaux[11].
Consciente du caractère politiquement odieux de l'opération, une

partie du cabinet s'était interrogée sur sa légitimité. Le gouvernement n'aurait-il pas l'air de dresser prématurément le gibet ? Ce sera surtout après 1962 que les libéraux se demanderont s'ils n'avaient pas commis une grave erreur d'appréciation en poussant aussi loin un esprit de vengeance qui n'atteindrait pas nécessairement ceux qui avaient le plus profité du système. En 1936, Duplessis s'était montré plus magnanime après sa victoire contre le régime corrompu d'Alexandre Taschereau[12]. Mais il était trop tard : l'enquête Salvas en était à la phase des accusations auxquelles succéderaient les procès.

De tous les futurs accusés, ce fut Gérald Martineau qui cria le plus fort. Il multiplia les interventions publiques pour saisir l'opinion du caractère arbitraire de l'enquête Salvas. Pour lui, le patronage était aussi immuable que les saisons. Il existait sous tous les cieux. Vouloir juger et condamner ceux qui l'avaient pratiqué sous Duplessis relevait tout simplement de la vengeance. Le conseiller législatif croyait sincèrement que l'enquête Salvas résultait d'un complot des Anglais et des Juifs qui voulaient dominer de nouveau le commerce dans la province de Québec. Selon lui, Duplessis favorisait les siens, mais les libéraux préféraient les « étrangers[13] ».

Martineau avait déclaré la guerre au juge Salvas dès décembre 1960, deux mois à peine après l'ouverture de l'enquête :

— De mon siège de conseiller législatif, je défie qui que ce soit de prouver que, dans toute ma vie publique et politique, j'ai un tant soit peu dérogé aux principes de la plus stricte honnêteté et de la plus parfaite intégrité.

Avant de comparaître comme témoin devant les commissaires, au cours de l'été de 1961, Martineau donna une interview télévisée et fit publier dans les grands quotidiens un placard où il exposait sa philosophie du patronage.

« M. Duplessis ne pouvait pas faire une chose malhonnête », affirma-t-il alors, soulignant que la coutume de verser des ristournes à des intermédiaires, telle que pratiquée sous l'Union nationale et, avant elle, sous le régime libéral d'Alexandre Taschereau, était légale et ne pouvait pas être jugée selon les règles de la morale. Il s'appuyait sur deux arguments pour justifier le système des commissions : le nationalisme et la justice distributive.

— Oui, j'ai fait du patronage ! Je l'ai fait au grand jour. Je ne m'en cache pas et je ne m'en défends pas.

Pour l'ancien caissier, il y avait une grande différence entre le patronage des unionistes et celui des libéraux. Le premier favorisait les entreprises canadiennes-françaises, le second, les sociétés anglophones et étrangères.

— Tant et aussi longtemps qu'il y aura de la misère à soulager, des problèmes familiaux à résoudre, je n'hésiterai pas à réduire les profits des compagnies pour les faire distribuer à des centaines et des centaines de gens. Ceux qui ont reçu ces sommes n'ont pas à en avoir honte. Ce sont d'honnêtes gens[14].

Reflet d'une époque de paupérisme, le patronage sous Duplessis se résumait à une pratique très simple : les sociétés qui vendaient de l'équipement ou des services au gouvernement devaient verser, par l'intermédiaire du trésorier Martineau ou de l'organisateur Jos-D. Bégin, des commissions à de petites gens d'allégeance unioniste. Le patronage duplessiste soulageait la misère, mais encore fallait-il que celle-ci fût bleue ! Pourtant, on ne pouvait lui nier un certain côté philanthropique. C'était le « bon père de famille », le « bon papa » qui distribuait à ses enfants l'argent des grandes entreprises bénéficiant des contrats gouvernementaux[15].

Duplessis n'avait pas inventé le patronage, mais, entre 1944 et 1960, il en avait fait un système établi, ouvert, connu des entrepreneurs. Pas de secret ! La liste des fournisseurs du gouvernement était aussi celle des « patronneux ». Certaines sociétés anglo-américaines préféraient le système québécois au patronage occulte pratiqué dans les provinces anglophones et aux États-Unis. Au Québec, l'entrepreneur savait à qui remettre le denier de saint Pierre et dans quelle proportion. Cela lui évitait de tâtonner ou de verser la somme à la mauvaise personne. À tout prendre, le patronage duplessiste coûtait moins cher aux entreprises, du fait de son caractère quasi institutionnel[16].

Si Gérald Martineau avait la conscience aussi tranquille, c'était parce qu'il était convaincu que le patronage duplessiste répondait aux besoins de la population. On enlevait aux riches pour remettre aux pauvres. N'était-ce pas cela, la justice ? Le plaidoyer du conseiller législatif masquait néanmoins un fait capital : son enrichissement personnel, fruit de son monopole exclusif sur la vente d'équipement de bureau au gouvernement.

Sa main droite ignorait ce que faisait sa gauche. Il est

incontestable que l'ancien caissier se préoccupait du sort des petites gens et des Canadiens français, mais il avait aussi le cynisme des profiteurs. Il soulageait la misère des bleus d'une main et, de l'autre, empochait des sommes énormes grâce aux ventes de sa société à un gouvernement dont il faisait partie. Sa morale était très élastique au chapitre des conflits d'intérêts. Selon les comptes publics de 1946 à 1956, la maison Martineau vendit au gouvernement de l'équipement divers — machines à écrire, calculatrices, mobilier, papeterie — pour un montant global de 55 millions de dollars, au rythme annuel de 5,5 millions[17].

L'amer scepticisme de Gérald Martineau envers l'honnêteté des politiciens était bien connu ; il ne s'en cachait pas. Un jour de l'été 1960, l'étudiant Antonio Flamand frappa à sa porte dans l'espoir d'obtenir une bourse d'études de la Société des Amis de Maurice Duplessis.

— Qu'est-ce que vous voulez ? pesta le trésorier en dévisageant l'étudiant.

— Je voudrais vous parler, bafouilla celui-ci, intimidé par sa brusquerie.

— Vous voulez me parler ? Qu'est-ce que vous allez me dire ?

C'était sa façon de recevoir les quémandeurs. Après, il s'apaisait. Au cours de sa conversation avec le jeune Flamand, Martineau lui montra des chèques encaissés par des politiciens comme René Chaloult et d'autres, qui ne s'étaient nullement gênés par la suite pour attaquer Duplessis, l'homme qui les leur avait obtenus de la caisse unioniste. À Flamand tout indigné, le trésorier décocha :

— Je suis heureux de rencontrer quelqu'un d'honnête. C'est rare, aujourd'hui. Mais ne vous réjouissez pas trop vite. À quarante ans, vous serez pourri comme les autres[18] !

Le conseiller législatif s'irrite d'autant plus de l'apathie de Johnson devant l'enquête Salvas qu'il a compris que celle-ci vise essentiellement à ruiner pour longtemps le crédit de l'Union nationale. Il voit en Daniel Johnson une victime consentante. Dans l'héritage duplessiste de ce dernier, on trouve encore bien des traces de l'ancien régime, mais pas celle du patronage. Il n'est pas, comme Martineau, un apologiste du patronage. Dès son élection à la tête de l'Union nationale, en 1961, il a proposé au gouvernement Lesage trois mesures pour y faire échec : syndicalisation des fonctionnaires, surveillance des achats du gouvernement et de l'octroi des contrats, session permanente du Comité des comptes publics. Du reste, exception faite du scandale du gaz naturel — une affaire de conflit d'intérêts plutôt que de patronage —, il a les mains blanches. Au cours des séances du Comité des comptes publics, les libéraux font des pieds et des mains pour le coincer. Or, c'est plutôt le nom d'un proche parent de Jean-Jacques Bertrand, qui avait vendu de l'assurance au gouvernement, que met au jour, par inadvertance, l'inquisition libérale. Jean Lesage, qui joue la carte Bertrand, moins dangereuse pour son avenir politique que celle de Johnson, noie rapidement le poisson[19].

Bien sûr, quand il était ministre des Ressources hydrauliques, Johnson faisait pression sur le directeur du Service des achats, Alfred Hardy, pour qu'il encourage des fournisseurs de son comté. C'était la coutume. Mais il n'employait jamais, contrairement à d'autres ministres, un langage intimidant et se gardait bien d'intervenir de façon trop compromettante. Simplement, il suggérait à Hardy d'encourager l'imprimerie Désilets d'Acton Vale, la seule imprimerie du comté de Bagot, ou encore d'acheter dans sa circonscription des matériaux de construction et de la quincaillerie destinés à la Basse-Côte-Nord ! S'il lui arrivait de croiser Hardy dans le couloir, il lui recommandait avec un sourire entendu :

— Tiens, bonjour, Fred ! Pense donc un peu à moi. N'oublie pas d'acheter de mes amis de Bagot. Ils ne sont pas nombreux, il faudrait les encourager un peu[20] !

Il y a chez Johnson un trait de caractère qui le garde naturellement de l'eau trouble du patronage : son manque d'intérêt pour l'argent et son niveau de vie relativement modeste. Bien des députés ou ministres de Duplessis, dont la bourse était mince en début de carrière, roulèrent rapidement carrosse et moururent gras et riches. Totalement subjugué par sa passion pour le pouvoir, Daniel Johnson n'a pas le temps de s'enrichir. À Montréal, il habite avec sa famille un duplex pareil à tous les autres duplex de Notre-Dame-de-Grâce. Sa maison de Saint-Pie n'a rien du « château » que les méchantes langues libérales décrivent aux niais de Québec ou de Montréal. Les beaux dimanches d'été, des Montréalais s'arrêtent parfois devant le « château de Johnson », rue Notre-Dame, une petite maison sans

prétention en stuc gris dominant la rivière Noire, où aucun roi digne
de ce nom n'aurait daigné dormir. Leur déception est grande.

Tant qu'il n'y a eu personne devant les tribunaux, le chef de
l'Union nationale n'a pas ménagé ses critiques à l'endroit du juge
Salvas. Mais dès le jour où débute le procès de Martineau, de Jos-
D. Bégin, d'Antonio Talbot et d'Alfred Hardy, il fait face à un dilemme. Il est prisonnier du *sub judice*. S'il ouvre la bouche pour
défendre les accusés, il risque l'outrage au tribunal : son statut ne
l'en protège pas. Il doit également choisir entre l'avenir du parti et
le sort de quelques individus. Les comptes rendus quotidiens des
journaux brisent déjà le moral de ses troupes. Il opte pour la politique du silence — même si ce choix lui est difficile. Il veut que
l'Union nationale oublie le passé et se lave les mains de cette
affaire : « Aujourd'hui, l'Union nationale n'est rien d'autre que les
95 associations de comté qui n'ont pas été mêlées à ça[21]... »

C'est en juillet 1963 que le juge Élie Salvas rend publique la
deuxième tranche de son rapport et réclame des poursuites contre
les auteurs du « système immoral et scandaleux » de ristournes
pratiqué en rapport avec les achats du gouvernement sous le régime
de l'Union nationale. Le juge incite le procureur général à porter
des accusations contre trois personnes : Alfred Hardy, « le mauvais
serviteur de la province », Jos-D. Bégin, « l'administrateur infi-
dèle » et « le cynique » Gérald Martineau, l'âme dirigeante de ce
système, indigne même d'occuper son siège de conseiller législatif[22].

Johnson se tait. Le principal intéressé, Gérald Martineau,
cravache la commission :

— Jusqu'ici, j'ai cru à la seule morale de l'Église et je ne
crois pas, à mon âge, qu'il serait prudent pour faire mon salut
d'invoquer des règles de théologie morale édictées dans un seul but
politique[23].

Le 24 septembre, le juge en chef Lucien Tremblay porte des
accusations de fraude contre cinq hauts dignitaires de l'Union nationale. Les noms d'Antonio Talbot et d'Arthur Bouchard, important bailleur de fonds du parti, s'ajoutent à ceux de Martineau, Bégin
et Hardy.

On les accuse collectivement et individuellement d'avoir
obtenu ou fait obtenir des sommes s'élevant à 310 000 dollars, entre

le 1er juillet 1955 et le 30 juin 1960. Depuis les accusations de corruption portées en 1892 contre l'ex-premier ministre Honoré Mercier, c'est la première fois que des politiciens québécois font l'objet de poursuites pour fraude des deniers publics.

Après un procès expéditif, Alfred Hardy s'en tire avec une amende de 3100 dollars. Quant au procès du vieux renard de Dorchester, l'ancien ministre Bégin, il traîne en longueur. La Couronne sera finalement incapable de prouver sa culpabilité sur les trois chefs d'accusation retenus contre lui et, le 28 juin 1967, l'ancien organisateur se retrouvera blanc comme neige.

Accusé de trafic d'influence, Antonio Talbot est trouvé coupable en mai 1964 et condamné à une amende. Blessé dans son honneur et risquant de perdre son titre de député, le malchanceux député de Chicoutimi, âgé de soixante-trois ans, interjette un appel qui sera rejeté en juillet 1965 par le juge Thomas Tremblay. La situation de l'ancien bâtonnier de la province devient pathétique. En août 1965, il doit démissionner de son siège. Le jugement de la Cour d'appel lui fait perdre aussi le droit de toucher une pension annuelle de député de 10 000 dollars. Sans cette somme, révèle une enquête discrète du premier ministre, Antonio Talbot se trouve aux portes de l'indigence, lui qui a joué toute sa vie au grand prince. Au fond, il n'était qu'un « quêteux monté à cheval ». Le trafic d'influence dont on l'accuse ne l'a, en tout cas, pas enrichi, contrairement à certains de ses collègues qui échappent aux rigueurs de la loi. Jean Lesage est rongé de remords. Il fait amender la loi de la Législature de façon à permettre à sa « malheureuse victime » de toucher sa pleine pension.

Le procès de Gérald Martineau est fertile en rebondissements. On le traduit devant ses juges en octobre 1963 pour répondre de 11 chefs d'accusation relativement au paiement de ristournes sur des achats gouvernementaux de peinture Sico. Le montant des « commissions » s'élève à 34 600 dollars. Des miettes ! Le juge Albert Dumontier l'acquitte en novembre 1964 :

— Je déclare l'accusé non coupable sur chacun des chefs d'accusation contenus dans l'acte d'accusation.

L'ancien trésorier assiste impassible à la lecture du jugement, qui dure près d'une heure. Aussitôt acquitté, il file à l'anglaise, sans rien dire[24]. Mais rien n'est réglé. Le gouvernement Lesage ne veut

pas lâcher sa proie et la Couronne va en appel. Le 1er juin 1965, la
Cour d'appel ordonne un nouveau procès. On recommencera donc
à zéro avec un autre juge. Martineau frappe à la porte de la plus
haute cour du Canada, la Cour suprême. Peut-être ses savants juges
l'écouteront-ils avec plus de commisération ? Non. Le 14 décembre
1965, la Cour suprême donne raison à la Cour d'appel du Québec.

Le nouveau procès du conseiller législatif se déroule devant
un magistrat reconnu pour ses allégeances libérales et que la
Couronne fait venir tout spécialement à Québec. Il s'agit du juge
Baillargeon qui siège normalement dans le district judiciaire de la
Beauce. Celui-ci trouve Martineau coupable et le condamne à trois
mois de prison. Malade, ce dernier purgera sa peine à l'hôpital
Laval de Québec. Jusqu'à sa mort, en mai 1968, l'ancien caissier
tiendra rigueur à Johnson de l'avoir laissé seul entre les mains des
juges libéraux.

De son côté, le chef de l'Union nationale gardera mauvaise
conscience, même après être devenu premier ministre. En janvier
1968, Johnson assiste dans la salle du Conseil législatif à la traditionnelle cérémonie du Nouvel An. Durant le retour vers Montréal,
il dit à son frère Maurice qui l'accompagne :

— Allons rendre visite à Martineau, à l'hôpital de Sainte-Foy.
Il m'en veut encore.

Après avoir garé la voiture, les deux frères se dirigent vers
l'entrée de l'hôpital. Il fait un froid de canard. Maurice paraît
songeur. Il se tourne vers le premier ministre :

— C'est drôle. Qu'on ait eu raison ou non, cet homme-là a été
condamné. Tu es premier ministre et tu vas voir un gars qui t'a tiré
dans le dos...

Maurice Johnson, juge depuis un an à peine, n'allait jamais
oublier la réponse de son frère.

— Il y a une qualité que tu devrais apprendre comme juge,
c'est l'humanité... Une fois que tu as condamné quelqu'un, ce n'est
plus un criminel que tu as en face de toi, mais un homme.

Le chef unioniste se tait quelques secondes et reprend :

— Tu n'as pas à te reprocher de venir voir un homme qui a
rendu service à sa nation. Ceci dit, cela ne veut pas dire qu'il va t'en
aimer plus...

Martineau accueille poliment le premier ministre. Le petit

homme ressemble à un vieillard que la maladie dévore petit à petit. Il n'en a plus pour longtemps à vivre, mais sa rancune est tenace. Il n'a pas le pardon facile. Après quelques minutes d'une conversation anodine, il dit à Maurice, avec une rudesse imprévue :

— Regarde dans le tiroir du bureau, là... il y a un document. Donne-le-moi !

C'est un ordre. Le juge obéit en jetant à son frère un coup d'œil furtif qui veut dire « dois-je sortir ? » Johnson incline à peine la tête. Dans le couloir, Maurice Johnson entend à travers la cloison les éclats de voix du malade. Même aux portes de la mort, le conseiller législatif passe un savon au premier ministre qui ne dit rien. Après avoir essuyé l'orage, ce dernier ouvre la porte et rappelle son frère. La conversation reprend comme si de rien n'était. Dehors, le juge fait :

— Qu'est-ce qu'il avait à tant t'engueuler ?

— Toujours les mêmes rengaines. Il m'a reproché de ne pas l'avoir défendu durant l'enquête Salvas, d'avoir laissé tomber Bégin aussi. Je lui ai expliqué encore une fois que j'étais pris, que tout ça était fini[25]...

* * *

Durant l'été 1964, Daniel Johnson vient à un cheveu de perdre la direction du parti à cause des manigances de ce damné Martineau. Celui-ci attise en effet la rébellion d'Yves Gabias, député de Trois-Rivières. Au congrès de 1961, l'ancien juge du district de Trois-Rivières a dû retirer sa candidature. Mais il ambitionne toujours la direction de l'Union nationale. Il s'applique à miner l'autorité de Johnson en faisant savoir à la ronde que Duplessis lui aurait déjà dit : « Johnson, ça ne vaut pas cher ! »

Mais le pauvre Gabias court trop de lièvres à la fois. Il se met les pieds dans les plats en accusant, sans preuves suffisantes, le ministre René Hamel d'avoir touché, en 1960, un pot-de-vin de 1500 dollars d'Amédée Bellemare, entrepreneur discrédité de Shawinigan. Le 3 juillet, Gabias, un petit homme d'allure simiesque qui boitille, inscrit un avis de motion demandant la démission du procureur général Hamel.

L'accusation est grave : c'est le Comité des privilèges et élections qui en est saisi. Si Yves Gabias prouve ses dires, le comité pourra déclarer René Hamel, qui vient à peine de succéder à Lapalme, indigne de siéger. Dans le cas contraire, celui qui se considère comme le fils spirituel de Duplessis risque d'être exclu de l'Assemblée législative.

Le geste du député de Trois-Rivières constitue un précédent. De mémoire d'homme, jamais un député n'a comparu devant le Comité des privilèges et élections. Les deux cas connus de violation de privilèges impliquaient deux journalistes. En 1922, en effet, l'Assemblée avait condamné à un an de prison le journaliste montréalais Roberts qui, dans son journal *The Axe,* avait laissé planer des doutes sur la culpabilité de certains députés libéraux à propos du meurtre de Blanche Garneau. Pour sa part, le journaliste Jules Fournier avait également écopé d'une sentence d'emprisonnement pour avoir giflé en public le premier ministre libéral Taschereau.

Le climat est donc solennel au moment où l'Assemblée adopte, le 8 juillet, la motion Gabias. Johnson commet l'imprudence d'appuyer la motion et souligne que le geste de son collègue marque un tournant dans l'histoire politique du Québec. René Lévesque en a aussi conscience :

— C'est une chose, dit-il, qui peut être mortelle pour l'un des deux hommes. Elle va tordre la réputation de l'un des deux. L'un ou l'autre va payer terriblement cher la fin de cette histoire.

— Je suis conscient, affirme à son tour l'accusateur, que la Chambre pourra, après l'enquête, m'enlever mes privilèges de député. Mais si je n'avais pas une preuve que je crois parfaite, je n'aurais pas pris sur moi de salir ou de ternir la réputation d'aucun collègue de cette Chambre[26].

Tous les députés de l'Union nationale, sauf trois, soulignent bruyamment les paroles du député de Trois-Rivières. Jean-Jacques Bertrand, Paul Dozois et Claude Gosselin restent muets comme les libéraux. Ils n'applaudissent pas non plus. Stupeur dans le clan unioniste ! Les prouesses parlementaires de Gabias n'impressionnent aucunement le trio. Encore une fois, Johnson et Bertrand se tournent le dos publiquement. Furieux, le chef de l'opposition convoque, après la séance, les trois récalcitrants :

— Vous allez embarquer dans le rang, sinon partez !

Bertrand et Dozois expliquent calmement à leur chef que les

accusations du député de Trois-Rivières ne tiennent pas debout. Amédée Bellemare, c'est notoire dans la région de Shawinigan, n'a aucune crédibilité. Il s'est déjà parjuré en cour et a à son compte plusieurs faillites. Bref, Gabias s'est mis le doigt dans l'œil[27]. Les arguments du trio impressionnent Johnson. Il est coincé et le sait. Que peut-il faire ? Abandonner Gabias à son sort et donner raison à Lesage ? Pour lui, la solidarité partisane prime tout, devrait-il en perdre la face.

Il la perd d'ailleurs dès le lendemain quand la presse révèle que le député de Trois-Rivières n'a pas consulté son chef avant de lancer ses accusations contre René Hamel. Son « offensive personnelle », dit-on, est inspirée par Gérald Martineau. Le même jour, à la Chambre, Yves Gabias dépose cérémonieusement sept nouvelles motions pour faire comparaître devant le Comité des comptes publics une série de personnalités libérales. Le premier surpris est Johnson. Le député ne l'a pas tenu au courant de sa nouvelle initiative « pour ne pas courir de risques », avoue-t-il ensuite au correspondant du *Devoir*[28].

Yves Gabias bafoue son chef. Mais ce dernier a un tempérament de conciliateur. Il tente de camoufler les faits en déclarant, à son tour, à la presse que son député l'a bien avisé de son intention d'interroger le procureur général et de porter une accusation s'il n'obtenait pas une réponse.

— Je lui ai dit, précise Johnson, que c'était son droit comme député. Vous êtes avocat, vous connaissez les règlements. Prenez vos précautions, car il y a une sanction à celui qui ne réussit pas[29].

Par la suite, Gabias fait cavalier seul avec Gérald Martineau qui mène à travers son homme lige une croisade contre le gouvernement Lesage — une sorte de réplique à l'enquête Salvas. L'accusé devient accusateur par la bouche du député de Trois-Rivières. Et tant mieux si l'entreprise de Gabias embarrasse Johnson ! Avant la présentation de ses motions à la Chambre, on a aperçu le député en tête à tête avec le conseiller législatif au café du parlement. Le chef unioniste doit avaler la pilule. À l'instar de ses collègues, il découvre le dossier au fur et à mesure que le député de Trois-Rivières l'ouvre devant le Comité des privilèges et élections.

Il suffit d'une semaine de session pour réduire en miettes les accusations de Gabias. Son principal témoin, Amédée Bellemare, se

contredit et se parjure devant les députés. Documents à l'appui, son
gérant de banque démontre qu'il ne lui a jamais accordé la somme
de 1500 dollars que ce dernier affirme avoir empruntée et remise à
René Hamel. Pis : l'oncle de l'entrepreneur vient dire aux députés
que son neveu lui a avoué, en septembre 1960, qu'il avait offert de
l'argent à Hamel, mais que celui-ci l'avait vivement refusé. Bref, la
preuve de Gabias s'écroule comme un château de cartes en semant
la consternation dans les rangs unionistes. Les seuls à jubiler
intérieurement sont Bertrand, Dozois et Gosselin.

Durant l'enquête du comité, Daniel Johnson se signale par sa
passivité. Il a l'air tantôt indifférent, tantôt irrité. Il offre Gabias en
pâture à un Jean Lesage qui retrouve ses talents d'ex-procureur de
la Couronne et multiplie objections et contre-interrogatoires.

Le 28 juillet, Yves Gabias avoue à ses collègues députés (et
à son chef) qu'il a accusé René Hamel sur la seule foi des propos
d'Amédée Bellemare et admet que sa plainte manque de fondement.
Il reçoit sa sanction : trois ans d'exclusion de la Chambre. Claude
Ryan, le nouveau directeur du *Devoir,* commente :

> Pour tous ses écarts, le député de Trois-Rivières a mérité une sanction
> sévère. L'expulsion de trois ans lui fournira tout le temps voulu pour
> apprendre à réfléchir avant de parler. On parlait de lui comme d'un
> rival possible de M. Johnson à la direction du parti. Il vient de briser
> pour longtemps le pot de Perrette qu'il portait sur une tête trop
> fragile. Paix à ses cendres politiques[30].

Claude Ryan inhume prématurément Gabias. À l'instigation
de son maître Martineau, le député conteste son expulsion, accuse
Lesage de l'avoir bâillonné et entreprend aussitôt, sur les ondes, une
campagne pour se justifier. Le point culminant doit en être une
grande assemblée publique à Trois-Rivières, le 21 août. Gabias se
déchaîne également contre Johnson qui doit être remplacé « parce
qu'il craint Lesage ». Le député exige un congrès au leadership et
annonce qu'il sera sur les rangs[31]. À chacun de ses discours, Gabias
répète : Johnson ne fait pas preuve d'assez d'agressivité — plusieurs
députés pensent comme moi !

La rébellion de Gabias inquiète le chef de l'Union nationale,
car elle indique que c'est maintenant l'aile droite du parti qui le

conteste. Son conseiller Charles Pelletier lui suggère :

— Dites aux contestataires : vous voulez un congrès à la chefferie ? D'accord, mais attendez-vous à ce que je me présente. Si c'est démocratique !

Deux jours avant l'assemblée de Trois-Rivières, Johnson convoque ses députés et leur soumet cette stratégie. La veille, le chef avait déclaré à la presse :

— M. Gabias est l'instrument d'un petit groupe.

Au caucus, la mise en garde de Johnson tempère le rebelle. Après la réunion, il fait amende honorable :

— Je suis plus Union nationale que jamais et j'offre au chef de l'opposition ma collaboration.

Profession de foi bien fugace, car elle n'empêche aucunement son auteur de déclarer de nouveau aux journalistes après l'assemblée de Trois-Rivières :

— J'ai la ferme intention de me présenter au poste de chef de l'Union nationale.

À quinze heures précises, une camionnette de la maison Martineau s'était arrêtée devant le Château de Blois, lieu de la conférence de presse, pour y livrer une douzaine de machines à écrire à l'intention des journalistes.

— Je n'ai jamais nié que M. Martineau était de mes amis, avait commenté en souriant le député de Trois-Rivières[32].

L'incartade d'Yves Gabias n'ira pas plus loin. Celui-ci a beau se croire issu de la cuisse de Duplessis, il ne possède ni la trempe ni l'habileté suffisantes pour dévorer Daniel Johnson. Ce dernier invoque la solidarité partisane pour le mettre au pas. Au lendemain de l'assemblée de Trois-Rivières, il l'avertit :

— Dorénavant, ceux qui voudront s'éloigner de la ligne du parti en seront tout simplement exclus !

L'affaire Gabias a fortement ému le chef. Amer, il confie à son publiciste Paul Gros d'Aillon :

— Les partisans de l'Union nationale sont incroyables : il leur faudrait le pape comme chef et encore, ils n'en seraient pas satisfaits[33] !

Au début de l'automne de 1964, une autre humiliation attend Daniel Johnson. C'est Jean-Noël Tremblay, cette fois, qui le soufflette publiquement. Il est téléguidé, lui aussi, par le rancunier Martineau.

L'occasion : l'inauguration du monument érigé derrière la cathédrale de Trois-Rivières à la mémoire du fondateur de l'Union nationale. L'initiative de la cérémonie revient à la Société des Amis de Maurice Duplessis, animée principalement par Martineau.

Avant de perdre le pouvoir, en juin 1960, le premier ministre Antonio Barrette avait commandé à Émile Brunet, sculpteur québécois vivant à Paris, un bronze de Duplessis. Le gouvernement Lesage ne prend possession de la statue que pour la faire disparaître au plus vite dans une cave obscure.

À Johnson scandalisé par le procédé, Lesage répond que Duplessis demeure un personnage trop discuté pour qu'on lui érige une statue.

— Vous avez tellement peur de Duplessis, rugit Johnson, que vous cachez même sa statue !

— Elle n'est pas montrable ! rétorque Lesage. Pas à cause de l'esthétique, mais à cause de la réputation de l'homme[34]...

Gérald Martineau décide de réparer l'injure. Le grand homme aura sa statue. Cinq ans après sa mort, le nouveau monument est achevé. Il ne reste plus qu'à l'offrir au peuple. Martineau convainc son ami Jean-Noël Tremblay, dont il admire le talent littéraire et oratoire, de prononcer une élégie digne du grand chef disparu. La Société des Amis de Maurice Duplessis lance des centaines d'invitations pour la cérémonie qui aura lieu le 6 septembre, date de la mort du fondateur de l'Union nationale. Mais, on ne sait trop par quelle inadvertance, le chef du parti, Daniel Johnson, ne reçoit pas son carton ! Il assistera à l'événement en simple spectateur.

Par l'un de ces retournements imprévisibles dont il a le secret, Jean-Noël Tremblay acquiesce à la demande de Martineau. Des amis le mettent en garde :

— C'est un acte suicidaire que d'aller défendre Duplessis !

— Je vais le faire quand même, répond avec assurance le professeur aux manières si recherchées. Je vais le faire et soyez assurés que, dans quelques années, on reprendra ce que je dirai[35].

L'ancien député de Roberval s'explique la tiédeur de Johnson envers les accusés de l'enquête Salvas par l'influence de certains de ses conseillers de Montréal qui lui montent la tête contre les hauts dignitaires unionistes de la vieille capitale, principalement Gérald Martineau. Il ne conçoit pas qu'un chef ne soutienne pas les siens aux prises avec l'infortune politique. Or, l'entourage montréalais de Johnson ne prise pas plus Tremblay que Martineau. On considère le premier comme l'un des « bavasseurs » du conseiller législatif, au même titre que Gabias. Martineau ne recourt à leurs services que pour nuire à Johnson.

Toutes les gloires de l'ancien régime se retrouvent, le 6 septembre, au pied du monument. Le chef est là, presque solitaire. On ne l'invite pas à prendre la parole. À quelques pas de lui se tient, frondeur, Gérald Martineau, entouré de « victimes » de Jean Lesage, Antonio Talbot et Jos-D. Bégin. Plusieurs doyens du parti sont également accourus, dont Antonio Élie, Patrice Tardif, Johnny Bourque, Paul Beaulieu, Paul Dozois et Maurice Bellemare. Ses récentes mésaventures n'ont rien enlevé de son aplomb à Yves Gabias qui trône au premier rang, mais loin du chef. Jean-Jacques Bertrand est resté chez lui, tandis que l'historien officiel du parti, Robert Rumilly, suit discrètement la cérémonie d'une fenêtre de l'immeuble de la chambre de commerce, voisin du monument.

Daniel Johnson fait face à la musique. Au premier affront s'en ajoute un second. Après la cérémonie, se déroulera chez Yves Gabias une grande réception d'où on l'a exclu. Johnson ira plutôt chez Léon Balcer, leader des conservateurs fédéraux du Québec. Outrés de l'attitude cavalière de Gabias, des militants de Trois-Rivières ont prié Balcer de sauver la situation en recevant chez lui le chef de l'Union nationale[36].

Le lyrisme du monologue de Jean-Noël Tremblay va droit au cœur des gérontes unionistes rassemblés autour du bronze, œuvre du sculpteur Jean-Jacques Cuvillier. Dans cette société québécoise traversée par des soubresauts dont ils ignorent la signification, Duplessis reste pour eux le phare éclairant leur nostalgie. Daniel Johnson garde tout son flegme. À peine un éclair passe-t-il rapidement dans ses yeux bleus fixés sur l'orateur quand ce dernier lui décoche une flèche traîtresse :

— M. Duplessis, proclame le professeur en pesant chacun de ses mots, était chef au sens le plus fort du terme. Il en avait les qualités et les défauts. On voudrait, en un temps où se fait sentir le manque d'audace et d'esprit de décision, qu'apparaisse un autre homme de cette trempe afin de raffermir les volontés chancelantes et de rallier notre peuple pour les conquêtes décisives et les luttes finales[37].

Chez Léon Balcer, les militants entourent Johnson, fulminant contre les Martineau, Tremblay et Gabias. La femme de Balcer a cependant d'autres idées en tête. Elle tâte le terrain pour son mari. Le député fédéral de Trois-Rivières est à couteaux tirés avec Diefenbaker et songe à siéger aux Communes comme indépendant. Son rêve serait de passer au provincial. Geneviève Balcer a l'œil sur le comté voisin de Nicolet que Johnson réserve toutefois à Clément Vincent. Il lui répond, en faisant allusion à l'influence de Gabrielle Bertrand sur son mari :

— Geneviève... il y a déjà assez de femmes qui mènent le parti.

Pourquoi pas plutôt un congrès contre Yves Gabias où Léon Balcer pourrait se présenter ?

Les élections ne sont pas pour demain. Johnson a un souci plus immédiat — faire censurer l'irrévérencieux laïus du professeur Tremblay que *Le Temps* ne manquera pas de reproduire. Il s'en remet à Gros d'Aillon et à Christian Viens (« Ça n'a pas de bon sens ! » dit-il au dernier). Le discours de Tremblay passera dans *Le Temps* du 12 septembre suivant, mais amputé du passage délictueux appelant un nouveau Messie duplessiste. L'organisateur Viens ne demande pas mieux que d'obéir à son chef, car il ne peut pas supporter ce professeur dont il est la vivante antithèse. Campagnard endimanché qui parle sans fioritures, Viens tient Tremblay pour un grand paresseux et ne prise pas non plus ses airs princiers.

Un jour, au retour d'une série de conférences dans l'Ouest du Canada, Jean-Noël Tremblay passe au *Temps* toucher sa paye. Il demande à Viens :

— Où sont mes chèques ?

— Il y en a seulement pour ceux qui travaillent, réplique Viens d'un ton cassant en refusant de lui remettre sa paye.

Le professeur se plaint alors à Johnson qui intercède auprès du gérant :

— Christian ! Ne fais pas le fou. Comprends donc ! Donne-lui ses chèques[38] !

En cet automne trouble où la révolte déferle sur le parti comme une lame de fond, Johnson voit aussi se dresser contre son leadership les jeunes députés élus en 1962, les Gabriel Loubier, Paul Allard, Jean-Paul Cloutier ou François Gagnon. Ils ne sont qu'une poignée, mais ils font du tapage. Le groupe des jeunes ne s'attaque pas tant à Johnson lui-même qu'à sa lenteur et à son indécision. C'est l'orientation politique du parti qui les intéresse, non la question du leadership comme telle. En 1963, les jeunes députés soumettent à Johnson un mémoire prônant, pour le parti, un *new look* idéologique. Johnson devrait rafraîchir ses idées en matière sociale et économique et cesser surtout de considérer l'État comme un dévoreur de libertés. Le chef promet de prendre leurs doléances en considération, mais sa promesse ne se concrétisera pas.

Pour les jeunes, l'orientation trop exclusivement agricole de l'Union nationale la condamne à croupir dans l'opposition. Ni Bertrand ni Gabias ne leur conviennent comme leader, mais leur impatience envers Johnson les porte à dire à qui veut les entendre : « Nous voulons d'abord un chef qui nous conduise au pouvoir ! » Ils prennent aussi ombrage de la « clique » de conseillers non parlementaires dont Johnson est captif.

Quand on leur demande ce qui se brasse dans le parti, Loubier et les autres répondent invariablement : « Malheureusement, rien ! » De guerre lasse, ils ont formé un comité politique parallèle au comité officiel issu du congrès de 1961, mais resté plus ou moins inactif. Le malaise général qui étreint l'Union nationale ne présage rien de bon ni pour son chef ni pour elle-même, tandis qu'approche la date du 5 octobre, où quatre élections partielles doivent se tenir dans les circonscriptions de Dorchester, Matane, Saguenay et Verdun.

Il y a encore, comme adversaires, la bourgeoisie du parti, les avocats principalement, qui grenouillent contre Johnson. Beaucoup d'avocats unionistes méprisent Johnson en qui ils ne voient qu'un politicien de seconde classe. Un jour, le fouineux Jacques Pineault avertit l'organisateur Lafontaine qu'un groupe d'avocats complotent contre le chef au sous-sol du club Renaissance. Lafontaine a mauvais caractère. Son sang ne fait qu'un tour ! Il court au lieu du complot, entre en coup de vent et apostrophe les disciples de Thémis :

— Un jour, vous finirez tous juges ! Moi, pas. Si vous voulez parler dans le dos de votre chef, votre place n'est pas ici, mais au club de Réforme. Si vous n'aimez pas Johnson, n'en parlez pas au moins car, moi, j'ai le devoir de le faire élire[39].

L'heure de la vérité

Le 5 octobre, les libéraux raflent les quatre comtés en jeu. Cette quadruple victoire libérale sape ce qui reste de force morale à Johnson. Durant les partielles, il s'est tellement démené qu'il a mis sa santé en danger. De plus, la débâcle de son parti le fait souffrir moralement. Les stratèges unionistes ne croyaient pas au miracle. La division du parti rendait improbable une percée importante. Et puis, c'est une tradition au Québec, le parti au pouvoir perd rarement une partielle. Daniel Johnson avait quand même misé sur Dorchester, citadelle unioniste depuis 1935 et, jusqu'en 1962, château fort d'un Jos-D. Bégin encore populaire chez lui malgré ses avatars judiciaires. Il lui aurait suffi d'une seule victoire pour consolider son autorité et mater ceux qui, à droite comme à gauche, tentaient de la détrôner.

Dorchester paraissait le comté tout indiqué. Une élection partielle y était devenue nécessaire par suite de la mort subite de Joseph Nadeau, député unioniste élu en 1962. À peu près à la même époque, deux autres députés avaient eu, eux aussi, l'idée de quitter le monde des mortels pour l'au-delà, et un troisième avait accédé à la Chambre haute. Lesage s'était donc vu contraint d'ordonner des élections partielles dans les quatre circonscriptions libérées : Dorchester, Matane, Saguenay et Verdun. Dans Dorchester, Johnson avait mis beaucoup de fougue et la paire de joyeux lurons que formaient Gabriel Loubier et Paul Allard, beaucoup de bonhomie et de truculence. Là comme dans les trois autres comtés, ce fut la débandade pour l'Union nationale.

Dans Verdun, l'étoile montante de Claude Wagner lui donne le comté sans qu'il ait même à brandir de menaces contre la mafia ou les « séparatistes », ses deux cibles favorites. Dans Dorchester, l'instituteur libéral Francis O'Farrell élimine l'unioniste Blais, grâce aux 2000 voix récoltées par le créditiste Bernard Dumont. Les libéraux conservent sans difficulté les deux autres comtés : Matane et Saguenay.

L'entourage a prévu le coup. Pour remonter le moral du chef, on lui a préparé un séjour en Europe de vingt et un jours en compagnie d'André Lagarde, de Gabriel Loubier et de Mario Beaulieu. Le lendemain du scrutin, Yves Gabias fait encore des siennes : « Il est temps qu'une opposition vraie joue pleinement son rôle à Québec », déclare-t-il aux journalistes. Avant de s'envoler pour la France, Johnson reporte au printemps le congrès prévu pour le mois de novembre.

— Il est évident, avoue-t-il à la presse, que notre parti devra se donner un nouveau programme et renforcer ses structures.

— M. Johnson, hasarde un journaliste, ne craignez-vous pas d'être renversé par Yves Gabias à la suite de votre défaite électorale ?

Le chef unioniste paraît très fatigué, pour ne pas dire déprimé. Des pattes-d'oie allongent ses paupières qui voilent un instant ses yeux bleus. Il observe une seconde de silence avant de répondre :

— Disons que si nous avions remporté la victoire, il y aurait moins de discussions au sein du parti.

*   *   *

Au mois de mai précédent, Daniel Johnson avait visité la Scandinavie — la Suède et la Finlande, en particulier — pour étudier la législation sociale, les relations entre le patronat et les syndicats, les coopératives et enfin le rôle joué par le protecteur du citoyen, personnage découvert par André Lagarde au cours de ses démêlés démentiels avec Lapalme. En 1964, Johnson n'est pas seulement un chef en quête d'autorité, mais aussi un étudiant. Cette fois, il s'intéresse au Marché commun. En Belgique, il rencontre plusieurs de ses dirigeants. Il retient deux choses importantes : la montée des technocrates et l'importance de Bruxelles pour le Québec.

La montée des technocrates européens l'impressionne fortement. C'est un concept qui n'est pas complètement étranger, au Québec. La Révolution tranquille a enfanté, entre autres choses, une nouvelle classe de fonctionnaires de l'État qui contestent le pouvoir des parlementaires. Jusqu'ici, Johnson avait perçu les technocrates comme une menace pour la démocratie. Il va nuancer ses vues et retenir l'idée d'une réforme du régime parlementaire québécois propre à éviter le déclin du parlementarisme. Johnson constate aussi que Bruxelles est devenu la plaque tournante d'une nouvelle Europe. Le Québec devra être présent à Bruxelles s'il veut planifier le développement de ses ressources naturelles et de son industrie manufacturière. Lui qui a tiqué, lors de l'ouverture de la Maison du

Québec à Paris, en 1961, il se fera, à son retour, le promoteur d'une délégation générale du Québec à Bruxelles.

Le chef unioniste est un homme en pleine mutation. Depuis 1962, ses voyages lui apprennent beaucoup de choses sur le monde contemporain. L'homme de l'ancien régime s'estompe peu à peu devant les réalités d'un monde qui n'a plus aucune ressemblance avec la société bucolique et agricole du Québec de Duplessis. La vision du chef de l'Union nationale s'élargit et s'approfondit en même temps.

En voyage, Johnson partage son temps entre l'étude et le plaisir. Généralement, sa cour comprend des bons vivants comme Lagarde ou même des fous du roi comme Gabriel Loubier. À Paris, le groupe s'offre du bon temps avant de rentrer. Toujours amateur de bel canto, Daniel Johnson décide, un soir, d'aller à l'opéra avec Mario Beaulieu devenu, depuis 1961, l'un de ses plus proches collaborateurs. Ensuite, les deux hommes iront dîner, puis rentreront à l'hôtel.

En sortant de l'Opéra de Paris, Johnson s'immobilise subitement. Il se prend l'estomac à deux mains en se tordant de douleur. Il se laisse tomber sur les marches de l'Opéra, le teint cireux et à bout de souffle.

— Voulez-vous que j'appelle une ambulance ? interroge Mario Beaulieu, inquiet à ne plus savoir quoi faire.

— Non... non. Ça va aller, souffle Johnson d'une voix blanche. Laissez-moi quelques minutes pour me reposer.

Au bout d'une dizaine de minutes, il retrouve une respiration normale et se remet tant bien que mal sur ses pieds. Après quelques instants d'une marche silencieuse, Johnson se tourne vers son compagnon :

— Ce n'est rien de grave... mes ulcères !

Beaulieu ne dit rien, mais demeure sceptique. Avant d'entrer dans l'hôtel où loge le reste de la bande, Johnson implore son collaborateur :

— Ne parlez pas de ça à personne, à votre retour au Québec[40]...

Johnson fait venir André Lagarde dans sa chambre. Il le met au courant de ce qui vient de se passer en exigeant le secret, puis lui dit :

— André, je ne peux pas retourner en avion...

En 1962, André Lagarde a fraternisé avec l'organisateur de
l'UDR, Alexandre Sanguinetti. Il communique avec lui, lui expose
la situation et le prie d'intercéder auprès du ministre des Transports
Grandval. *Le France* doit quitter Le Havre pour New York dans
deux jours. Est-il possible d'obtenir une suite pour Johnson ?
Sanguinetti prend les choses en main et le chef unioniste traverse
l'Atlantique en paquebot, en compagnie de Lagarde. Les autres sont
revenus en avion. À New York, cependant, Johnson prend l'avion
pour Dorval où l'accueille, le 28 octobre, une meute de journalistes[41].

On ne veut pas lui parler de sa santé — rien n'a transpiré de
sa crise devant l'Opéra —, mais plutôt du « samedi de la matraque ».
En son absence, le Québec a été le théâtre d'un grave affrontement
entre le mouvement indépendantiste légal et les forces de l'ordre,
qui obéissent depuis octobre au nouveau procureur général Claude
Wagner, l'homme à la main de fer.

Tout a commencé quand Jean Lesage a invité la Reine à séjourner à Québec, les 10 et 11 octobre, dans le cadre de sa tournée
pancanadienne. En un temps d'agitation indépendantiste extrême
où les armes disparaissent des casernes militaires et les explosifs
des chantiers de construction, l'invitation paraît inopportune aux
uns, pure provocation aux autres.

Marcel Chaput, le premier, donne le ton en semant l'émoi
dans les milieux politiques. Le leader indépendantiste affirme à
Toronto que les Québécois réservent à la Reine un « accueil brutal ».
Les médias s'emparent de la menace qui fait le tour du monde.
Bientôt, la presse présente la visite de la Reine au Québec comme
un « nouveau Dallas[42] ». Lesage qualifie les propos de Chaput
d'irresponsables et lance un appel à la paix sociale. Le vieux Dief,
encore plus stupéfait que le chef libéral, s'exclame : « Qu'est-ce que
tout cela signifie ? Est-ce possible ? » Le ciel lui est tombé sur la
tête. La Reine viendra quand même, car elle a confiance dans le
pacifisme des Québécois « qui ne sont pas des sauvages » après tout,
commente de son côté l'éditorialiste de *L'Action* de Québec, Lorenzo
Paré.

Elizabeth d'Angleterre honore effectivement la vieille capitale
de sa présence. Mais pour la voir et l'applaudir, il n'y a que des
militaires, des policiers, des militants indépendantistes et mille

journalistes. Le peuple est resté chez lui pour regarder la souveraine à la télévision. Il y a de la poudre dans l'air. Le courage de la Reine émeut jusqu'aux larmes le premier ministre Lesage.

La veille de son arrivée, *Le Devoir* a reçu une lettre anonyme d'un groupe clandestin. « L'exécution de la Reine », dit la missive, ne vise pas sa personne, mais le symbole. La Reine ne mourra pas, mais le symbole écopera. Derrière chaque arbre, il y a un policier tendu. Il suffit qu'un étudiant s'écrie « Vive Elizabeth... Taylor[43] ! » pour qu'une matraque policière lui cloue le bec. L'émeute éclate comme prévu. C'est la bastonnade en règle et la chasse aux manifestants à travers les rues désolées de la douce et vieille capitale. Le lendemain, les journaux ne parlent que de la brutalité policière. L'opinion s'indigne. Les policiers auraient-il dépassé la mesure ? Lesage demande à Claude Wagner de faire enquête.

Le rapport Wagner traduit la mentalité simplificatrice de son auteur. Qui sont les responsables du « samedi de la matraque » ? Claude Wagner blanchit la police et désigne les fomenteurs de troubles : le Rassemblement pour l'indépendance nationale, les étudiants, des voyous, des sociétés patriotiques comme la Saint-Jean-Baptiste et un petit noyau de journalistes. Tout est dit ! Mais l'enquête « personnelle » de Claude Wagner convainc peu de monde. Surtout pas André Laurendeau qui conclut son éditorial en ces termes :

— Si M. Wagner allait continuer dans cette direction, il faudrait un jour écrire un nouveau chapitre à l'histoire du gouvernement Lesage. J'en vois d'avance le titre, emprunté à Molière : Comment l'esprit vient aux filles, ou comment le duplessisme aux gouvernements[44].

En Europe, Daniel Johnson a dévoré les journaux durant la visite royale. Il tire des incidents la conclusion suivante : la visite de la Reine à Québec « a sensibilisé l'Europe à l'existence d'un groupe canadien-français au Québec ». Aux journalistes qui l'interrogent à Dorval sur les répercussions politiques de la visite royale, il confie :

— Je n'ai pas encore lu le rapport Wagner, mais, dès septembre dernier, j'ai mis les Québécois en garde contre l'établissement au Québec d'un État policier si M. Wagner était élu. Que voulez-vous, c'est la mentalité du bonhomme. Il est fait comme ça[45].

Daniel Johnson a d'autres chats à fouetter. Sa santé l'inquiète.

Son leadership est toujours aussi fragile. Il revient dans un Québec divisé comme son parti. Il ne saurait retarder indûment l'heure des explications avec ses ailes droites et gauche. Mais avant, il a besoin d'être fixé sur la nature du mal sournois qui l'a foudroyé sur les marches de l'Opéra de Paris. Son frère Réginald, qui est cardiologue, l'hospitalise à Notre-Dame, rue Sherbrooke, à Montréal.

À son retour à Montréal, Mario Beaulieu n'a pu s'empêcher de dire au Dr Johnson :

— Votre frère a de drôles d'ulcères...

À son autre frère Maurice, Johnson a laissé savoir avant de prendre la route de l'hôpital :

— J'ai été malade en Europe. Je crois que c'est le cœur.

En 1958, le chef de l'Union nationale avait passé quinze jours à l'hôpital à la suite d'un accident à l'aéroport de Québec. L'hélice de l'hélicoptère dans lequel il avait pris place s'était détachée et s'était écrasée contre la carlingue. Johnson avait évité la décapitation de peu en rentrant sa tête dans ses épaules, mais on avait dû l'hospitaliser pour lui « étirer le cou[46] ». Son frère Réginald lui fait subir des examens médicaux complets et lui prescrit une diète sévère qui lui fera perdre la trentaine de livres qu'il traîne en trop. Pour la première fois de sa vie, Johnson va devoir compter ses calories.

Le verdict du cardiologue ne laisse pas l'ombre d'un doute sur la nature réelle du mal qui l'a terrassé à Paris. Ce ne sont pas ses ulcères qui lui ont coupé le souffle, mais une crise cardiaque mineure. Johnson fait de l'angine de poitrine. Réginald lui conseille de se retirer immédiatement de la politique s'il veut vivre. Pas question, surtout, de s'engager dans la campagne électorale de 1966 ! Daniel Johnson écoute ses conseils sans trop les prendre au sérieux. Allons donc ! Tout lâcher après vingt ans d'efforts ? Rentrer chez lui pour faire quoi ? Il n'a même pas encore atteint le but auquel il a tout sacrifié, même sa famille : diriger un jour ce peuple qu'il aime tant. Non. La maladie, c'est pour les autres[47] !

À l'hôpital, Johnson fait le point. Il se trouve dans la position d'une personne qui, victime d'un grave accident, a failli y rester. Dans son esprit affleurent toutes sortes de questions : qu'est-ce que je veux ? quel est mon avenir, celui de l'Union nationale, du Québec ? Johnson réfléchit et lit beaucoup. Il découvre d'autres genres, de nouveaux auteurs — comme Jean Fourastié, l'auteur de *Le Grand Espoir du XXᵉ siècle*. Il se délecte à la lecture des découvertes de Marco Polo et se passionne pour les essais sur la prospective.

Il change du même coup de niveau de réflexion et dépasse peu à peu les préoccupations trop locales ou exclusivement partisanes. Sur cette nouvelle vision des choses qui s'enracine peu à peu en lui, descend une sérénité d'esprit faite de priorités et d'objectifs différents. Johnson franchit un tournant important de sa vie[48].

Un nouvel homme, amaigri, physiquement mais intellectuellement ennobli, est en train de naître sur ce lit de l'hôpital Notre-Dame. À Roger Ouellet, venu lui rendre visite dans le petit salon adjacent à sa chambre, Johnson promet sur le ton de l'optimisme :

— Il va falloir que j'adopte un autre régime de vie. Je suis un peu « poqué » ! Je vais changer mes habitudes, mes méthodes de travail. Je vais me coucher plus tôt, aussi... Tu vas voir !

Sa sincérité est totale, car il sait maintenant une chose avec certitude : ses jours lui seront comptés s'il reste en politique. Désormais, il est un homme pressé. Il lui faut se concentrer sur l'essentiel et abandonner cette « politicaillerie » que ses adversaires lui reprochent si souvent. Daniel Johnson a acquis le sens de sa finitude. Il ne jouera plus au politicien. Délivré des contingences électoralistes, il sera dorénavant comme un soldat au front. Il mourra debout, mais pas avant d'avoir prouvé à tous ses détracteurs qu'il aura été le plus grand premier ministre du Québec. Ceux qui l'ont rapetissé, qui lui ont créé une réputation de « bandit » — laquelle a cruellement atteint les membres de sa famille — devront modifier leur opinion.

Sa réhabilitation passe par une tâche difficile. Il doit d'abord pacifier et unir son parti. Rallier le mouton noir Bertrand ou l'exclure. Briser enfin ceux qui intriguent, à droite, contre son autorité. Actuellement, l'Union nationale ne va nulle part. Son entourage en a d'ailleurs « ras-le-bol » des frasques de Bertrand. Ses conseillers ne cessent de lui répéter : « Mettez-le à l'ordre ! Dites-lui : tu suis ou tu sors ! » Ils craignent parfois de le voir perdre courage et, de guerre lasse, abandonner le gouvernail à un autre.

À Rouyn où il a fini par se fixer, Antonio Flamand apprend par les journaux l'hospitalisation de Johnson. « De simples maux d'estomac, rien de grave », lit-il. La presse se livre aussi à des conjectures au sujet de la précarité de son leadership. Flamand écrit à son chef pour ranimer son courage :

— Si vous croyez en Dieu, vous n'avez pas le droit de vous en aller. Si vous n'y croyez pas, vous devez croire en notre devenir historique — et alors, vous n'avez pas plus le droit de démissionner[49].

Comment réduire cette révolte qui gronde à l'extérieur de sa chambre d'hôpital ? Johnson hésite entre deux stratégies : convoquer immédiatement un caucus secret où chacun des mécontents videra, une fois pour toutes, son sac devant les autres, ou temporiser jusqu'au congrès général du printemps pour crever l'abcès qui risque d'emporter l'Union nationale. Il doit agir vite, car on l'a avisé qu'un important groupe d'organisateurs fait circuler sous le manteau un manifeste féroce. Les griefs à son endroit sont consignés dans un petit livre noir qui lui a été remis.

Hospitalisé lui aussi à Notre-Dame pour ses poumons qui sont fragiles, l'organisateur en chef Fernand Lafontaine vient souvent le voir pour discuter de la stratégie à suivre afin de mater la contestation. Lafontaine sait que son chef a reçu le « livre noir », mais, curieusement, celui-ci reste muet à son sujet. Il lui tend une perche :

— Vous l'avez lu, le petit livre noir ?

— Comment ? Vous êtes au courant... ?

— Certainement, on m'a même demandé de le signer !

Johnson saisit le pamphlet qui se trouve dans le tiroir de la commode et le remet à Lafontaine avec un air exaspéré. Il paraît agité et respire tout à coup avec difficulté. Les deux mains sur l'appui de la fenêtre de sa chambre qui donne sur le stationnement arrière de l'hôpital, Johnson fixe en silence la grisaille de l'est de Montréal...

Le mégalomane de Trois-Rivières, Yves Gabias, n'a pas abandonné la partie, lui non plus. Le journal *L'Appel,* dévoué à l'Union nationale, vient de faire une publicité tapageuse « au dynamique et tenace député de Trois-Rivières ». Le journal enguirlande Johnson, ce chef dont « la rhétorique, faite de grands mots comme états généraux, constituantes, ombudsman, etc., n'intéresse pas le peuple ». La prose de *L'Appel* a pour unique but de mousser la candidature de Gabias à la direction, avec la bénédiction de Gérald Martineau et d'Alfred Hardy, deux des éclopés de l'enquête Salvas[50].

Le député de Labelle, Fernand Lafontaine, favorise un caucus secret et s'oppose à ce que les députés lavent leur linge sale à la faveur d'un congrès qui sera forcément public. Épaulé par Christian

Viens, venu de Québec, il propose à Johnson de tenir un caucus sans plus attendre. Celui-ci explose :

— Vous autres, je ne veux plus rien savoir de vous ! Vous êtes des tarlas, des tatas ! leur crie-t-il en les mettant à la porte de sa chambre.

Dans le corridor, Viens demande à Lafontaine :

— Qu'est-ce qu'on fait ? On abandonne l'idée ?

— On dort là-dessus, répond le député.

Fernand Lafontaine connaît son homme. Johnson regimbe d'abord contre les idées et propositions qui lui déplaisent. S'il hésite à convoquer le caucus, c'est qu'il redoute plus que tout un affrontement irrémédiable entre les députés. Le lendemain, il rappelle ses deux collaborateurs. L'homme n'est plus le même. Il a l'air de celui qui a enfin pris une décision — il ne joue plus avec ses doigts en parlant, comme il a l'habitude de le faire quand il est contrarié. Il s'est rallié à leur suggestion. Lafontaine le rassure :

— On va réunir le caucus avant les partisans. Vous n'aurez rien à faire. Laissez-moi faire, j'ai une petite idée derrière la tête[51]...

Le 28 novembre, Johnson quitte l'hôpital et s'arrête un instant sur le trottoir pour prendre une grosse bouffée d'air, comme le prisonnier à qui l'on vient de rendre sa liberté. Rue Sherbrooke, juste en face de Notre-Dame, une quinzaine d'ouvriers creusent des trous dans le pavé. Johnson marche droit vers eux avec le sourire rayonnant d'un homme heureux... et d'un politicien. Le groupe s'est arrêté de travailler et échange avec « M. Johnson » de robustes poignées de main et les plaisanteries d'usage.

La bonhomie qui émane de cet homme au contact facile fait que les gens l'aiment d'emblée. Ça se voit et ça se sent. Ses manières simples et son physique anonyme de monsieur tout-le-monde le rapprochent instantanément des couches populaires d'où il est sorti. Il se laisse aborder tellement facilement que ses amis doivent parfois dresser un mur entre lui et le public. Au restaurant, on l'assoit au fond — on le cache presque. C'est la seule façon de l'avoir à soi, de lui parler.

Les 9 et 10 décembre, députés, conseillers législatifs et cadres du parti envahissent le Mont Gabriel Lodge. L'heure de la vérité a sonné. Le parti sortira du caucus uni derrière le chef ou éclatera. Officiellement, trois raisons attirent les uns et les autres vers cette station de ski des Laurentides, déjà ensevelie sous la neige : adopter une position commune face à l'affaire Gabias, préparer le travail parlementaire de la session du 21 janvier 1965 et entériner la tenue d'un congrès général du parti au mois de mars suivant. Mais c'est plutôt la double question de l'unité et du leadership qui hante les esprits.

Johnson se rend dans le Nord avec le fidèle André Lagarde à qui il a dit :

— Viens me chercher. Les esprits sont trop montés pour que j'arrive au caucus avec des députés. On m'accuserait de favoritisme...

Dans la voiture qui file sur l'autoroute des Laurentides, Johnson laisse couler ses confidences.

— Ma santé est précaire. J'en ai peut-être pour cinq ans à vivre...

Le chef raconte à son ami que l'un de ses oncles souffrait de la même maladie de cœur que lui — il avait tenu le coup dix ans. Lagarde ne dit rien et garde l'œil sur la route. Johnson lui paraît étrangement serein pour un homme en sursis. Il connaît ses ennemis — les Bertrand, Dozois et Gosselin, toujours les mêmes depuis 1961. Il ne se fâche pas contre le « grenouillage » du député de Missisquoi. Il en parle d'un air détaché. Comme s'il comprenait tout. Ces dernières années, après un coup de Jarnac de Bertrand, il lui arrivait d'exploser, de le traiter de « tata », de « p'tit trou de c... » Il disait aussi en évoquant sa petite taille : « Il a le complexe de Napoléon. » Aujourd'hui, Daniel Johnson paraît magnanime.

Quand il était furieux contre le député de Missisquoi, Johnson l'appelait encore, d'un air hautain, *the young country lawyer*. Il n'avait pas tort, car Jean-Jacques Bertrand est vraiment un avocat de campagne et l'épithète lui allait comme un gant. Sa répulsion pour Montréal est si forte qu'il n'arrête pas de dire à ses proches quand il y vient : « Je ne comprends pas que vous puissiez vivre ici ! » Homme sans façon, Bertrand accorde aussi peu d'importance à l'apparat. Il s'habille peu ou mal. Contrairement à Johnson, il n'aime pas les bains de foule. Par exemple, l'idée d'entrer au club Renaissance, alors qu'il s'y déroule une grande réception, le terrorise. Il faut le prendre par le bras.

Dans la salle du caucus, on peut sentir la tension accumulée. Daniel Johnson a pris place à la table. Comme toujours, il préside la réunion. Le débat commence. On dissèque les morts, on ressasse en long et en large la conduite d'Yves Gabias. Faut-il, oui ou non, l'expulser du parti ? Ou le défendre jusqu'au bout à la reprise de la session ? Les députés abordent tous les sujets, sauf le bon. On tourne en rond. Le malaise flotte dans l'air, mais aucun intervenant n'ose s'attaquer de front au leadership de Johnson. Les deux députés qui soutiennent Bertrand s'impatientent devant la tournure des événements. Paul Dozois et Claude Gosselin sont venus au caucus pour s'expliquer.

Au moment où Johnson va lever la séance jusqu'au lendemain, Paul Dozois se lève et marche d'un pas décidé vers le micro. L'ancien marchand de tabac pose brutalement la question :

— On est venu ici pour régler, une fois pour toutes, la question du leadership de M. Johnson. Plusieurs sont mécontents et on entend toutes sortes de rumeurs. Il faudrait que tous ceux qui ont des choses à dire se lèvent et aient le courage de les dire ici. Il faut vider l'abcès qui nous divise[52] !

Écœuré lui aussi par le piétinement du caucus, le matamore Claude Gosselin secoue à son tour les députés.

— Faites-vous une idée ! Faites ce que vous voulez avec l'Union nationale, mais moi je vais sacrer mon camp si ça ne change pas. Et d'autres vont le faire aussi !

Murmures de réprobation dans l'assistance. Johnson saisit au vol la balle lancée par le colérique député de Compton. Il a justement convoqué cette assemblée secrète pour laver le linge sale de la famille unioniste :

— Je pense que Claude a raison, fait-il d'une voix doucereuse. Allez-vous-en chacun dans vos chambres et revenez demain matin à neuf heures précises. Ceux qui veulent parler, qui ont des choses à dire, le feront. On va procéder dans l'ordre. Chacun doit se vider au complet[53].

Le député qui passe la plus mauvaise nuit n'est pas Daniel Johnson, mais Claude Gosselin. Il se couche, mais n'arrive pas à fermer l'œil. Il a une idée fixe : quitter l'Union nationale. Depuis l'élection de Johnson, il n'est plus à l'aise dans ce parti sans orientation politique. Mais la pensée de s'éloigner pour toujours de l'UN lui déchire le cœur. Il n'a que quarante ans — et encore bien des années de vie politique devant lui. Il est dans la force de l'âge et en pleine santé.

Depuis 1957, année de son élection comme député de Compton, l'Union nationale est devenue le centre de sa vie. Duplessis lui a enseigné la politique et, contrairement à d'autres réformistes du clan Bertrand, Claude Gosselin ne crache pas sur l'homme. Il n'est pas « duplessiste », mais il en garde le souvenir d'un grand chef. À côté de lui, Johnson fait figure de moucheron !

Terrassé par la grippe asiatique tout de suite après son élection, Gosselin avait dû garder le lit. Un matin, vers onze heures, Auréa Cloutier lui téléphone :

— Vous êtes bien M. Claude Gosselin, le nouveau député de Compton ?

Celui-ci acquiesce et la secrétaire lui passe le Chef. Le vendeur de cochons n'a encore jamais parlé à Duplessis.

— Allô, Claude ? mon député de Compton... comment ça va ?

— Quand je me suis présenté pour l'Union nationale, répond Gosselin d'une voix affaiblie par la fièvre, mes adversaires m'ont prédit tous les fléaux, mais je ne savais pas qu'une fois élu député unioniste le fléau de la grippe asiatique s'abattrait sur moi...

— Ça ne prendra pas sur toi, mon Claude. T'es pas un jaune... !

Duplessis rit et poursuit :

— Tu es le premier député canadien-français de Compton depuis la Confédération. Aussitôt que tu seras guéri, viens à Québec. C'est toi qui vas appuyer la motion en réponse au discours du Trône.

— Avant de faire ça, réplique Gosselin subitement apeuré, il va falloir que j'aille voir ce que c'est, le Parlement... J'aimerais que ça soit quelqu'un d'autre...

— D'après ce qu'on m'a dit de toi, coupe Duplessis, tu es capable de faire ça.

— Si vous me le demandez, M. Duplessis, je vais le faire[54].

Duplessis réservait toujours à ses nouveaux députés un accueil particulier. Il leur accordait aussi une longue entrevue à son bureau, qui pouvait durer de deux à trois heures. Le néophyte ignorait alors qu'il n'aurait plus jamais l'occasion de s'entretenir en tête à tête avec son chef plus de sept ou huit minutes à la fois.

— Tu ne sais pas comment ta victoire m'a fait plaisir. En plus, tu as fait perdre son dépôt à ton adversaire...

Duplessis adoptait avec ses jeunes députés le ton du père qui prévient son enfant des dangers qui l'attendent dans la vie, au moment où celui-ci va s'envoler du nid.

— Tiens-toi loin des entrepreneurs. Il faut que tu saches que ceux qui sont plus âgés que toi n'accepteront pas tes leçons. Use de diplomatie. N'oublie jamais que, pour moi, le maître du comté, c'est son député. « Poutine » pas dans rien. Tes électeurs s'attendent à ton honnêteté et à ta loyauté[55].

Duplessis et Gosselin sympathisent rapidement. L'anniversaire du Chef est le 20 avril ; en 1958, le député de Compton se présente à son bureau pour lui souhaiter bonne fête.

— Je ne peux pas l'oublier, votre fête, lui dit-il. Il y a de grands personnages qui sont venus au monde le 20 avril...

— Il y a moi, coupe Duplessis en riant.

— Il y en a de bien plus grands... il y a Réjeanne, mon épouse, et il y a aussi la Reine.

— Lâche-moi la Reine ! s'exclame Duplessis. Réjeanne, ça peut faire.

Il y a des roses sur son bureau. Le Chef en prend quelques-unes et les donne au député.

— Apporte ça à Réjeanne. Espèce de chanceux ! Pendant qu'elle va humer le parfum et penser à moi, c'est toi qui va avoir le fun[56] !

Les rapports entre les deux hommes connaissent des moments moins amènes, car Claude Gosselin n'a peur de personne, même pas de Duplessis. Il se permet une chose que peu d'hommes autour du Chef se sont permise : le contredire au caucus. Le député de Compton découvre, ce faisant, qu'on peut s'opposer à lui et n'en point mourir. Dictateur, Duplessis ? Duplessis respectait ceux qui savaient se tenir debout devant lui. Les autres, il les humiliait.

Un jour, Gosselin a avec le Chef une vive altercation au sujet du Crédit agricole. Pour Duplessis, le Crédit agricole, c'était « ses œuvres ». Il en était fier. Sauf que le montant des prêts était ridiculement bas et qu'avant de prêter le gouvernement exigeait que les terres soient vierges de toute dette. Au cours d'un caucus, le ministre de l'Agriculture, Laurent Barré, annonce que le crédit agricole sera porté de 6000 à 9000 dollars. Applaudissements convenus des députés et ministres. Selon son habitude, Duplessis consulte chacun.

— Claude, le benjamin, le matamore, qu'est-ce que tu penses de ça?

— Tant qu'à rire du monde, allez-y avec votre 9000 dollars! Mais il faudrait au moins 12 000 dollars. Savez-vous qu'actuellement le Crédit agricole vend les terres des cultivateurs le dimanche, à la sortie des églises, parce qu'ils ne peuvent plus payer?

— Qu'est-ce que tu dis là? lance Duplessis en toisant l'impertinent.

— Il faut changer les barèmes d'évaluation des terres, continue Gosselin sans sourciller. Montez à 15 000 dollars!

Duplessis est maintenant en colère. Il ordonne à Gosselin:

— Demain matin, à mon bureau, à neuf heures!

— Je peux y aller tout de suite, si vous voulez. Vous n'êtes pas mon père!

Après le caucus, ses collègues lui offrent leurs sympathies:

— Toi, ta carrière politique va finir vite...

Bien au contraire, Duplessis est enchanté de son jeune fanfaron:

— Toi, Claude, lui dit-il le lendemain matin, tu as des « gosses »...

— Oui j'en ai, brave encore le député. Je me suis marié à vingt ans pour que ça serve! C'est pas comme vous!

Duplessis s'esclaffe. Puis il redevient sérieux.

— Tu as dit, hier, que le Crédit agricole vendait des terres à la porte des églises?

Et le député de Compton d'expliquer au premier ministre:

— À l'automne, les cultivateurs partent au chantier. Durant l'hiver, la mère met derrière l'horloge tous les comptes qui arrivent. Le père les paie seulement au printemps, à son retour. J'ai vu, dans mon comté, des cultivateurs payer 72 dollars, au lieu de 60, au Crédit agricole parce qu'ils avaient du retard. Et j'ai vu des gars dont la terre a été saisie par le Crédit agricole parce qu'ils étaient trop en retard dans leurs paiements.

— Ah! ça ne restera pas là! rage Duplessis.

Le premier ministre décroche le téléphone et passe un savon au président du Crédit agricole, le notaire Eugène Poirier. Les collègues de Gosselin lui avaient dit: « Tu vas *frapper* deux murs. Duplessis que tu as fait choquer et les fonctionnaires qui vont

bloquer tes demandes de prêts. » La prédiction s'avère exacte du
côté des bureaucrates. Comme par hasard, ses demandes de prêts en
faveur des cultivateurs de Compton ne sont jamais acceptées. Désemparé, Gosselin frappe à la porte de Duplessis.

     — Comment t'aimes ça, être député, mon Claude ? demande
celui-ci.

     — J'aime moins ça que d'habitude... Je vais sacrer mon camp !
     — Qu'est-ce qui ne marche pas ?
     — Toutes mes demandes de prêts agricoles ne passent pas !
     — As-tu des cas concrets ? demande Duplessis, qui veut
toujours avoir des exemples précis parce que ça va plus vite et que
son temps est compté.

     Claude Gosselin lui remet une liste de 15 demandes qui ont
été refusées. Duplessis les étudie, puis décroche l'appareil téléphonique. Il dit au notaire Poirier, d'un ton qui ne souffre pas de réplique :

     — J'ai mon député de Compton devant moi. Depuis qu'il m'a
signalé ce que tu sais, il dit que ses prêts ne passent pas. Je te donne
une semaine pour régler, ça, sinon j'en mets un autre à ta place !

     En deux jours, les 15 demandes de prêts des cultivateurs de
Compton reçoivent le *nihil obstat* bureaucratique[57].

* * *

     Au Mont Gabriel Lodge, il est quatre heures du matin. Claude
Gosselin ne dort toujours pas. Il revoit son passé et écrit aussi tout
ce qui lui passe par la tête sur l'avenir de l'Union nationale — si elle
en a encore un. On frappe à sa porte. C'est son ami Dozois qui occupe
la chambre voisine.

     — Je n'ai pas pu dormir de la nuit, fait le député de Saint-
Jacques.

     — Moi non plus, répond Gosselin. Tu sais... on est ici ce
matin, c'est le bout ! Je vais la craquer, l'Union nationale ! J'en ai
fini avec vous autres !

     Par nature, Paul Dozois est un modérateur, un conciliateur. Il
n'est pas plus satisfait que Gosselin du leadership de Johnson mais,
de là à claquer la porte, il y a une marge qu'il n'a pas encore
l'intention de franchir. Il ne démissionnera que le jour où il aura la
certitude que Johnson ne veut vraiment pas avancer. Dozois a une

longue feuille de route derrière lui. Il approche de la soixantaine. Sa tête est toute blanche. Il s'assoit sur le lit et calme l'impétueux député de Compton.

— Ne fais pas le fou, Claude, dit-il d'une voix lente et fatiguée. Vide-toi comme il faut, tantôt. Après, si ça ne change pas dans le parti, moi aussi je sortirai avec toi. Mais ne prends pas ta décision sous le coup de la rage[58].

À neuf heures précises, Daniel Johnson ouvre le débat sur son leadership. On y passera toute la journée. Les uns, comme Maurice Bellemare — autre taureau de la même race que Gosselin —, se fâchent tout rouge contre ceux qui veulent avoir la tête du chef.

— Rangez-vous ou dehors ! rugit Bellemare au micro. La porte est là, prenez-là ou bien acceptez le chef.

Il y a ceux qui, comme Paul Dozois, prêchent la conciliation, mais en exigeant des changements et en ne fardant pas la réalité.

— En 1961, au congrès, j'étais avec M. Bertrand. C'était mon choix. Je ferais le même choix si c'était à refaire. Mais la question du chef a été tranchée quand le congrès a élu M. Johnson. Je me suis rallié. M. Johnson a fait des erreurs. C'est normal. Sa performance aux élections de 1962 n'est pas si mauvaise, même si nous avons perdu 11 sièges. L'enquête Salvas avait barbouillé tout le monde, la nationalisation était une mesure populaire et les libéraux, au pouvoir depuis seulement deux ans, n'avaient pas eu le temps de mécontenter la population. Trente et un députés, dans ces conditions, ce n'est pas si mal. Surtout qu'il y en avait 10 nouveaux. Donc, malgré ses erreurs — et M. Bertrand en a commis lui aussi —, je pense qu'on doit mettre fin à nos divisions et épauler le chef[59].

Le plaidoyer de Claude Gosselin est implacable. Certains membres du caucus sont scandalisés, d'autres en ont la chair de poule.

— Pour une des rares fois de ma vie, commence le député, je n'ai pas pu dormir. Vous en êtes la cause, M. Johnson, et l'Union nationale aussi ! Je sais que ça ne vous plaira pas d'entendre ce que j'ai à dire. Si vous voulez le savoir, M. Johnson, vous n'êtes pas montrable ! Pas vendable ! Vous avez mauvaise réputation — à tort ou à raison. Mais je sais que vous serez pouilleux tant que vous n'aurez pas nettoyé votre entourage. On vous demande depuis deux ans de vous débarrasser de la canaille autour de vous. Qu'est-ce que vous voulez au juste : le bien du parti ou votre poste de chef ? Si vous ne vous nettoyez pas, si vous ne faites pas un congrès du parti, si vous ne faites pas de réformes, moi je m'en vais ! Les jeunes que je rencontre à travers le Québec ne veulent pas savoir ce qui s'est passé hier. Ils veulent savoir comment demain sera fait. En avez-vous des idées et des formules pour bâtir le parti ? Si vous n'en avez pas, sacrez donc votre camp !

Claude Gosselin continue sur ce ton cinglant durant une heure. Il se défoule royalement. Il vide tout ce que son sac contient de griefs et de frustrations. Pendant son intervention, Johnson ne bronche pas. Il écoute le député en le fixant de ses yeux bleus. Il paraît impassible comme si aucun sentiment ne l'animait.

— Vous avez tout dit ce que vous aviez à dire, Claude ? demande Johnson d'un ton dépourvu d'émotion.

— Oui, maintenant je peux m'en aller...

— Non, ne vous en allez pas ! prie Johnson. Vous avez raison... Est-ce que je peux vous demander, une fois de plus, votre confiance. Donnez-moi une dernière chance... quelques mois. Je vais vous prouver qu'on peut relever l'Union nationale, qu'on peut faire des changements.

— Je suis prêt à attendre, mais pas pour vous, pour le bien de l'Union nationale. Mais je vous préviens : ne nous convoquez plus pour rien ! Sans quoi, je vous le dis bien franchement : je n'entreprendrai pas une autre session avec vous comme chef [60] !

Cette dernière répartie de Gosselin résonne comme un coup de canon. Un véritable chef peut-il essuyer impunément un pareil affront ? Le caucus est au bord de la scission. Jean-Jacques Bertrand n'a pas dit un seul mot. Il s'est contenté d'écouter les Armand Russell, Fernand Lizotte, Jean-Paul Cloutier, Raymond Johnston et les autres. Ceux qui parlent le plus fort contre le chef ne font pas la majorité. C'est alors que s'approche du micro le député de Sainte-Marie, Edgar Charbonneau. Le bijoutier lance, en des termes pathétiques, un vibrant appel à l'unité du parti. C'est le point tournant.

— Nous sommes tous ici pour que vous acceptiez le chef et le parti, s'exclame-t-il en regardant Bertrand et Gosselin. Vous partez ou, si vous restez, vous cessez de dénigrer le chef et l'Union nationale. Quand nous allons sortir d'ici, nous serons peut-être seulement deux, M. Johnson et moi, mais au moins nous serons unis !

Un déclic se produit chez les députés — ils ovationnent bruyamment l'humble bijoutier. À soixante-trois ans, c'est l'un des doyens du parti. C'est un homme sans malice. On ne lui connaît pas d'ennemis dans le parti. Il est en bons termes avec Bertrand comme avec Johnson et n'appartient à aucun clan. C'est un petit commerçant qui applique en politique le principe selon lequel le client a toujours raison. Comment se ferait-il des ennemis, cet homme tranquille qui ressemble à l'épicier du coin? Il a des opinions sur les uns et les autres, mais les garde pour lui. Par exemple, si la mémoire de Johnson l'impressionne, il n'aime pas ses habitudes de couche-tard. Bertrand a de grandes qualités, mais il est orgueilleux comme un paon. Et agressif en plus ! — on dirait que les petits hommes doivent toujours faire le coq[61] !

Sous l'apparente bonhomie d'Edgar Charbonneau se cache néanmoins un homme qui a pris conscience de l'abîme que côtoie le parti. Aussi, quand l'organisateur Fernand Lafontaine, passé maître dans l'art de retourner des situations apparemment désespérées, est venu lui demander de mettre l'épaule à la roue pour briser l'impasse dans laquelle se trouve l'Union nationale, le bijoutier a rapidement été d'accord.

Lafontaine lui a confié :

— Je suis tanné du caucus... les députés ne marchent pas derrière le chef. « Son père », êtes-vous capable de mettre les cartes sur la table ?

— Moi aussi, je suis tanné de cette désunion ! réplique le sexagénaire. Ah oui ! vous pouvez compter sur moi. Je vais les mettre sur la table, les cartes[62] !

Bertrand aussi est impressionné par le bon sens du « père » Charbonneau. C'est maintenant à lui de parler : la mise en demeure du député de Sainte-Marie lui interdit de se taire plus longtemps. Il a perdu beaucoup d'appuis et est en minorité au caucus — les interventions des deux derniers jours le lui ont démontré. En dépit de leur impatience, les jeunes députés se sont ralliés à Johnson. Quant aux anciens — les René Bernatchez, Roméo Lorrain, Antonio Élie et autres —, ils ont hérité de leur période duplessiste le réflexe grégaire de ne jamais contester le chef. La brusquerie du député de Compton a resserré les rangs autour du chef humilié.

Avant le caucus, Bertrand s'était entendu avec ses collègues

Dozois et Gosselin pour exiger des réformes. Si Johnson ne bougeait pas, il démissionnait avec fracas. Le député de Missisquoi s'est présenté au caucus avec sa lettre de démission en poche. Son attitude finale va dépendre de celle de Johnson. Habile comme toujours, celui-ci donne des gages à son rival. Au cour d'un entretien, il lui promet que le congrès général du parti aura lieu en mars et que le comité politique se mettra au travail sans plus tarder afin de démocratiser le parti. On allait ouvrir les portes de l'Union nationale et l'aérer selon ses exigences.

Après avoir rappelé sa lutte des dernières années pour la démocratisation du parti, Jean-Jacques Bertrand ajoute d'un ton qui laisse prévoir son ralliement :

— Daniel est le chef de l'Union nationale. J'ai eu des discussions très confidentielles avec lui. J'ai, aujourd'hui, l'assurance que les changements que nous voulons, nous les aurons[63] !

Dans un geste dramatique, l'irréductible Jean-Jacques Bertrand se dirige alors vers Daniel Johnson. Les deux éternels antagonistes échangent une longue et chaude poignée de main devant un caucus enfin serein. Bertrand proclame :

— Comptez sur moi ! Je suis à cent pour 100 avec vous et je serai solidaire du parti.

Jean-Jacques Bertrand met un terme à son schisme. Il donne enfin à son chef le baiser de la paix. L'Union nationale tourne la page des dissensions internes qui la paralysaient depuis le congrès de 1961. Le vaincu, l'enfant terrible, abdique enfin. Il reconnaît l'autorité du chef élu par les militants. Un autre mouton noir, Yves Gabias, baisse lui aussi pavillon après avoir expliqué une dernière fois à ses collègues les bases de son opposition. Gabias obtient du chef l'assurance de son appui quand il contestera en janvier le « geste dictatorial et antidémocratique » posé par Jean Lesage et réclamera le privilège de reprendre son siège.

Notes — Chapitre 10

1. Jacques Guay.
2. Maurice Giroux, « Où va l'Union nationale ? » série de quatre articles publiés dans *Le Devoir*, du 24 au 27 août 1960.
3. *Le Devoir*, le 16 novembre 1960.
4. *Le Devoir*, les 29 juin, 4 et 8 juillet 1963.
5. Les demandes des évêques ont été publiées dans *Le Devoir* du 3 septembre 1963.
6. *Le Devoir*, les 13 août et 23 septembre 1963.
7. *Le Devoir*, les 23 et 24 septembre 1963.
8. *Le Devoir*, le 26 novembre 1963.
9. Charles Pelletier.
10. Antonio Flamand ; et *Le Devoir*, le 21 février 1964.
11. Denis Monière, *op. cit.*, p. 322.
12. Vingt ans après l'institution de la commission Salvas, Jean Lesage lui-même et deux anciens ministres de son cabinet, Georges-Émile Lapalme et Bona Arsenault, ont reconnu qu'il y avait d'autres moyens plus généreux de redresser les torts ou de corriger les mœurs. Pour Jean Lesage, le jeu n'en valait pas la chandelle, car on avait fait trop de mal à des gens qui n'étaient pas nécessairement les plus coupables. Voir à ce sujet Cardinal, Lemieux et Sauvageau, *op. cit.*, p. 202-203.
13. Antonio Flamand.
14. *La Presse*, le 8 juillet 1961.
15. Vincent Lemieux et Raymond Hudon, *Patronage et Politique au Québec 1944-1972*, Sillery, Éditions du Boréal Express, 1975, p. 155.
16. Miriam Chapin, « The Dust Settles in Quebec », *Saturday Night*, Toronto, octobre 1960, vol. 75, n° 21, p. 21-24.
17. *Le Devoir*, le 29 mai 1956. Selon le directeur du Service des achats sous Duplessis, M. Alfred Hardy, l'entretien des machines vendues par la maison Martineau était encore plus profitable que la vente elle-même. Pour les machines à écrire, par exemple, le technicien devait en principe les nettoyer et changer les rubans tous les mois et demi. Mais ce délai était rarement respecté et, bien souvent, on nettoyait et changeait les rubans même quand ce n'était pas nécessaire. Selon M. Hardy, les revenus provenant de l'entretien des milliers de machines à écrire utilisées dans la fonction publique croissaient de façon géométrique.
18. Antonio Flamand.
19. Jacques Guay.
20. Alfred Hardy.
21. Pierre de Bellefeuille, *op. cit.*, p. 34.
22. *Le Devoir*, le 5 juillet 1963.

23. *Le Devoir*, le 13 juillet 1963.

24. *Le Devoir*, le 26 novembre 1964.

25. Le juge Maurice Johnson.

26. *Le Devoir*, le 9 juillet 1964.

27. Claude Gosselin.

28. *Le Devoir*, les 10 et 11 juillet 1964.

29. *Le Devoir*, le 11 juillet 1964.

30. *Le Devoir*, le 30 juillet 1964.

31. *Le Devoir*, le 17 août 1964.

32. *Le Devoir*, les 19, 20 et 22 août 1964.

33. Paul Gros d'Aillon, *op. cit.*, p. 71.

34. *Le Devoir*, le 6 février 1964.

35. Jean-Noël Tremblay.

36. Le juge Maurice Johnson.

37. *Le Devoir*, le 8 septembre 1964.

38. Christian Viens.

39 Fernand Lafontaine.

40. Mario Beaulieu.

41. André Lagarde.

42. Allusion à l'assassinat du président Kennedy survenu en 1963 dans la ville de Dallas, au Texas.

43. Nom de la star américaine Elizabeth Taylor.

44. *Le Devoir*, le 26 octobre 1964.

45. *Le Devoir*, le 29 octobre 1964.

46. Yvette Marcoux.

47. Le juge Maurice Johnson.

48. Pierre-Marc Johnson.

49. Antonio Flamand.

50. *Le Devoir*, le 17 novembre 1964.

51. Fernand Lafontaine et Christian Viens.

52. Paul Dozois.

53. Claude Gosselin.

54. *Ibid.*

55. *Ibid.*

56. *Ibid.*

57. *Ibid.*

58. *Ibid.*

59. Paul Dozois.

60. Claude Gosselin.

61. Edgar Charbonneau.

62. Fernand Lafontaine.

63. Claude Gosselin.

Bibliographie

LES ENTREVUES

L'auteur tient à exprimer ses profonds remerciements aux personnes qui ont accepté de le rencontrer durant la rédaction de ce livre. Ces témoins se regroupent dans les catégories suivantes : collaborateurs et conseillers immédiats, ministres, députés, militants, hauts fonctionnaires, diplomates, journalistes, parents, amis, confidents et confrères séminaristes. Voici la liste par ordre alphabétique.

Archambault, Maurice
Beaudry, Jean-Paul
Beaulieu, Mario
Bellemare, Maurice
Bernard, Louis
Bertrand, Guy
Bourgault, Pierre
Bruneau, Jean
Cardinal, Jean-Guy
Cardinal, Jean-Paul
Chapdelaine, Jean
Charbonneau, Edgar
Chouinard, Paul
D'Allemagne, André
Desjardins, Régent
Dozois, Paul
Drapeau, Jean
Faribault, Marc
Flamand, Antonio
Girard, Alphonse
Giroux, Maurice

Giroux, Roland
Gosselin, Claude
Guay, Jacques
Hardy, Alfred
Johnson, Daniel (fils)
Johnson, Maurice
Johnson, Pierre-Marc
Lafontaine, Fernand
Lagarde, André
Lalîme, Alfred
Lamarche, Guy
Lavallée, Marc
Léger, Jules
Lemoyne, Samuel
Levert, Paul
Loiselle, Jean
Lussier, Robert
Lynch, Raymond
Marcoux, Yvette
Masse, Marcel
Ouellet, Roger

Parizeau, Jacques
Patry, André
Pelletier, Charles
Petit, Paul
Pineault, Jacques
Pronovost, Martin
Proulx, Jérôme

Quinn, Herbert
Russell, Armand
Sansoucy, Léo
Tormey, Réginald
Tremblay, Jean-Noël
Viens, Christian
Vincent, Clément

LES MÉDIAS ÉCRITS

Quotidiens et hebdomadaires : nous avons utilisé le quotidien *Le Devoir* pour la chronologie des événements. Les titres des autres quotidiens et hebdomadaires consultés suivent :

La Presse
Le Canada
Le Soleil
L'Action catholique
La Patrie
The Gazette
The Montreal Star
Montréal-Matin
Le Temps
The Financial Post
Québec-Presse
The Globe and Mail
The Toronto Telegram
La Réforme

Périodiques

Canadian Business
Cité libre
Commerce
Culture
Esprit
L'Action nationale
L'Actualité
Le Magazine Maclean
Le Quartier latin
Libre Magazine
Maclean's
Maintenant
Recherches sociographiques
Relations
Revue des deux Mondes
*Revue d'histoire de
     l'Amérique française*
Saturday Night
Sept-Jours
The Monetary Times

LES MÉDIAS ÉLECTRONIQUES

Office national du film : nous tenons à remercier particulièrement John Kramer et Rita Roy, respectivement réalisateur et recherchiste du film *The Inheritance*, consacré au premier ministre Daniel Johnson. Un échange de bons procédés a permis à l'auteur d'avoir accès aux interviews et aux matériaux sonores et visuels réunis pour la préparation du film. Inversement, l'équipe de l'ONF a pu disposer des travaux de recherche et entrevues nécessaires à la rédaction de ce livre.

Radio-Canada

* *Post Scriptum*, entrevue avec Daniel Johnson réalisée par les journalistes Gérard Pelletier et Fernand Séguin, le 5 juillet 1965.
* Débat télévisé entre Jean Lesage et Daniel Johnson diffusé le 11 novembre 1962.
* La soirée des élections télévisée diffusée le 5 juin 1966.
* *À suivre*, entrevue avec André Patry radiodiffusée le 8 avril 1979.
* *L'Histoire de la presse écrite au Québec*, série radiodiffusée en janvier 1980.

Radio-Québec

Daniel Johnson, émission consacrée à l'ancien premier ministre dans la série « Visages » et diffusée le 2 novembre 1977.

Studios CJMS

L'homme Daniel Johnson, 1915-1968, disque retraçant les grandes étapes de la vie de l'homme politique et lancé le 5 octobre 1968 par la station de radio CJMS.

SOURCES DOCUMENTAIRES

Note : nous avons regroupé sous ce titre les archives, rapports d'enquêtes, documents publics, études gouvernementales, manifestes électoraux, brochures, etc.
* Archives du séminaire de Saint-Hyacinthe
* Archives de la province de Québec
* *Journal des Débats*
* Correspondance de Lester B. Pearson à Daniel Johnson publiée en annexe au document *Fédéralisme et Conférences internationales sur l'éducation*, Ottawa, Imprimeur de la reine, 1968.

- Correspondance échangée entre Daniel Johnson et le général de Gaulle à l'occasion de la visite du premier en France et du second au Québec, en mai et juillet 1967.
- Rapport de la Commission royale d'enquête sur la vente du réseau gazier d'Hydro-Québec à la Corporation de gaz naturel, Québec, août 1962.
- Rapport de la Commission royale d'enquête sur l'enseignement dans la province de Québec, Québec, 1966.
- « Le Gouvernement du Québec et la Constitution », déclarations et allocutions du premier ministre Daniel Johnson aux conférences fédérales-provinciales de septembre 1966 et février 1968, et à la conférence interprovinciale tenue à Toronto en novembre 1967.
- *Plan d'action pour une jeune nation,* manifeste électoral de l'Union nationale aux élections de novembre 1962.
- Programmes électoraux officiels du Parti libéral et de l'Union nationale aux élections de juin 1966.
- « Rencontre du Club des volailles », transcription des discussions entre les porte-parole de l'Union nationale et du Rassemblement pour l'indépendance nationale à Saint-Adolphe-d'Howard en avril 1964.
- BERTRAND, Jean-Jacques, *Pour un renouveau,* manifeste du député de Missisquoi au congrès à la direction de l'Union nationale, septembre 1961.
- CARDINAL, Jean-Guy, *L'Union vraiment nationale,* manifeste publié en 1969 à l'occasion de la course à la direction de l'Union nationale.
- JOHNSON, Daniel, *Égalité ou Indépendance,* Montréal, Éditions de l'Homme, 1965, 125 pages.
- MARTIN, Paul, *Fédéralisme et Relations internationales,* Ottawa, Imprimeur de la reine, 1968.
- SHARP, Mitchell, *Fédéralisme et Conférences internationales sur l'éducation,* Ottawa, Imprimeur de la reine, 1968.
- TREMBLAY, Jean-Noël, *La Confédération ! Combien de temps faudra-t-il la subir ?,* Saint-Hyacinthe, Éditions Alerte, 1961, 16 pages.

AUTOBIOGRAPHIES

- BARRETTE, Antonio, *Mémoires,* Montréal, Beauchemin, 1966, 448 pages.

- CHALOULT, René, *Mémoires politiques*, Montréal, Éditions du Jour, 1969, 295 pages.
- DE MENTHON, Pierre, *Je témoigne – Québec 1967, Chili 1973*, Paris, Éditions du Cerf, 1979, 152 pages.
- LAMARSH, Judy, *Memoirs of a Bird in a Gidded Cage*, Toronto, McClelland and Stewart, 1969, 367 pages.
- LAPALME, Georges-Émile, *Mémoires. Le Paradis du pouvoir*, vol. 3, Montréal, Leméac, 1973, 263 pages.
- PEARSON, Lester B., *Mike : the Memoirs of the Right Honorable Lester B. Pearson*, vol. 3, Toronto, University of Toronto Press, 1975, 338 pages.
- SÉVIGNY, Pierre, *Le Grand Jeu de la politique*, Montréal, Éditions du Jour, 1965, 347 pages.

BIOGRAPHIES

- BLACK, Conrad, *Duplessis. Le Pouvoir*, Montréal, Éditions de l'Homme, 1977, 623 pages.
- *Current Biography*, vol. 28, New York, H.W. Wilson, 1967.
- DESBARATS, Peter, *René Lévesque ou le projet inachevé*, Montréal, Fides, 1976, 270 pages.
- GROS D'AILLON, Paul, *Daniel Johnson. L'égalité avant l'indépendance*, Montréal, Stanké, 1979, 257 pages.
- LAPORTE, Jean-Louis, *Daniel Johnson, cet inconnu*, Montréal, Beauchemin, 1968, 112 pages.
- LAPORTE, Pierre, *Le Vrai Visage de Duplessis*, Montréal, Éditions de l'Homme, 1960, 140 pages.
- *Nous avons connu Duplessis*, ouvrage écrit en collaboration, Montréal, Éditions Marie-France, 1977, 93 pages.
- PROVENCHER, Jean, *René Lévesque. Portrait d'un Québécois*, Montréal, Éditions La Presse, 1973, 270 pages.
- QUINN, Herbert F., *The Union Nationale, A Study in Quebec Nationalism*, Toronto, University of Toronto Press, 1963, 249 pages.
- RUMILLY, Robert, *Maurice Duplessis et son temps*, tomes I et II, Montréal, Fides, 1973, 722 et 747 pages.
- STURSBERG, Peter, *Diefenbaker, Leadership Gained 1956-1962*, Toronto, University of Toronto Press, 1975, 278 pages.

ÉTUDES GÉNÉRALES

- BENJAMIN, Jacques, *Comment on fabrique un premier ministre québécois*, Montréal, Éditions de L'Aurore, 1975, 190 pages.
- BERGERON, Guy, *Du duplessisme au johnsonisme, 1956-1966*, Montréal, Parti Pris, 1967, 470 pages.
- BERTRAND, Guy, *L'État du Québec*, Québec, Éditions Fleur de Lys, 1965.
- BOURDON, Joseph, *Montréal-Matin, son histoire, ses histoires*, Montréal, Éditions La Presse, 1978, 470 pages.
- CARDINAL, Mario, Vincent Lemieux et Florian Sauvageau, *Si l'Union nationale m'était contée...*, Montréal, Éditions du Boréal Express, Montréal, 1978, 348 pages.
- COUVE DE MURVILLE, Maurice, *Une politique étrangère 1958-1969*, Paris, Plon, 1971, 499 pages.
- D'ALLEMAGNE, André, *Le RIN et les Débuts du mouvement indépendantiste québécois*, Montréal, Éditions de l'Étincelle, Montréal, 1974, 160 pages.
- DESBARATS, Peter, *The State of Quebec*, Toronto, McClelland and Stewart, 1965, 188 pages.
- DION, Gérard et Louis O'Neill, *Le Chrétien et les Élections*, Montréal, Éditions de l'Homme, 1960, 123 pages.
- *Dossier Québec*, ouvrage écrit en collaboration, Paris, Stock, 1979, 519 pages.
- GIROUX, Maurice, *La Pyramide de Babel*, Montréal, Éditions de Sainte-Marie, 1967, 138 pages.
- GROSSER, Alfred, *Les Occidentaux*, Paris, Fayard, 1978.
- HARDY, Alfred, *Patronage et Patronneux*, Montréal, Éditions de l'Homme, 1979, 149 pages.
- LAGARDE, André, *Le Scandale des faux certificats*, Laval-des-Rapides, Éditions LeSieur ltée, 1964, 160 pages.
- LA TERREUR, Marc, *Les Tribulations des conservateurs du Québec*, Québec, Presses de l'Université Laval, 1973, 265 pages.
- LEMIEUX, Vincent et Raymond Hudon, *Patronage et Politique au Québec 1944-1972*, Montréal, Éditions du Boréal Express, 1975, 187 pages.
- MALLEN, Pierre-Louis, *Vive le Québec libre*, Montréal, Plon, Presses de la Cité, 1978, 378 pages.
- MALLEN, Pierre-Louis, *Êtes-vous dépendantiste ?*, Montréal, Éditions La Presse, 1979, 163 pages.

- MALONE, Mark, « Le Double Visage de la francophonie », in *L'Univers politique*, Paris, Éditions Richelieu, 1968, 534 pages.
- MONIÈRE, Denis, *Le Développement des idéologies au Québec*, Montréal, Québec/Amérique, 1977, 377 pages.
- MONNET, François-Marie, *Le Défi québécois*, Montréal, Éditions Quinze, 1977, 255 pages.
- MORIN, Claude, *Le Pouvoir québécois en négociation*, Montréal, Éditions du Boréal Express, 1972, 207 pages.
- MORIN, Claude, *Le Combat québécois*, Montréal, Éditions du Boréal Express, 1973, 189 pages.
- NEWMAN, Peter, *Renegate in Power*, Toronto, McClelland and Stewart, 1964, 414 pages.
- NEWMAN, Peter, *The Distemper of our Times*, Toronto, McClelland and Stewart, 1968, 558 pages.
- NEWMAN, Peter, *The Canadian Establishment*, vol. 1, McClelland and Stewart, Toronto, 1977, 551 pages.
- O'NEILL, Pierre et Jacques Benjamin, *Les Mandarins du pouvoir*, Montréal, Québec/Amérique, 1978, 285 pages.
- PATRY, André, *Le Québec dans le monde*, Montréal, Leméac, 1980, 167 pages.
- PEYREFITTE, Alain, *Le Mal français*, Paris, Plon, 1976, 524 pages.
- PROULX, Jérôme, *Le Panier de crabes*, Montréal, Parti Pris, 1971, 207 pages.
- ROUANET, Anne et Pierre, *Les Trois Derniers Chagrins du général De Gaulle*, Paris, Grasset, 1980, 487 pages.
- ROY, Jean-Louis, *Le Choix d'un pays*, Montréal, Leméac, 1978, 366 pages.
- SIMEON, Richard, *Federal-Provincial Diplomacy*, Toronto, University of Toronto Press, 1972, 324 pages.
- TAINTURIER, Jean, *De Gaulle au Québec, le dossier des quatre journées*, Montréal, Éditions du Jour, 1967, 119 pages.
- TRUDEAU, Pierre Elliott, *Le Fédéralisme et la Société canadienne-française*, Montréal, Éditions HMH, 1967, 227 pages.

Index

Table des matières

Infographie : Édition•Typographie•Conseils (ETC)
Montréal, Québec

Achevé   Imprimerie
d'imprimer Gagné Ltée
au Canada Louiseville

En mai 1991

Photo: Yves Medam

Pierre Godin, journaliste et écrivain, est né à Québec. Il a étudié les sciences politiques à l'Université de Montréal avant d'exercer sa profession à *La Presse,* au *Jour,* à *Québec Presse,* à Radio-Canada, à Radio-Québec et au *Devoir.*

27

BORÉAL COMPACT

Boréal compact présente des rééditions de textes significatifs – romans, essais ou documents – dans un format pratique et à des prix accessibles aux étudiants et au grand public.

Dans cette vaste histoire de la Révolution tranquille, Pierre Godin s'attache à mettre au jour les prémices de cet événement clé de l'histoire du Québec contemporain de même que ses multiples conséquences, de l'après-guerre jusqu'au référendum de 1980.
Ce premier volet intitulé *La Fin de la grande noirceur* reprend le tome I de la magistrale biographie de Daniel Johnson que Pierre Godin avait fait paraître en 1980 et couvre la période 1946-1966. L'ouvrage terminé comprendra cinq volumes. Le deuxième volume, *La Difficile Recherche de l'égalité,* est également paru en «Boréal compact».

«Une étude fouillée qui, en raison de la qualité de l'écriture, de l'impitoyable sens critique et du sain scepticisme de l'auteur, se lit comme un roman. Un roman dont on a intérêt à entreprendre la lecture lorsqu'on a plusieurs heures devant soi puisque, dès les premières pages, on a envie de lire tout d'une traite.»
Pierre Gravel et Jacques Bouchard, *La Presse*

9 782890 523807
ISBN 2-89052-380-2

Imprimé au Canada